Plus de 100 tests pour se préparer et réussir

3e année

français - mathématique - anglais

Plus de

100 tests

3e année

Français Mathématique Anglais

Colette Laberge

Guillaume Aubin

Plus de 100 tests pour se préparer et réussir – 3e édition – 3e année

Colette Laberge

Correction d'épreuves : ContenuMultimedia.com, Yzabelle Martineau, Lina Binet et Leila Marshy
Conception graphique et mise en page : Bruno Paradis
Conception de la couverture : Julie Deschênes
Infographie : Geneviève Laforest

Sources iconographiques

Couverture : Mika
Shutterstock.com

5800, rue Saint-Denis, bureau 900
Montréal (Québec) H2S 3L5 Canada
Téléphone : 514 273-1066
Télécopieur : 514 276-0324 ou 1 800 814-0324
caractere@tc.tc

ISBN 978-2-89742-221-9

Dépôt légal : 1er trimestre 2018
Bibliothèque et Archives nationales du Québec
Bibliothèque et Archives Canada

Imprimé au Canada

2 3 4 5 6 M 22 21 20 19 18

Gouvernement du Québec – Programme de crédit d'impôt pour l'édition de livres – Gestion SODEC.

Ce projet est financé en partie par le gouvernement du Canada

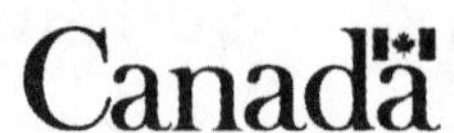

MATHÉMATIQUE 155

français

mathématique

anglais

Mot aux parents

Plus de 100 tests pour se préparer et réussir ! s'adresse aux parents qui veulent aider leurs enfants à progresser dans leur cheminement scolaire. Ce livre vise à tester les connaissances de votre enfant et à vérifier quelles notions sont bien apprises et lesquelles nécessitent un peu plus de travail.

Nous avons divisé le livre en trois sections qui couvrent l'essentiel du Programme de formation de l'école québécoise. Votre enfant pourra ainsi revoir à fond la majorité des notions apprises au courant de l'année scolaire. Vous n'avez pas à suivre l'ordre des sections. Vous pouvez travailler les sujets selon ce que votre enfant a déjà vu en classe.

Le principe est simple : un premier test portant sur une notion spécifique vous donnera une idée de ce que votre enfant connaît et des éléments qu'il ou elle doit travailler. Si le premier test est réussi, le test suivant, qui porte sur un autre sujet, peut alors être entamé. Si vous voyez que votre enfant éprouve quelques difficultés, une série d'exercices lui permettra d'acquérir les savoirs essentiels du Programme du ministère de l'Éducation. Un deuxième test est donné après la première série d'exercices dans le but de vérifier la compréhension des notions chez votre jeune. Si ce test est réussi, le test suivant devient alors son prochain défi, sinon une autre série d'exercices lui permettra d'étudier encore un peu plus. La plupart des sections de cet ouvrage sont ainsi divisées.

Les exercices proposés sont variés et stimulants. Ils favorisent une démarche active de la part de votre enfant dans son processus d'apprentissage et s'inscrivent dans la philosophie du Programme de formation de l'école québécoise.

Cet ouvrage vous donnera un portrait global des connaissances de votre enfant et vous permettra de l'accompagner dans son cheminement scolaire.

Bons tests !

Colette Laberge

Colette Laberge

Français 5

Les déterminants

→ Test d'évaluation Test de suivi

1. Colorie les cases qui contiennent un déterminant.

le	nos	vos	leurs	trois	vingt	des	aux	les	la
la	mou	café	oui	été	mars	mardi	obéir	gelée	papa
les	alors	encore	ou	et	main	ni	luire	moule	mais
un	pou	caille	bébé	valise	lundi	neige	yeux	héros	manie
une	lancer	merci	elle	ils	vache	aimer	voir	de	ciel
des	collet	mieux	gazon	lait	loup	tombe	sac	cher	nous
l'	chéri	avion	voisin	boisé	varan	banane	boa	image	ans
au	mes	tes	un	une	trente	notre	votre	vos	leurs
du	seul	vert	vrai	côté	rue	là	minute	pont	rond
des	lent	sud	haut	entre	frais	belle	actualité	mois	rapport
aux	viaduc	tragédie	science	expulsé	lundi	omis	justice	détenu	fuir
ce	parti	fonction	symbole	samedi	idée	action	voie	dénoncer	dérive
cette	religion	demander	contre	dès	sceau	ordinaire	jouet	plusieurs	adorer
cet	bâtir	terre	union	marché	pays	ouvrage	famille	à	rien
ces	deux	mon	ton	son	notre	votre	leur	mes	tes

Résultat /42

1. Colorie en vert les gouttes qui contiennent un déterminant.

a) mon
b) du
c) jadis
d) aux
e) surtout
f) où
g) quoique
h) par
i) cinq
j) ceux-ci
k) cette
l) que
m) notre
n) moins
o) ses
p) la
q) quelques
r) trente et un
s) toujours
t) personne
u) néanmoins
v) chaque
w) qui
x) leurs

2. Souligne les déterminants dans les phrases suivantes.

a) Ma mère et ma sœur ont mangé une glace à la vanille.

b) Hélène était heureuse d'être la nouvelle directrice.

c) Marc a les yeux verts et les cheveux noirs.

d) Mon amie habite à Trois-Rivières.

e) Zachary apprend une nouvelle chanson.

f) Les baleines vivent dans l'océan.

g) Dorothée a vu des lions, des tigres et des panthères.

h) Omar possède un iguane et une tortue.

i) Justine porte une robe verte et des collants noirs.

j) Les fleurs poussent dans le champ.

k) Les oiseaux sont perchés dans l'arbre.

l) Ma mère me chante une chanson pour m'endormir.

m) Mon frère adore le chocolat.

n) Rosalie se promène dans la forêt.

o) Karim fait le ménage de sa chambre.

p) Laurie joue aux cartes.

q) Mon chien jappe tous les soirs.

r) Simon a fait un mauvais rêve.

s) Ma sœur joue avec Mathilde.

3. Encadre le nom et écris s'il est féminin ou masculin et singulier ou pluriel. Ensuite, souligne le déterminant et trace une flèche qui relie le nom au déterminant.

masc. sing. fém. sing.

Exemple: Un écureuil a mangé une noix.

a) La grenouille saute haut.

b) Le prince nourrit son cheval.

c) Cette belle femme se regarde dans le miroir.

d) Quatre souris se cachent sous la table.

e) Mon frère et moi jouons aux échecs.

f) Ces fleurs sentent mauvais.

g) Notre grand-mère est une bonne cuisinière.

h) Leurs amis sont partis dans la forêt.

i) Certaines de mes plantes sont malades.

j) Beaucoup de mes chiens sont chez le vétérinaire.

k) Le soir, je joue avec mon frère.

l) Toutes mes amies sont absentes.

m) L'hiver, je joue souvent dehors.

n) Les pirates ont envahi l'île déserte.

o) L'ornithologue a perdu ses jumelles.

p) Les skieurs ont rapidement dévalé la pente.

q) Nos vaches sont dans le pâturage.

r) Ma sœur écoute la radio.

s) Quatre juments broutent dans le pré.

Les déterminants

Test d'évaluation → Test de suivi

1. Dans les phrases suivantes, des déterminants ont été soulignés. Transcris chaque déterminant dans la bonne valise selon sa nature.

a) Quel manteau porteras-tu cet hiver?
b) Trois chats sont sur le canapé du salon.
c) Le sixième joueur devra donner son chapeau.
d) Cette femme me semble louche.
e) Nous irons chercher nos valises dans quelques minutes.
f) Aucun élève n'a été puni aujourd'hui.
g) Des policiers ont interrogé plusieurs témoins.
h) Les cadeaux sont sous l'arbre.
i) Elle a reçu des skis pour Noël.
j) Ces filles sont âgées de douze ans.
k) Certains clowns me font peur.
l) Quelques enseignantes sont allées skier.
m) Dans leurs tiroirs, tu trouveras quelconques chaussettes.
n) Chaque soir, il lit mon journal.
o) Dans toutes les maisons, des enfants dorment.

Résultat /22

1. Souligne le déterminant et indique s'il s'agit d'un déterminant défini, d'un déterminant indéfini, d'un déterminant démonstratif, d'un déterminant possessif, d'un déterminant numéral ou d'un déterminant quantitatif.

a) La table est mise. ____________________

b) Ta robe est sale. ____________________

c) Cette voiture coûte cher. ____________________

d) Cent personnes sont là. ____________________

e) Notre maison est vieille. ____________________

f) L'automobile est en panne. ____________________

g) Une bouteille est lancée de haut. ____________________

h) Nos vélos sont rangés. ____________________

i) Cet arbre est vieux. ____________________

j) J'ai mis deux chandails. ____________________

k) Caroline va au parc. ____________________

l) Elle est revenue du centre commercial. ____________________

m) Ma montre retarde. ____________________

n) Sa chemise est rose et bleue. ____________________

o) Quelques poires sont mûres. ____________________

p) Les fleurs sont jolies. ____________________

q) Dix élèves sont absents. ____________________

r) Les enfants ont faim. ____________________

s) J'ai reçu un cadeau pour Noël. ____________________

2. Relie les déterminants soulignés au nom qu'ils accompagnent.
Écris si le nom est masculin ou féminin.

a) Mon amie mange des bonbons au chocolat.

b) Mon frère est très habile en ski.

c) Ma sœur est malade ce matin.

d) Ton école est fermée parce que le toit coule.

e) Ton vélo est appuyé contre un arbre.

f) Ta dictée était presque parfaite.

g) Son idée n'était pas très bonne.

h) Son retard nous a causé bien des problèmes.

i) Sa montre retarde de cinq minutes.

As-tu remarqué quelque chose de particulier?

____

3. Relie les déterminants soulignés au nom qu'ils accompagnent.
Écris si le nom est masculin ou féminin.

a) Cet auteur écrit des romans fantastiques.

b) Cette femme n'aura pas le temps de traverser la rue.

c) Cet oiseau m'empêche de dormir le matin.

d) Ce personnage donne froid dans le dos.

e) Cet assassin était recherché par tous les policiers de la province.

f) Ce livre-là est absolument fantastique.

g) Cette recette n'est pas complète.

As-tu remarqué quelque chose de particulier?

____

4. Souligne tous les déterminants dans le texte suivant et relie-les au nom qu'ils accompagnent.

Il pleure dans mon cœur (Paul Verlaine)

Il pleure dans mon cœur
Comme il pleut sur la ville;
Quelle est cette langueur
Qui pénètre mon cœur?

Ô bruit doux de la pluie
Par terre et sur les toits!
Pour un cœur qui s'ennuie,
Ô le chant de la pluie!

Il pleure sans raison
Dans ce cœur qui s'écœure.
Quoi ! Nulle trahison?...
Ce deuil est sans raison.

C'est bien la pire peine
De ne savoir pourquoi
Sans amour et sans haine
Mon cœur a tant de peine!

5. Écris au moins deux déterminants dans chacune des cases.

Déterminants définis et indéfinis	Déterminants possessifs	Déterminants démonstratifs	Déterminants numéraux	Déterminants quantitatifs

Le nom

→ Test d'évaluation Test de suivi

1. Souligne les noms communs et encercle les noms propres.

a) Roberto rêve d'avoir un nouveau vélo.

b) Juan vit au Guatemala.

c) Ma balançoire est brisée.

d) Mon petit frère va à la pêche.

e) Ma meilleure amie est fâchée contre moi.

f) Ma grande sœur Océane est née en 2009.

g) Pierre et Denis jouent au soccer.

h) Hélène écoute la radio.

i) Isabelle plante des fleurs roses.

j) Les élèves dessinent un paysage d'automne.

k) Mes pantalons sont trop petits.

l) Simon tourne un documentaire sur les baleines.

m) Ismaël court rapidement.

n) La falaise est très haute.

2. Souligne les noms communs et encercle les noms propres dans le texte suivant.

Mon amie Sophie a déménagé à Baie-Comeau sur la rue Principale. Depuis qu'elle est partie, je lui envoie souvent des courriels. Je m'ennuie d'elle et de son chien Milou. Cet été, j'irai la voir et nous pourrons aller marcher sur le bord du fleuve Saint-Laurent.

3. Réponds par vrai ou faux.

a) Un nom propre commence toujours par une majuscule. _______________

b) Un nom propre peut comporter plus d'un mot. _______________

Résultat 

1. Souligne les noms propres et encercle les noms communs dans les phrases suivantes et recopie-les dans la bonne colonne.

a) Malika est ma sœur.

b) Marc habitait Montréal avant de déménager en Angleterre.

c) Le *Titanic* a frappé un iceberg.

d) Il y a beaucoup de Chinois qui vivent à Montréal.

e) Mon chien s'appelle Rex.

f) J'irai jouer au parc La Fontaine après l'école.

Noms communs	Noms propres

2. Colorie en rouge les cœurs qui contiennent un nom.

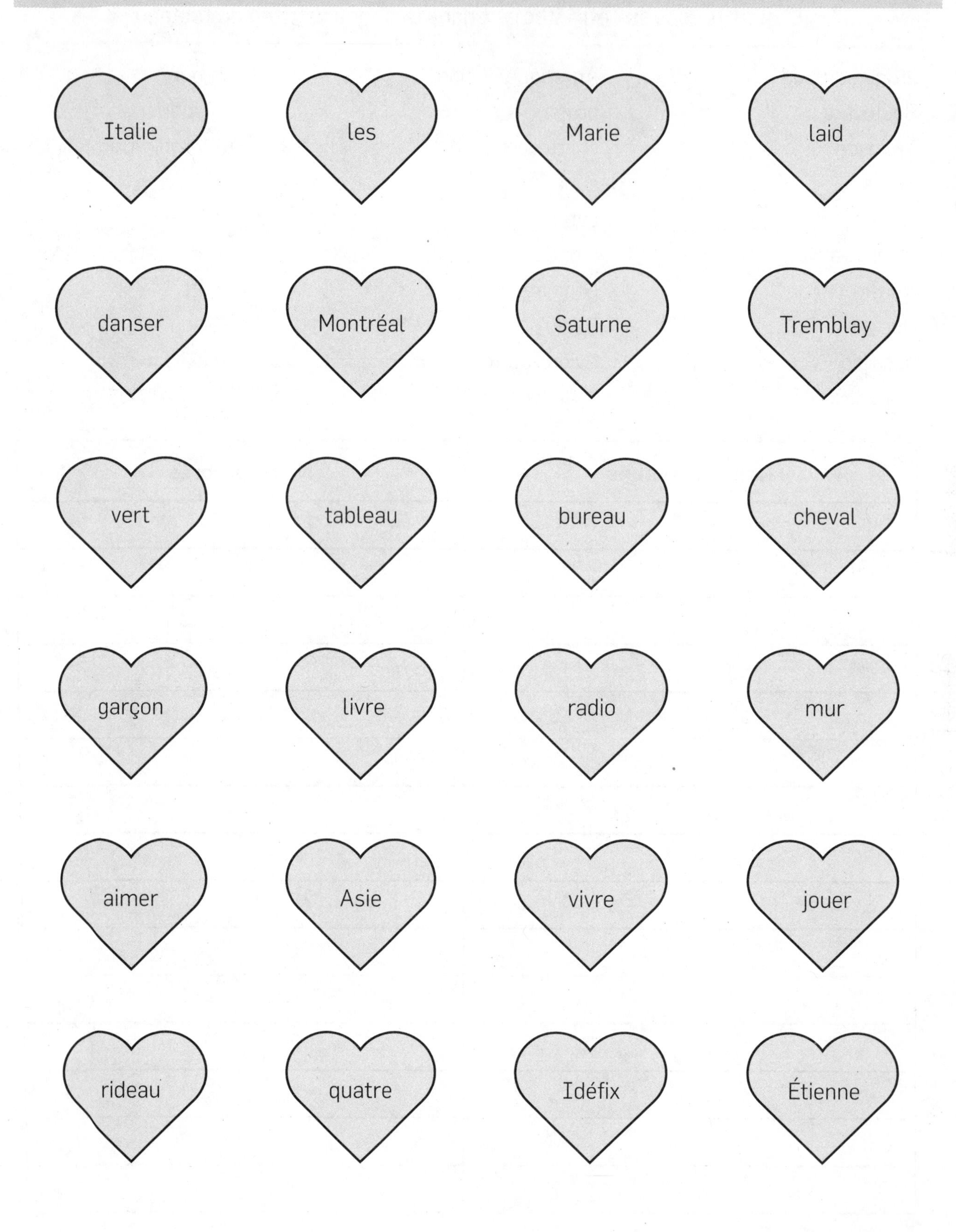

3. Repère les noms communs et les noms propres dans la liste suivante. Ensuite, écris-les correctement dans la bonne colonne du tableau.

afrique du Sud
Boulevard
Chanson
Corps
France
Manitoba
Nunavut
Québec
riccardo
Trois-rivières

Amérique du nord
bras
charlevoix
cuba
livre
Monde
Ordinateur
Radio
rivière-du-loup
Vacances

amour
calendrier
Colombie-britannique
Damien
maison
nouveau-brunswick
photo
Raison
Rue
Victoria

Noms communs	Noms propres

français
mathématique
anglais

Le nom

Test d'évaluation → Test de suivi

1. Souligne les noms dans les phrases suivantes. Ensuite, indique s'il s'agit d'un nom propre ou d'un nom commun. Attention, il y a parfois plus d'un nom dans les phrases.

a) Il y a beaucoup de Français à Montréal. ______________________

b) Martin et Isabelle regardent la télévision. ______________________

c) Les fleurs poussent vite dans nos plates-bandes. ______________________

d) Florence achète des fruits et des légumes. ______________________

e) Mon frère veut des livres et des jeux pour Noël. ______________________

f) Caroline veut aller voir un film. ______________________

g) Dimanche, nous irons visiter un musée. ______________________

h) Henri a skié au mont Sainte-Anne. ______________________

i) Qui a aidé William à faire ses devoirs? ______________________

j) Franco a acheté une nouvelle voiture. ______________________

k) Fatima et Nawel mangent du chocolat. ______________________

l) L'avocate a bien défendu son client. ______________________

m) Les danseurs ont exécuté une chorégraphie difficile. ______________________

n) Le boulanger prend la commande d'une cliente. ______________________

o) Le dindon s'est enfui dans la forêt. ______________________

p) Les garçons jouent au soccer. ______________________

q) Les étoiles brillent dans le ciel. ______________________

r) La Terre est une planète. ______________________

s) Omar aime le cinéma. ______________________

Résultat /84

1. Classe les noms communs et les noms propres dans la bonne catégorie.

Asie, Australie, Barcelone, Blanche-Neige, Cendrillon, chat, cheval, chien, clown, fée, Fidji, Garfield, géant Beaupré, Idéfix, Jolly Jumper, lutin, Maroc, montagne, mouton, ogre, parc, pays, père Noël, province, Raiponce, Rantanplan, Sept-Îles, sorcière, souris, vache

Personnes ou personnages	Animaux	Lieux

2. Ajoute un *C* majuscule si c'est un nom propre et un *c* minuscule si c'est un nom commun.

a) ___aroline b) ___hine c) ___arré d) ___ommérage

e) ___araïbes f) ___ahier g) ___olombie h) ___itrouille

i) ___rayon j) ___ousine k) ___oncombre l) ___harles

m) ___arafe n) ___onserve o) ___oralie p) ___ycle

q) ___anada r) ___hemin s) ___ampagne t) ___arole

3. Souligne les noms dans le poème suivant.

L'albatros

Charles Baudelaire

Souvent, pour s'amuser, les hommes d'équipage

Prennent des albatros, vastes oiseaux des mers,

Qui suivent, indolents compagnons de voyage,

Le navire glissant sur les gouffres amers.

À peine les ont-ils déposés sur les planches,

Que ces rois de l'azur, maladroits et honteux,

Laissent piteusement leurs grandes ailes blanches

Comme des avirons traîner à côté d'eux.

Ce voyageur ailé, comme il est gauche et veule!

Lui, naguère si beau, qu'il est comique et laid!

L'un agace son bec avec un brûle-gueule,

L'autre mime, en boitant, l'infirme qui volait!

Le Poète est semblable au prince des nuées

Qui hante la tempête et se rit de l'archer;

Exilé sur le sol au milieu des huées,

Ses ailes de géant l'empêchent de marcher.

4. Lis le texte suivant et trouve les noms propres de lieux, de personnes et d'animaux. Corrige-les et écris-les dans la colonne correspondante.

Bonjour jacinthe,

Je voulais te remercier de m'avoir accueillie chez toi, à bromont, la fin de semaine dernière. Je me rappellerai toujours ma promenade sur ta jument belle. Ton chien max m'a fait beaucoup rire lorsqu'il a voulu mordre cannelle, ton cheval.

Durant mon trajet de retour vers trois-rivières, j'ai parlé avec une fille qui s'appelle pauline. Elle étudie à l'université de montréal en médecine. C'était très intéressant. Je me demande bien ce que j'aimerais faire plus tard.

J'attends de tes nouvelles !

émilie

Lieux	Personnes	Animaux

Les verbes : reconnaître les verbes, se situer dans le temps…

→ Test d'évaluation Test de suivi

1. Souligne les verbes conjugués et encercle les verbes à l'infinitif.

a) Martin visite le Musée des beaux-arts.

b) Marjorie et Marie-Pier suivent des cours de dessin.

c) Il vous faudra lire et étudier tous les jours.

d) Charles joue de la guitare.

2. Indique à quel moment se déroule l'action. Coche la case appropriée.

		Passé	Présent	Futur
a)	Steven a joué dans l'orchestre de l'école.			
b)	Jules ira en Italie cet été.			
c)	Nadine écoute la télévision.			
d)	Nous avons joué dehors toute la journée.			

3. Comment s'appelle la partie du verbe qui est en gras ? Et la partie soulignée ?

Nous **mange**ons ______________________________

4. En général, lorsque le verbe est conjugué à la deuxième personne du singulier il se termine par : ____________

1. Souligne les verbes conjugués. Ensuite, sépare le radical de la terminaison par une barre oblique (/).

a) Nous mangeons au restaurant.

b) Les élèves étudient le temps des verbes.

c) Vous aimerez ce livre.

d) Ils finiront bien par découvrir qui a volé le trésor.

e) Personne ne pourra entrer dans l'école après la fin des cours.

f) Les baleines sortiront de l'eau pour respirer.

g) Ils entendent un drôle de bruit dans le placard.

h) Raphaël craindra toujours les lions.

i) Jérôme et Andrée écriront une lettre à la directrice.

2. Ajoute la terminaison au radical des verbes conjugués au présent de l'indicatif.

a) Louis et Benjamin aim______ le hockey.

b) Nous visit______ la ferme de mon amie Laura.

c) Tes cousines cour______ vite.

d) Tu danse______ bien.

e) Vous ouvr______ la fenêtre.

3. Indique si l'action se déroule au passé, au présent ou au futur.

a) Les enfants se déguisent à l'Halloweeen. _________

b) Mon oncle a été en Floride. _________

c) Caroline cueillera des pommes. _________

d) Nous apercevons la tour Eiffel de la fenêtre de notre chambre. _________

e) J'ai créé un site Web sur les voitures de course. _________

f) Je craignais les fantômes. _________

g) Je suis une fille. _________

h) Je serai médecin. _________

i) Elles finissent de s'habiller. _________

j) Elle est venue nous rendre visite l'an dernier. _________

k) J'ai servi des pétoncles au souper. _________

4. Écris une phrase dont l'action se déroule au présent.

____

5. Écris une phrase dont l'action se déroule au passé.

____

6. Écris une phrase dont l'action se déroule au futur.

____

7. Replace les lettres des verbes en ordre. Ensuite, écris la lettre correspondant à l'illustration à côté du verbe.

1. mnager _____

_____

a) 

2. cotéuer _____

_____

b) 

3. dmorri _____

_____

c) 

4. snetri _____

_____

d) 

5. mracrhe _____

_____

e) 

6. lnaecr _____

_____

f) 

7. lier _____

_____

g) 

Les verbes : reconnaître les verbes, se situer dans le temps…

Test d'évaluation → **Test de suivi**

1. Lis le texte suivant. Souligne tous les verbes conjugués et encercle les verbes à l'infinitif.

Kevin n'en revenait pas ! Il venait de lire dans le journal de quartier qu'un promoteur immobilier avait l'intention d'abattre tous les arbres du parc derrière l'école pour construire des maisons.

Il ne voulait pas que cela se produise. Où les enfants iraient-ils s'amuser ? Avec l'aide de ses parents, Kevin a écrit une lettre ouverte au journal. Il a préparé une pétition. Plusieurs milliers de résidents du quartier ont signé la pétition.

Kevin a remis au maire de la ville sa pétition. Quelques semaines plus tard, il a appri avec grand plaisir que le parc conserverait sa vocation. Ouf, il avait gagné son combat !

2. Souligne le radical des verbes suivants.

mangeons mangez mangent manges

3. Souligne la phrase au passé.

a) Mes amis sont gentils.

b) Mes amis sont allés au cinéma sans moi.

Résultat /22

1. Souligne les verbes.

soulier	histoire	réparer
manger	réservoir	souligner
dormir	courir	apostrophe
cahier	voir	regard

2. Recopie le texte suivant au présent.

Maxime regardera la télévision en faisant ses devoirs. Sa mère lui dira que ce n'est pas une bonne idée. Il dira oui et il éteindra la télé. Il allumera la radio pour écouter de la musique. Son père viendra lui dire que ce n'est vraiment pas une bonne idée. Maxime dira oui et éteindra la radio. Il aura compris et fera ses devoirs dans le silence.

____

____

____

____

____

____

____

3. Recopie le verbe approprié pour que les phrases soient au passé.

a) Les avions (montent, monteront, montaient) dans le ciel.

____

b) Un terrible tsunami (frappe, a frappé, frappera) l'Indonésie.

____

c) Mon voisin (plantera, plantait, plante) de jolies fleurs.

____

d) Tu (voyais, verra, vois) un orignal sur le bord de la route.

____

e) Ils (regardaient, regardent, regarderont) la télévision toute la soirée.

____

f) Nous (avons fini, finissons, finiront) nos devoirs rapidement.

____

4. Écris à l'infinitif les verbes suivants.

a) dors ______________________

b) mange ______________________

c) écoutons ______________________

d) pouviez ______________________

e) courent ______________________

f) avaient ______________________

français
mathématique
anglais

5. Complète le mot entrecroisé.

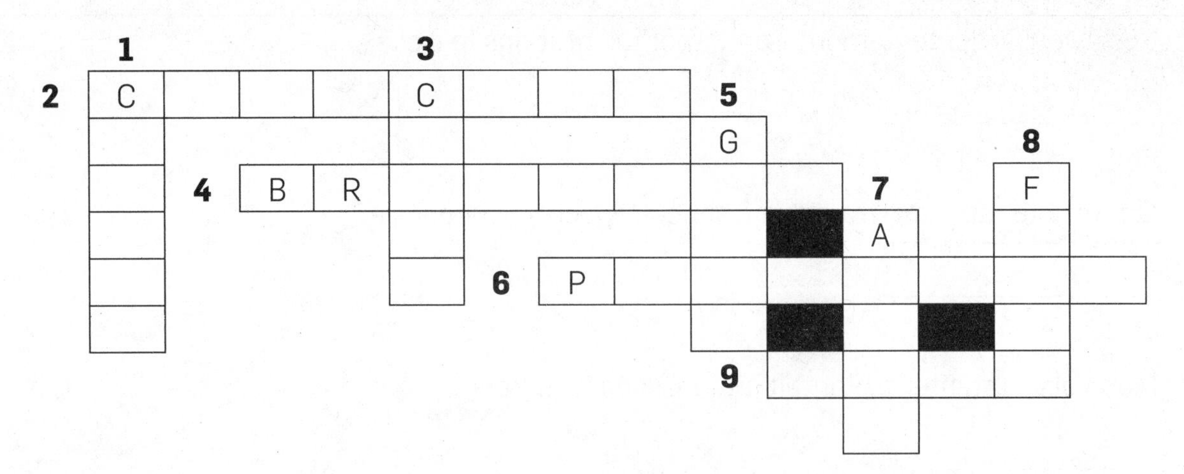

1. Se déplacer rapidement.
2. Essayer de trouver.
3. Action de chauffer des aliments.
4. Faire des travaux manuels.
5. Transformer en glace.
6. Tomber, en parlant de la pluie.
7. Posséder.
8. Réaliser quelque chose.
9. Synonyme de rigoler.

6. Trouve le mot mystère.

v	c	c	p	a	i	m	e	r
o	o	h	e	l	l	g	c	m
i	d	o	i	l	a	r	e	a
r	e	i	n	e	v	i	s	n
g	r	s	d	r	e	m	s	j
b	o	i	r	e	r	p	e	o
c	a	r	e	s	s	e	r	u
e	s	e	r	v	i	r	r	e
r	i	r	e	p	l	i	e	r

aimer, caresser, coder, laver, rire, voir
aller, cesser, grimper, peindre, servir
boire, choisir, jouer, plier

Mot mystère : ___ ___ ___ ___ ___ ___ ___

Verbes au présent de l'indicatif, au passé composé, au futur simple

→ Test d'évaluation Test de suivi

1. Conjugue les verbes à la personne et au temps demandés.

Verbe	Temps	Personne	Verbe conjugué
Avoir	Présent	J'	ai
Être	Présent	Tu	
Donner	Présent	Il	
Finir	Présent	Nous	
Manger	Présent	Vous	
Avoir	Passé composé	Elles	
Être	Passé composé	J'	
Donner	Passé composé	Tu	
Finir	Passé composé	Il	
Manger	Passé composé	Nous	
Avoir	Futur simple	Vous	
Être	Futur simple	Ils	
Donner	Futur simple	Je	
Finir	Futur simple	Tu	
Manger	Futur simple	Elle	

Résultat /14

1. Souligne les verbes conjugués au présent de l'indicatif.

Il crie	Elle chante	Ils dansèrent
Cours	Nous frémissons	J'ai entendu
Il a nagé	Nous aimons	Vous êtes

2. Conjugue les verbes des phrases suivantes au présent de l'indicatif.

a) La lune (briller) ___________ dans le ciel.

b) Les fleurs (pousser) ___________ rapidement cet été.

c) Mon grand frère (aimer) ___________ les oranges.

d) Nous (finir) ___________ nos devoirs rapidement.

e) Vous (être) ___________ invités à mon anniversaire.

f) Les oiseaux (voler) ___________ vers les pays chauds.

g) Tu (regarder) ___________ les étoiles dans le ciel.

h) Les fantômes (hanter) ___________ ce château.

i) Ma mère (acheter) ___________ des chaussures pour mon frère.

j) Tu (faire) ___________ du vélo tous les jours.

k) Les érables (couler) ___________ au printemps.

français
mathématique
anglais

3. Transforme les phrases suivantes au passé composé.

a) Les tulipes poussent au printemps.

____

b) La neige tombe en abondance.

____

c) Martine et Chloé écrivent une lettre à leur mère.

____

d) Nous sommes une bande d'amis.

____

e) Vous jouez au scrabble.

____

f) Tu t'amuses avec ton frère.

____

g) Mes amis partent en camping en Californie.

____

4. Conjugue les verbes au futur simple et trouve le mot mystère.

a) Il (manger)

b) Elles (avoir)

c) Nous (finir)

d) Je (voir)

e) Nous (savoir)

f) Je (toucher)

g) Nous (sortir)

a)
b)
c)
d)
e)
f)
g)

5. Complète les phrases suivantes avec le verbe *être* ou *avoir* au futur simple.

a) Elle ______________ de beaux cadeaux à Noël.

b) Je ______________ absente demain.

c) Tu ______________ une voiture rouge.

d) Vous ______________ une collation après l'école.

e) Nous ______________ les plus vieux de l'école.

f) Ils ______________ des jeux de société.

g) J'______________ un cheval et un chien lorsque je serai grand.

Verbes au présent de l'indicatif, au passé composé, au futur simple

Test d'évaluation → Test de suivi

1. Écris les phrases suivantes au présent, au passé composé et au futur.

a) Les serpents (pondre) des œufs.

Présent : ______

Passé composé : ______

Futur simple : ______

b) Ma mère (préférer) jouer au golf que faire du jogging.

Présent : ______

Passé composé : ______

Futur simple : ______

c) Vous (perdre) votre sac d'école.

Présent : ______

Passé composé : ______

Futur simple : ______

Résultat /9

1. Complète le tableau en conjuguant les verbes au présent de l'indicatif.

	Personne	Verbe	Verbe conjugué
a)	je	acheter	
b)	tu	parler	
c)	il/elle	écouter	
d)	nous	arriver	
e)	vous	jouer	
f)	ils/elles	rigoler	
g)	je	rêver	
h)	tu	dormir	
i)	il/elle	mentir	
j)	nous	aller	
k)	vous	pouvoir	
l)	ils/elles	vivre	

2. Complète le tableau en conjuguant les verbes au passé composé.

	Personne	Verbe	Verbe conjugué
a)	je	acheter	
b)	tu	parler	
c)	il/elle	écouter	
d)	nous	arriver	
e)	vous	jouer	
f)	ils/elles	rigoler	
g)	je	rêver	
h)	tu	dormir	
i)	il/elle	mentir	
j)	nous	aller	
k)	vous	pouvoir	
l)	ils/elles	vivre	

3. Écris la terminaison des verbes suivants au futur simple.

Avoir

J'	aur_____
Tu	aur_____
Il/Elle/On	aur_____
Nous	aur_____
Vous	aur_____
Ils/Elles	aur_____

Être

Je	ser_____
Tu	ser_____
Il/Elle/On	ser_____
Nous	ser_____
Vous	ser_____
Ils/Elles	ser_____

Dormir

Je	dormir_____
Tu	dormir_____
Il/Elle/On	dormir_____
Nous	dormir_____
Vous	dormir_____
Ils/Elles	dormir_____

Finir

Je	finir_____
Tu	finir_____
Il/Elle/On	finir_____
Nous	finir_____
Vous	finir_____
Ils/Elles	finir_____

Pouvoir

Je	pourr_____
Tu	pourr_____
Il/Elle/On	pourr_____
Nous	pourr_____
Vous	pourr _____
Ils/Elles	pourr_____

Manger

Je	manger_____
Tu	manger_____
Il/Elle/On	manger_____
Nous	manger_____
Vous	manger _____
Ils/Elles	manger_____

Verbes à l'imparfait, au conditionnel présent, à l'impératif...

→ Test d'évaluation Test de suivi

1. Conjugue les verbes à la personne et au temps demandés.

	Verbe	Temps	Personne	Verbe conjugué
a)	Avoir	Conditionnel présent	J'	aurais
b)	Être	Conditionnel présent	Tu	
c)	Donner	Conditionnel présent	Il	
d)	Finir	Conditionnel présent	Nous	
e)	Manger	Conditionnel présent	Vous	
f)	Avoir	Imparfait	Elles	
g)	Être	Imparfait	J'	
h)	Donner	Imparfait	Tu	
i)	Finir	Imparfait	Il	
j)	Manger	Imparfait	Nous	
k)	Avoir	Impératif présent	(Tu)	
l)	Être	Impératif présent	(Nous)	
m)	Donner	Impératif présent	(Vous)	
n)	Finir	Impératif présent	(Tu)	
o)	Manger	Impératif présent	(Nous)	

Résultat /14

1. Regarde la façon dont se conjugue le verbe *aimer* au conditionnel présent. Ensuite, complète les lignes.

J'aimerais
Tu aimerais
Il/Elle/On aimerait
Nous aimerions
Vous aimeriez
Ils/Elles aimeraient

Manger

Je ______________________
Tu ______________________
Il/Elle/On ______________________
Nous ______________________
Vous ______________________
Ils/Elles ______________________

Donner

Je ______________________
Tu ______________________
Il/Elle/On ______________________
Nous ______________________
Vous ______________________
Ils/Elles ______________________

Arriver

Je ______________________
Tu ______________________
Il/Elle/On ______________________
Nous ______________________
Vous ______________________
Ils/Elles ______________________

Danser

Je ______________________
Tu ______________________
Il/Elle/On ______________________
Nous ______________________
Vous ______________________
Ils/Elles ______________________

2. Complète les phrases en conjuguant à l'imparfait de l'indicatif les verbes.

a) Marco (prendre) ___________ du sirop pour soulager sa toux.

b) Ils (rêver) ___________ à des montgolfières.

c) Nous (apercevoir) ___________ des voitures au loin.

d) Vous (traverser) ___________ le désert à dos de chameau.

e) Tu (avoir) ___________ un beau vélo rouge.

f) J' (être) ___________ choisi pour représenter la classe au championnat de scrabble.

g) Le chauffeur (conduire) ___________ le ministre à Trois-Rivières.

h) Elle (craindre) ___________ les chiens.

i) Tu (déballer) ___________ les boîtes de thé pour les ranger.

j) Nous (regarder) ___________ la finale de la Coupe du monde.

k) Vous (détruire) ___________ le château de votre ennemi.

l) Vous (finir) ___________ de faire la vaisselle avant d'aller jouer dehors.

3. Écris deux phrases avec des verbes à l'imparfait.

____

____

4. Encercle les phrases à l'impératif présent.

a) Cours vite acheter le nouvel album des Chats chantants.

b) Le crocodile ne peut pas tirer la langue.

c) Finissez votre compote de fruits.

d) Mangeons une collation santé.

e) Ils ne veulent pas jouer avec nous.

f) Je n'arrive pas à recoudre mon bouton.

5. Conjugue les verbes suivants à l'impératif présent.

Avoir	**Être**	**Finir**
____________	____________	____________
____________	____________	____________
____________	____________	____________

Acheter	**Appeler**	**Boire**
____________	____________	____________
____________	____________	____________
____________	____________	____________

Verbes à l'imparfait, au conditionnel présent, à l'impératif...

Test d'évaluation → **Test de suivi**

1. Écris les phrases suivantes à l'imparfait, au conditionnel présent et à l'impératif présent.

a) Vous (flotter) au-dessus des nuages.

Imparfait : ______________________________

Conditionnel présent : ______________________________

Impératif présent : ______________________________

b) Nous (acheter) un cahier bleu et rouge.

Imparfait : ______________________________

Conditionnel présent : ______________________________

Impératif présent : ______________________________

c) Tu (vendre) du chocolat pour financer les activités de l'école.

Imparfait : ______________________________

Conditionnel présent : ______________________________

Impératif présent : ______________________________

Résultat /9

1. Regarde la façon dont se conjugue le verbe aimer à l'imparfait de l'indicatif. Ensuite, complète les tableaux.

J'aimais	Nous aimions
Tu aimais	Vous aimiez
Il/Elle/On aimait	Ils/Elles aimaient

Manger

Je __________	Nous __________
Tu __________	Vous __________
Il/Elle/On __________	Ils/Elles __________

Donner

Je __________	Nous __________
Tu __________	Vous __________
Il/Elle/On __________	Ils/Elles __________

Arriver

Je __________	Nous __________
Tu __________	Vous __________
Il/Elle/On __________	Ils/Elles __________

Danser

Je __________	Nous __________
Tu __________	Vous __________
Il/Elle/On __________	Ils/Elles __________

2. Écris la terminaison des verbes suivants au conditionnel présent.

Avoir		**Être**	
J'	aur_____	Je	ser_____
Tu	aur_____	Tu	ser_____
Il/Elle/On	aur_____	Il/Elle/On	ser_____
Nous	aur_____	Nous	ser_____
Vous	aur_____	Vous	ser_____
Ils/Elles	aur_____	Ils/Elles	ser_____

Dormir		**Finir**	
Je	dormir_____	Je	finir_____
Tu	dormir_____	Tu	finir_____
Il/Elle/On	dormir_____	Il/Elle/On	finir_____
Nous	dormir_____	Nous	finir_____
Vous	dormir_____	Vous	finir_____
Ils/Elles	dormir_____	Ils/Elles	finir_____

Pouvoir		**Manger**	
Je	pourr_____	Je	manger_____
Tu	pourr_____	Tu	manger_____
Il/Elle/On	pourr_____	Il/Elle/On	manger_____
Nous	pourr_____	Nous	manger_____
Vous	pourr_____	Vous	manger_____
Ils/Elles	pourr_____	Ils/Elles	manger_____

3. Trouve le mot mystère en conjuguant les verbes suivants à l'impératif présent.

a) (2e pers. sing.) infuser

b) (1re pers. plur.) manier

c) (2e pers. sing.) partir

d) (2e pers. sing.) écouter

e) (2e pers. plur.) regarder

f) (1re pers. plur.) arrêter

g) (1re pers. plur.) trouver

h) (2e pers. sing.) ignorer

i) (2e pers. sing.) faire

a)								
b)								
c)								
d)								
e)								
f)								
g)								
h)								
i)								

4. Conjugue les verbes suivants à l'impératif présent.

Battre

____

____

____

Écrire

____

____

____

Faire

____

____

____

Mettre

____

____

____

Rire

____

____

____

Rendre

____

____

____

français
mathématique
anglais

Les pronoms et les mots invariables

→ Test d'évaluation Test de suivi

1. Souligne les pronoms personnels.

La fourmi et le cygne

(Ésope)

Une fourmi s'est rendue au bord d'une rivière pour étancher sa soif. Elle a été emportée par le courant et était sur le point de se noyer. Un cygne, perché sur un arbre surplombant l'eau, a cueilli une feuille et l'a laissée tomber dans l'eau près de la fourmi. La fourmi est montée sur la feuille et a flotté saine et sauve jusqu'au bord. Peu après, un chasseur d'oiseaux est venu s'installer sous l'arbre où le cygne était perché. Il a placé un piège pour le cygne. La fourmi a compris ce que le chasseur allait faire et l'a piqué au pied. Le chasseur d'oiseaux a hurlé de douleur et a échappé son piège. Le bruit a fait s'envoler le cygne et il a été sauvé.

2. Utilise le bon mot invariable pour compléter la phrase.

a) Mon frère range son vélo ________________ le garage. (à / dans)

b) Aloysia a mis son manteau ________________ ses mitaines. (et / mais)

c) Marla adore marcher ________________ la neige. (dans / quand)

d) Liam met ________________ son casque de vélo. (mais / toujours)

Résultat /12

français | mathématique | anglais

1. Choisis parmi la liste le bon mot invariable pour compléter les phrases.

ou, ni, comme, contre, pendant, parmi, dans, chez, deuxièmement, à droite, tellement, volontiers, beaucoup, toutefois, ensuite

a) Nous nous sommes collés ____________________ le mur pour nous protéger du vent.

b) L'arbre magique est situé ____________________ du lac enchanté.

c) Simon veut jouer au soccer ____________________ au baseball cet été.

d) Héloïse a mangé sa soupe. ____________________ , elle a mangé sa salade.

e) Étienne a mis ses vêtements ____________________ le tiroir.

f) J'ai mis ____________________ de confiture sur ma tranche de pain.

g) Tatiana a dormi ____________________ sa tante Alexandra.

h) Gaël a acheté une trottinette ____________________ celle de son ami Rachid.

i) Bertrand a répondu «____________________» à son oncle qui lui offrait de la tarte.

j) Valérie a choisi une broche bleue ____________________ les bijoux de sa grand-mère.

k) Vous avez le droit de choisir deux numéros, ____________________ vous n'avez pas le droit de les montrer.

l) Mon oncle Roger a dormi ____________________ tout le trajet en avion.

m) Maya a ____________________ mangé qu'elle a mal au ventre.

n) Premièrement, il faut prendre le cahier rouge; ____________________ , il faut l'ouvrir à la page 54.

o) Caroline n'aime pas les glaces au chocolat ____________________ celles à la vanille.

2. Ajoute le pronom personnel qui complète les phrases.

Nous	Tu	Il	Vous	J'	Ils

a) _______ mettait les gens en prison.

b) _______ avions peur de ce mauvais roi.

c) _______ sont montés dans le dirigeable pour une balade dans le ciel.

d) _______ n'auriez pas dû l'accompagner.

e) _______ ai beaucoup aimé cette expérience.

f) _______ as eu beaucoup de plaisir hier avec tes amis.

3. Écris *il*, *elle*, *ils* ou *elles* dans les phrases suivantes.

a) Ma sœur a une belle robe rouge. _______ l'adore.

b) Ma mère et ma grand-mère sont nées à Montréal. _______ sont Montréalaises.

c) Mes amis sont en voyage. _______ visitent l'Islande.

d) Les lionnes chassent la nuit. _______ nourrissent leur famille.

e) Le gorille dort dans un nid. _______ change de nid tous les soirs.

f) J'adore les films d'action. _______ sont palpitants.

g) Mon professeur de musique chante dans une chorale. _______ a des pratiques tous les samedis.

français

mathématique

anglais

4. Choisis parmi la liste le bon mot invariable pour compléter chaque phrase.

ou, et, ni ni, parce que, car, à, à, de, par, dans, pour, pour, sans, avec, ensuite, comment, tellement, rapidement, jamais

a) Aujourd'hui, il neigeait ____________________ fort que j'ai eu peur d'être enseveli.

b) Aurélie ne peut pas se baigner ____________________ elle a mal aux oreilles.

c) Coralie a mis ses poupées ____________________ le coffre à jouets.

d) Nicolas fera d'abord ses devoirs. ____________________ , il ira jouer dehors.

e) Veux-tu un gâteau au chocolat ____________________ un gâteau à la vanille?

f) Arthur n'aime ____________________ le vert ____________________ le rouge.

g) Ma cousine veut déménager ____________________ Val-d'Or.

h) Je suis en colère contre toi ____________________ tu as triché.

i) Même s'il est malade, Joey est allé jouer dehors ____________________ sa tuque.

j) Isabelle n'a ____________________ acheté un nouveau stylo.

k) ____________________ as-tu fait pour finir si ____________________ ton examen?

l) J'ai acheté du brocoli ____________________ souper.

m) Tu écriras à ta grand-mère après avoir écrit ____________________ ta tante.

n) Je prendrai encore un peu ____________________ cet excellent gâteau.

o) Gabrielle ne se prend pas ____________________ une autre.

p) Nous sommes passés ____________________ Baie-Saint-Paul en revenant.

q) Jason ____________________ Kevin sont de bons amis.

r) Je suis allée manger au restaurant ____________________ mon ami Jacques.

Les pronoms et les mots invariables

Test d'évaluation → **Test de suivi**

1. Souligne les mots invariables dans les phrases suivantes.

a) Lorsque Nicolas et Maya ont été en Italie, ils ont visité plusieurs musées.

b) D'abord, ils ne voulaient pas y aller.

c) Ils n'avaient jamais pensé s'en servir un jour.

d) En effet, je lui ai prêté mon livre d'anglais.

e) Elle n'aimait pas particulièrement les perruches bleues.

f) Elles ne voulaient en faire qu'à leur tête.

g) Le premier astronaute à marcher sur la Lune est Neil Armstrong.

h) Mes amis avançaient joyeusement en chantant.

i) Ne t'inquiète pas, nous trouverons une solution.

j) Dis-lui tout simplement que tu ne veux pas.

k) Il n'y avait pas de différence entre elle et moi.

2. Souligne les pronoms dans les phrases suivantes.

a) Nous sommes les seuls à avoir vu le lion.

b) Vous vous êtes trompés de salle.

c) Les filles, elles prendront le dessert.

d) Eux, sont chanceux d'avoir gagné.

e) Je suis pour le nouveau projet.

f) Tu es invité à venir au restaurant avec nous.

g) Il est impoli de parler pendant le spectacle.

h) Ils ne viendront pas nous visiter cet été.

i) Elle est heureuse de vous rencontrer.

Résultat /45

1. Encercle le verbe dans chaque phrase, puis réécris la phrase en remplaçant le groupe sujet souligné par le pronom approprié.

a) Ma mère préfère la tarte au citron.

____

b) Milena adore la salade de fruits.

____

c) Benjamin et Marielle mangent un baba au rhum.

____

d) Karine voudrait un clafoutis aux fraises.

____

e) Béatrice et Aurélie achètent des chouquettes.

____

f) Éric et moi voulons manger des gâteaux des anges.

____

g) Xavier, Pierre et toi avez commandé une mousse au caramel.

____

2. Remplace le groupe du nom en gras par le pronom approprié.
Utilise chaque pronom une seule fois.

Ils	Il	Il	le	Il	Il

Jérôme est un jeune garçon qui habite en Abitibi. **Jérôme** _______ dessine chaque jour dans son cahier bleu. **Son cahier bleu** _______ est très précieux pour Jérôme. **Jérôme** _______ ne veut pas _______ perdre **son cahier bleu**. **Jérôme** _______ prend bien soin de son cahier bleu. Aujourd'hui, Jérôme a dessiné ses amis de l'école. **Ses amis de l'école** _______ sont contents de voir les beaux dessins que Jérôme a faits.

3. Choisis l'adverbe qui convient le mieux pour compléter la phrase.

Aujourd'hui, doucement, fermement, lentement, Malheureusement,
sûrement, tranquillement

a) Ma mère chantait _____________ une berceuse à ma petite sœur.

b) Cette fille est _____________ la meilleure en mathématique.

c) Ils jouaient _____________ dans leur chambre.

d) Il faut tenir _____________ notre chien en laisse.

e) _____________, votre candidature n'a pas été retenue.

f) _____________, j'irai faire des courses au supermarché.

g) La tortue se dirige _____________ vers la feuille de laitue.

français
mathématique
anglais

4. Remplace le groupe sujet souligné par le pronom qui convient.

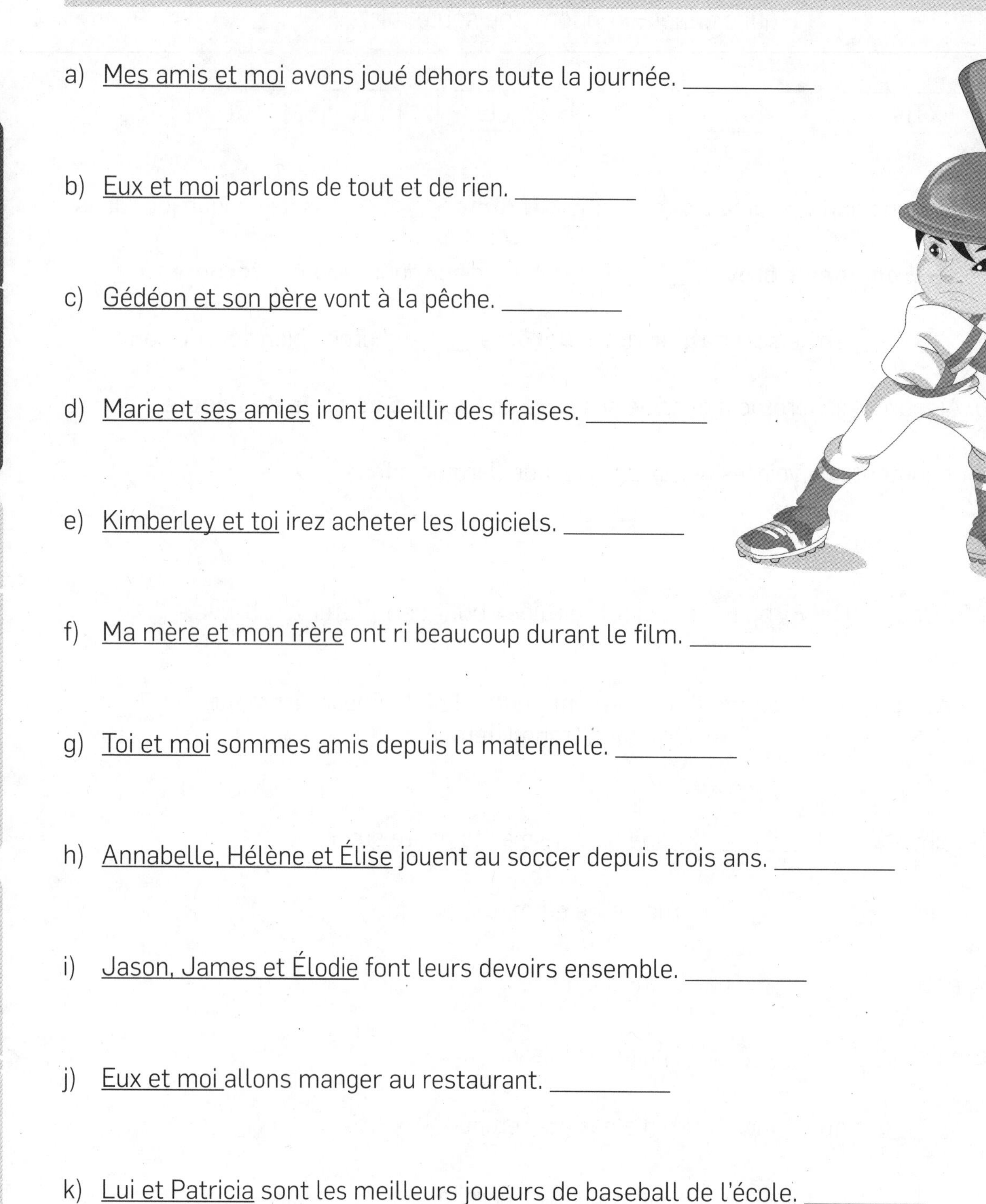

a) Mes amis et moi avons joué dehors toute la journée. __________

b) Eux et moi parlons de tout et de rien. __________

c) Gédéon et son père vont à la pêche. __________

d) Marie et ses amies iront cueillir des fraises. __________

e) Kimberley et toi irez acheter les logiciels. __________

f) Ma mère et mon frère ont ri beaucoup durant le film. __________

g) Toi et moi sommes amis depuis la maternelle. __________

h) Annabelle, Hélène et Élise jouent au soccer depuis trois ans. __________

i) Jason, James et Élodie font leurs devoirs ensemble. __________

j) Eux et moi allons manger au restaurant. __________

k) Lui et Patricia sont les meilleurs joueurs de baseball de l'école. __________

Les adjectifs, les synonymes, les antonymes

→ Test d'évaluation Test de suivi

1. Souligne les adjectifs dans le texte suivant.

La corneille et le renard

Ésope

Perchée sur les branches d'un arbre, une corneille mangeait un délicieux fromage. Pendant ce temps, attiré par l'odeur du fromage, un renard très intelligent rôdait sous l'arbre. Le renard a commencé à flatter la corneille pour obtenir le fromage. « Bonjour, Madame la Corneille, comme vous avez de belles plumes. Ce sont les plus belles que j'ai jamais vues. Qui peut résister à tant de beauté ? » La vaniteuse corneille, incapable de résister à la flatterie, ne pouvait pas rester silencieuse. Elle a répondu : « Merci Monsieur le Renard, bonne journée. » Mais, en ouvrant son bec pour remercier le Renard, elle a laissé tomber le délicieux fromage et le gourmand renard l'a mangé.

2. Trouve un synonyme aux mots suivants.

aimable : ______________________ doué : ______________________

talentueux : ______________________ petit : ______________________

3. Trouve un antonyme aux mots suivants.

effrayé : ______________________ beau : ______________________

triste : ______________________ minuscule : ______________________

Résultat /17

Exercices | Les adjectifs, les synonymes, les antonymes

1. Classe les mots soulignés dans la bonne colonne.

Il y a longtemps vivait un roi qui avait une magnifique fille. Ce roi adorait les belles histoires. Il fit donc savoir à tout le grand royaume que si un homme pouvait lui raconter un conte merveilleux qui ne finissait jamais, il lui permettrait d'épouser sa jolie fille. Un jour, cette fille deviendrait reine et l'heureux conteur serait le nouveau roi.

Adjectifs	Noms

2. Encercle les adjectifs dans les groupes de noms soulignés ci-dessous.

a) Les mignons chatons sont nés hier.

b) De majestueux lions d'Afrique vivent au zoo près de chez moi.

c) Le petit singe a perdu sa délicieuse banane.

d) Le zèbre noir et blanc parcourt son enclos.

3. Remplace le mot souligné par son antonyme.

a) Marion aime assister à des spectacles de danse.

Marion ________________________ assister à des spectacles de danse.

b) Le chien de mon voisin est très gentil.

Le chien de mon voisin est très ________________________.

c) Lorsqu'il fait trop froid, nous jouons à l'intérieur.

Lorsqu'il fait trop ________________________, nous jouons à l'________________________.

d) Je suis tellement contente d'être en vacances.

Je suis tellement ________________________ d'être en vacances.

e) Les cheveux de Léa sont trop longs.

Les cheveux de Léa sont trop ________________________.

f) Le film que j'ai vu hier était très intéressant.

Le film que j'ai vu hier était très ________________________.

g) La moustache de mon père est noire.

La moustache de mon père est ________________________.

h) Je n'ai compris aucune de vos explications.

J'ai compris ________________________ vos explications.

4. Complète l'histoire en ajoutant les adjectifs qualificatifs suivants.

enchantée	blanc	bel	ensoleillée
grand	idiot	gentils	noir
petit	bon	méchant	belle

L'agneau et le loup
Ésope

Un agneau tout ______________ qui trottinait seul dans un ______________ pâturage par une ______________ journée d'été ______________ était poursuivi par un ______________ loup ______________. Voyant qu'il ne pouvait pas s'échapper, il s'est retourné et a dit : « Je sais, mon ______________ ami le loup, que je dois être ta proie, mais avant de mourir, je te demanderais une faveur. Me jouerais-tu un ______________ air sur lequel je pourrais danser ? » Le loup a pris sa flûte ______________ et a joué un air. Alors qu'il jouait et que l'agneau dansait, quelques chiens ______________ ont entendu la musique et se sont lancés à la poursuite du loup. Se tournant vers le ______________ agneau, le loup a dit : « Je suis ______________ et j'ai ce que je mérite ; car je n'aurais pas dû jouer de la flûte pour te plaire. »

Les adjectifs, les synonymes, les antonymes

Test d'évaluation → Test de suivi

1. Trouve le contraire des mots suivants.

a) léger ______________________
b) sale ______________________
c) travaillant ______________________
d) désagréable ______________________
e) dernier ______________________
f) triste ______________________
g) blanc ______________________
h) homme ______________________

2. Trouve un synonyme pour les mots suivants.

a) abîmer ______________________
b) conte ______________________
c) drôle ______________________
d) additionner ______________________
e) malin ______________________
f) bondir ______________________
g) faute ______________________
h) pesant ______________________

3. Souligne les adjectifs dans les phrases suivantes.

a) Anastasia porte une belle robe rouge.

b) Thierry a de longs cheveux noirs bouclés.

c) Nous avons une belle maison.

d) Je suis une grande fille.

e) Le chat de mon amie Zoé est très doux.

f) Vous avez une magnifique bague.

Résultat /25

1. Relie les adjectifs qualificatifs au nom qu'ils qualifient.

Le lapin : une légende Maya

Au début de la création, le lapin avait de grandes cornes. Le cerf, lui, n'en avait pas. Il en était si jaloux et si offensé qu'il a manigancé afin d'obtenir lui aussi de magnifiques cornes. Le cerf a dit au lapin combien il le trouvait majestueux et il lui a demandé s'il pouvait emprunter ses belles cornes, juste pour les essayer et voir si elles lui allaient bien. Flatté, le gentil lapin a accepté puisque ce n'était que pour un court moment. Le lapin a déposé ses cornes sur la tête du cerf et le cerf s'est mis à se pavaner et à sauter partout en disant qu'il était beau. Il s'est éloigné jusqu'à ce qu'il soit hors de vue. Le lapin s'est inquiété, se rendant finalement compte que le méchant cerf n'allait pas lui rendre ses cornes. Rouge de colère, le lapin s'est plaint au Créateur, et a demandé une autre paire de cornes. Le Créateur lui a dit que ce qui avait été fait ne pouvait pas être défait. Le malheureux lapin blanc devait donc vivre sans cornes. Le petit lapin a alors demandé s'il pouvait être plus grand afin de montrer son importance aux autres animaux. Le Créateur a refusé, mais le lapin a tellement supplié et geint que le Créateur s'est penché, a saisi les petites oreilles du lapin et les a étirées, étirées. C'est donc avec ses longues oreilles que le lapin maintenant montre son importance.

2. Trouve l'antonyme des mots suivants.

a) facile ____________________ b) déçu ____________________

c) heureux ____________________ d) grand ____________________

e) bon ____________________ f) comique ____________________

g) jour ____________________ h) différent ____________________

i) blanc ____________________ j) homme ____________________

k) faible ____________________ l) chaud ____________________

m) fermé ____________________ n) dehors ____________________

o) avec ____________________ p) beau ____________________

q) masculin ____________________ r) mou ____________________

s) descendre ____________________ t) invisible ____________________

u) plein ____________________ v) malheur ____________________

3. Trouve trois mots et leur contraire.

a) ______________ est le contraire de ______________

b) ______________ est le contraire de ______________

c) ______________ est le contraire de ______________

4. Complète les mots croisés.

1. Synonyme de *vite*
2. Synonyme de *scintillante*
3. Synonyme de *bouquin*
4. Synonyme de *gigantesque*
5. Synonyme de *demeurer*
6. Synonyme de *jolie*

1 r a _ _ _ _

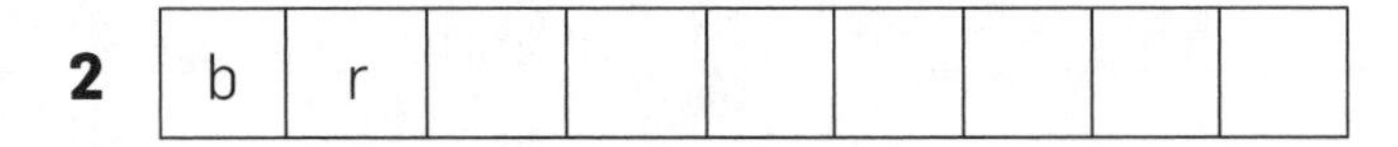

2 b r _ _ _ _ _ _ _

3 l _ _ _ _

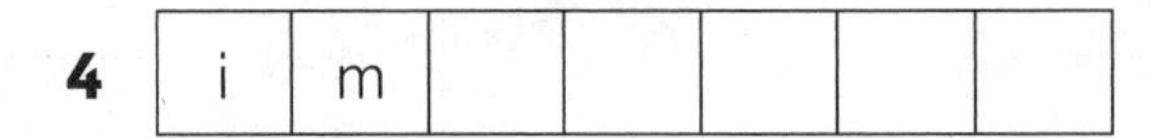

4 i m _ _ _ _ _

5 r e _ _ _ _

6 m _ _ _ _ _ _ _ _ _

5. Relie chaque mot à son synonyme. Tu peux consulter le dictionnaire si tu doutes de la signification de certains mots.

loyal	volatile
oiseau	glacial
dessiner	esquisser
délicieux	désastre
catastrophe	fidèle
chaleureux	succulent
froid	affectueux

Le genre et le nombre

→ Test d'évaluation Test de suivi

1. Regarde les mots suivants. Corrige ceux qui sont mal accordés en genre et nombre.

Une avion	Une autobus	Des pneu
Une orange	Des cheval	Une affiche
Des bijoux	Des habit	Un usine

2. Indique si le mot est féminin ou masculin. Utilise les abréviations *fém.* ou *masc.*

a) étoile ______________________ b) trampoline ______________________

c) hôpital ______________________ d) élan ______________________

e) horloge ______________________ f) hélicoptère ______________________

3. Trouve le féminin des mots suivants.

a) boulanger ______________________ b) couturier ______________________

c) directeur ______________________ d) danseur ______________________

e) léger ______________________ f) menteur ______________________

4. Mets les mots suivants au pluriel.

a) bureau ______________________ b) page ______________________

c) cheval ______________________ d) bateau ______________________

e) normal ______________________ f) chandail ______________________

Exercices | **Le genre et le nombre**

1. Trouve les 10 fautes d'accord dans le texte suivant. Souligne les erreurs en rouge et recopie le mot correctement au bas de la page.

La fourmi et le cygne
Ésope

Un fourmi s'est rendue au bord d'un rivière pour étancher son soif. Elle a été emportée par le courants et était sur le point de se noyer. Un cygnes, perché sur un arbre surplombant l'eau, a cueilli un feuille et l'a laissée tomber dans l'eau près de le fourmi. La fourmi est montée sur la feuilles et a flotté saine et sauve jusqu'au bord. Peu après, un chasseur d'oiseaux est venu s'installer sous l'arbres où le cygne était perché. Il a placé un piège pour le cygne.

La fourmi a compris ce que les chasseur allait faire et l'a piqué au pied. Le chasseur d'oiseaux a hurlé de douleur et a échappé son piège. Le bruit a fait s'envoler le cygne et il a été sauvé.

2. Complète les phrases en utilisant le bon adjectif, nom ou déterminant.

a) ____________________ moutons vivent sur la ferme.
(Le/Les)

b) La ____________________ fermière trait les vaches.
(gentil/gentille)

c) Les chiens ____________________ ont fait de drôles de tours.
(savant/savants)

d) Les zèbres ____________________ m'éblouissent.
(rayé/rayés)

e) ____________________ autobus scolaire circule dans ma rue.
(Un/Une)

f) Ma sœur a trouvé des oranges ____________________.
(bleues/bleus)

g) J'ai visité une maison ____________________ en Écosse.
(hanté/hantée)

h) Ma meilleure amie a les yeux ____________________.
(brun/bruns)

i) Les ____________________ de la reine sont dans le coffre-fort.
(bijoux/bijous)

j) L'____________________ de ce jeu télévisé est ma cousine.
(animatrice/animateuse)

3. Mets les noms et les déterminants suivants au pluriel

a) Le château ______________________

b) Un prix______________________

c) Le matou______________________

d) Un feu ______________________

e) Un noyau______________________

f) Un œil ______________________

g) Un animal ______________________

h) Un récital ______________________

i) Un détail ______________________

j) Une souris ______________________

4. Relie les adjectifs aux noms qu'ils accompagnent. Ensuite, accorde-les en genre et en nombre.

Ex. : Paula a de long cheveux brun. longs, bruns

a) Une montagne et un lac immense. ______________________

b) Une feuille plié. ______________________

c) Une robe gris. ______________________

d) Un plancher et des murs blanc. ______________________

e) Une ville et un village reposant. ______________________

f) Des ventres plein. ______________________

g) Des chaussures neuf. ______________________

Le genre et le nombre

Test d'évaluation → **Test de suivi**

1. Transforme les parties soulignées des phrases suivantes au féminin pluriel.

a) <u>Le boulanger fait</u> cuire le pain.

____

b) <u>Le mécanicien répare</u> la voiture.

____

c) <u>Le directeur finit et signe</u> le rapport.

____

d) <u>L'acteur joue</u> au théâtre.

____

2. Corrige les erreurs dans les phrases suivantes. Il n'y a qu'une seule erreur par phrase.

a) Les enfant vont à l'école tous les jours. _______________

b) Une avion survole le ciel. _______________

c) La hibou hulule la nuit. _______________

d) Les travaus seront bientôt terminés. _______________

e) Les princesses vont au bals. _______________

f) J'écoute le radio pour entendre mes chansons préférées. _______________

Résultat /10

1. Classe les mots dans la colonne appropriée.

acteur, aviateur, banquier, berger, boulanger, chanteur, cher, coiffeur, compositeur, danseur, décorateur, dernier, directeur, droitier, écolier, frappeur, instituteur, lecteur, léger, meneur, menteur, nageur, patineur, pâtissier, plongeur, policier, profiteur, protecteur, rêveur, songeur

Se termine par euse au féminin	Se termine par trice au féminin	Se termine par ère au féminin

2. Mets les mots suivants au féminin.

a) espion ____________________ b) criminel ____________________

c) bon ____________________ d) vieux ____________________

français mathématique anglais

3. Classe les mots dans la colonne appropriée.

anneau, bandeau, bateau, beau, bleu, bocal, cadeau, carton, chaise, chameau, chapeau, château, chaud, cuisine, divan, égal, fourchette, génial, idéal, journal, jumeau, livre, médical, mondial, nouveau, original, papier, rural, spécial, table

Se termine par s au pluriel	Se termine par aux au pluriel	Se termine par eaux au pluriel

4. Mets les mots suivants au pluriel.

a) pneu ______________________ b) épouvantail ______________________

c) hibou ______________________ d) chou ______________________

5. Suis le chemin des mots au masculin singulier pour te rendre à l'arrivée.

Départ

avion	garçon	sortie	lions	colliers	tiroirs
orange	homme	ouverte	tigresse	poux	télévision
arbres	livre	flûte	chevaux	chenille	règle
fille	ordinateur	pianos	vache	coccinelle	gomme
femme	aéroport	rideaux	feuille	bicyclette	pomme
note	camion	accident	arbres	trottinette	poire
imprimante	babillards	ascenseur	chatte	verres	plume
chansons	souris	automne	escalier	tasse	oiseaux
départs	murs	fleur	téléphone	oursons	oie
calendriers	sourires	tige	hôpital	girafe	canards
fourchette	bouche	vases	dictionnaire	habit	langue
cuiller	yeux	lèvre	marche	couteau	lune
oreille	jambes	doigts	assiette	divan	étoiles
fenêtre	pieds	pattes	toiles	écran	lumière
crayons	disquette	chiens	bague	pétale	oreiller

arrivée

La phrase

→ Test d'évaluation Test de suivi

1. Replace les mots dans le bon ordre pour former une phrase qui a du sens.

a) père mon mange pommes des.

____

b) moi et dansons dans Mathieu salon le.

____

2. La phrase suivante est-elle exclamative ?

Quel beau sapin de Noël ! __________

3. Transforme les phrases suivantes en phrases négatives.

a) Nous sommes fatigués.

____

b) Ma sœur a fait remplacer le moteur de sa voiture.

____

4. Transforme les phrases suivantes en phrases interrogatives.

a) Nous lisons un livre très intéressant.

____

b) Son oncle a attrapé un gros poisson.

____

Résultat /4

1. Fais un X dans la bonne colonne pour indiquer si la phrase est positive ou négative.

		Forme positive	Forme négative
a)	Est-ce que vous prendrez du dessert ?		
b)	Ce médicament est excellent contre le rhume.		
c)	Frédérique n'est pas contente.		
d)	Avez-vous trouvé ce que vous cherchiez ?		
e)	Mon grand-père ne travaille plus.		
f)	Ma tante cultive des plantes rares.		
g)	Ne laisse pas entrer le chien.		
h)	Martin n'avait pas peur des lions au zoo.		
i)	Est-ce que votre mère va mieux ?		
j)	Allez-vous en voyage cet été ?		
k)	Non, vous n'avez pas le droit de courir.		
l)	Sophie voudrait aller en vacances à la mer.		
m)	Je n'ai pas le droit d'écouter la télé la semaine.		
n)	Antonio s'est cassé une jambe.		
o)	Mon père m'a téléphoné.		

2. Transforme les phrases interrogatives en phrases déclaratives.

a) Est-ce que tu joues au hockey ?

____

b) Est-ce que Stéphanie a réussi son examen ?

____

c) Est-ce que tes parents t'ont donné la permission d'aller au cinéma ?

____

d) Est-ce que Félix peut venir jouer avec moi ?

____

e) Est-ce que Fatima et Omar ont choisi leur sujet de recherche ?

____

f) Est-ce que les élèves ont été gentils durant mon absence ?

____

g) Avez-vous réservé vos billets d'avion ?

____

h) Aimes-tu le bricolage ?

____

3. Replace les mots dans le bon ordre pour former une phrase qui a du sens.

a) se mère Suzanne ma prénomme.

____

b) à amie Josette Chibougamau mon vit.

____

c) sont le chat favoris et le mes chien animaux.

____

4. Souligne les phrases exclamatives. Ajoute, pour toutes les phrases, le signe de ponctuation qui convient à la fin.

a) Qu'il est bon de se reposer après une dure semaine

b) Est-ce que votre mère sait que vous êtes en retenue

c) Comme la lune est belle ce soir

d) Je vais au magasin acheter des fruits et des légumes

e) Il rêve de prendre l'avion

f) Quel beau dessin

g) Crois-tu pouvoir arriver à temps

La phrase

Test d'évaluation → **Test de suivi**

1. Souligne les phrases négatives. Ensuite, encercle les mots de négation.

a) Elle ne connaît pas l'amie de ma sœur.

b) Les Inuits chassent et pêchent pour se nourrir.

c) Nous n'irons pas au restaurant ce soir.

d) Miguel ne pourra pas participer aux compétitions.

2. Compose des phrases en utilisant les mots suggérés.

a) divan confortable bleu ____________________

b) eau fille piscine ____________________

c) souper Jason macaroni

3. Indique de quel type de phrase il s'agit. Emploie les abréviations suivantes :

Négative : nég.
Exclamative : ex.
Positive : pos.
Déclarative : déc.
Interrogative : inter.

Attention, la phrase est toujours positive ou négative en plus d'être interrogative, exclamative ou déclarative.

a) Pourquoi ne mets-tu pas ton manteau rouge ? ________ ________

b) Quel excellent repas ! ________ ________

c) Je ne veux pas te prêter mon crayon bleu. ________ ________

d) Je voudrais aller sur la Lune quand je serai grand. ________ ________

Résultat /17

1. Réponds aux questions par une phrase négative et une phrase positive.

a) Est-ce que tu aimes aller voir des pièces de théâtre ?

Phrase positive : ____________________

Phrase négative : ____________________

b) As-tu déjà visité un pays étranger ?

Phrase positive : ____________________

Phrase négative : ____________________

c) Faut-il demander la permission pour sortir de la classe ?

Phrase positive : ____________________

Phrase négative : ____________________

d) Avez-vous réussi à faire descendre le chat de l'arbre ?

Phrase positive : ____________________

Phrase négative : ____________________

e) Avons-nous assez de pommes pour la collation ?

Phrase positive : ____________________

Phrase négative : ____________________

f) Ont-ils développé leurs cadeaux de Noël ?

Phrase positive : ____________________

Phrase négative : ____________________

2. Fais un X dans la bonne colonne pour indiquer si la phrase est positive ou négative, interrogative, exclamative ou déclarative.

		Positive	Négative	Interrogative	Exclamative	Déclarative
a)	Il n'arrive pas à dormir.					
b)	Ne voyez-vous pas qu'il ment ?					
c)	Comme vous êtes belle !					
d)	Comme vous n'êtes pas chanceux !					
e)	Je vais marcher dans la forêt.					
f)	Je n'aime pas la soupe aux huîtres.					
g)	Voulez-vous vous asseoir ?					
h)	Je veux un chocolat chaud.					
i)	C'est extraordinaire !					
j)	Vous ne voulez pas dormir ?					
k)	Je n'irai pas à l'école demain.					
l)	Qu'il serait bon de nager !					
m)	Elle adore les bandes dessinées.					
n)	N'est-il pas le maire de la ville ?					

3. Invente une phrase selon le type demandé.

a) Phrase négative interrogative

____

b) Phrase positive interrogative

____

c) Phrase négative exclamative

____

d) Phrase positive exclamative

____

e) Phrase négative déclarative

____

f) Phrase positive déclarative

____

4. Souligne les indices qui te permettent de dire que la phrase est interrogative, négative ou exclamative.

a) Voulez-vous danser avec moi ?

b) Je ne veux pas danser avec vous.

c) Quel dommage !

Les homophones, les onomatopées, les rimes

→ Test d'évaluation Test de suivi

1. Encercle les onomatopées.

J'ai entendu le chat faire miaou et le chien faire wouf wouf.

2. Trace une flèche pour relier deux mots qui riment.

Petite perle cristalline

Henri-Frédéric Amiel

Petite perle cristalline
Tremblante fille du matin,
Au bout de la feuille de thym
Que fais-tu sur la colline ?

Avant la fleur, avant l'oiseau,
Avant le réveil de l'aurore,
Quand le vallon sommeille encore
Que fais-tu là sur le coteau ?

3. Complète les phrases suivantes en utilisant :

à ou *a*   *ont* ou *on*   *sont* ou *son*   *m'ont* ou *mon*   mes ou *mais*   *ou* ou *où*

a) _________ partir de demain, il est interdit de marcher sur le gazon.

b) _________ dirait qu'il va pleuvoir.

c) Ils _________ nombreux à avoir dit oui.

d) _________ père a dit non.

e) _________ amis vont faire du ski.

f) Je voudrais un bateau _________ une motomarine.

Résultat /12

français mathématique anglais

Exercices | **Les homophones, les onomatopées, les rimes**

1. Utilise *a* ou *à* pour compléter les phrases.

a) Nous sommes allés __________ Québec.

b) Ma mère __________ décidé d'aller à Granby.

2. Utilise *on* ou *ont* pour compléter les phrases.

a) Pierre et Lydia __________ été malades hier.

b) __________ pourrait remplacer la vieille cuisinière par une neuve.

3. Utilise *ou* ou *où* pour compléter les phrases.

a) Nikita __________ Odile pourra y aller.

b) Mais __________ se cache le chat ?

4. Utilise *mon* ou *m'ont* pour compléter les phrases.

a) Mes parents __________ donné la permission d'aller à la danse.

b) __________ frère ne pourra pas venir.

5. Utilise *mes*, *m'est* ou *mais* pour compléter les phrases.

a) Il __________ impossible d'aller vous rejoindre.

b) Je voudrais bien y aller, __________ je ne peux pas.

c) __________ amis sont partis au Népal.

6. Utilise *son* ou *sont* pour compléter la phrase.

Il a perdu __________ chien.

7. Utilise la bonne onomatopée pour compléter la phrase.

flic flac	tchou, tchou	Atchoum	cocorico
iiiiiii	Vroum, vroum	tic, tac	boum, badaboum
Ding, dong	cric, crac	cot cot	meuh

a) La poule fait ____________________.

b) La branche a fait ____________________ en se cassant.

c) J'ai entendu la vache faire ____________________.

d) ____________________, a fait la sonnette de la porte d'entrée.

e) J'ai entendu ____________________ lorsque mon frère a déboulé les escaliers.

f) Ses chaussures mouillées faisaient ____________________ lorsqu'il marchait.

g) ____________________, a fait la maîtresse d'école enrhumée.

h) Le ____________________ de l'horloge m'empêchait de dormir.

i) Le ____________________ du violon d'Olga nous écorchait les oreilles.

j) Le train fait ____________________ en arrivant au passage à niveau.

k) ____________________, faisait le petit garçon qui jouait avec son gros camion.

l) Le coq a réveillé la basse-cour en chantant ____________________.

8. Trouve un métier qui rime avec le prénom.

Ex. : Martin est physicien.

a) Claire ____________________

b) Étienne ____________________

c) Benjamin ____________________

d) René ____________________

e) Constant ____________________

f) Olivia ____________________

9. Trouve des mots qui riment avec les mots suivants.

a) mécanicien ____________________

b) parent ____________________

c) pluie ____________________

d) chanson ____________________

e) peine ____________________

f) avocat ____________________

10. Trouve le plus de mots possible qui riment avec les mots suivants.

a) jambon ____________________

b) cahier ____________________

c) roman ____________________

d) fleur ____________________

e) directrice ____________________

Les homophones, les onomatopées, les rimes

Test d'évaluation → **Test de suivi**

1. Trouve un homophone pour chacun des mots suivants.

a) camp ______________________ b) poing ______________________

c) sans ______________________ d) elle ______________________

2. Relie les mots qui riment ensemble.

Melon	Facteur
Docteur	Finir
Pomme	Colonel
Arc-en-ciel	Ballon
Unir	Gomme

3. Relie l'animal à l'onomatopée de son cri.

Oiseau	Hi-han
Canard	Miaou
Chat	Hihihihi
Chien	Bê bê bê
Coq	Cui cui
Mouton	Wouf wouf
Âne	Coin coin
Souris	Cocorico

Résultat /17

français

mathématique

anglais

Exercices | **Les homophones, les onomatopées, les rimes**

1. Trouve un homophone pour chacun des mots suivants.

a) fois ____________________ b) voie ____________________

c) sont ____________________ d) ancre ____________________

e) dans ____________________ f) ce ____________________

g) cet ____________________ h) mère ____________________

2. Complète la phrase en utilisant *si*, *scie*, *s'y*.

Il ne sait pas comment ________ prendre ________ sa ________ ne fonctionne pas.

3. Complète la phrase en utilisant *taon* ou *ton*.

________ chien s'est fait piquer par un ________.

4. Complète la phrase en utilisant *cent* ou *sans*.

________ personnes sont ________ emploi.

5. Complète la phrase en utilisant *mais* ou *mets*.

Les ________ chinois sont excellents, ________ je préfère les spaghettis.

6. Complète la phrase en utilisant *ni* ou *nid*.

L'oiseau n'est pas dans son ________ ________ dans l'arbre.

7. Suis le chemin des noms d'oiseaux qui se terminent avec le son *an* pour conduire l'oiseau à son nid.

Hirondelle

Faucon

Gros-bec errant

Cardinal

Engoulevent

Aigrette

Colibri

Pic flamboyant

Tangara

Maubèche des champs

Chouette

Goéland

Cormoran

Bruant

Goglu

8. Associe l'onomatopée au son qu'elle représente.

snif snif	la douleur
clap, clap	boire
glouglou	une explosion
clac, clac	pleurer
aïe	un objet qui tombe à l'eau
plouf	rire
boum	applaudir
ah ah	claquer des dents

9. Écris l'onomatopée à côté du mot qui le représente.

kss kss	bla bla bla	ouin ouin	zzzzzz
clac	tut tut	beurk	groin groin
chut	ronron	miam miam	arrrr

a) klaxon : ____________________
b) c'est bon ! ____________________
c) dégoût : ____________________
d) parler : ____________________
e) serpent : ____________________
f) dormir : ____________________
g) tais-toi ! ____________________
h) porte qui se ferme : ____________________
i) cochon : ____________________
j) ronronnement : ____________________
k) pleurs : ____________________
l) colère : ____________________

Communication orale et communication écrite

→ Test d'évaluation Test de suivi

1. Lis le texte suivant et résume-le oralement à quelqu'un de ton entourage.

français

mathématique

anglais

Le garçon qui criait au loup
Ésope

Il était une fois un petit garçon qui allait parfois aux champs surveiller le mouton. S'il voyait un loup, il devait hurler aussi fort qu'il le pouvait : « Au loup ! Au loup ! »

Un jour, le petit garçon s'est mis à crier : « Au loup ! Au loup ! » Son père, ses frères, ses sœurs et les voisins sont accourus pour chasser le loup. Quand ils sont arrivés, le petit garçon se roulait par terre en riant.

L'après-midi suivant, il s'est remis à crier : « Au loup ! Au loup ! » Tous sont encore accourus pour chasser le loup. Quand ils sont arrivés, le petit garçon se roulait par terre en riant. Cette fois, les gens se sont fâchés et son père lui a dit : « Mentir n'est pas bien. Un bon jour, le loup viendra et tu auras vraiment besoin d'aide, mais personne ne te croira, car tu auras menti trop souvent. »

Son père, ses frères, ses sœurs et ses voisins ont décidé de lui donner une bonne leçon.

Quelques jours plus tard, un de ses frères s'est déguisé en loup et a rampé derrière un buisson et a grondé. Le petit garçon a crié : « Au loup ! Au loup ! » Le loup se rapprochait de plus en plus. Le petit garçon a crié de nouveau : « Au loup ! Au loup ! » Il a continué à crier, mais personne n'est venu l'aider. Le petit garçon était certain que le loup le mangerait. Il est parti en courant vers la maison, se jurant que plus jamais il ne dirait de mensonge, plus jamais ! Et il n'a plus jamais menti.

Résultat /100

Exercices | **Communication orale et communication écrite**

1. Écris une courte lettre à un ami ou une amie pour l'inviter à passer la nuit chez toi. Tu dois lui dire à quelle heure tu l'attends, ce qu'il ou elle doit apporter, ce que vous allez faire et à quelle heure ses parents doivent venir le ou la chercher le jour suivant.

____

____

____

____

____

2. Tu dois préparer un exposé oral de deux minutes sur l'animal de ton choix. Pour ne rien oublier, écris quelques mots qui t'aideront à te rappeler ce que tu dois dire.

Nom de l'animal : ______________________________

Habitat : ______________________________

Apparence physique (poids, longueur, hauteur et autres caractéristiques physiques importantes) :

____

____

____

Nombre de petits que la femelle met au monde par portée : ______________________________

Ce qu'il mange : ______________________________

Autres particularités :

____

____

____

Fais un dessin de cet animal.

3. Regarde les illustrations suivantes. Compose un texte qui explique ce qui est arrivé à ce pauvre homme.

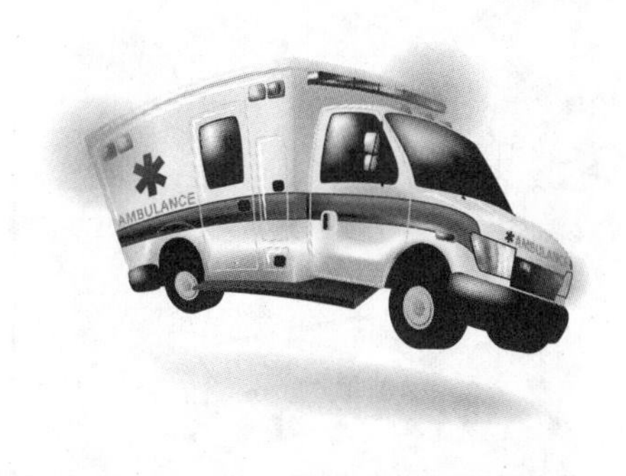

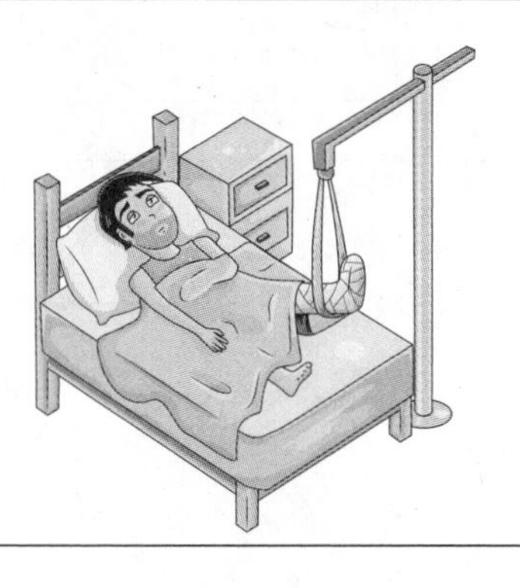

4. Regarde les illustrations. Raconte à voix haute l'histoire. Utilise des mots comme ***d'abord***, ***ensuite*** et ***finalement*** dans ton récit.

Communication orale et communication écrite

Test d'évaluation → Test de suivi

1. Samara est perdue. Elle est devant le gymnase et elle veut se rendre à la bibliothèque. Regarde le plan et explique à voix haute le chemin qu'elle doit prendre.

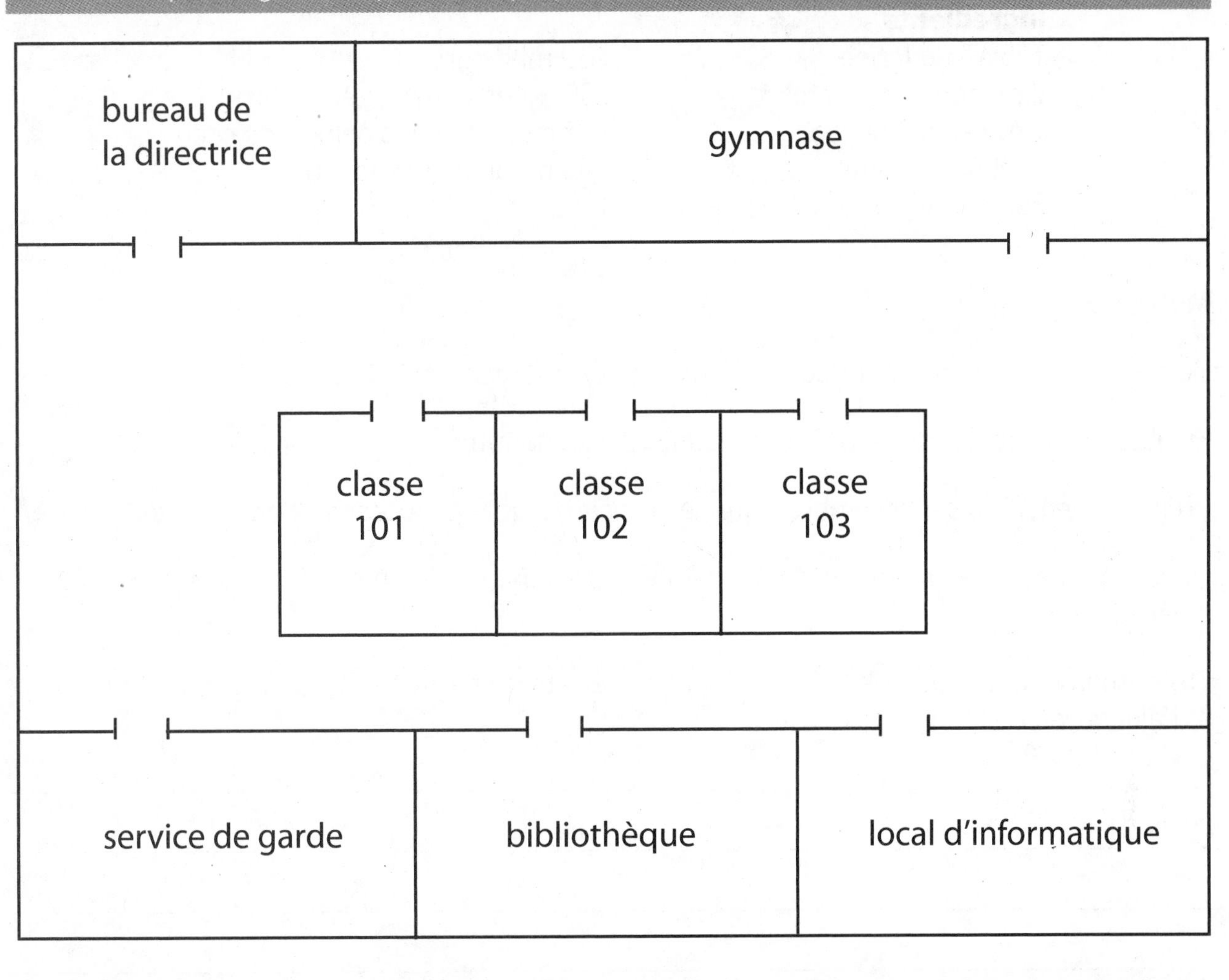

2. Maintenant, écris le trajet que Samara doit suivre.

____

____

____

____

____

Résultat /100

1. Ton amie t'a donné une recette, mais elle était dans la lune. Tout est mélangé. Remets la recette dans le bon ordre. Recopie seulement le début de chaque étape.

Biscuits à la banane

Ingrédients

125 ml de farine
2 ml de bicarbonate
1 pincée de muscade
2 ml de cannelle
250 ml de sucre
450 ml de gruau
250 ml de bananes écrasées
125 ml de flocons de noix de coco
450 ml de beurre fondu
1 œuf

Méthode

Deuxièmement, ajouter le gruau, les bananes et les flocons de noix de coco.

Finalement, cuire au four à 180 °C pendant 12 à 15 minutes.

Premièrement, tamiser ensemble la farine, le bicarbonate, la muscade, la cannelle et le sucre.

Quatrièmement, bien mélanger. Façonner de petites galettes et mettre le tout sur une tôle à pâtisserie.

Troisièmement, faire fondre le beurre et l'ajouter à la préparation. Battre légèrement l'œuf et l'ajouter au mélange.

français mathématique anglais

2. Raconte tes dernières vacances. Pour t'aider, prends quelques notes pour organiser ton récit de manière chronologique.

Mois durant lequel tu as pris tes vacances : ____________________

Personnes avec lesquelles tu as pris tes vacances : ____________________

____

Destination : ____________________

Endroit où vous dormiez (hôtel, camping, chalet, etc.) :

____

____

Endroits intéressants que tu as visités :

____

____

Activités intéressantes que tu as pratiquées :

____

____

Personnes que tu as rencontrées :

____

____

Ce que tu as le plus aimé :

____

____

Ce que tu as le moins aimé :

____

3. Invente une histoire. Tu peux te servir des mots entre parenthèses. N'oublie pas que ton histoire doit avoir un début, un milieu et une fin.

français

mathématique

anglais

(Premièrement, D'abord, Il était une fois, Un jour, Au début, etc.)

(Deuxièmement, Ensuite, etc.)

(Finalement, Pour finir, Alors, etc.)

Dictées trouées

→ Test d'évaluation Test de suivi

1. Demande à quelqu'un de te dicter les mots manquants.
Ils sont à la page 439 du corrigé.

La tortue et le lièvre
Grèce

Un________, un lièvre se moquait d'une ________. « Vous________ une lambine, a-t-il dit. Vous ne ________ pas courir même si vous le vouliez. » « ________ ________ de moi, a dit la tortue. Je parie que je pourrais vous ________ dans une course. » « Vous ne le pouvez pas ! » ________ le lièvre. « Oh oui », a répondu la tortue. « ________, a dit le lièvre. Je ferai la ________ avec vous. Et je gagnerai, même les yeux________. » Ils ont demandé à un ________ d'être le maître de jeu. « Prêts, parés, allez-y ! » a dit le renard. Le lièvre est parti à une ________ allure. Il est arrivé si loin en si peu de ________, qu'il a décidé de s'________ pour un petit somme. Et il est tombé ________, il dormait à ________ fermés. La tortue allait son petit bonhomme de ________, ne s'arrêtant jamais. Pas même un instant. Quand le lièvre s'est réveillé, il a couru aussi ________ qu'il le pouvait jusqu'à la ligne d'arrivée. Mais il est arrivé trop _______, la tortue avait déjà ________ la course !

Résultat /21

1. Demande à quelqu'un de te dicter les mots manquants. Ils sont à la page 440 du corrigé.

La cigale et la fourmi
Jean de Lafontaine

La cigale, ayant chanté

Tout l' ___________,

Se ___________ fort dépourvue

___________ la bise fut venue.

Pas un seul petit ___________

De ___________ ou de vermisseau.

Elle alla crier ___________

Chez la fourmi sa ___________,

La priant de ___________ prêter

Quelque ___________ pour subsister

Jusqu'à la ___________ nouvelle.

Je ___________ paierai, lui dit-elle,

Avant l'août, foi d'___________,

Intérêt et principal.

La fourmi n'est pas prêteuse;

C'est là son moindre ___________.

Que faisiez-vous au ___________ chaud?

Dit-elle à cette emprunteuse (4).

___________ et jour à tout venant Je chantais, ne vous déplaise.

Vous chantiez? j'en suis fort aise:

Et bien! dansez ___________,

2. Demande à quelqu'un de te dicter les mots manquants.
Ils sont à la page 440 du corrigé.

Ils sont à la page 440 du corrigé.

Le chaudron magique

Il était une __________ une petite fille et sa mère si __________ qu' __________ n'avaient rien à __________. Un jour, la __________ était si affamée qu'elle est entrée dans la __________ pour y trouver de la __________. Elle y a rencontré une __________ femme qui a trouvé la petite fille si __________ qu'elle a fait en sorte qu'elle n'ait plus jamais __________. La vieille femme a donné à la petite fille un __________. « Chaque fois que tu voudras du __________, a-t-elle dit, tu réciteras : "Chaudron __________, chaudron magique, __________-moi du bon gruau" et le chaudron te fera du bon gruau. » Quand tu __________ que le chaudron cesse d'en __________, tu diras : "Chaudron magique, __________ !" et le chaudron s'arrêtera. » L'enfant a apporté le chaudron à sa __________ et elles n'ont plus eu jamais faim. Un jour, la petite fille est partie __________ la forêt. Sa mère avait faim et elle a dit : « Chaudron magique, chaudron magique, fais-moi du bon gruau » et le chaudron s'est mis à faire du gruau.

Quand la mèren'a plus eu faim, elle a demandé au chaudron d'__________. Mais elle __________ oublié les __________ magiques. Le chaudron débordait à un point tel que la __________ a été __________ de gruau. __________ la petite fille est revenue, elle pouvait à peine retrouver sa __________, car celle-ci était __________ sous du gruau. La fillette a prononcé les mots magiques et le chaudron s'est arrêté de produire du gruau. Il a __________ bien du temps à la petite fille, à sa mère et aux __________ de la ville voisine pour __________ tout ce gruau !

Dictées trouées

Test d'évaluation → Test de suivi

1. Demande à quelqu'un de te dicter les mots manquants.
Ils sont à la page 440 du corrigé.

Le vent et le soleil

Le __________ et le __________ se __________ pour savoir __________ était le plus fort. __________, ils ont vu un __________ venir vers __________ et le soleil a dit : « Il y a une __________ de trancher notre __________. Celui de nous qui __________ faire retirer son __________ à ce voyageur sera considéré comme le plus __________ ». Le soleil s'est retiré derrière un __________ et le vent a commencé à __________ aussi fort qu'il le pouvait sur le voyageur. Mais plus il soufflait, plus le voyageur s'enveloppait __________ son manteau. Le vent a donc dû __________ en désespoir de __________. Le soleil est __________ sorti et s'est mis à __________ dans toute sa __________ sur le voyageur, qui a trouvé qu'il __________ trop chaud pour marcher avec son manteau sur le dos.

Résultat /21

2. Demande à quelqu'un de te dicter les mots manquants.
Ils sont à la page 440 du corrigé.

Le chat et la souris

La ___________ se faisait rare et Ramon, le chat du ___________, a donc décidé de ___________. Il a marché pendant des jours jusqu'à ce qu'il arrive dans une petite ville qui lui semblait accueillante. Toutes les souris de la ville ont pleuré, car elles avaient ___________ des chats.

« Miaou ! » a dit le chat et les souris ont répondu : « Nous savons que vous voulez nous manger, mais nous ne sortirons ___________ de nos maisons. » Les jours passaient et la même ___________ continuait.

Quelque ___________ après, les souris ont entendu les aboiements d'un chien. Elles ont pensé que le chat avait été chassé par le chien. Elles sont donc sorties, mais à leur grande ___________, il n'y avait pas de chien. Au lieu de cela, elles ___________ vu Ramon le chat. Cette fois, il avait aboyé. D'une ___________ effrayée, une souris a demandé au chat : « D'où venait l'aboiement que nous avons___________ ? Nous avons cru qu'il y avait un chien et nous avons pensé qu'il vous avait fait ___________. C'est vous qui imitiez un chien ? » Fier de lui, le chat a répondu : « En effet, c'était moi. J'ai appris que ceux qui ___________ au moins ___________ ___________ réussissent beaucoup mieux dans la vie. »

3. Demande à quelqu'un de te dicter les mots manquants.
Ils sont à la page 440 du corrigé.

a) **Le chien : une légende maya**

Il y a ___________ ___________ ___________, le chien était la seule ___________ qui ___________ parler. Il a alors révélé tous les ___________ de la création. Voyant que le chien ne pouvait ___________ un secret, le Créateur a pris la ___________ queue du chien et l'a mise dans sa ___________. Puis le Créateur a pris la ___________ langue du chien et l'a mise à la place de sa queue. C'est ___________ maintenant, quand le chien veut vous dire quelque chose, il ___________ la queue.

b) **L'âne dans la peau du lion**
Ésope

Un ___________ revêt un ___________ de lion et erre dans la forêt, s'amusant de voir qu'il effraie tous les ___________ qu'il rencontre. Il effraie les ___________, les ___________, les écureuils et le cerf. Finalement, il se ___________ ___________ à un renard. Il essaie de l'effrayer aussi, mais le renard se ___________ à rire.
« J'aurais ___________ été effrayé, si je ___________ pas entendu votre braiment. »

4. Trouve les 15 fautes qui se cachent dans le texte.

Mercure et le bûcheron
Ésope

Un bucheron coupait un arbre au bord d'une riviere, quand sa hache tomba dans l'eau. Il pleurait sa perte, quand Mercure apparut et lui demandda pourkoi il était si triste. Quand il entendit l'histoire, Mercure plonga dans la rivière et ramena une hache d'or. « Est-ce celle que vous avez perdue ? » demanda Mercure. Le bûcheron répondit que non et Mercure plongea encore et ramena une hache d'argent. « Est-ce celle que vous avez perdue ? » demanda Mercure. « Non », a dit le bûcheron. Mercure plongea de nouvo dans la rivière et ramena la ache disparue. Le bûcheron était très heureu de retrouvé sa hache. Mercure, ravi de l'honnêteté du bûcheron, lui fit cadeau des deux autres hache. Quand le bûcheron raconta l'histoir à son ami, celui-ci décida de tenter sa chance. Il alla au bord de la rivière et laissa tomber sa hache dans l'eau. Mercure apparut et, en apprenant que la hache de l'home était tombée à l'eau, il plongea et rammenna une hache d'or. Sans attendre, l'ami du bûcheron s'écria : « C'est la mienne ! » et il tendit la min pour avoir la hache d'or. Mercure, dégoûté par la malhonnêteté de l'homme, refusa de lui donner la hache d'or, mais refusa aussi de récupérer celle qui était tombée dans les flot.

français
mathématique
anglais

L'ordre alphabétique, le sens des expressions imagées, les préfixes…

→ Test d'évaluation Test de suivi

1. Classe les mots suivants dans l'ordre alphabétique.

demain visage ordinateur téléphone écran
crayon stylo papier calendrier diplôme peinture date

1. ______________ 7. ______________
2. ______________ 8. ______________
3. ______________ 9. ______________
4. ______________ 10. ______________
5. ______________ 11. ______________
6. ______________ 12. ______________

2. Explique en tes mots le sens des expressions suivantes.

a) N'être pas piqué des vers.

____

b) Tomber des nues.

____

3. Forme des mots avec les préfixes et les suffixes suivants. Sers-toi des mots ci-dessous.

age cassette ois sons

a) ultra ______________ b) vidéo ______________

c) affich ______________ d) chin ______________

français mathématique anglais

Résultat /18

1. Classe les prénoms des élèves de la classe de Julie dans l'ordre alphabétique.

Justine	Geneviève	Karina	William
Marika	Joey	Justin	Kevin
Lydia	Paul	Catherine	Marie-Pier
Jérémie	Jean	Alexandre	Olivier
Aurélie	Maude	Antoine	Isabelle

1. ______________________
2. ______________________
3. ______________________
4. ______________________
5. ______________________
6. ______________________
7. ______________________
8. ______________________
9. ______________________
10. ______________________
11. ______________________
12. ______________________
13. ______________________
14. ______________________
15. ______________________
16. ______________________
17. ______________________
18. ______________________
19. ______________________
20. ______________________

2. Encercle la liste de prénoms qui est dans l'ordre alphabétique.

a) Frédéric, Frédérika, Frédérique, Fridolin, Fritz

b) Delphine, Delvina, Diana, Dylan, Debbie

3. Explique en tes mots le sens des expressions suivantes.

a) Avoir une faim de loup.

____

b) Pleuvoir à boire debout.

____

c) Avoir le cœur en miettes.

____

d) Quand le chat est parti, les souris dansent.

____

e) Après la pluie, le beau temps.

____

f) Donner un œuf pour avoir un bœuf.

____

g) Il gèle à pierre fendre.

____

h) Une nuit d'encre.

____

français
mathématique
anglais

4. Ajoute un suffixe pour former un nouveau mot. Voici, à titre d'exemples, quelques suffixes : *eau*, *elle*, *et*, *aire*, *ment*, *et*, *on*, etc.

a) chat ______________________
b) tranquille ______________________
c) fille ______________________
d) tigre ______________________
e) cochon ______________________
f) sport ______________________
g) alphabet ______________________
h) rêve ______________________
i) raison ______________________
j) chaleur ______________________

5. Ajoute un préfixe pour forme un nouveau mot. Voici, à titre d'exemples, quelques préfixes : *par*, *im*, *super*, *extra*, *dé*, *in*, *re*, *sur*, etc.

a) ______________ pendre
b) ______________ puissant
c) ______________ élire
d) ______________ colorer
e) ______________ possible
f) ______________ boiser
g) ______________ terrestre
h) ______________ patient
i) ______________ raisonnable
j) ______________ marché

6. Sépare le préfixe du mot à l'aide d'un trait.

a) impossible
b) impatient
c) désunir
d) entrechoquer
e) déshabiller
f) reprendre

L'ordre alphabétique, le sens des expressions imagées, les préfixes...

Test d'évaluation → **Test de suivi**

1. Classe les mots suivants dans l'ordre alphabétique.

livre, bibliothèque, page, ouvrage, couverture,
auteur, éditeur, index, épilogue, prologue

1. ______________________ 2. ______________________

3. ______________________ 4. ______________________

5. ______________________ 6. ______________________

7. ______________________ 8. ______________________

9. ______________________ 10. ______________________

2. Toutes ces expressions parlent d'une partie du corps. Écris le nom de cette partie.

a) Trouver chaussure à son __________.

b) Ne pas voir plus loin que le bout de son __________.

c) Ne pas savoir quoi faire de ses dix __________.

d) Se creuser la __________.

3. Sépare le préfixe du mot à l'aide d'un trait.

a) relire b) refaire c) déconstruire

4. Sépare le suffixe du mot à l'aide d'un trait.

a) bourriquet b) gouttelette c) casquette

Résultat /20

1. Classe les noms d'oiseau en ordre alphabétique.

vautour	urubu	moineau	goéland	cormoran
grive	perdrix	tétras	hirondelle	merle
mouette	tourterelle	geai	pigeon	flamant
aigle	faucon	bruant	macareux	quiscale
oie	ibis	râle	pingouin	bernache

1. ____________ 2. ____________

3. ____________ 4. ____________

5. ____________ 6. ____________

7. ____________ 8. ____________

9. ____________ 10. ____________

11. ____________ 12. ____________

13. ____________ 14. ____________

15. ____________ 16 ____________

17. ____________ 18. ____________

19. ____________ 20. ____________

21. ____________ 22. ____________

23. ____________ 24. ____________

25. ____________

français
mathématique
anglais

2. Inscris le numéro de la définition qui correspond à l'expression.

Expressions

a) Marie-Lou a le cœur dans l'eau. ______

b) Son nom est sur toutes les lèvres. ______

c) Elle voulait un chat à tout prix. ______

d) Il a vraiment grand cœur. ______

e) Pierre s'est sauvé à toutes jambes. ______

f) Mariette avait le ventre creux. ______

g) Antoine avait repris du poil de la bête. ______

h) Suzie avait une langue de vipère. ______

i) Mathieu a du front tout le tour de la tête. ______

Définitions

1. Avoir faim.
2. Être généreux.
3. Prendre du mieux, souvent après une maladie.
4. Quelqu'un qui parle en mal des autres.
5. Avoir de la peine.
6. Sous n'importe quelle condition.
7. Tout le monde parle de cette personne.
8. Être audacieux en actes ou en paroles.
9. Rapidement

3. Ajoute un suffixe pour forme un nouveau mot.
Sers-toi des suffixes suivants : *age*, *tte*, *ment*, *eau*, *au.*

a) rude ______________________ b) renard ______________________

c) jambe______________________ d) traîne ______________________

e) baleine ______________________ f) magasin ______________________

g) mari ______________________ h) tragique______________________

i) vive ______________________ j) aveugle ______________________

4. Ajoute un préfixe pour former un nouveau mot.
Sers-toi des préfixes suivants : *dés*, *dé*, *im*, *in*, *dis*, *in.*

a) ____________ natalité b) ____________ mobile

c) ____________ discret d) ____________ placé

e) ____________ paraître f) ____________ capable

g) ____________ hydraté h) ____________ mérite

i) ____________ flexible j) ____________ activer

k) ____________ soluble l) ____________ fini

Vocabulaire, les mots-valises, les familles de mots, les mots composés

→ Test d'évaluation Test de suivi

1. Biffe tous les mots qui ne servent pas à décrire un être humain.

généreux	paresseuse	étoilée	bon	serviable
adroit	gentille	honnête	ensoleillé	tricheur
triste	intelligent	bleu	astral	docile

2. Réponds par vrai ou faux.

Les mots-valises sont la réunion de deux mots existants pour nommer une réalité nouvelle, par exemple *internaute* (*internet* et *astronaute*).

____

3. Biffe tous les mots qui ne sont pas des mots composés.

maladresse	arc-en-ciel	cahier
tournevis	taille-crayon	fourchette
pique-nique	portefeuille	tradition

4. Encercle les mots qui sont de la même famille.

arbre arbuste arbustif artiste

5. Nomme trois moyens de transport.

____

6. Quel est le cri de la vache ?

____

Résultat /14

1. Trouve les mots-valises.

Voici un exemple : *bibliothèque* et *autobus* : *bibliobus*.

a) *télévision* et *marathon* : ______________________

b) *caméra* et *magnétoscope* : ______________________

2. Encercle le mot qui n'est pas de la même famille.

a) corde, cordelette, cordage, corder, cornage

b) diviser, divinité, diviseur, division, divisible

c) éléphant, éléphanteau, olifant, éléphantesque

d) roncier, rond, rondelle, rondelette, rond-point

e) avion, aviateur, aviaire, hydravion, porte-avions

f) francophone, français, franche, franco-manitobain

g) école, scolaire, écolier, scolarisation, éclore

3. Trouve des mots de la même famille.

a) patineur : ______________________

b) amitié : ______________________

c) mal : ______________________

d) soleil : ______________________

4. En te servant de la banque de mots, forme des mots composés. Attention, ils ne sont pas tous réunis par un trait d'union. Ex. : portefeuille.

tête	cache	oiseau	papier	clés
porte	coupe	tire	casse	mal
vêtement	col	heureux	mouche	neige
partout	tard	gouttes	homme	sous
passe	couche	rince	bon	bouche
compte	bouchon	perce		

1. ______________________
2. ______________________
3. ______________________
4. ______________________
5. ______________________
6. ______________________
7. ______________________
8. ______________________
9. ______________________
10. ______________________
11. ______________________
12. ______________________

5. Trouve des mots qui servent à décrire un être humain.

____

6. Complète le tableau.

Mâle	Femelle	Petit	Cri
âne			braire
		chevreau	
canard			cancaner
			miauler
		éléphanteau	barrir
	louve		
		poulain	
		chamelon	blatérer
			aboyer
cerf			bramer
lion			

7. Biffe les mots qui ne se rapportent pas aux moyens de transport.

bicyclette boulevard TGV chronomètre tout-terrain
jeep autobus taxi bateau fiançailles
aéronef gros-porteur banc voilier wagon

Vocabulaire, les mots-valises, les familles de mots, les mots composés

Test d'évaluation → **Test de suivi**

1. Trouve les deux mots qui ont servi à former les mots suivants.

a) robotique ______________________ b) clavardage ______________________

2. Recopie les mots en ajoutant les traits d'union ou les espaces manquants.

a) arcenciel ______________________ b) savoirvivre ______________________

c) cessezlefeu ______________________ d) albumàcolorier ______________________

3. Trouve un mot de la même famille pour chacun des mots suivants.

a) incendiaire ______________________ b) détailler ______________________

c) mollesse ______________________ d) joyeusement ______________________

4. Biffe les mots qui ne font pas partie du vocabulaire propre au désert, à la mer ou à la forêt.

arbre	presqu'île	voleur	dune	oasis
cinéma	gratte-ciel	sapinière	océan	vague
marée	saharien	pin	coquillage	karaté

5. Biffe tous les mots qui n'ont pas rapport au sport.

équitation	handball	crochu	patinage
soccer	filet	cils	judo
golf	galaxie	lutte	ski

1. Trouve les mots-valises.

Voici un exemple : *bibliothèque* et *autobus* : *bibliobus*.

a) *courrier* et *électronique* : ______________________

b) *poubelle* et *courriel* : ______________________

c) *abri* et *autobus* : ______________________

d) *hélicoptère* et *aéroport* : ______________________

e) *restaurant* et *route* : ______________________

2. Trouve trois mots composés qui ne sont pas séparés par un trait d'union.

____

3. Trouve trois mots composés qui sont séparés par un trait d'union.

____

4. Trouve trois mots composés qui ne sont ni séparés par un trait d'union ni écrits d'un seul mot. Ex. : pomme de terre.

____

français
mathématique
anglais

5. Trouve les mots de la même famille et écris-les sous le tableau.

Rire	Millionnaire	Romanesque
Mince	Faisable	Riante
Million	Minceur	Opposable
Opposant	Naturelle	Zébrure
Faire	Rieur	Défaire
Formation	Brutal	Déformer
Brute	Romancer	Naturellement
Nature	Zébrée	Émincé
Roman	Opposer	Millionième
Zèbre	Former	Brutaliser

1. ____________
2. ____________
3. ____________

1. ____________
2. ____________
3. ____________

1. ____________
2. ____________
3. ____________

1. ____________
2. ____________
3. ____________

1. ____________
2. ____________
3. ____________

1. ____________
2. ____________
3. ____________

1. ____________
2. ____________
3. ____________

1. ____________
2. ____________
3. ____________

1. ____________
2. ____________
3. ____________

1. ____________
2. ____________
3. ____________

6. Associe le sport avec un objet qui sert à le pratiquer.

patinage	vélo
ski alpin	fleuret
tennis	fer
voile	patins
haltérophilie	gants
escrime	ballon
bobsleigh	skis
football	voilier
cyclisme	raquette
golf	traîneau
boxe	haltères

7. Souligne en bleu tous les mots qui ont un rapport avec la mer, en rouge ceux qui ont un rapport avec le désert et en vert ceux qui ont un rapport avec la forêt.

caravane	mirage	champignon
arbre	rivage	chaud
boréale	algue	oasis
équatoriale	subsaharien	courant
soif	pinède	orme
racine	mollusques	chameau
vague	marée	sève
cactus	nuits froides	serpent

Vocabulaire (livre), le dictionnaire, la ponctuation…

→ Test d'évaluation Test de suivi

1. Ajoute les signes de ponctuation manquants (, . ? !) dans les phrases suivantes.

a) Hier soir j'ai regardé les étoiles

b) Quel beau costume d'Halloween

c) Ma sœur a acheté des chaussettes des souliers des robes et des jupes

d) Êtes-vous allés au Biodôme

2. Cherche dans le dictionnaire la définition des mots suivants.

a) bibi : ______________ b) zincifère : ______________

3. Encercle les mots bien orthographiés.

a) alure allurre allure

b) autobus otobus autobusse

c) mervèlleux merveilleux merrveilleux

d) toit toît tois

4. Dans la phrase suivante, souligne les noms en bleu, les déterminants en vert, les adjectifs en rouge et entoure le verbe.

Les enfants mangent des pommes vertes.

5. Comment s'appelle la personne qui écrit un livre ?

____

6. Voici une liste de marqueurs de relation (mots qui servent à faire des liens dans les phrases et les textes). Encercle ceux qui annoncent une cause.

ou parce que avant de car puisque de plus à cause de

Résultat /25

1. Ajoute les signes de ponctuation manquants dans les phrases suivantes.

a) Les enfants les parents et les amis sont invités au spectacle de fin d'année

b) Avez-vous trouvé le manuel de mathématique

c) Quelle merveilleuse invention

d) Pour son ami Pietro a choisi un jeu de société

e) La pâtissière vend du chocolat des gâteaux des tartes et des croissants

f) Tous les enfants veulent jouer au ballon

g) Quel beau rêve j'ai fait

h) Quel est votre nom

i) Demain j'irai au cinéma

2. Trouve la définition des mots suivants dans le dictionnaire.

a) perce-neige : ______________________________

b) mustang : ______________________________

c) reître : ______________________________

d) scherzo : ______________________________

e) venelle : ______________________________

f) dictaphone : ______________________________

g) ciré (nom masculin) : ______________________________

3. Souligne les erreurs puis récris la phrase correctement.

a) Ma cousine ont un beau chat et deux chien.

___

b) J'admire se danseur parce qu'il danse tres bien.

___

c) Je voulais des patin neuf pour mon anniversaire.

___

d) Ma sœur a fait un potagé. Elle a semé des graine.

___

4. Souligne les noms en bleu, les adjectifs en rouge, les déterminants en vert et encercle le verbe. Écris *GS* au-dessus du groupe sujet. Relie le verbe au GS. Relie l'adjectif au nom qu'il qualifie.

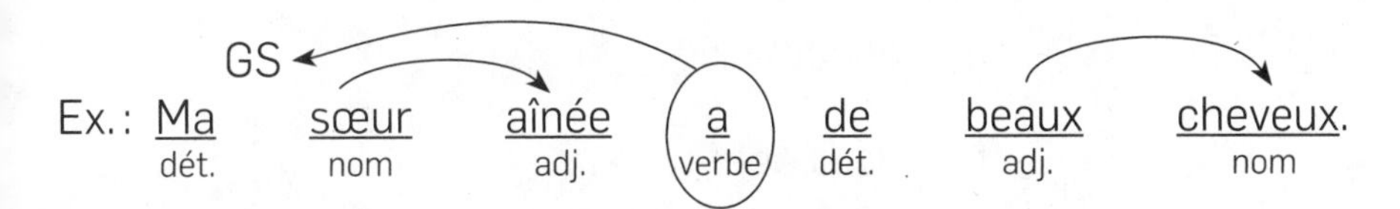

a) Mon ami Pierre avait un vélo rouge.

b) Le capitaine du bateau voguait sur les eaux calmes.

c) Les astronautes volent dans un vaisseau spatial.

français mathématique anglais

5. Complète les phrases en ajoutant le marqueur de relation approprié. Utilise la banque de mots.

parce qu' Pendant que Quand d'abord Même si ou

a) Marie fera du sport ___________ de la musique.

b) La rivière a débordé ___________ il a beaucoup plu.

c) ___________ on regardait attentivement, on ne voyait pas les étoiles.

d) Allez vous changer ___________, ensuite, venez me rejoindre.

e) ___________ je regardais la télévision, je coloriais.

f) ___________ le soleil brille, il faut se mettre de l'écran solaire.

6. Inscris le numéro de la définition à côté du mot correspondant.

a) auteur____

b) index ____

c) table des matières ____

d) collection ____

e) éditeur ____

f) dédicace ____

g) illustrateur ____

h) chapitre ____

1. Personne qui édite des livres.
2. Personne qui écrit des livres.
3. Liste dans un livre qui énumère tous les chapitres et toutes les sections d'un livre.
4. Série d'ouvrages portant sur un même sujet.
5. Personne qui illustre des livres.
6. Inscription au début d'un livre.
7. Section d'un livre
8. Table alphabétique des sujets traités dans un livre.

Vocabulaire (livre), le dictionnaire, la ponctuation…

Test d'évaluation → Test de suivi

1. Ajoute les signes de ponctuation manquants.

a) Il nous faut des pommes des oranges des bananes et des cerises

b) J'aime mon chien

c) Allez, ouste

d) Qu'est-ce qu'on mange

2. Indique à quelle page de ton dictionnaire on trouve les mots suivants.

a) coller ______________ b) étincelle ___________ c) mince ______________

d) spatule ______________ e) emploi ___________ f) bafouiller ___________

3. Encercle les mots bien orthographiés.

a) assurance asurance assurence

b) balon ballon balin

c) miraculeut mirraculeux miraculeux

d) délicieux déllicieux délicieut

4. Dans la phrase suivante, souligne les noms en bleu, les déterminants en vert, les adjectifs en rouge et entoure le verbe.

Le fils de mon voisin est un très bon nageur.

5. Comment s'appelle la personne qui édite un livre ?

____

6. Voici une liste de marqueurs de relation (mots qui servent à faire des liens dans les phrases et les textes). Encercle les marqueurs de temps.

Quand pendant que avant de et de plus d'un autre côté

Résultat /28

1. Lis la définition et écris le signe de ponctuation correspondant.

a) Je sers à séparer les éléments d'une énumération, à encadrer ou à isoler un groupe de mots ou pour juxtaposer des phrases.

____

b) Je termine une phrase exclamative.

____

c) Je termine une phrase interrogative.

____

d) Je termine une phrase déclarative ou impérative.

____

2. Trouve la définition des mots suivants dans le dictionnaire.

a) appentis : ______________________________

b) varlope : ______________________________

c) zloty : ______________________________

d) yourte : ______________________________

e) survitrage : ______________________________

f) unijambiste : ______________________________

g) psoque : ______________________________

3. Parmi les mots suivants, certains sont mal orthographiés. Souligne-les et récris-les correctement.

a) serveur ______________________
b) habis ______________________
c) bato ______________________
d) cahié ______________________
e) meuble ______________________
f) adjectiffe ______________________
g) ordinateure ______________________
h) vaisselle ______________________
i) magniffique ______________________
j) élève ______________________
k) parolle ______________________
l) clase ______________________

4. Souligne les noms en bleu, les adjectifs en rouge, les déterminants en vert et encercle le verbe. Écris *GS* au-dessus du groupe sujet. Relie le verbe au GS. Relie l'adjectif au nom qu'il qualifie.

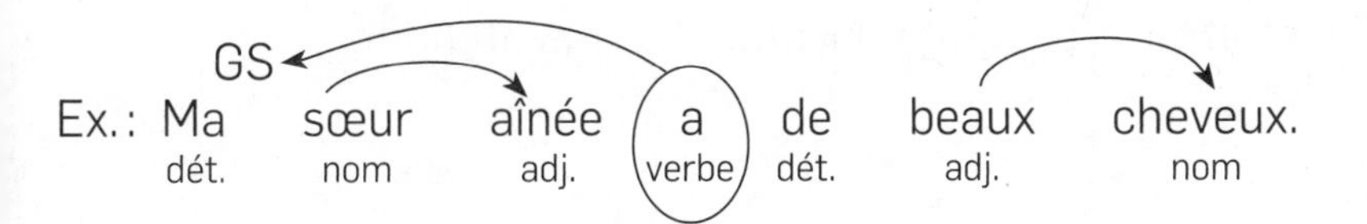

a) Mon frère joue très bien au hockey.

b) Manon a un cheval noir.

c) Félix mange une délicieuse orange.

d) Marie-Josée a fait un beau voyage.

e) La chorale de l'école a donné un beau spectacle.

5. Regarde la couverture du livre et écris le nom des différentes parties.

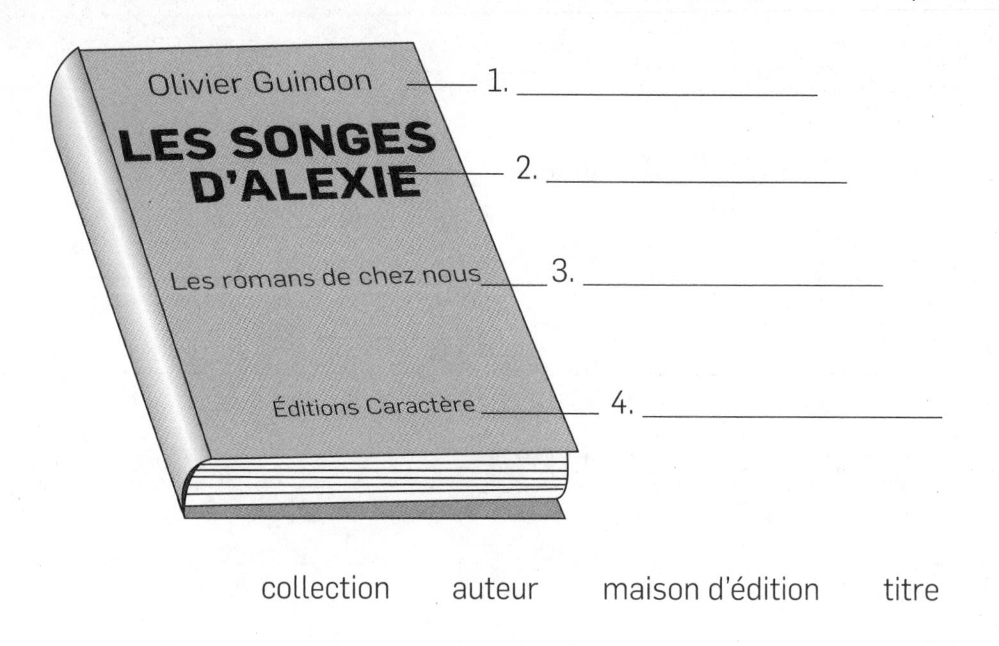

collection auteur maison d'édition titre

6. Complète les phrases en ajoutant le marqueur de relation approprié. Utilise la banque de mots.

Pendant et mais ou pourtant Maintenant

a) J'avais __________ regardé partout.

b) Maya voudrait aller au concert, __________ ses parents ne veulent pas.

c) __________ que tu jouais, j'"ai rangé ta chambre.

d) __________, faites ce que je vous dis.

e) Jérémie a un vélo __________ une trottinette.

f) Vous voulez des pommes __________ des oranges ?

Compréhension de lecture 1

→ Test d'évaluation Test de suivi

1. Lis le texte suivant et réponds aux questions.

Le mauvais roi

Il était une fois un mauvais roi qui était mesquin et détestable envers tous ceux qu'il rencontrait. Il est allé de ville en ville, volant l'argent et les biens du peuple. Quand il se sentait particulièrement mauvais, il mettait les gens en prison et se moquait d'eux jusqu'à ce que ça ne l'amuse plus. Chacun avait peur du mauvais roi. Même les soldats les plus grands, les plus forts avaient peur. Devant lui, ils l'appelaient le Bon Roi, mais dans son dos, ils l'appelaient le Méchant.

Un jour, le mauvais roi est allé voler les gens dans une des villes voisines. Quand il est arrivé dans cette ville, il a vu que tout avait déjà été pris. Il est passé au village suivant. On avait déjà volé les gens là aussi. De ville en ville, il a voyagé, constatant que partout, toutes les possessions des gens avaient été prises.

Le mauvais roi était vraiment perplexe. Que devait-il faire ? Qui pourrait-il donc voler ? Que ferait-il ? Soudain, une idée lui est venue. « Je vais m'emparer des cieux ! Je gouvernerai le monde d'en haut ! »

Le mauvais roi a ordonné à ses domestiques et à ses soldats de lui construire un dirigeable. Quand il a été achevé, il ressemblait à un bateau attaché à un ballon géant. Cent aigles attendaient pour soulever le dirigeable dans les nuages. Le mauvais roi était très enthousiaste ! Il est monté dans son dirigeable et a ordonné aux aigles de le faire s'élever dans le ciel. « Je gouvernerai le monde ! a-t-il crié. Je gouvernerai l'univers ! Même le soleil et la lune se prosterneront devant moi ! »

Soudain, un minuscule moustique a bourdonné à l'oreille du roi et l'a mordu. Le roi a sursauté. Il a frappé son oreille de la main. Il a sursauté de nouveau. Il s'est roulé sur le plancher de son gros dirigeable. Mais la douleur était toujours là. Le roi a sauté, s'est roulé par terre, a frappé son oreille de nouveau, a sauté, roulé, frappé.

Les soldats, les domestiques et même les aigles ont commencé à glousser. Puis, ils se sont mis à rire. Ils ont ri si fort que le dirigeable en a été tout agité. Quand le mauvais roi a vu que tous ces gens se moquaient de lui, il s'est senti embarrassé et honteux. Après tout, s'est-il dit, n'était-il pas le roi le plus puissant, le plus puissant d'entre tous ? Mais un minuscule moustique l'avait battu.

Le roi s'est senti si embarrassé qu'il est parti en courant et n'est jamais revenu dans son royaume. Les gens ont récupéré leur argent et leurs biens et n'ont plus jamais eu peur.

a) Que faisait le roi quand il se sentait particulièrement méchant ?

____

b) Comment les gens appelaient-ils le roi dans son dos ?

____

c) Que faisait le roi de ville en ville ?

____

d) Qu'est-ce que les domestiques et les soldats ont construit pour le roi ?

____

e) Combien d'aigles ont soulevé le dirigeable ?

____

f) Qui a piqué le roi ?

____

g) Pourquoi le roi était-il si honteux ?

____

Résultat 4

1. Lis le texte suivant et réponds aux questions.

Le renard qui a perdu son repas

Il était une fois une basse-cour remplie de bonnes grosses volailles picorant et placotant. « Cot-cot-cot », disaient les poules. « Coin-coin », disaient les canards. « Quanquan », disaient les oies. « Glouglou, glouglou », disaient les dindes. « Cocorico », disait le coq.

Puis est venu un renard rusé qui s'est dit : « Oh oh ! Voilà pour ce soir un excellent repas de volailles bien grasses. » « Salut mes jolies volailles bien grasses, a fait le renard rusé. Je vais vous manger pour dîner ce soir. » « Oh, s'il vous plaît, ne nous mangez pas », ont supplié les poules. « Laissez-nous retourner dans notre grange », ont dit les canards.

« Malheureusement, je ne crois pas pouvoir faire ça, a dit le renard rusé. Je vous mangerai tous, un par un ». « Oh mon Dieu, mon Dieu, mon Dieu ! » ont dit les oies. « C'est très dur pour nous de mourir ainsi, ont dit les dindes. Ne nous laisseriez-vous pas faire une dernière chose avant de nous manger ? » « Oui, a repris le coq. Laissez-nous juste un dernier souhait, ensuite nous nous mettrons en file et vous nous enfilerez dans votre estomac. » « Quel est ce souhait ? » a demandé le renard usé. « Laissez-nous, s'il vous plaît, prier avant que vous nous mangiez », ont proposé les poules. « S'il vous plaît », ont dit les canards. « Très bien, a dit le renard rusé. Je vous accorderai juste un souhait, mais faites vite. J'ai très faim ».

Toutes les belles volailles grasses se sont mises à prier. « Vous faites trop de bruit, a dit le renard rusé. Priez plus silencieusement. » Mais les belles volailles grasses ont prié plus fort. « J'ai dit plus silencieusement, pas plus fort ! » a crié le renard rusé, qui commençait à perdre patience. Mais les poules, les canards, les oies, les dindes et le coq ont prié de leur voix la plus forte.

La prière était si forte que le fermier est aussitôt sorti pour voir ce qui se passait. Quand il a aperçu le renard rusé, il a saisi son arme à feu et a couru à la basse-cour pour protéger ses volailles, tirant tout en courant. Le renard rusé s'est enfui par les champs, courant plus vite que les balles du fermier.

a) Quelles volailles vivent dans la basse-cour ?

b) Que veut faire le renard ?

c) Quel est le dernier souhait des volailles ?

d) Selon toi, pourquoi les volailles priaient-elles si fort ?

e) Qui est accouru au secours des volailles ?

f) Pourquoi le renard voulait-il manger les volailles ?

g) Le renard courait plus vite que quoi ?

h) Crois-tu que le renard reviendra dans la basse-cour ? Pourquoi ?

i) Crois-tu que ce que les volailles ont fait pour ne pas être mangées était une bonne stratégie ?

Compréhension de lecture 1

Test d'évaluation → **Test de suivi**

1. Lis le texte suivant et réponds aux questions.

Comment le dromadaire a hérité de sa bosse

Il y a très longtemps, quand le monde était nouveau et que les animaux commençaient tout juste à travailler pour les humains, le dromadaire vivait seul au milieu du désert parce qu'il était paresseux et grognon, et ne voulait pas travailler. Quand les gens lui parlaient, il répondait seulement : « Bof ! »

Un lundi matin, le cheval est arrivé lourdement chargé et a dit : « Dromadaire, sors donc et viens nous aider ! » Le dromadaire a répondu : « Bof ! » Le cheval est donc parti et a dit à l'homme que le dromadaire ne voulait pas travailler.

Le matin suivant, le chien est venu avec un bâton dans sa gueule et a dit : « Dromadaire, sors donc et trime comme nous tous ! » Encore une fois, le dromadaire a juste répondu : « Bof ! » Le chien est donc parti et a dit à l'homme que le dromadaire ne voulait pas travailler.

Mercredi matin, le bœuf est venu avec un joug sur son cou et a dit : « Dromadaire, viens et tire la charrue comme nous ! » Le dromadaire a juste répondu : « Bof ! » Le bœuf est donc parti et a dit à l'homme que le dromadaire ne travaillerait pas.

À la fin de la journée, l'homme a appelé le cheval, le chien et le bœuf et a dit : « Dans ce monde si nouveau, vous devrez tous les trois travailler deux fois plus parce que le dromadaire ne fera rien ; il dit juste : "Bof" ! »

Le cheval, le chien et le bœuf étaient très fâchés. Alors qu'ils bougonnaient, un génie est apparu. Ils lui ont demandé s'il était juste que le dromadaire soit si paresseux dans ce monde si nouveau. « Que dit le dromadaire à ce sujet ? » a demandé le génie. Ils ont répondu : « Il dit juste "Bof" ! »

Le génie est donc allé dans le désert pour voir le dromadaire. Quand il l'a trouvé, il lui a dit : « Dans ce monde si nouveau, pourquoi ne veux-tu pas travailler ? » Le dromadaire a juste dit : « Bof ! » « À cause de ta paresse, les autres animaux doivent travailler davantage. Je veux que tu travailles aussi. » Le dromadaire a juste dit : « Bof ! » « Je cesserais de dire "Bof" si j'étais à ta place. Tu pourrais le dire une fois de trop. » Encore une fois, le dromadaire a dit : « Bof ! »

Aussitôt, son dos, dont il était si fier, a commencé à se gonfler en une grosse bosse! « Tu vois? a dit le Génie. Voilà que tu as hérité d'une bof, oups, je veux dire bosse, tout ça parce que tu as dit que tu ne travaillerais pas. Maintenant, quitte ce désert et va travailler avec les autres animaux. » « Mais comment vais-je faire avec cette bof... oups, cette bosse sur mon dos? » a gémi le dromadaire. « Puisque tu n'as pas travaillé pendant trois jours, tu devras travailler trois jours de suite sans t'arrêter. Cette bosse stockera assez de nourriture et d'eau pour ces trois journées. Sois toi-même et va travailler comme le reste des animaux », a dit le génie.

Ainsi, le dromadaire est parti le matin suivant avec sa bof, oups, sa bosse et a rejoint le cheval, le chien et le bœuf pour aider l'homme dans son travail. Et même de nos jours, le dromadaire a toujours sa bof, oups, sa bosse.

a) Quelle est l'expression préférée du dromadaire?

____

b) Nomme les animaux qui sont allés voir le dromadaire.

____

c) Qui est apparu aux animaux?

____

d) Pendant combien de jours de suite le dromadaire doit-il travailler?

____

e) Que contient la bosse du dromadaire?

____

f) Le dromadaire a-t-il conservé sa bosse?

____

Résultat /6

2. Lis le texte suivant et réponds aux questions.

Jack et Ol'Mossyfoot

Jack avait 10 ans et il s'ennuyait dans sa cour. Il s'est dit qu'il était assez vieux pour explorer un peu, alors il est parti. Jack était ravi de tout ce qu'il voyait dans le monde. Mais, voyager est fatigant et Jack s'est endormi sous un arbre. Il a dormi longtemps et quand il s'est réveillé, le soleil se couchait.

Quand il commençait à faire sombre, Jack a suivi la route et s'est retrouvé dans un grand bois. Pour se tenir au chaud, Jack a fait un feu. Comme il était devant son feu, il a entendu quelque chose comme : whoomity whop, whoomity whop. Jack a tout de suite su que c'était Ol'Mossyfoot et il était très effrayé !

Il a saisi une bûche et l'a jetée en direction du son. La bûche a atterri avec une gerbe d'étincelles et la créature a couru se cacher dans les bois. Jack se demandait s'il devait partir quand il a entendu de nouveau : whoomity whop, whoomity whop. Il a saisi une autre bûche et a attendu que Ol'Mossyfoot s'approche jusqu'à ce qu'il sente le feu de ses terribles yeux. Alors Jack a lancé la bûche aussi fort qu'il le pouvait.

La bûche a atterri directement dans la mousse gluante aux pieds du monstre, en grésillant. La créature s'est de nouveau enfuie dans les bois. Jack savait qu'il ferait mieux de partir. Mais avant qu'il puisse le faire, il a entendu de nouveau whoomity, whop, whoomity whop.

Il a commencé à courir aussi vite qu'il le pouvait. Il entendait derrière lui les pas visqueux du monstre. À la première occasion, Jack est monté dans un grand arbre. Le monstre était si gluant qu'il ne pouvait pas monter jusqu'à lui et glissait sans arrêt. Jack a alors entendu l'effroyable mâchoire qui mâchait bruyamment. Le monstre rongeait l'arbre ! L'arbre a commencé à pencher un peu, puis de plus en plus et encore plus. Enfin, il y a eu une grande agitation et l'arbre, avec Jack dans ses branches, est tombé vers Ol'Mossyfoot. Juste avant que l'arbre ne frappe le sol... Jack s'est réveillé !

a) Quel âge a Jack ?

____

b) Où Jack s'est-il endormi ?

____

c) Qu'a fait Jack pour se tenir au chaud ?

____

d) Qu'a lancé Jack vers le monstre à deux reprises ?

____

e) Où Jack s'est-il réfugié ?

____

f) Quel mot Jack utilise-t-il pour qualifier les pas du monstre ?

____

g) Pourquoi le monstre ne pouvait-il pas monter dans l'arbre ?

____

h) À ton avis, pourquoi le monstre rongeait-il l'arbre ?

____

i) Qu'est-il arrivé avant que Jack touche le sol ?

____

Compréhension de lecture 2

→ Test d'évaluation Test de suivi

1. Lis le texte suivant et réponds aux questions.

Maurice « Le Rocket » Richard

Les professionnels de la Ligue nationale de hockey appartiennent à l'élite des joueurs de hockey. La quasi-totalité de ces joueurs ont été des champions quand ils étaient petits. Ils ont tellement travaillé leur jeu qu'ils peuvent désormais affronter les meilleurs.

Parmi ces champions, certains se démarquent comme : Alexander Ovechkin et Sydney Crosby, qui sont les vedettes d'aujourd'hui. Avant eux, il y a eu Mario Lemieux et Wayne Gretzky (le meilleur marqueur de tous les temps). Mais il y a surtout le premier marqueur de 50 buts en une saison dans l'histoire du hockey : Maurice « Le Rocket » Richard.

Maurice Richard, le numéro 9 des Canadiens, est né le 4 août 1921 à Montréal. Initialement, il portait le numéro 15, mais après la naissance de sa première fille qui pesait 9 livres, il changea de numéro.

Le 28 décembre 1944, Maurice Richard, jeune homme âgé de 23 ans, connaît une journée de rêve. Après avoir travaillé toute la journée à un déménagement, il se présente au Forum de Montréal pour affronter les Red Wings de Détroit. Il établit un record de la LNH ce soir-là en marquant 5 buts et 3 passes, et mènera les Canadiens de Montréal à une victoire de 9 contre 1.

Au septième match de la finale de la coupe Stanley contre Boston en 1952, la vue voilée par le sang d'une blessure à la figure, Le Rocket marque le but de la victoire. La foule en délire l'ovationne pendant quatre longues minutes, du jamais vu dans l'histoire du Forum. Les exemples du talent et de la puissance de Maurice Richard pourraient se multiplier par centaines.

Pour les Québécois, Maurice Richard est un héros. Le Rocket, comme on le surnomme parce qu'on le compare à une fusée, en met plein la vue aux partisans des Canadiens pendant 18 ans.

La carrière de Maurice Richard prend fin en 1960 après une grave blessure au tendon d'Achille. Au cours de sa carrière, malgré les absences répétées attribuables aux blessures, il a marqué 544 buts en saison régulière et 82 dans les éliminatoires de la coupe Stanley. Nommé athlète masculin de l'année à deux reprises, Maurice Richard demeure l'homme du siècle pour de nombreux Québécois.

Maurice Richard est mort le 27 mai 2000 à Montréal. Des milliers de partisans ont défilé devant sa dépouille. Il a eu des funérailles nationales retransmises à la télévision, une première pour un athlète.

Pour en savoir plus sur Maurice Richard : ***Maurice Richard***, film de Charles Binamé.

Les archives de Radio-Canada, sur Internet, regorgent de renseignements sur Le Rocket.

a) Quel était le surnom de Maurice Richard ? ___

b) Dans quelle ville est-il né ? ___

c) Quel était le premier numéro de Maurice Richard ? ___

d) Pourquoi l'a-t-il changé ? ___

e) Quelle est la date de son anniversaire ? ___

f) À quel âge est-il décédé ? ___

g) À quel engin compare-t-on Maurice Richard ? ___

h) Pendant combien de temps a-t-il été ovationné à Boston ? ___

i) Pourquoi l'a-t-on ovationné ? ___

j) Combien d'années a duré sa carrière ? ___

k) Combien de buts a-t-il marqué en saison régulière ? ___

l) Vrai ou faux ? Maurice Richard est le premier joueur à avoir marqué 50 buts en une saison.

___

m) Pourquoi a-t-il pris sa retraite ? ___

n) À combien de reprises a-t-il été nommé athlète de l'année ? ___

2. En cherchant dans Internet ou à la bibliothèque, réponds aux questions suivantes.

a) Comment s'appelait son frère qui jouait également au hockey ? ___

b) Quel était son surnom ? ___

c) Comment s'appelait la ligne dans laquelle évoluait Maurice Richard en compagnie de Hector « Toe » Blake et Elmer Lach ? ___

d) De quelle équipe fut-il l'entraîneur pendant deux parties seulement ? ___

e) À qui remet-on le trophée Maurice Richard ? ___

Résultat /19

3. Lis le texte suivant et réponds aux questions.

Se déguiser en vampire pour l'Halloween

Matériel nécessaire

Un pantalon noir

Une chemise rouge

Un morceau de tissu noir de 70 cm x 70 cm pour confectionner la cape

1 m de ruban noir

Ciseaux

Épingles

Fond de teint blanc, rouge à lèvres rouge, crayon noir

Préparation de la cape

Découpe de petites pointes en dents de scie en bas de ta cape pour la rendre plus authentique et mystérieuse.

Coupe le ruban en deux parties égales.

Fixe les deux morceaux de ruban aux deux extrémités supérieures de ta cape. Tu peux les coudre ou les attacher avec des épingles.

Mets ton pantalon noir et ta chemise rouge. Maquille-toi en mettant du fond de teint blanc et du rouge à lèvres. Souligne tes yeux avec du crayon noir. Ensuite, dessine des gouttes de faux sang autour de ta bouche.

Fabrication du faux sang

Mélange 5 petits sachets de Kool-Aid à la cerise, 3 cuillers à soupe de sirop de maïs et 5 cuillers à soupe d'eau.

Conseils de sécurité

- Ajoute des bandes réfléchissantes sur ton costume ou promène-toi avec une lampe de poche.
- Évite de porter un masque. Choisis plutôt du maquillage. Le masque pourrait restreindre ta vision.
- Ne passe jamais l'Halloween seul.
- Traverse aux intersections. Évite de zigzaguer d'un côté et de l'autre de la rue.
- Demeure à l'entrée des maisons. N'entre pas à l'intérieur.
- Ne monte pas à bord d'un véhicule dont tu ne connais pas le conducteur.
- Demande à tes parents de vérifier tes friandises avant de les manger.

a) De quelle couleur est la chemise dont tu as besoin? ______________________

b) Nomme les ingrédients servant à la fabrication du faux sang: ______________________

____

c) De quelle grandeur de ruban noir as-tu besoin? ______________________

d) En combien de morceaux dois-tu couper le ruban? ______________________

e) De quelle grandeur est le morceau de tissu dont tu as besoin pour fabriquer la cape de vampire? ______________________

f) De quelle façon dois-tu découper le bas de la cape? ______________________

g) Explique comment tu dois te maquiller pour ressembler à un vampire.

____

h) Pourquoi dois-tu ajouter des bandes réfléchissantes sur ton costume?

____

i) Pourquoi est-il préférable de se maquiller plutôt que de porter un masque?

____

j) À ton avis, pourquoi tes parents doivent-ils vérifier tes bonbons avant que tu les manges?

____

k) Pourquoi ne dois-tu pas passer l'Halloween seul? ______________________

Compréhension de lecture 2

Test d'évaluation → **Test de suivi**

1. Lis le texte suivant et réponds aux questions.

Jack et le conte sans fin

Il y a longtemps, vivait un roi qui avait une magnifique fille. Ce roi adorait les histoires. Il fit donc savoir à tout le royaume que si un homme pouvait lui raconter un conte qui ne finissait jamais, il lui permettrait d'épouser sa fille.

Un jour, cette fille deviendrait reine et l'heureux conteur serait le nouveau roi. Mais il y avait un hic ! Si le conteur s'arrêtait pour quelque raison que ce soit, il se ferait couper la tête ! Quoi qu'il en soit, beaucoup de jeunes hommes essayèrent de raconter un conte sans fin au roi. Mais il ne fallait pas longtemps pour que chaque conteur s'épuise, bredouillant et tendu, et n'arrive pas à poursuivre son histoire. Ainsi, beaucoup de jeunes hommes se firent couper la tête !

Un garçon nommé Jack vivait dans les collines de ce royaume. Il aimait raconter de longs et interminables contes. Il faisait cela pour éviter de faire des travaux ménagers. L'existence du fameux concours du roi parvint jusqu'à ses oreilles. Il se dit : « Je suis celui qu'il faut pour raconter au roi un conte sans fin. J'ai justement ce qu'il faut. »

Jack se rendit au palais. Quand Jack annonça au portier ce qu'il venait faire, l'homme a secoué la tête et l'a regardé tristement. Mais il a tout de même fait entrer Jack et dès que le roi fut installé dans son fauteuil préféré, Jack commença. « Il était une fois un roi qui avait rassemblé tout le blé que les habitants de son royaume avaient fait pousser dans une seule grange au beau milieu de son royaume.

« Ce roi diviserait le blé en différentes portions pour que personne ne souffre de la faim alors qu'approchait le froid de l'hiver. Lorsque la grange fut presque remplie, une vieille petite souris rongea un trou dans un coin de la grange. La grange était si grande et la souris si minuscule que personne ne la vit ! Eh bien, un jour, elle se faufila dans la grange, elle se prit un bon gros morceau de blé et elle ressortit rejoindre sa famille dans les champs.

Résultat /40

«Le jour suivant, la souris revint, elle se faufila dans la grange, elle prit encore un bon gros morceau de blé et elle ressortit rejoindre sa famille dans les champs. Le jour suivant, la souris revint, elle se faufila dans la grange, elle prit encore un bon gros morceau de blé et elle ressortit rejoindre sa famille dans les champs. Le jour suivant, la souris revint, elle se faufila dans la grange, elle se prit encore...»

Toute la journée, Jack continua à raconter l'histoire de la souris et même très tard après le dîner. Finalement, le roi ne pouvait plus le supporter. «Arrête-toi! commande-t-il d'une voix forte. Est-ce tout ce que tu vas raconter, la même chose à plusieurs reprises?» «Mais bien sûr, car c'est tout ce que faisait la souris: elle s'est pris un gros morceau de blé et elle est ressortie rejoindre sa famille dans les champs. Est-ce que je peux continuer maintenant?»

«Non, non, arrête! dit le roi. J'en ai assez entendu. Je n'en peux plus. Tu peux épouser ma magnifique fille.» Alors, Jack épousa la magnifique fille du roi et un jour, elle est vraiment devenue la nouvelle reine. Ainsi, Jack n'eut plus jamais eu besoin de raconter des histoires pour ne pas travailler, plus jamais. Et d'après les rumeurs, la souris n'a jamais cessé de transporter du blé.

a) Quelle promesse fit le roi à celui qui lui raconterait une histoire sans fin?

____

b) Qu'arrivera-t-il au conteur s'il s'arrête?

____

c) Pourquoi Jack aimait-il raconter des histoires?

____

d) Pourquoi crois-tu que le portier a regardé Jack tristement?

____

e) Pourquoi le roi voulait-il que Jack cesse de raconter son histoire?

____

Résultat /5

2. Lis le texte suivant et réponds aux questions.

Un autre enfant

Il était une fois une femme très riche. Elle avait de beaux vêtements et une grande maison. Elle n'avait pas d'enfant, et cela la rendait très triste. Elle a demandé à un ami: « Comment puis-je avoir un enfant ? »

Son ami lui a répondu: « Va chez ta pauvre voisine. Elle a douze enfants. Elle et son mari ne peuvent pas nourrir tous leurs enfants. Peut-être t'en donnera-t-elle un. Tu es riche. Tu peux nourrir les enfants beaucoup mieux qu'elle ne le peut. » La femme riche a demandé à son ami: « Penses-tu qu'elle me donnera un enfant ? » Son ami a répondu: « Pourquoi pas ? Donne-lui un sac d'or. Je suis certain qu'elle te donnera un enfant. »

Le jour suivant, la femme riche a apporté un sac d'or à la petite maison de la pauvre femme. La pauvre femme a été étonnée de la voir. « Entrez et asseyez-vous », a-t-elle dit. Les enfants sont venus à leur mère et ont gémi, « Donne-nous à manger, s'il te plaît. Nous avons faim ! » La mère a apporté de la soupe au riz. La pauvre famille n'avait pas de bol. Elle a versé la soupe dans douze trous dans le plancher. Les enfants ont mangé. Ensuite, la mère affamée a bu l'eau qu'ils avaient laissée dans les trous. Elle a levé les yeux et a dit: « Oh, Dieu ! Donnez-moi s'il vous plaît encore un enfant ! Alors j'aurais un peu plus d'eau de riz à boire. »

La femme riche la regardait silencieusement. Elle était étonnée d'entendre la pauvre femme souhaiter encore un enfant. Elle s'est dit: « Cette femme ne me donnera jamais un de ses enfants. » Elle a mis le sac d'or dans la main de la pauvre femme et a quitté la petite maison. Elle était triste parce qu'elle n'avait toujours pas d'enfant. Mais, elle avait compris l'amour qu'une mère éprouve pour ses enfants.

a) Pourquoi la femme riche est-elle triste ?

____

b) Combien d'enfants a la voisine ?

____

c) Qu'est-ce que l'ami de la dame riche suggère de donner à la voisine ?

____

d) Quelle sorte de soupe la mère a-t-elle servie ?

____

e) Faute de bol, dans quoi la mère sert-elle la soupe ?

____

f) Pourquoi la mère veut-elle un autre enfant ?

____

g) Qu'a remis la femme riche à la femme pauvre avant de partir ?

____

h) Pourquoi la femme riche était-elle triste à son départ de la maison de la femme pauvre ?

____

Compréhension de lecture 3

→ Test d'évaluation Test de suivi

1. Lis le texte suivant et réponds aux questions.

Quilla Bung

Un jour, un homme et sa femme n'avaient rien à manger pour le dîner. L'homme a pris son fusil et est allé tuer quelque chose pour le dîner. Comme il marchait, il a entendu une chanson.

Quilla, quilla, bung, bung, bung
Quilla, quilla, bung, bung, bung
Bung, bung, bung
Bung, bung, bung
Quilla, quilla, bung, bung, bung
Bung, bung, quilla

Il a levé les yeux et a vu une volée d'oies qui traversaient le ciel en chantant. Il a épaulé son fusil et a tué une des oies. Alors qu'elle tombait du ciel, elle chantait. Il a ramené l'oie à la maison pour que sa femme la cuise. Elle a commencé à la plumer. Chaque plume qu'elle enlevait sortait par la fenêtre. Et tout ce temps, l'oie continuait à chanter.

Elle a fini de la plumer et a mis l'oie au four. Mais pendant qu'elle cuisait, on pouvait entendre l'oie chanter dans le four. L'homme et la femme se sont mis à table. La femme a déposé l'oie sur la table entre eux. L'homme a pris le couteau pour découper la volaille, mais tout ce temps, l'oie a continué à chanter.

Comme il s'apprêtait à enfoncer sa fourchette dans l'oie, un grand bruit s'est fait entendre. Toute la volée d'oies est entrée par la fenêtre et elles chantaient aussi fort qu'elles le pouvaient. Chaque oie a pris une plume et l'a collée sur l'oie, puis ensemble, elles ont retiré l'oie du plat. Et elles se sont envolées, en tournoyant par la fenêtre.

L'homme et sa femme sont restés assis là, la bouche ouverte devant des plats vides. Tout ce qu'ils ont eu pour dîner, ce soir-là, c'est une chanson.

a) Pourquoi l'homme a-t-il pris son fusil ?

____

b) Quelle sorte d'oiseau l'homme a-t-il tué ?

____

c) Qu'est-ce qui arrivait aux plumes que la femme arrachait ?

____

d) Que faisait l'oie pendant que la femme la plumait ?

____

e) Que faisait l'oie alors qu'elle était au four ?

____

f) Qui est entré par la fenêtre alors que l'homme s'apprêtait à découper l'oie ?

____

g) Qu'est-ce que les oies ont fait ?

____

h) Qu'ont eu à souper l'homme et la femme ?

____

Résultat /7

2. Lis le texte suivant et réponds aux questions.

Oncle lapin et oncle coyote

Il y avait longtemps qu'oncle Coyote n'avait vu oncle Lapin. La dernière fois qu'ils s'étaient rencontrés, oncle lapin avait promis à oncle Coyote qu'il amènerait ses nièces chez oncle Coyote pour qu'il fasse un délicieux ragoût de lapin. Mais ça ne s'est jamais produit. Depuis, oncle Coyote avait voulu prendre oncle Lapin au dépourvu et l'obliger à tenir sa promesse.

Un jour, oncle Coyote a vu oncle Lapin s'appuyer contre un gros rocher en admirant les canyons qui séparaient la forêt de la forêt dense. Oncle Coyote s'est glissé derrière lui et a dit : « Cette fois, vous ne vous échapperez pas, oncle Lapin. » « Pourquoi dites-vous ça ? » a demandé oncle Lapin. « Parce que la dernière fois que je vous ai vu, vous avez promis de m'amener vos nièces pour faire un bon ragoût de lapin. » « Mais je les ai amenées, a dit oncle Lapin, je suis allé les chercher, mais quand je suis revenu avec elles, vous n'étiez plus là. Je peux les amener ici tout de suite si vous voulez, mais vous devrez d'abord m'aider. » « Vous aider ? Et à faire quoi ? » a demandé oncle Coyote. Oncle Lapin a répondu : « Je suis ici depuis plusieurs jours à tenir ce rocher. Si je le lâche, ce sera la fin du monde. De plus, comme vous pouvez le voir, je n'ai pas pu manger et je suis de plus en plus faible. » « Allez, a dit oncle Coyote. Allez manger quelque chose et ensuite, amenez-moi vos nièces. J'attendrai ici et je retiendrai le gros rocher pour vous. » « Merci beaucoup, a répondu oncle Lapin. Maintenant, venez ici, juste à côté de moi, oncle Coyote et appuyez-vous contre ce gros rocher. Je vais me déplacer petit à petit et vous pourrez prendre ma place et le tenir comme je le fais. » Oncle Coyote a fait comme le suggérait oncle Lapin. « Il me semble que je tiens le rocher maintenant », a dit oncle Coyote. « Très bien, a fait oncle Lapin, je serai bientôt de retour. »

Les heures ont passé, les jours ont passé jusqu'à ce que, finalement, oncle Coyote ne pouvant plus tenir ses bras levés plus longtemps, les a laissés tomber. À sa surprise, rien ne s'est passé ; le monde ne s'est pas effondré. Oncle Coyote s'est dit : « Encore une fois ce brillant lapin m'a dupé, mais la prochaine fois, il ne me dupera pas. »

a) Qui sont les deux personnages principaux de cette histoire ?

____

b) Qu'avait promis oncle lapin à oncle Coyote ?

____

c) Sur quoi était appuyé oncle lapin quand oncle Coyote l'a aperçu ?

____

d) Si oncle Lapin lâche le rocher, qu'arrivera-t-il ?

____

e) Pourquoi oncle Lapin est-il faible ?

____

f) Combien de temps oncle Coyote a-t-il tenu le rocher ?

____

g) Qu'est-il arrivé lorsque oncle Coyote a lâché le rocher ?

____

français
mathématique
anglais

Compréhension de lecture 3

Test d'évaluation → **Test de suivi**

3. Lis le texte suivant et réponds aux questions.

Quand l'ordinateur attrape la grippe

À ses débuts, dans les années 1970, le virus informatique était un jeu. Chaque joueur écrivait un programme avant de commencer la partie. Par la suite, un ordinateur exécutait tour à tour les instructions de chaque programme. L'objectif du jeu était de détruire les autres programmes et de faire en sorte que son propre programme soit le plus recopié sur le disque dur de l'ordinateur. À la fin de la partie, celui qui possédait le plus de copies actives de son programme était déclaré vainqueur. Jusque dans les années 1980, les virus sont restés un jeu sans aucune intention malveillante. Les temps ont bien changé depuis...

La plupart des gens nomment « virus » tous les programmes malveillants (*malware* en anglais) qui peuvent infecter un ordinateur. C'est une erreur, car le terme « virus » s'applique uniquement aux programmes qui se reproduisent à plusieurs endroits dans l'ordinateur. Ce n'est pas nécessairement le cas des logiciels-espions, des logiciels publicitaires, des vers ou autres.

Un logiciel-espion est un programme qui espionne ce que fait l'utilisateur sur son ordinateur et qui envoie par la suite ces informations par Internet. Il fait souvent partie des logiciels gratuits et est généralement conçu par des compagnies de publicité sur Internet. Il permet à ces compagnies de faire une publicité plus ciblée. Très souvent, ce programme fera apparaître des publicités sur votre ordinateur. Dans des cas plus dangereux, il peut également retenir vos mots de passe en enregistrant les touches qui ont été appuyées sur le clavier. Il communiquera ensuite ces informations à un individu malveillant qui s'en servira pour accéder à votre compte en banque ou votre boîte de courriels.

Les logiciels publicitaires ressemblent un peu aux logiciels-espions. Généralement, il s'agit de programme ou jeux gratuits qui font de la publicité pour toucher des profits. La plupart du temps, ils offrent la possibilité de se débarrasser de cette publicité moyennant une certaine compensation. Il vaut mieux éviter ces logiciels et les remplacer par d'autres, surtout parce que lorsque vous les désinstallez, ils restent généralement dans votre ordinateur.

Le ver, quant à lui, se reproduit dans plusieurs ordinateurs en passant par un réseau comme Internet. Souvent, il est programmé pour attaquer plus tard une autre cible à partir de tous les ordinateurs infectés. Le premier ver à avoir été créé, le ver Morris, a mené à la première condamnation pour la création d'un logiciel malveillant. Malheureusement pour son créateur, le ver serait probablement passé inaperçu si ce n'avait été d'une erreur de programmation. En effet, des erreurs de codes faisaient en sorte que le ver se reproduisait plusieurs fois dans le même ordinateur, si bien que la machine en était ralentie au point d'en devenir inutilisable. Lorsqu'un réseau d'ordinateurs est infecté par un même ver, on parle de machines zombies. Ces ordinateurs zombies peuvent devenir dangereux, car ils attaqueront ensemble un site ou un réseau.

a) Nomme trois programmes malveillants. ______________________

b) Que fait un logiciel espion ? ______________________

c) Comment appelle-t-on un réseau d'ordinateurs infecté par un même ver ?

____

d) À quoi s'applique uniquement le terme virus ?

____

e) Comment se nomme le premier ver à avoir été créé ? ______________________

f) Comment un logiciel-espion peut-il retenir tes mots de passe ? ______________________

____

g) Jusqu'en quelle année les virus sont-ils restés un jeu ? ______________________

h) Pourquoi le premier ver informatique n'est-il pas passé inaperçu ?

____

Résultat /10

Colette Laberge

Mathématique

Les nombres naturels compris entre 0 et 30 000

→ Test d'évaluation Test de suivi

1. Encercle le nombre en chiffres qui correspond à celui en lettres.

a)	huit mille cent soixante-quinze	9775	8175	9925
b)	Six mille cent vingt et un	6121	6221	6431
c)	mille trois cents	1400	1600	1300
d)	vingt-cinq mille	25 000	35 000	45 000
e)	douze mille deux cent quatre-vingt	12 547	12 280	13 280

2. Arrondis les nombres suivants à la dizaine près.

a) 24 311 ________________ b) 9974 ________________

c) 10 138 ________________ d) 9781 ________________

3. Compare les nombres à l'aide des symboles <, = ou >.

a) 13 445 ◯ 29 557 b) 554 ◯ 554

c) 3452 ◯ 2871 d) 22 654 ◯ 19 547

e) 4587 ◯ 5879 f) 237 ◯ 157

4. Décompose les nombres suivants en milliers, en centaines, en dizaines et en unités.

a) 9013 ________________________ b) 2380 ________________________

c) 4241 ________________________ d) 22 658 ________________________

Résultat /19

1. Écris les nombres manquants sur la droite numérique.

a) 174, 175 — 176, 177

b) 621, 622

c) 953, 954

d) 1579, 1580

e) 5353, 5354

f) 9160, 9161

2. En sachant que UM : unité de mille, C : centaine, D : dizaine, U : unité, quel nombre est formé par :

a) 6 D et 4 U ? ____________

b) 1 UM, 3 C, 2 D et 4 U ? ____________

c) 2 UM, 6 C, 4 D et 4 U ? ____________

d) 9 UM, 2 C, 4 D et 9 U ? ____________

3. Trouve la régularité et continue la suite.

a) 120, 122, 124

b) 52, 42, 46, 36

c) 1524, 1527, 1530

d) 736, 739, 738, 741

e) 195, 190, 185

4. Quelle est la valeur des chiffres soulignés dans les nombres ?

a) $5\underline{9}$ ____________ b) $1\underline{7}4$ ____________ c) $\underline{1}458$ ____________

d) $\underline{2}1$ ____________ e) $\underline{6}58$ ____________ f) $2\underline{9}94$ ____________

g) $\underline{8}7$ ____________ h) $\underline{9}85$ ____________ i) $\underline{4}879$ ____________

j) $1\underline{3}$ ____________ k) $3\underline{3}3$ ____________ l) $78\underline{3}0$ ____________

5. Classe les nombres suivants dans l'ordre croissant.

a) 1258, 1358, 9874, 1478, 3698 ____________

b) 136, 125, 978, 224, 111 ____________

c) 9874, 9547, 9621, 9521 ____________

d) 5321, 5231, 5497, 5014 ____________

6. Décompose les nombres selon la méthode demandée.

Voici un exemple :

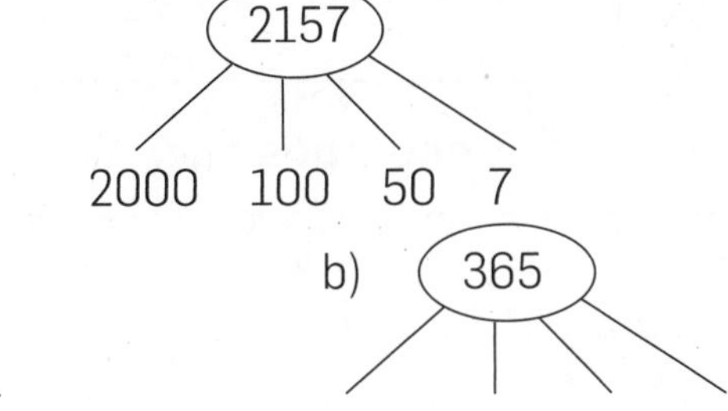

a) 9854

b) 365

c)

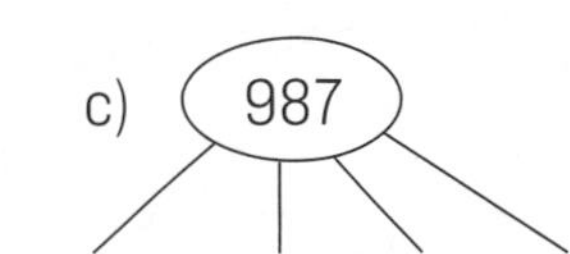

d)

e)

f)

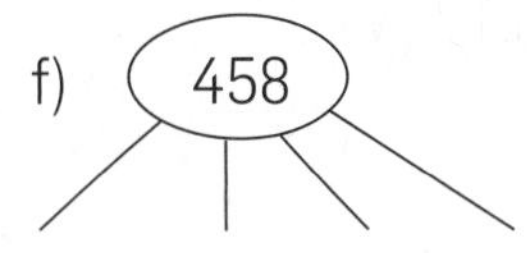

7. Complète le tableau avec les nombres manquants.

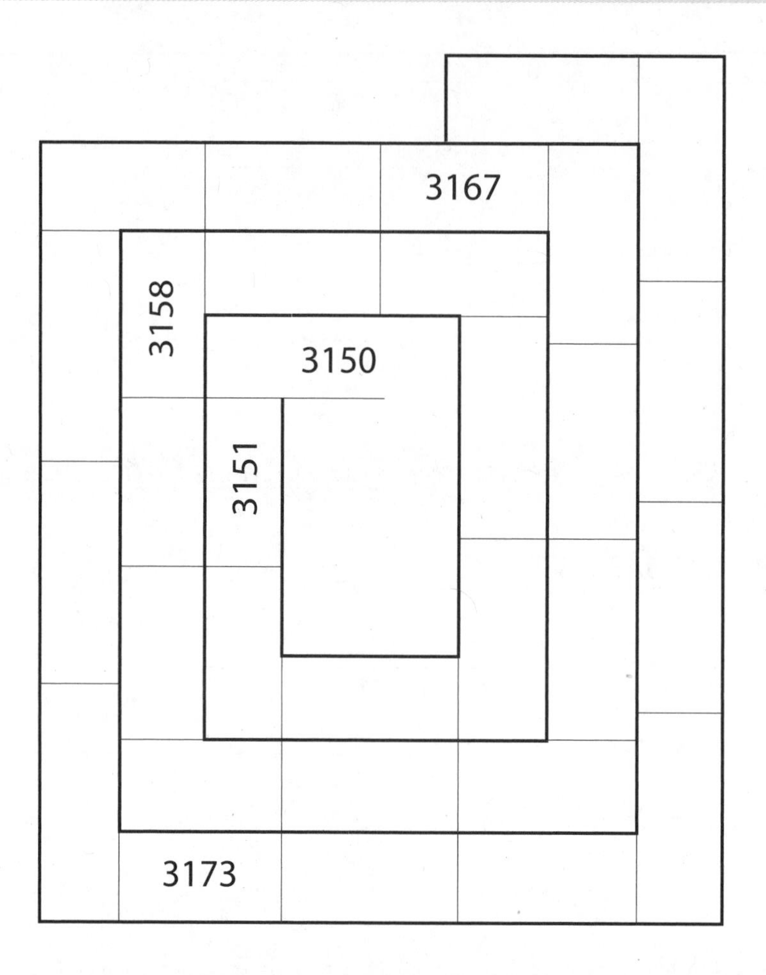

8. Remplis le tableau.

	Nombre	Décomposition
a)	5212	
b)		2000 + 400 + 60 + 4
c)	7895	
d)		6000 + 500 + 90 + 8
e)	4896	

Les nombres naturels compris entre 0 et 30 000

Test d'évaluation → Test de suivi

1. Trouve la régularité et continue la suite avec 8 nombres.

a) 1115, 1120, 1125 ______

b) 2246, 2271, 2296 ______

c) 8650, 8640, 8630 ______

d) 1615, 1515, 1415 ______

e) 2215, 2224, 2233 ______

2. Quelle est la valeur des chiffres soulignés dans les nombres ?

a) $\underline{1}25$ ______ b) $785\underline{2}$ ______ c) $\underline{1}458$ ______

d) $1\underline{5}41$ ______ e) $7\underline{8}9$ ______ f) $2\underline{9}94$ ______

3. Remplis le tableau.

		Milliers	Centaines	Dizaines	Unités
a)	4589				
b)	1236				
c)	7895				
d)	9852				
e)	1258				

Exercices | Les nombres naturels compris entre 0 et 30 000

1. En sachant que UM : unité de mille, C : centaine, D : dizaine, U : unité, écris le nombre demandé.

a) 250 D et 7 U : ____________________

b) 4 UM et 15 D : ____________________

c) 34 C et 9 U : ____________________

d) 18 C et 11 D : ____________________

e) 2 UM et 5 C : ____________________

f) 520 D et 7 U : ____________________

2. Écris en chiffres les nombres suivants.

a) huit mille cinq cent dix : _______

b) trois mille quatre cent vingt : _______

c) sept mille huit cent trente et un : _______

d) quatre cent treize : _______

3. Encercle le nombre dans lequel le chiffre 3 a la plus grande valeur.

a) 3258 b) 5236 c) 4233 d) 13

4. Encercle le nombre dans lequel le chiffre 3 a la plus petite valeur.

a) 8396 b) 3358 c) 5693 d) 321

5. Complète la grille.

1024						1030		
				1037				
	1043							
						1057		
		1062						
							1076	
				1082				
	1088							
				1100				

6. Indique quel chiffre occupe chacune des positions dans les nombres suivants.

a) 20 158

UM: ________

C: ________

D: ________

U: ________

b) 25 987

UM: ________

C: ________

D: ________

U: ________

c) 15 987

UM: ________

C: ________

D: ________

U: ________

7. Compare les nombres en utilisant <, >.

a) 15 879 ◯ 13 258

b) 11 258 ◯ 14 587

c) 17 158 ◯ 18 745

d) 10 789 ◯ 12 578

e) 23 258 ◯ 23 789

f) 10 458 ◯ 10 236

8. À partir des chiffres 7, 3, 9, 5, écris des nombres que tu peux former avec ces chiffres.

a) Nombres à deux chiffres: ________

b) Nombres à trois chiffres: ________

c) Nombres à quatre chiffres: ________

9. Écris les nombres suivants en lettres.

a) 10 547 ________

b) 15 781 ________

10. Trouve le nombre d'unités, de dizaines, de centaines et de milliers dans les nombres suivants.

a) **25 789**

Combien y a-t-il d'unités ? ____________________

Combien y a-t-il de dizaines ? ____________________

Combien y a-t-il de centaines ? ____________________

Combien y a-t-il de milliers ? ____________________

b) **21 478**

Combien y a-t-il d'unités ? ____________________

Combien y a-t-il de dizaines ? ____________________

Combien y a-t-il de centaines ? ____________________

Combien y a-t-il de milliers ? ____________________

c) **29 999**

Combien y a-t-il d'unités ? ____________________

Combien y a-t-il de dizaines ? ____________________

Combien y a-t-il de centaines ? ____________________

Combien y a-t-il de milliers ? ____________________

d) **18 741**

Combien y a-t-il d'unités ? ____________________

Combien y a-t-il de dizaines ? ____________________

Combien y a-t-il de centaines ? ____________________

Combien y a-t-il de milliers ? ____________________

e) **22 369**

Combien y a-t-il d'unités ? ____________________

Combien y a-t-il de dizaines ? ____________________

Combien y a-t-il de centaines ? ____________________

Combien y a-t-il de milliers ? ____________________

Les nombres naturels compris entre 30 000 et 60 000

→ Test d'évaluation Test de suivi

1. Trouve la régularité et complète les suites de nombres avec 5 nombres.

a) 31 258, 31 259, 31 260 ______________________

b) 43 455, 43 410, 43 365 ______________________

c) 49 629, 49 749, 49 869 ______________________

2. Écris les nombres suivants en lettres.

a) 45 123 ______________________

b) 59 871 ______________________

c) 30 125 ______________________

d) 51 258 ______________________

3. Compare les nombres en utilisant < ou >.

a) 31 587 ◯ 32 789 b) 54 125 ◯ 45 369 c) 41 458 ◯ 41 587

4. Indique la valeur du chiffre souligné.

a) 38 874 ______________ b) 45 741 ______________

c) 31 720 ______________ d) 51 815 ______________

5. Écris les nombres suivants dans l'ordre croissant puis dans l'ordre décroissant.

45 412, 28 995, 29 539, 30 933 ______________________

____

Résultat 

1. Complète le tableau en ajoutant les nombres manquants.

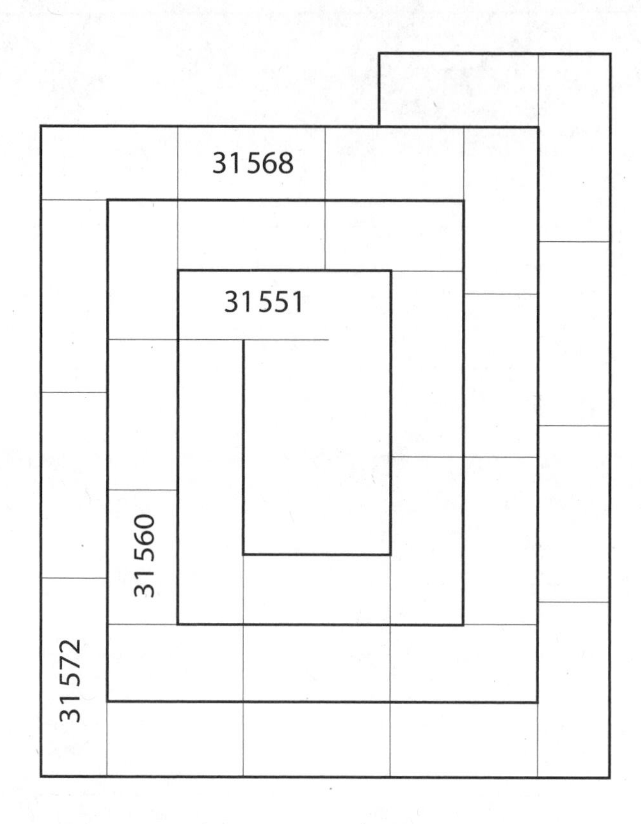

2. Décompose les nombres suivants dans le tableau.

a) 31 589
b) 39 785
c) 30 148
d) 36 777
e) 33 333
f) 37 978

	Dizaines de mille	Unités de mille	Centaines	Dizaines	Unités
a)					
b)					
c)					
d)					
e)					
f)					

3. Réponds aux questions.

a) Combien y a-t-il d'unités dans 46 524 ? ____________

b) Combien y a-t-il d'unités de mille dans 41 000 ? ____________

c) Quel chiffre est à la position des unités dans 47 899 ? ____________

d) Quel chiffre est à la position des centaines dans 44 125 ? ____________

4. Arrondis à la dizaine près.

a) 45 789 ____________ b) 44 123 ____________ c) 43 336 ____________

d) 47 458 ____________ e) 46 999 ____________ f) 49 551 ____________

5. Arrondis à la centaine près.

a) 45 789 ____________ b) 44 123 ____________ c) 43 336 ____________

d) 47 458 ____________ e) 46 999 ____________ f) 49 551 ____________

6. Encercle le plus grand nombre.

a)	49 950	41 235	48 789	49 521
b)	36 458	41 256	51 258	12 458
c)	41 789	40 258	41 325	41 899
d)	39 789	39 258	39 127	39 522

francais

mathématique

anglais

7. Décompose les nombres suivants.

a) 58 750 ______

b) 47 896 ______

c) 52 478 ______

d) 54 783 ______

e) 55 111 ______

f) 55 555 ______

8. Classe ces nombres dans l'ordre croissant.

a) 51 236 51 101 51 369 51 023 51 478

______

b) 54 896 55 789 50 269 58 741 53 125

______

c) 59 539 56 878 51 031 55 032 56 769

______

9. Classe ces nombres dans l'ordre décroissant.

a) 51 691 54 966 53 011 50 933 58 716

______

b) 56 737 50 800 52 291 57 444 55 799

______

Les nombres naturels compris entre 30 000 et 60 000

Test d'évaluation → Test de suivi

1. Écris le nombre qui vient…

	Avant	Après	Entre
a)	________ 31 785	45 239 ________	54 258 ________ 54 260
b)	________ 39 992	40 523 ________	51 361 ________ 51 363
c)	________ 37 563	40 247 ________	45 840 ________ 45 842
d)	________ 31 785	45 239 ________	54 239 ________ 54 241

2. Indique quel chiffre occupe chacune des positions dans les nombres suivants.

Voici un exemple :

a) 35 159	b) 56 741	c) 44 362
UM : 35	UM : ________	UM : ________
C : 1	C : ________	C : ________
D : 5	D : ________	D : ________
U : 9	U : ________	U : ________

3. Réponds aux questions.

a) Combien y a-t-il d'unités dans 35 442 ? ____________

b) Combien y a-t-il d'unités de mille dans 20 000 ? ____________

c) Quel chiffre est à la position des unités dans 55 745 ? ____________

d) Quel chiffre est à la position des centaines dans 51 588 ? ____________

Résultat /24

français mathématique anglais

1. Complète la grille.

31 221						31 227		
				31 234				
	31 240							
						31 254		
		31 259						
							31 273	
				31 279				
	31 285							
				31 297				

2. Écris les nombres manquants sur la droite numérique.

a) 35 478, 35 479

b) 33 220, 33 221

c) 34 582, 34 584

d) 37 633, 37 636

e) 38 301, 38 303

f) 30 744, 30 745

3. Trouve le nombre d'unités, de dizaines, de centaines et de milliers dans les nombres suivants.

a) **40 589**

Combien y a-t-il d'unités ? ____________________

Combien y a-t-il de dizaines ? ____________________

Combien y a-t-il de centaines ? ____________________

Combien y a-t-il de milliers ? ____________________

b) **45 121**

Combien y a-t-il d'unités ? ____________________

Combien y a-t-il de dizaines ? ____________________

Combien y a-t-il de centaines ? ____________________

Combien y a-t-il de milliers ? ____________________

c) **47 256**

Combien y a-t-il d'unités ? ____________________

Combien y a-t-il de dizaines ? ____________________

Combien y a-t-il de centaines ? ____________________

Combien y a-t-il de milliers ? ____________________

d) **44 788**

Combien y a-t-il d'unités ? ____________________

Combien y a-t-il de dizaines ? ____________________

Combien y a-t-il de centaines ? ____________________

Combien y a-t-il de milliers ? ____________________

e) **45 367**

Combien y a-t-il d'unités ? ____________________

Combien y a-t-il de dizaines ? ____________________

Combien y a-t-il de centaines ? ____________________

Combien y a-t-il de milliers ? ____________________

4. Indique quel chiffre occupe chacune des positions dans les nombres suivants.

a) 55 478

UM: ___

C: ___

D: ___

U: ___

b) 59 823

UM: ___

C: ___

D: ___

U: ___

c) 55 661

UM: ___

C: ___

D: ___

U: ___

5. Compare les nombres en utilisant <, >.

a) 55 879 ◯ 53 258

b) 51 258 ◯ 54 587

c) 57 158 ◯ 58 745

d) 50 789 ◯ 52 578

e) 53 258 ◯ 53 789

f) 50 458 ◯ 50 236

6. Classe les nombres suivants dans l'ordre croissant.

a) 52 627   54 215   50 125   50 028   55 129

___

b) 59 236   58 124   55 897   58 128   55 139

___

français | mathématique | anglais

Les nombres naturels compris entre 60 000 et 100 000

→ Test d'évaluation Test de suivi

1. Réponds aux questions.

a) Combien y a-t-il d'unités dans 75 963 ? ____________

b) Combien y a-t-il d'unités de mille dans 89 367 ? ____________

c) Quel chiffre est à la position des unités dans 97 384 ? ____________

d) Quel chiffre est à la position des centaines dans 66 712 ? ____________

2. Encercle le plus grand nombre.

a)	98 452	62 147	85 129	97 458
b)	60 730	66 739	65 147	66 458
c)	78 321	77 415	74 236	73 129
d)	71 458	77 452	77 896	76 259

3. Complète la grille.

61 026						61 032		
				6 1039				
	61 045							
						61 059		
		61 064						
							61 078	
				61 084				
	610 090							
				61 102				

Résultat /71

français mathématique anglais

1. Remplis le tableau.

		Milliers	Centaines	Dizaines	Unités
a)	60 789				
b)	64 823				
c)	63 474				
d)	66 666				
e)	69 825				

2. Trouve la régularité et continue la suite.

a) 66 225, 66 230, 66 235

b) 61 237, 61 247, 61 257

c) 66 213, 66 215, 66 217

d) 62 215, 62 224, 62 233

e) 68 192, 68 292, 68 392

3. En sachant que UM : unité de mille, C : centaine, D : dizaine, U : unité, écris le nombre demandé.

a) 65 UM, 3 D et 4 U : ____________

b) 60 UM et 12 U : ____________

c) 67 UM, 7 C et 3 U : ____________

d) 69 UM, 6 C et 5 D : ____________

e) 62 UM, 5 C et 2 U : ____________

f) 61 UM, 1 C et 7 U : ____________

4. Écris en chiffres les nombres suivants.

a) Soixante et onze mille deux cent vingt-huit : __________

b) Soixante-dix-huit mille neuf cent soixante et un : __________

c) Soixante-dix-sept mille trois cent cinquante-cinq : __________

5. Encercle le nombre dans lequel le chiffre 7 a la plus grande valeur.

71 238   45 750   67 928   69 367

6. Encercle le nombre dans lequel le chiffre 7 a la plus petite valeur.

71 238   45 750   67 928   69 367

7. Décompose les nombres suivants dans le tableau.

a) 71 587
b) 78 369
c) 70 581
d) 75 416
e) 76 236
f) 72 547

	Dizaines de mille	Unités de mille	Centaines	Dizaines	Unités
a)					
b)					
c)					
d)					
e)					
f)					

8. Trouve le nombre d'unités, de dizaines, de centaines et de milliers dans les nombres suivants.

a) **95 123**

Combien y a-t-il d'unités ? ______________________

Combien y a-t-il de dizaines ? ______________________

Combien y a-t-il de centaines ? ______________________

Combien y a-t-il de milliers ? ______________________

b) **80 475**

Combien y a-t-il d'unités ? ______________________

Combien y a-t-il de dizaines ? ______________________

Combien y a-t-il de centaines ? ______________________

Combien y a-t-il de milliers ? ______________________

c) **96 347**

Combien y a-t-il d'unités ? ______________________

Combien y a-t-il de dizaines ? ______________________

Combien y a-t-il de centaines ? ______________________

Combien y a-t-il de milliers ? ______________________

d) **90 147**

Combien y a-t-il d'unités ? ______________________

Combien y a-t-il de dizaines ? ______________________

Combien y a-t-il de centaines ? ______________________

Combien y a-t-il de milliers ? ______________________

e) **88 563**

Combien y a-t-il d'unités ? ______________________

Combien y a-t-il de dizaines ? ______________________

Combien y a-t-il de centaines ? ______________________

Combien y a-t-il de milliers ? ______________________

Les nombres naturels compris entre 60 000 et 100 000

Test d'évaluation → Test de suivi

1. Indique la valeur du chiffre souligné.

a) 75 169 ____________________ b) 51 815 ____________________

2. Arrondis à la centaine près.

a) 78 963 ____________ b) 66 457 ____________ c) 93 146 ____________

d) 97 412 ____________ e) 63 284 ____________ f) 98 121 ____________

3. Complète les suites de nombres.

a) 95 441, 95 440, 95 439, ________, ________, ________, ________

b) 66 125, 66 126, 66 127, ________, ________, ________, ________

c) 73 550, 73 555, 73 560, ________, ________, ________, ________

4. Écris les nombres suivants en lettres.

a) 99 000 ________________________

b) 80 258 ________________________

5. Compare les nombres en utilisant <, >.

a) 78 952 ◯ 78 950 b) 98 102 ◯ 78 478

c) 60 458 ◯ 71 458 d) 71 039 ◯ 78 148

e) 80 726 ◯ 60 258 f) 90 410 ◯ 90 236

Résultat /28

1. Indique quel chiffre occupe chacune des positions dans les nombres suivants.

a) 61 789

UM: ____________

C: ____________

D: ____________

U: ____________

b) 66 285

UM: ____________

C: ____________

D: ____________

U: ____________

c) 69 123

UM: ____________

C: ____________

D: ____________

U: ____________

2. Écris les nombres manquants sur la droite numérique.

a) 65 125, 65 126

b) 62 745, 62 746

c) 60 143, 60 144

d) 66 970, 66 971

e) 69 458, 69 459

f) 9160, 9161

3. Arrondis les nombres suivants à la dizaine près.

a) 66 789 ____________________

b) 68 754 ____________________

c) 64 123 ____________________

d) 63 177 ____________________

4. Remplis le tableau.

	Nombre	Décomposition
a)	70 258	
b)		70 000 + 900 + 6
c)	78 269	
d)		75 000 + 500 + 7
e)	74 632	

5. Encercle le nombre en chiffres qui correspond à celui en lettres.

a) Soixante-seize mille neuf cent quatre-vingt — 76 589 — 76 980 — 77 125

b) Soixante-dix mille — 70 000 — 60 000 — 80 000

c) Soixante-douze mille quatre cent un — 70 900 — 72 401 — 73 444

d) Soixante-dix-neuf mille cinq cent douze — 79 512 — 80 301 — 79 494

e) Soixante-douze mille neuf cent quatre-vingt-quatorze — 70 151 — 72 127 — 72 994

6. Quelle est la valeur des chiffres soulignés dans les nombres ?

a) 77 589 ____________________

b) 76 520 ____________________

c) 71 239 ____________________

d) 70 253 ____________________

e) 70 120 ____________________

f) 77 411 ____________________

g) 77 899 ____________________

h) 74 123 ____________________

7. Classe les nombres suivants dans l'ordre croissant.

a) 87 523 89 125 80 256 ______________________________

b) 80 125 98 458 97 521 ______________________________

c) 89 254 96 214 94 125 ______________________________

d) 80 256 80 129 84 133 ______________________________

8. Décompose les nombres selon la méthode demandée.

Voici un exemple :

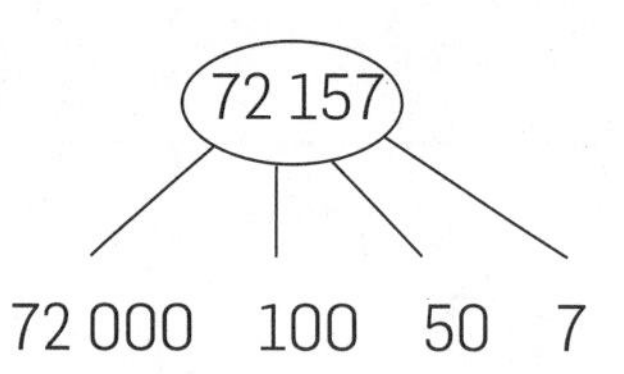

a)

b)

c)

d) 90 164

e) 85 429

f) 97 537

9. Compare les nombres à l'aide des symboles <, = ou >.

a) 95 411 ◯ 89 412

b) 96 347 ◯ 86 254

c) 85 123 ◯ 80 147

d) 82 654 ◯ 99 547

e) 97 885 ◯ 99 411

f) 9652 ◯ 84 171

Additions

→ Test d'évaluation Test de suivi

1. Complète les cases vides.

+ 5	
5	
7	
3	
8	
6	
10	
4	
9	

+ 7	
8	
11	
3	
15	
12	
10	
4	
9	

+ 4	
10	
12	
3	
13	
6	
7	
4	
9	

2. Effectue les additions suivantes.

a) 28 + 11 =

b) 46 + 53 =

c) 60 + 17 =

d) 137 + 185 =

e) 433 + 108 =

f) 714 + 197 =

g) 296 + 385 =

h) 602 + 299 =

i) 524 + 186 =

j) 1389 + 2252 =

k) 2322 + 2848 =

l) 3895 + 5625 =

3. Trouve les sommes. Tu peux tracer ta démarche pour t'aider.

a) Marina a cueilli 500 carottes. Sophie en a cueilli 125 de plus. Combien de carottes Sophie a-t-elle cueillies ? ______

b) Marie-Soleil a acheté 23 autocollants lundi. Mardi, elle en a achetés 31, mercredi, elle en a achetés 26. Combien d'autocollants a-t-elle achetés en tout ? ______

c) Martin a 119 petites voitures de course. Son ami Pierre en a 187. Combien en ont-ils au total ? ______

Résultat /39

1. Complète la grille d'additions suivante.

+	1	5	9	8	4	6	7
6							
5							
9							
4							
8							
3							
7							

2. Complète les additions suivantes.

a) 2 + 3 + ______ = 11
b) 4 + ______ + 3 = 14
c) 6 + ______ = 12
d) 7 + 8 = ______
e) ______ + 3 = 9
f) ______ + 6 + 3 = 14
g) 7 + 2 + ______ = 14
h) 4 + ______ + 4 = 15
i) 8 + 2 + ______ = 16

3. Complète les carrés magiques. N'oublie pas que la somme est toujours la même, qu'on additionne les lignes horizontales ou verticales.

a)
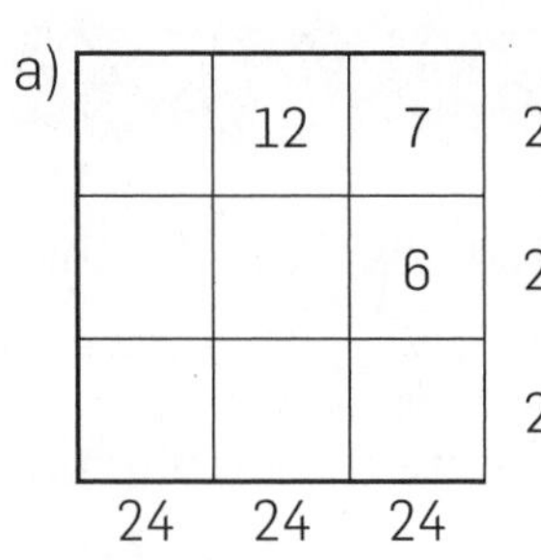

b)

	20		36
			36
14		18	36
36	36	36	

c)
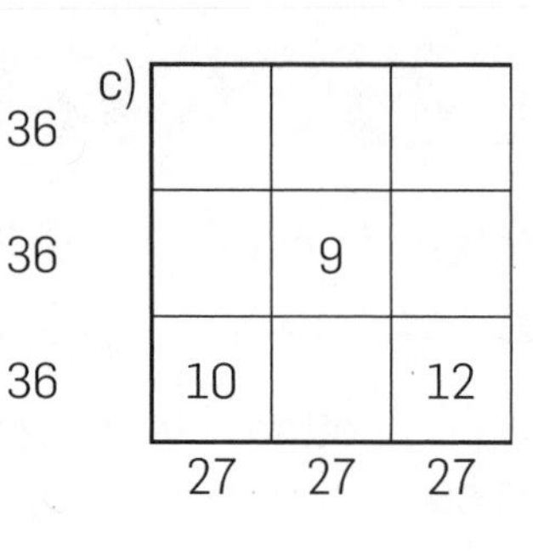

d)

		9	33
15			33
13	3		33
33	33	33	

4. Effectue les additions demandées.

a) 44 + 20 + 16

b) 621 + 147

c) 224 + 37 + 175

d) 536 + 153

e) 194 + 621

f) 181 + 276 + 136

g) 228 + 334

h) 44 + 20 + 16

i) 271 + 97

j) 104 + 150

k) 170 + 70

l) 157 + 56

5. Trouve le terme manquant. Le nombre au centre est la somme des 4 autres nombres.

a)

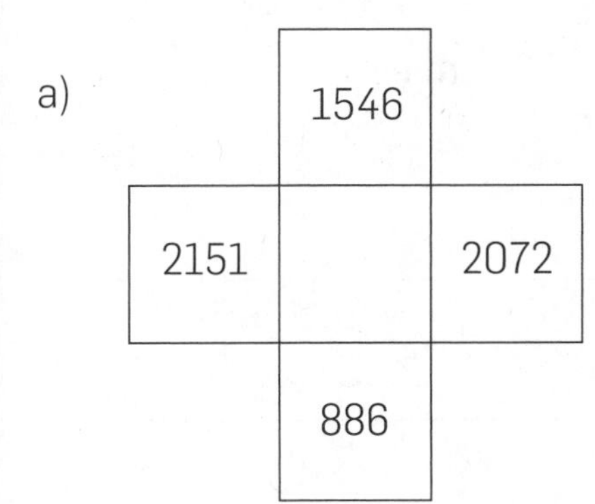

b)

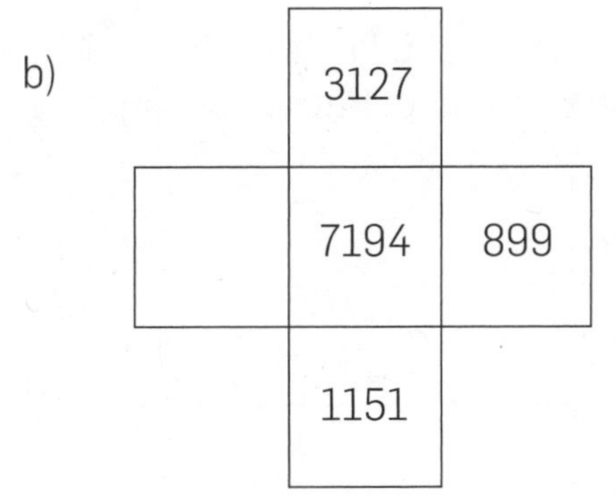

c)

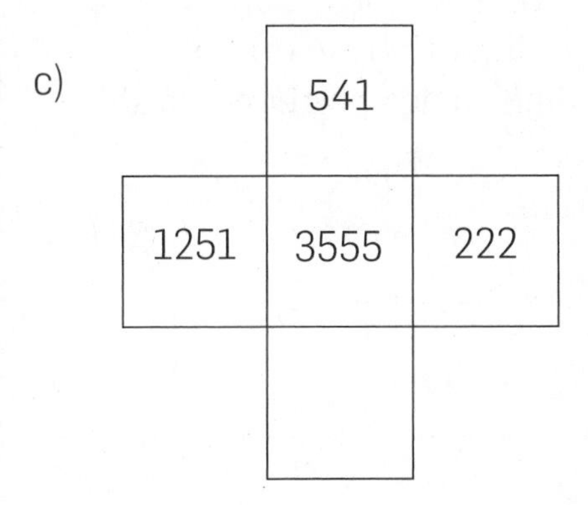

d)

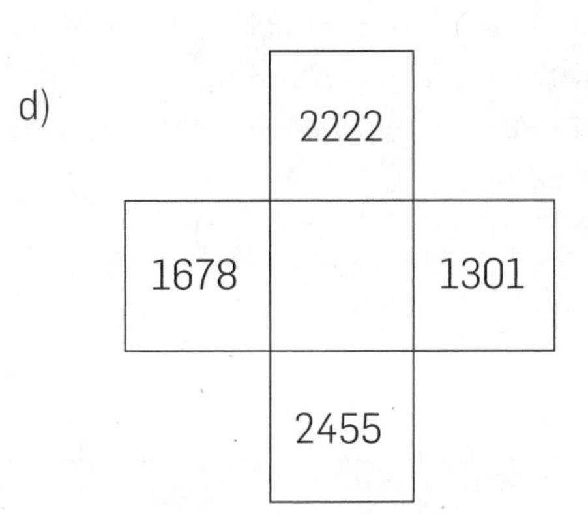

6. Trouve les sommes suivantes.

a) Stéphane a ramassé 127 bouteilles vides pour la campagne de financement des scouts. Son ami Yves en a ramassées 284. Combien de bouteilles les 2 amis ont-ils ramassées ?

Ta démarche : ________________________________

Réponse : ________________________________

b) Il y a plusieurs fourmilières dans notre cour arrière. J'ai compté 215 fourmis dans la première, 256 dans la deuxième, et il y en avait autant dans la troisième que dans la deuxième. Combien de fourmis ai-je comptées dans ma cour ?

Ta démarche : ________________________________

Réponse : ________________________________

c) Patrice a parcouru 136 km en vélo lundi. Mardi, il a parcouru 127 km et mercredi, 58 km. Combien de kilomètres Patrice a-t-il parcourus en trois jours ?

Ta démarche : ________________________________

Réponse : ________________________________

d) Marie-Josée travaille au guichet de la Maison des horreurs. Vers 9 h, un groupe de 574 enfants est entré. Vers midi, il est entré 458 visiteurs. Enfin à 15 h, un groupe de 158 enfants est entré. Combien de personnes ont visité la Maison des horreurs durant cette journée ?

Ta démarche : ________________________________

Réponse : ________________________________

Additions

Test d'évaluation → **Test de suivi**

1. Effectue les additions suivantes.

a) 4 + 9 =
b) 6 + 7 =
c) 3 + 10 =
d) 9 + 7 =
e) 10 + 6 =
f) 11 + 4 =
g) 8 + 5 =
h) 9 + 4 =
i) 344 + 125 =
j) 224 + 175 =
k) 628 + 183 =
l) 344 + 227 =
m) 141 + 110 =
n) 175 + 175 =
o) 276 + 236 =
p) 526 + 1253 =

2. Trouve les termes manquants.

a) 342 + ________ = 526
b) 218 + ________ = 449
c) 435 + ________ = 821
d) 180 + 449 = ________
e) ________ + 325 = 758
f) ________ + 283 = 498

3. Trouve les sommes.

a) 6246 + 1438
b) 4525 + 1258
c) 1358 + 7895
d) 1258 + 7896
e) 2598 + 3258
f) 6841 + 2369
g) 1478 + 1523
h) 2369 + 1236

4. Le fermier compte les animaux de sa ferme. Il a 1258 vaches, 712 moutons, 12 poules et 3 chiens. Combien y a-t-il d'animaux au total sur la ferme ?

Ta démarche : ____________________

Réponse : ____________________

Résultat /32

1. Complète le tableau suivant.

+ ↔	5	9	7	10	8
3					
6					
4					
2					
5					
7					
9					

2. Demande à un adulte de calculer le temps que tu prendras pour résoudre les additions suivantes.

7 + 8 = _____ 4 + 8 = _____ 4 + 5 = _____ 8 + 9 = _____

3 + 8 = _____ 6 + 8 = _____ 7 + 9 = _____ 2 + 5 = _____

6 + 7 = _____ 2 + 3 = _____ 6 + 3 = _____ 5 + 8 = _____

5 + 9 = _____ 2 + 7 = _____ 4 + 9 = _____ 2 + 9 = _____

3 + 4 = _____ 3 + 9 = _____ 2 + 4 = _____ 3 + 7 = _____

7 + 8 = _____ 4 + 8 = _____ 4 + 5 = _____ 8 + 9 = _____

4 + 7 = _____ 3 + 5 = _____ 2 + 8 = _____ 4 + 6 = _____

3. Trouve les paires de nombres dont la somme est 150. Écris-les ci-dessous.

75	61	89	25
10	100	62	138
125	98	12	140
88	50	52	75

____

____

____

4. Additionne les colonnes.

148	140	184	137
163	158	175	179
142	155	156	166
165	173	146	185

________ ________ ________ ________

français

mathématique

anglais

5. Fais les additions le plus rapidement possible.

a) 1126 + 1926

b) 8147 + 4659

c) 7911 + 1258

d) 1000 + 1589

e) 3589 + 3596

f) 1557 + 1784

g) 1785 + 3697

h) 2689 + 4789

i) 2876 + 908

j) 7101 + 1253

k) 4223 + 2549

l) 658 + 4339

6. Complète les cases vides.

+ 125	
115	
127	
633	
128	
600	
100	
425	
409	

+ 328	
158	
111	
302	
138	
121	
105	
410	
179	

+ 411	
100	
112	
133	
513	
601	
507	
444	
125	

7. Ajoute 1345 à chaque nombre.

a) 5014 ____________

b) 2500 ____________

c) 3500 ____________

d) 8051 ____________

e) 4495 ____________

f) 1950 ____________

Soustractions

→ Test d'évaluation Test de suivi

1. Effectue les soustractions suivantes.

a) 20 – 4 = b) 16 – 3 = c) 17 – 4 = d) 17 – 8 =

e) 11 – 7 = f) 15 – 8 = g) 6 – 3 = h) 20 – 5 =

i) 9 – 8 = j) 12 – 6 = k) 13 – 7 = l) 16 – 4 =

2. Effectue les soustractions suivantes.

a) 826 – 14 b) 272 – 145 c) 988 – 655 d) 376 – 125

e) 720 – 220 f) 946 – 273 g) 520 – 250 h) 843 – 226

i) 844 – 325 j) 958 – 100 k) 445 - 213 l) 375 – 125

m) 9357 – 6992 n) 9545 – 7438 o) 7032 – 4155 p) 8431 – 1118

3. Trouve la différence des soustractions.

a) Il faut 23 points à Mathieu pour faire partie des meilleurs compteurs. Il a déjà accumulé 15 points. Combien lui manque-t-il de points ?

Ta démarche : ______________________________

Réponse : ______________________________

b) Juliette a échappé 58 fois le ballon. Noémie l'a échappé 12 fois de moins. Combien de fois Noémie a-t-elle échappé le ballon ?

Ta démarche : ______________________________

Réponse : ______________________________

Résultat /34

Exercices | **Soustractions**

1. Complète les cases vides.

− 8	
15	
12	
13	
18	
16	
10	
14	
17	

− 6	
12	
15	
11	
9	
16	
10	
13	
17	

− 7	
10	
14	
9	
12	
8	
15	
11	
13	

2. Soustrais en partant du centre.

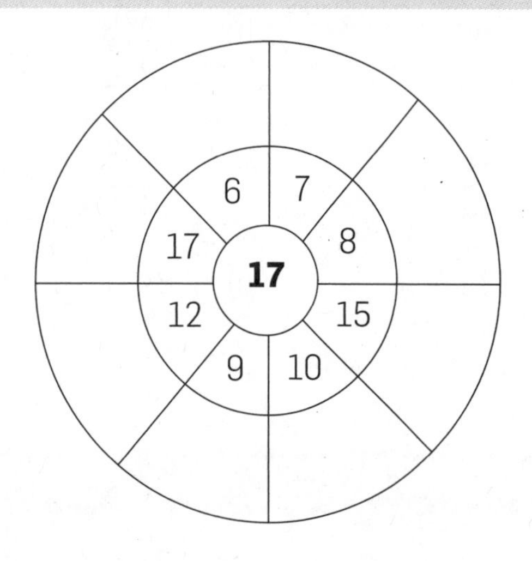

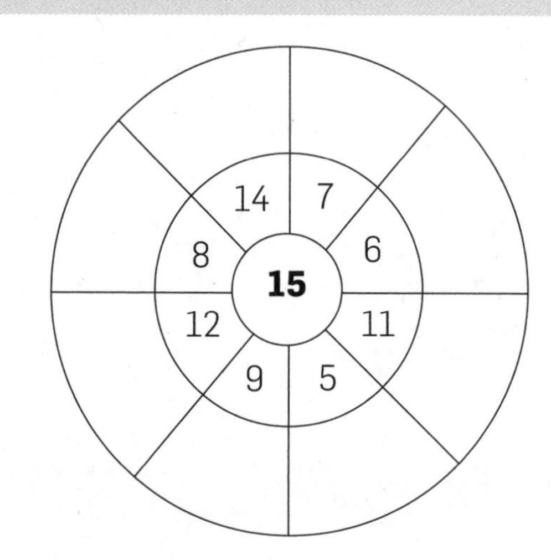

3. Complète la grille suivante.

− ↗	**12**	**3**	**8**	**6**	**4**	**7**	**9**
17							
15							
13							
16							
12							
14							

4. Effectue les soustractions suivantes.

a) 40 − 12

b) 88 − 25

c) 56 − 26

d) 546 − 284

e) 631 − 125

f) 720 − 320

g) 630 − 125

h) 988 − 657

i) 547 − 283

5. Trouve les termes manquants.

a) 735 - ______ = 387

b) ______ - 425 = 534

c) 857 - ______ = 326

d) 626 - ______ = 314

e) ______ - 237 = 419

f) 952 - ______ = 425

g) 283 - ______ = 150

h) 663 - ______ = 258

i) ______ - 369 = 145

6. Trouve la différence des soustractions suivantes.

a) Environ 600 sapins de Noël ont été coupés. Antoine a coupé 259 sapins et Charles en a coupé 27. Combien de sapins de moins Charles a-t-il coupés ?

Ta démarche : ______________________________

Réponse : ______________________________

b) Ma grand-mère a fait cuire 525 beignes pour Noël. Elle en a donnés 48 à sa fille, 68 à son garçon. Combien de beignes lui reste-t-il ?

Ta démarche : ______________________________

Réponse : ______________________________

7. Effectue les soustractions suivantes.

a) 2325 − 1214

b) 5364 − 3057

c) 7546 − 3783

d) 8047 − 1523

e) 4528 − 1263

f) 6389 − 3154

g) 8200 − 1624

h) 9876 − 4562

8. Soustrais 1345 à chaque nombre.

a) 5014 ______________

b) 2500 ______________

c) 3500 ______________

d) 8051 ______________

e) 4495 ______________

f) 1950 ______________

9. Complète les cases vides.

↗ − **1258**	
2115	
1271	
1633	
4128	
6000	
1500	
4250	
4090	

↗ − **551**	
1158	
1111	
3021	
1387	
1219	
1050	
4104	
1799	

↗ − **2147**	
6100	
4112	
7133	
5513	
4601	
5107	
4444	
3125	

10. Effectue les soustractions.

a) 9643 − 353

b) 4134 − 3871

c) 1189 − 819

d) 7294 − 5773

Soustractions

Test d'évaluation → **Test de suivi**

1. Complète la grille suivante.

−↗	12	3	8	6	4	7	9
18							
20							
24							
19							
25							
23							

2. Fais les soustractions suivantes.

a) 143 − 121

b) 237 − 6

c) 379 − 142

d) 78 − 43

e) 489 − 152

f) 486 − 323

g) 77 − 26

h) 699 − 510

i) 295 − 125

j) 679 − 541

k) 289 − 256

l) 444 − 424

m) 155 − 2

n) 768 − 625

o) 297 − 242

p) 449 − 315

Résultat /58

1. Trouve les paires de nombres dont la différence est 45. Écris-les ci-dessous.

50	76	70	69
49	23	68	13
77	4	25	31
58	32	24	5

____

2. Effectue les soustractions. Utilise le code pour trouver la phrase mystère.

9	18	6	15	13	12	16	11	8	14	17
r	u	l	e	v	t	s	b	a	n	i

24	28	20	18	16	15	18	23
− 12	− 10	− 8	− 9	− 8	− 2	− 10	− 6
=	=	=	=	=	=	=	=

12	15	20	25	30	24	17	18
− 6	− 9	− 5	− 9	− 19	− 7	− 2	− 4
=	=	=	=	=	=	=	=

3. Effectue les soustractions. Vérifie ta réponse en faisant l'addition correspondante.

a) 52 – 37 ______________________

____

b) 80 – 26 ______________________

____

4. Résous les soustractions.

a) Il y a 25 filles dans la classe de Justine. 13 élèves quittent la classe. Combien reste-t-il d'élèves dans la classe ?

____

b) Jason a 144 billes bleues. Il en donne 72 à Jack. Combien lui reste-t-il de billes ?

____

c) Béatrice collectionne les gommes à effacer. Elle en a 274. Elle en donne 14 à Laurence, 36 à Brenda. Combien lui en reste-t-il ?

____

d) Au Jardin botanique, il y a 568 rosiers de différentes espèces. Le verglas en a détruit 321. Combien reste-t-il de rosiers ?

____

e) Roberto a amassé 2896 $ lors de sa vente-débarras. Il donne 1258 $ à la Fondation de l'hôpital pour enfants. Combien lui reste-t-il d'argent ?

____

f) Il y a 1259 personnes qui vivent dans l'immeuble au coin de ma rue. Bientôt, 178 déménageront. Combien restera-t-il de personnes ?

____

5. Enlève 1752 à chaque nombre.

a) 2500 ________________ b) 7900 ________________ c) 8051 ________________

d 3521 ________________ e) 2369 ________________ f) 4789 ________________

g) 4158 ________________ h) 4236 ________________ i) 6987 ________________

6. Complète la grille.

–	1258	3681	2589	1028	1147
6974					
4148					
7892					
6410					
7852					

7. Résous les soustractions.

a) Enlève 17 centaines à 7452. ________________

b) Enlève 147 unités à 782. ________________

c) Enlève 1 dizaine de mille à 14 789. ________________

d) Enlève 3 dizaines à 478. ________________

e) Enlève 5 dizaines à 4789. ________________

f) Enlève 6 dizaines de mille à 60 587. ________________

Multiplications

→ Test d'évaluation Test de suivi

1. Transforme les additions en multiplications et donne le résultat.

a) 2 + 2 + 2 + 2 ___________

b) 5 + 5 + 5 + 5 + 5 ___________

c) 3 + 3 ___________

d) 9 + 9 + 9 ___________

e) 7 + 7 + 7 + 7 + 7+ 7 + 7 + 7 + 7 + 7 + 7 ___________

2. Trouve le produit.

a) 3 x 4 = _____

b) 5 x 7 = _____

c) 3 x 8 = _____

d) 4 x 4 = _____

e) 7 x 3 = _____

f) 2 x 4 = _____

g) 9 x 2 = _____

h) 1 x 6 = _____

i) 6 x 5 = _____

3. Complète le tableau suivant.

x	**0**	**1**	**2**	**3**	**4**	**5**	**6**
0							
4							
2							
5							
3							
6							
7							
9							

Résultat /70

1. Trouve le produit des multiplications suivantes.

Table de 1

1 x 0 = _____

1 x 1 = _____

1 x 2 = _____

1 x 3 = _____

1 x 4 = _____

1 x 5 = _____

1 x 6 = _____

1 x 7 = _____

1 x 8 = _____

1 x 9 = _____

1 x 10 = _____

Table de 2

2 x 0 = _____

2 x 1 = _____

2 x 2 = _____

2 x 3 = _____

2 x 4 = _____

2 x 5 = _____

2 x 6 = _____

2 x 7 = _____

2 x 8 = _____

2 x 9 = _____

2 x 10 = _____

Table de 3

3 x 0 = _____

3 x 1 = _____

3 x 2 = _____

3 x 3 = _____

3 x 4 = _____

3 x 5 = _____

3 x 6 = _____

3 x 7 = _____

3 x 8 = _____

3 x 9 = _____

3 x 10 = _____

2. Remplis cette grille de multiplication.

x	1	5	8	4	3	9	6	10	2	7
4										
5										

3. Associe les équations aux illustrations correspondantes.

a) 2 x 7 — 1. ★★★★★ ★★★★★ ★★★★★

b) 3 x 5 — 2. ★★★ ★★★ ★★★

c) 4 x 4 — 3. ★★★ ★★★ ★★★ ★★★ ★★★ ★★★

d) 3 x 3 — 4. ★★★★ ★★★★ ★★★★ ★★★★

e) 6 x 3 — 5. ★★★★★★★ ★★★★★★★

4. Trouve une multiplication pour représenter les illustrations suivantes.

a) ((((((((((((

____

b) ((((((((((
((((((((

____

c) (((((((((((((((
((((((((((

____

d) ((((((((((((
((((((((((((

____

e) ((((((((((((
(((((((((

____

f) ((((((((((((((((
((((((((((((((((
((((

____

5. Formule l'équation et écris le produit.

a) Trois équipes formées de7 personnes ont entrepris les travaux de rénovation de l'école. Combien de personnes travaillent à la rénovation de l'école ?

____

b) Le Club secret des aventuriers organise une soirée de recrutement, 8 personnes apportent chacune 2 desserts pour nourrir l'assemblée. Combien de desserts seront servis ?

____

c) Les élèves de l'école vendent du chocolat pour la campagne de financement. On demande à chaque élève de vendre 10 barres de chocolat au coût de 3 dollars chacune. Combien d'argent chaque élève rapportera-t-il ?

____

d) Il y a 3 classes de 3e année à l'école, et 8 élèves par classe prépareront un numéro de magie pour le spectacle de fin d'année. Combien d'élèves magiciens verra-t-on ?

____

e) Étienne a un élevage de chiens où 12 chiennes ont eu chacune 5 chiots. Combien de chiots sont nés ?

____

f) Justin, pour se faire de l'argent de poche, cueille des fraises. Il a cueilli 9 casseaux contenant chacun 10 grosses fraises. Combien de fraises a-t-il cueillies ?

____

Multiplications

Test d'évaluation → **Test de suivi**

1. Trouve le produit des multiplications suivantes.

a) 5 x 6 = ______ b) 1 x 8 = ______ c) 4 x 8 = ______

d) 3 x 8 = ______ e) 4 x 9 = ______ f) 3 x 6 = ______

g) 6 x 6 = ______ h) 2 x 8 = ______ i) 5 x 9 = ______

j) 2 x 7 = ______ k) 3 x 9 = ______ l) 4 x 10 = ______

2. Trouve le produit des multiplications suivantes.

Table de 4	Table de 5	Table de 6
4 x 0 = _____	5 x 0 = _____	6 x 0 = _____
4 x 1 = _____	5 x 1 = _____	6 x 1 = _____
4 x 2 = _____	5 x 2 = _____	6 x 2 = _____
4 x 3 = _____	5 x 3 = _____	6 x 3 = _____
4 x 4 = _____	5 x 4 = _____	6 x 4 = _____
4 x 5 = _____	5 x 5 = _____	6 x 5 = _____
4 x 6 = _____	5 x 6 = _____	6 x 6 = _____
4 x 7 = _____	5 x 7 = _____	6 x 7 = _____
4 x 8 = _____	5 x 8 = _____	6 x 8 = _____
4 x 9 = _____	5 x 9 = _____	6 x 9 = _____
4 x 10 = _____	5 x 10 = _____	6 x 10 = _____

Résultat /55

1. Colorie les régions selon les couleurs suivantes:

En bleu, si le résultat est compris entre 9 et 30.

En rouge, si le résultat est inférieur ou égal à 9.

En vert, si le résultat est égal ou supérieur à 50.

En jaune, si le résultat est supérieur à 35 et inférieur à 50.

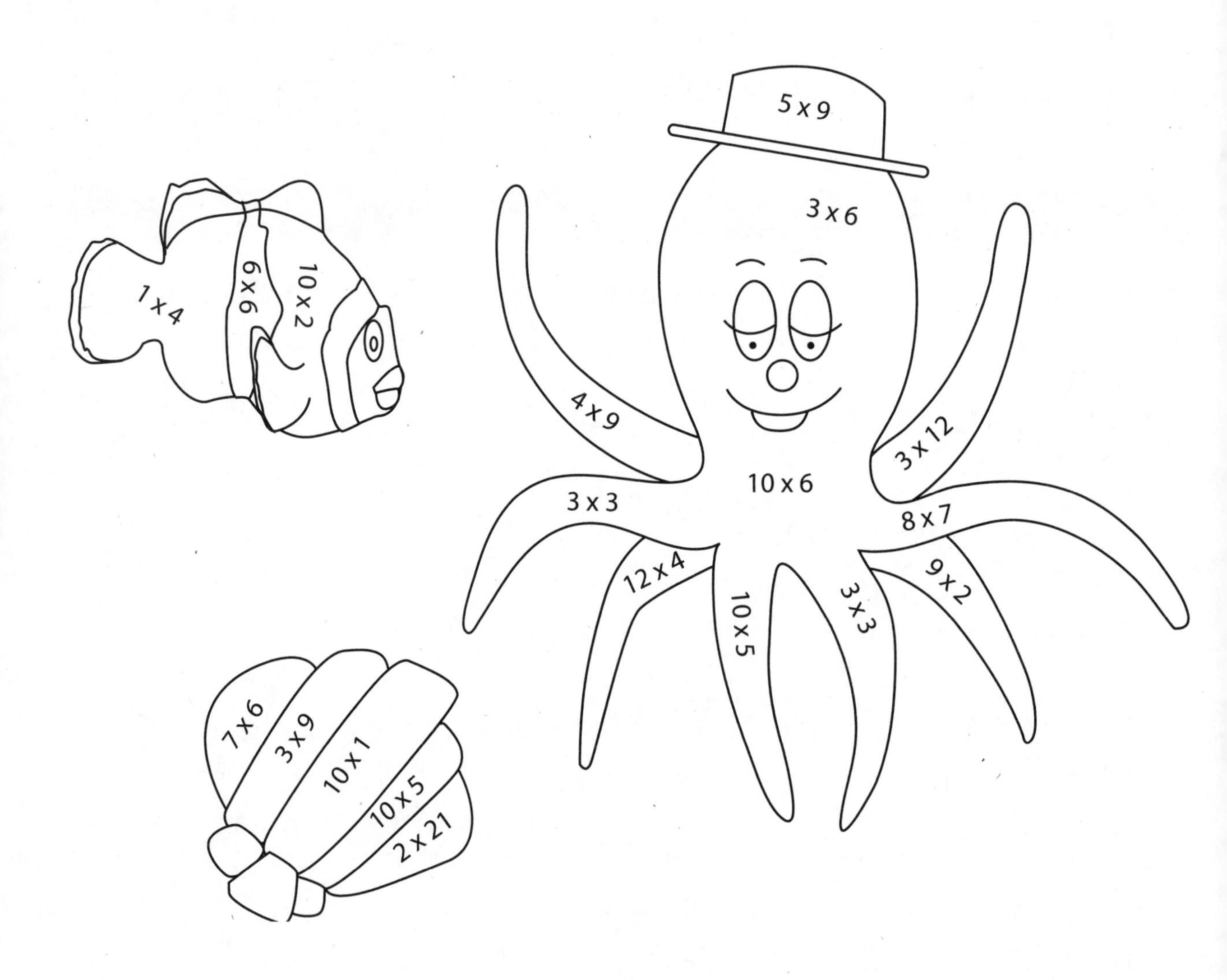

2. Écris l'opération inverse et son résultat.

a) 4 x 8 ____________

b) 5 x 7 ____________

c) 7 x 3 ____________

d) 9 x 2 ____________

e) 5 x 1 ____________

f) 8 x 4 ____________

g) 3 x 2 ____________

h) 6 x 7 ____________

3. Complète les tableaux.

a)

x		**5**	**8**		**4**
7	21				
3					
4				24	
6		30			
5					

b)

x	**5**	**7**	**9**	**10**	**8**
2					
6					
9					
10					

français mathématique anglais

4. Effectue les multiplications suivantes.

a) 51 x 8

b) 57 x 4

c) 58 x 3

d) 41 x 4

e) 67 x 2

f) 12 x 5

g) 12 x 3

h) 23 x 3

i) 57 x 2

j) 15 x 2

k) 31 x 5

l) 84 x 2

5. Complète les cases vides.

x 5	
11	
14	
30	
13	
12	
10	
41	
17	

x 9	
61	
41	
71	
55	
46	
51	
44	
31	

x 7	
61	
41	
71	
55	
46	
51	
44	
31	

6. Complète les équations suivantes.

a) ______ x 100 = 7000

b) 10 x ______ = 6200

c) 40 x ______ = 4000

d) 210 x ______ = 2100

e) 91 x ______ = 9100

f) 410 x 1 = ______

7. Quel est le produit ?

a) 16 x 100 = ______

b) 30 x 3 = ______

c) 15 x 10 = ______

Divisions

→ Test d'évaluation Test de suivi

1. Partage en 3 parts égales les éléments ci-dessous.

a)

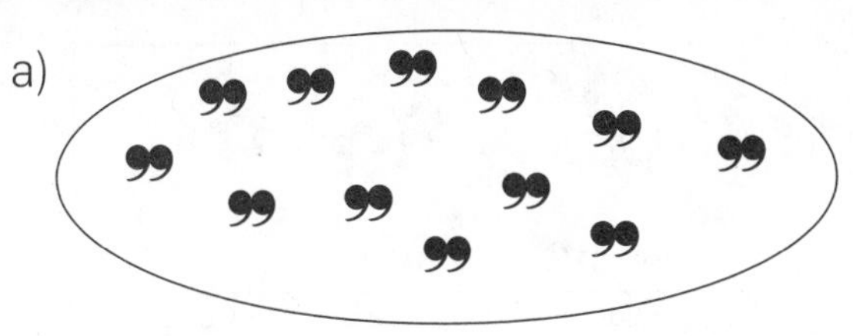

b)

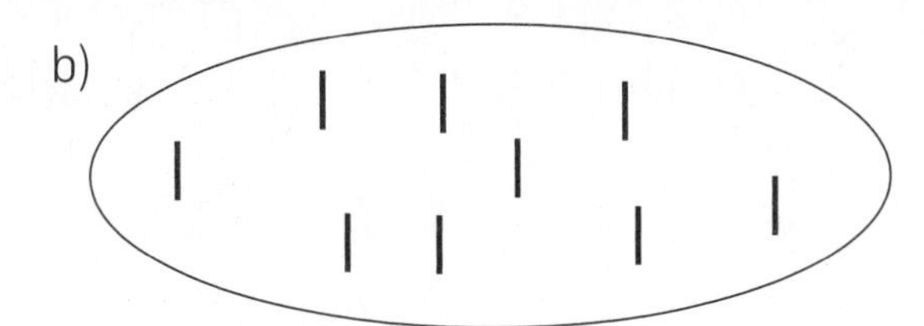

c)

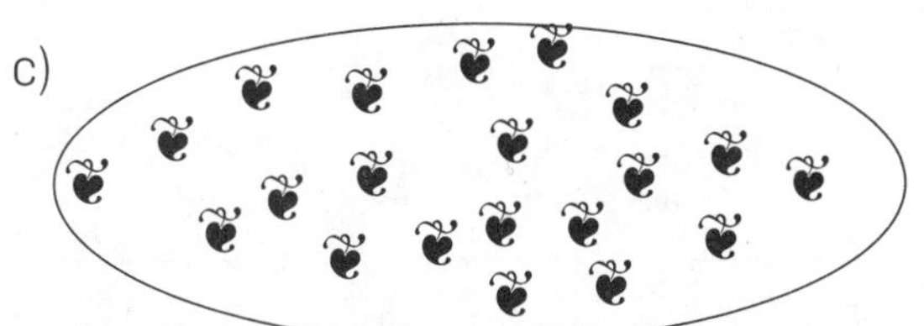

d)

2. Partage en 4 parts égales les éléments ci-dessous.

a)

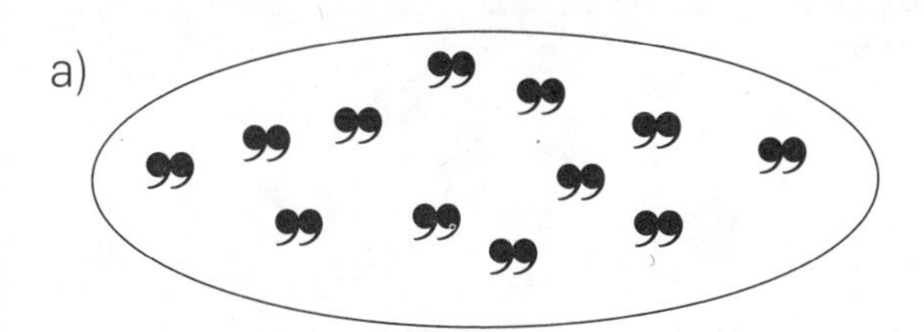

b)

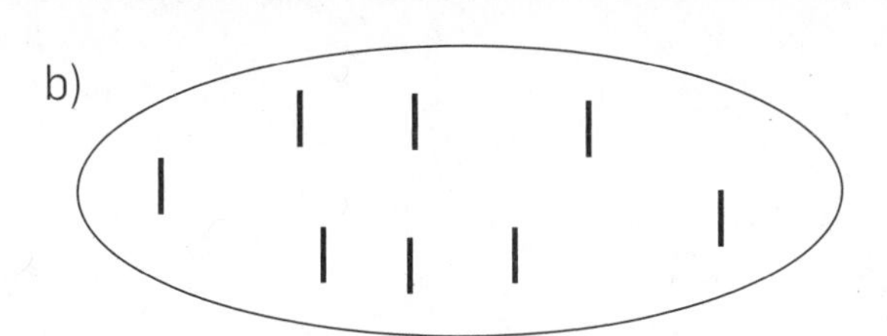

c)

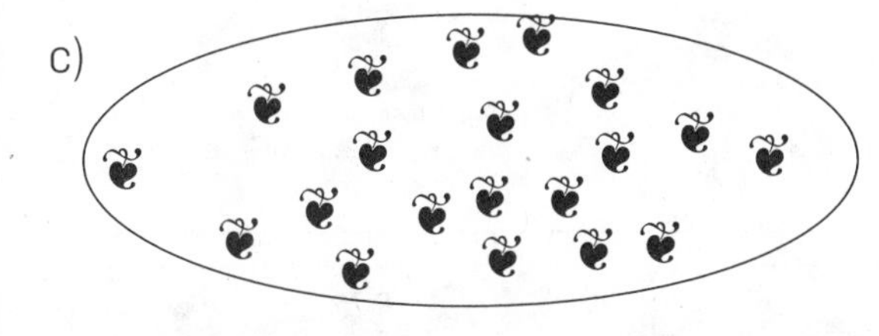

d)

3. Je partage également 36 billes entre 2 enfants. Chaque enfant aura ______ billes.

Ta démarche : ____

4. Résous les divisions suivantes.

a) 8 ÷ 2 = ____ b) 6 ÷ 2 = ____ c) 10 ÷ 5 = ____

d) 9 ÷ 3 = ____ e) 8 ÷ 4 = ____ f) 16 ÷ 4 = ____

g) 20 ÷ 2 = ____ h) 20 ÷ 5 = ____ i) 12 ÷ 3 = ____

Résultat /18

1. Illustre les divisions et complète les équations.

Voici un exemple : 8 ÷ 2 = 4

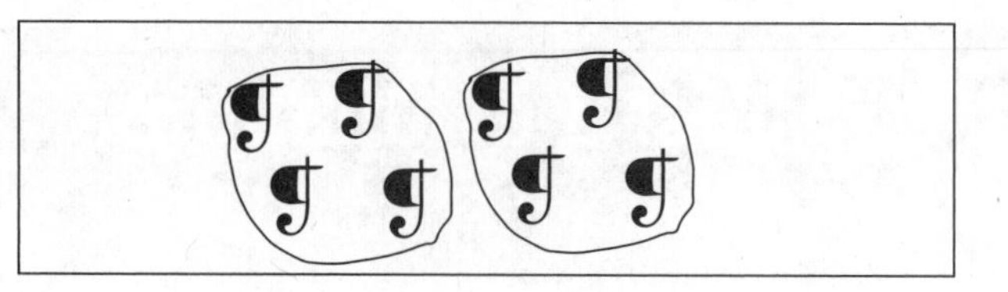

a) 12 ÷ 6 = ____

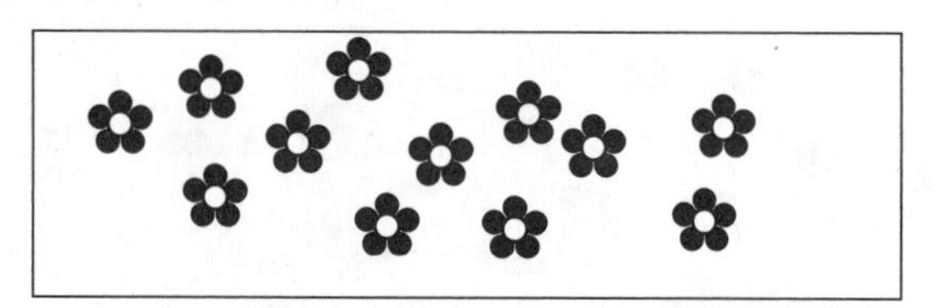

b) 10 ÷ 2 = ____

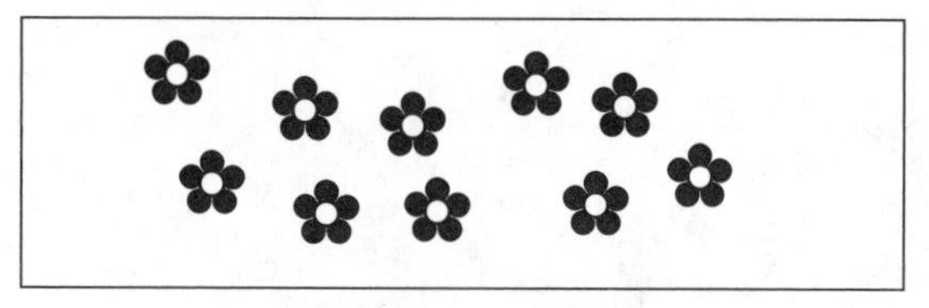

c) 12 ÷ 4 = ____

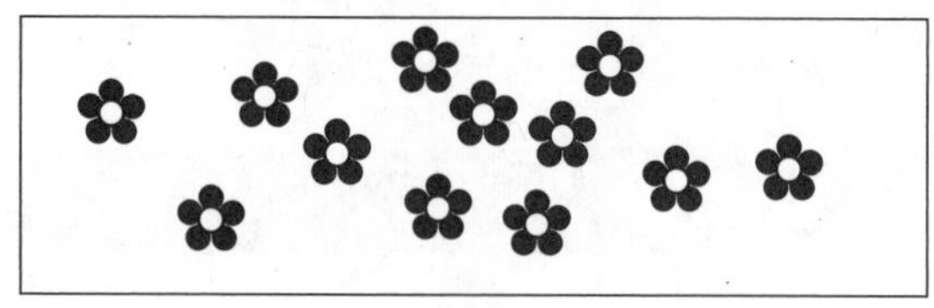

d) 9 ÷ 3 = ____

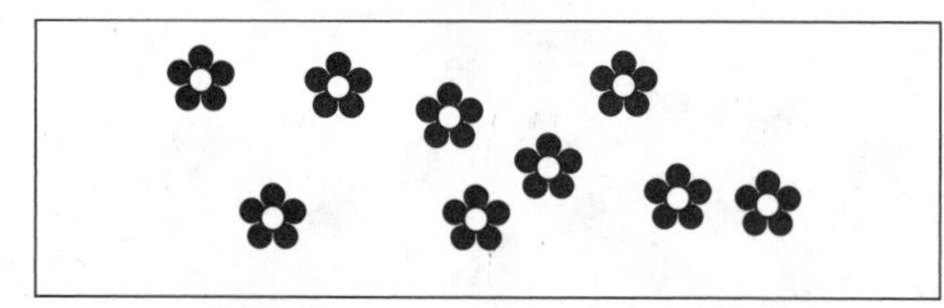

e) 15 ÷ 5 = ____

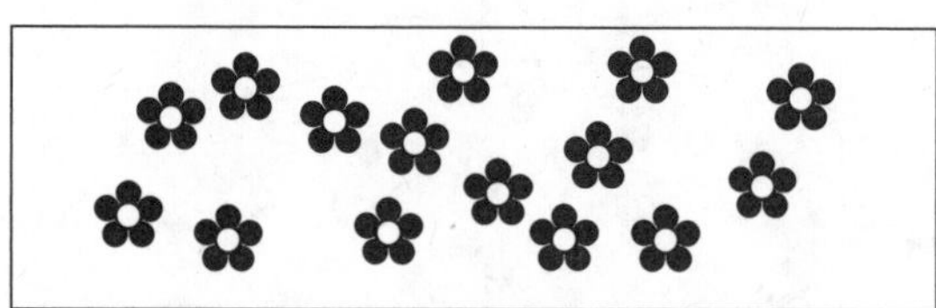

f) 20 ÷ 4 = ____

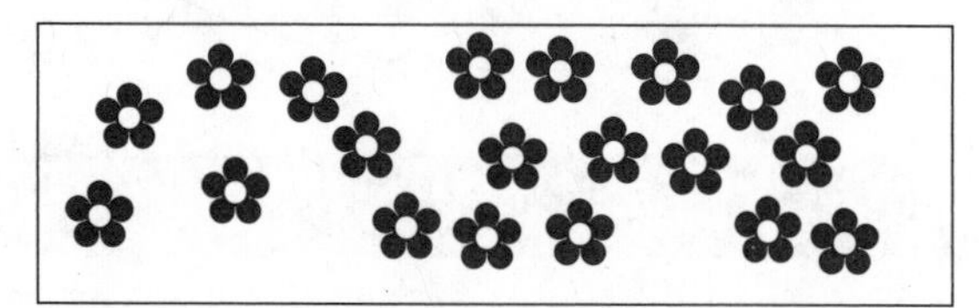

g) 24 ÷ 6 = ____

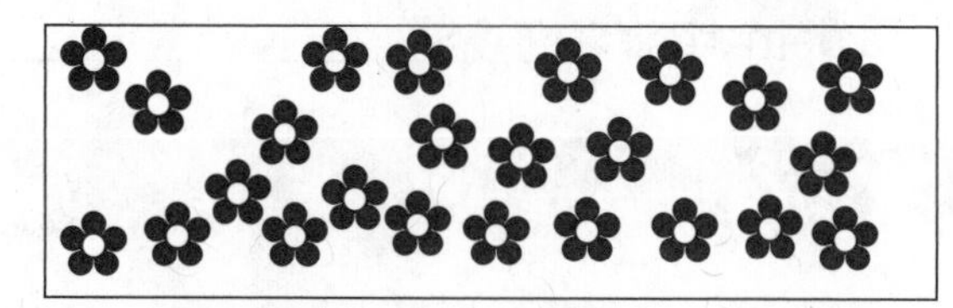

h) 18 ÷ 9 = ____

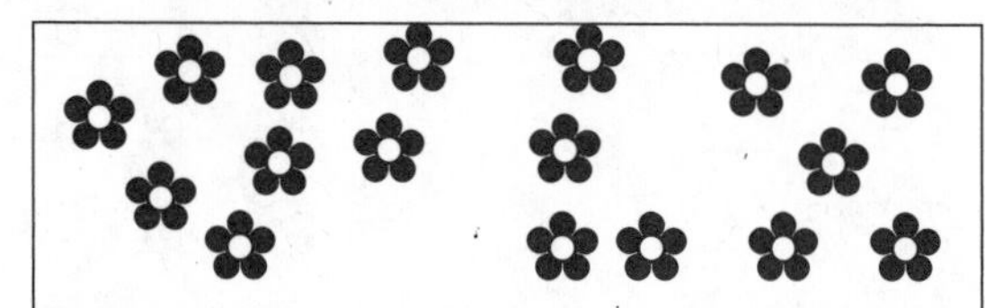

2. Partage également 20 pommes entre 5 enfants. Fais un dessin pour illustrer le partage.

3. Partage également 12 pommes entre 4 personnes. Fais un dessin pour illustrer le partage.

4. Partage également 18 bonbons entre 6 enfants. Fais un dessin pour illustrer le partage.

5. Partage également 25 bonbons entre 5 enfants. Fais un dessin pour illustrer le partage.

français
mathématique
anglais

6. Regarde la multiplication de gauche et complète les divisions.

a)	$4 \times 7 = 28$	$28 \div 4 =$ _______	$28 \div 7 =$ _______
b)	$5 \times 3 = 15$	$15 \div 3 =$ _______	$15 \div 5 =$ _______
c)	$7 \times 9 = 63$	$63 \div 7 =$ _______	$63 \div 9 =$ _______
d)	$6 \times 4 = 24$	$24 \div 6 =$ _______	$24 \div 4 =$ _______
e)	$10 \times 5 = 50$	$50 \div 10 =$ _______	$50 \div 5 =$ _______
f)	$8 \times 6 = 48$	$48 \div 8 =$ _______	$48 \div 6 =$ _______
g)	$4 \times 2 = 8$	$8 \div 4 =$ _______	$8 \div 2 =$ _______
h)	$9 \times 7 = 63$	$63 \div 9 =$ _______	$63 \div 7 =$ _______
i)	$6 \times 5 = 30$	$30 \div 6 =$ _______	$30 \div 5 =$ _______
j)	$7 \times 3 = 21$	$21 \div 7 =$ _______	$21 \div 3 =$ _______
k)	$5 \times 9 = 45$	$45 \div 5 =$ _______	$45 \div 9 =$ _______
l)	$10 \times 6 = 60$	$60 \div 10 =$ _______	$60 \div 6 =$ _______
m)	$9 \times 2 = 18$	$18 \div 9 =$ _______	$18 \div 2 =$ _______
n)	$6 \times 4 = 24$	$24 \div 6 =$ _______	$24 \div 4 =$ _______
o)	$10 \times 9 = 90$	$90 \div 10 =$ _______	$90 \div 9 =$ _______

Divisions

Test d'évaluation → **Test de suivi**

1. Trouve 2 façons de partager les figures suivantes selon le nombre demandé.

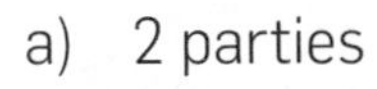
a) 2 parties

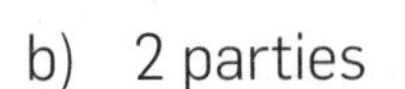
b) 2 parties

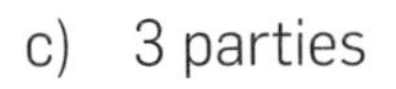
c) 3 parties

2. Mes parents ont servi 48 beignes aux 6 personnes qui sont venues prendre le dessert à la maison. Combien de beignes a mangés chaque personne?

Trace ta démarche: ____________________

3. Complète le tableau.

Dividende	Diviseur	Quotient
24		12
	5	6
36	4	

1. Trouve le quotient.

a) Ma mère a préparé un gâteau pour 6 personnes. Combien de morceaux auront les invités si ma mère sépare le gâteau en 24 parts égales ?

Ta démarche :

___

b) Nous sommes 20 élèves dans ma classe. Notre enseignante a 40 crayons à nous donner. Combien de crayons aurons-nous si notre enseignante divise également les crayons ?

Ta démarche :

___

c) Il y a 12 membres dans ma troupe scoute. Le chef a apporté 120 guimauves pour le feu de camp. Combien de guimauves aura chaque scout si le chef divise également les guimauves ?

Ta démarche :

___

d) Guillaume veut se débarrasser d'une partie de sa collection de timbres. Il sépare 36 de ses timbres entre 3 de ses amis. Combien de timbres aura chacun des amis de Guillaume ?

Ta démarche :

___

e) Yannick nourrit les oiseaux dans sa cour. Il donne 30 vers à 2 oiseaux. Combien de vers aura chaque oiseau si Yannick leur en donne la même quantité ?

Ta démarche :

___

2. Écris les divisions représentées.

Voici un exemple : ★★★★ ★★★★
★★★★ ★★★★ 16 ÷ 2 = 8

a) ★★★★ ★★★★ ★★★★ ____ ÷ ____ = ____

b) ★★★ ★★★ ★★★ ★★★ ____ ÷ ____ = ____

c) ★★★★★ ★★★★★ ★★★★★
★★★★★ ★★★★★ ★★★★★ ____ ÷ ____ = ____

d) ★★★★★★ ★★★★★★
★★★★★★ ★★★★★★ ____ ÷ ____ = ____

e) ★★★★★ ★★★★★ ★★★★★
★★★★ ★★★★ ★★★★ ____ ÷ ____ = ____

f) ★★★★★ ★★★★★ ★★★★★
★★★★★ ★★★★★ ____ ÷ ____ = ____

g) ★ ★ ★ ★ ★ ★ ★ ★ ★ ____ ÷ ____ = ____

h) ★★★★ ★★★★ ____ ÷ ____ = ____

i) ★★★★★★ ★★★★★★
★★★★★★ ★★★★★★ ____ ÷ ____ = ____

j) ★★★ ★★★ ★★★ ★★★
★★★ ★★★ ★★★ ★★★ ____ ÷ ____ = ____

k) ★★★★★ ★★★★★ ____ ÷ ____ = ____

3. Complète les tables de divisions.

1 ÷ 1 = _____	2 ÷ 2 = _____	3 ÷ 3 = _____	4 ÷ 4 = _____
2 ÷ 1 = _____	4 ÷ 2 = _____	6 ÷ 3 = _____	8 ÷ 4 = _____
3 ÷ 1 = _____	6 ÷ 2 = _____	9 ÷ 3 = _____	12 ÷ 4 = _____
4 ÷ 1 = _____	8 ÷ 2 = _____	12 ÷ 3 = _____	16 ÷ 4 = _____
5 ÷ 1 = _____	10 ÷ 2 = _____	15 ÷ 3 = _____	20 ÷ 4 = _____
6 ÷ 1 = _____	12 ÷ 2 = _____	18 ÷ 3 = _____	24 ÷ 4 = _____
7 ÷ 1 = _____	14 ÷ 2 = _____	21 ÷ 3 = _____	28 ÷ 4 = _____
8 ÷ 1 = _____	16 ÷ 2 = _____	24 ÷ 3 = _____	32 ÷ 4 = _____
9 ÷ 1 = _____	18 ÷ 2 = _____	27 ÷ 3 = _____	36 ÷ 4 = _____
10 ÷ 1 = _____	20 ÷ 2 = _____	30 ÷ 3 = _____	40 ÷ 4 = _____
11 ÷ 1 = _____	22 ÷ 2 = _____	33 ÷ 3 = _____	44 ÷ 4 = _____
12 ÷ 1 = _____	24 ÷ 2 = _____	36 ÷ 3 = _____	48 ÷ 4 = _____

Fractions

→ Test d'évaluation Test de suivi

1. L'ogre vorace voudrait manger les tartes suivantes, mais la vilaine sorcière ne lui permet de manger que les fractions dessinées.
Écris la fraction que l'ogre a le droit de manger.

a) 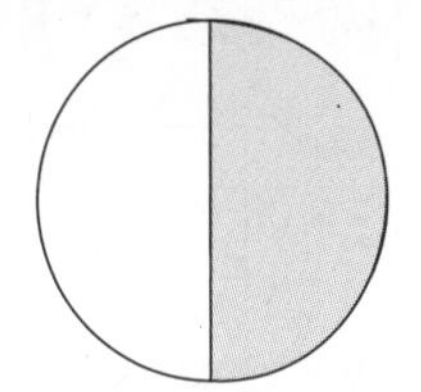 ______

b) 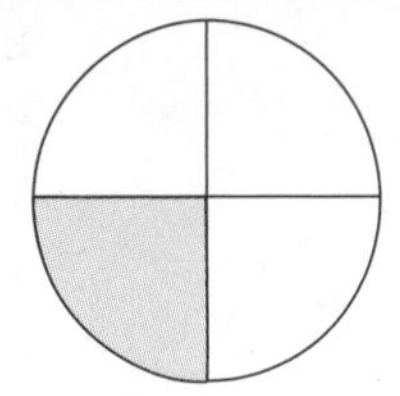 ______

c) 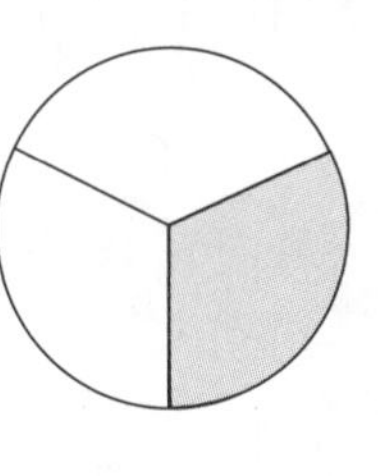 ______

d) 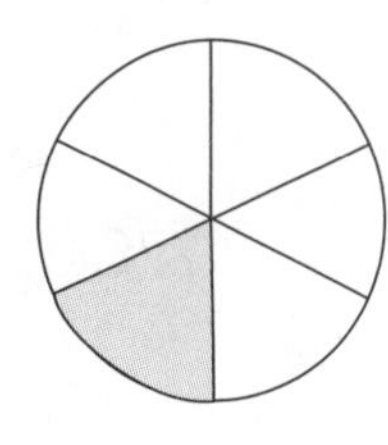 ______

2. Colorie la portion de l'illustration demandée.

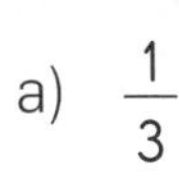

a) $\frac{1}{3}$ 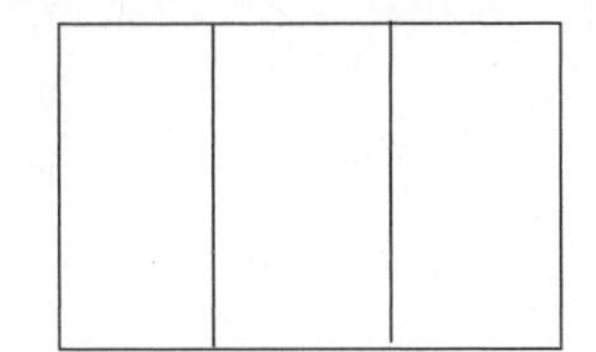

b) $\frac{1}{2}$ 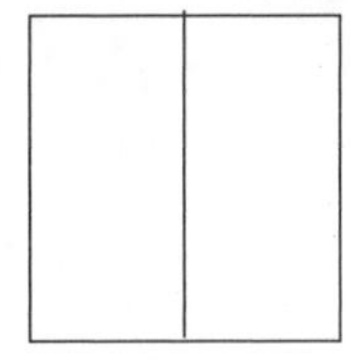

c) $\frac{1}{4}$ 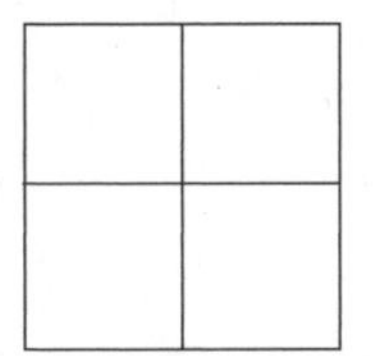

d) $\frac{3}{8}$ 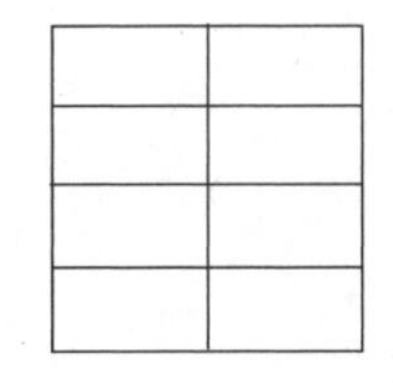

3. Colorie les $\frac{2}{3}$ de l'illustration.

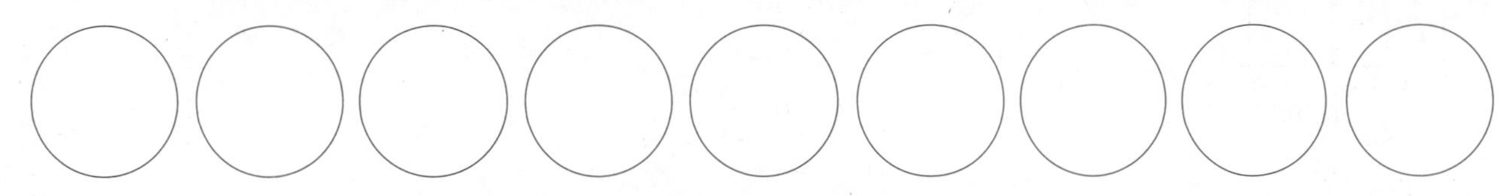

1. Encercle la fraction qui représente la partie en gris de l'illustration.

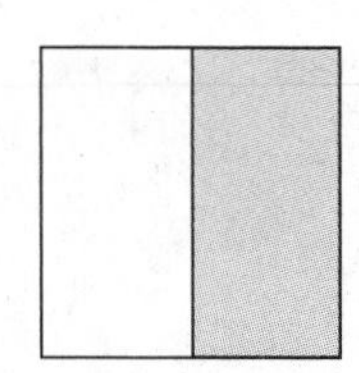

a) $\frac{1}{2}$ $\frac{1}{4}$ $\frac{1}{3}$

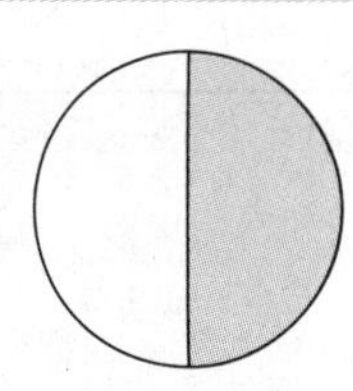

b) $\frac{1}{2}$ $\frac{1}{4}$ $\frac{1}{3}$

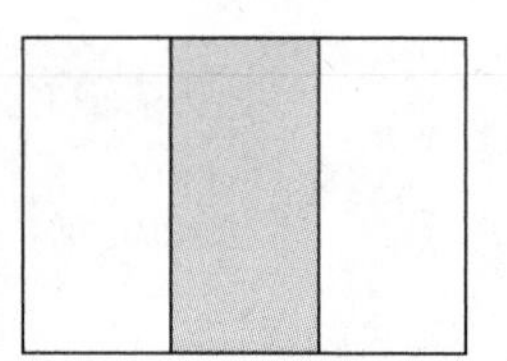

c) $\frac{1}{2}$ $\frac{1}{3}$ $\frac{1}{4}$

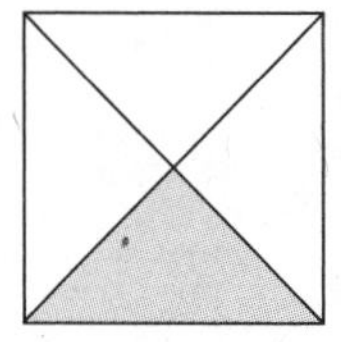

d) $\frac{1}{2}$ $\frac{1}{3}$ $\frac{1}{4}$

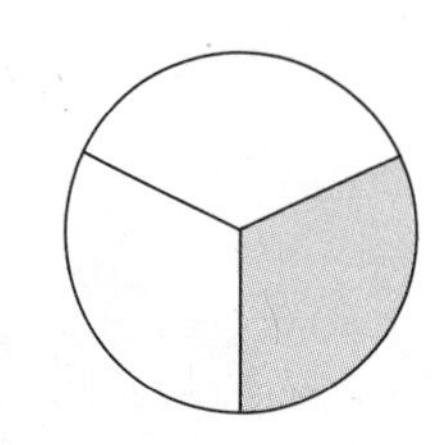

e) $\frac{1}{2}$ $\frac{1}{3}$ $\frac{1}{4}$

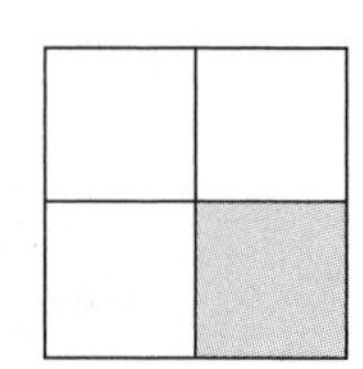

f) $\frac{1}{2}$ $\frac{1}{3}$ $\frac{1}{4}$

2. Colorie la partie demandée.

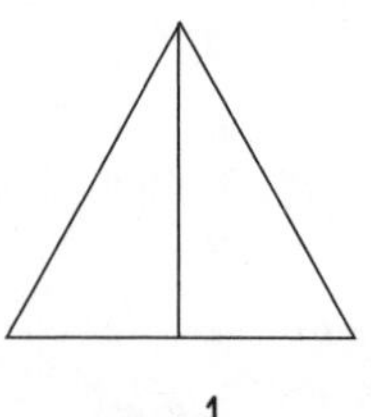

a) $\frac{1}{2}$

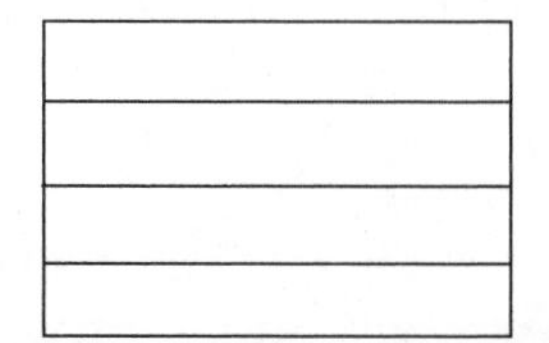

b) $\frac{1}{4}$

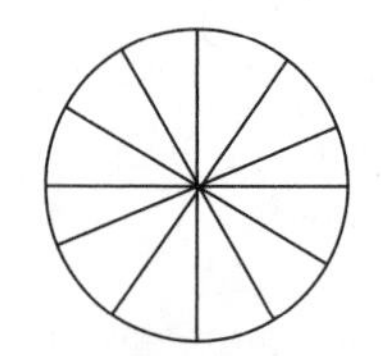

c) $\frac{4}{12}$

d) $\frac{1}{3}$

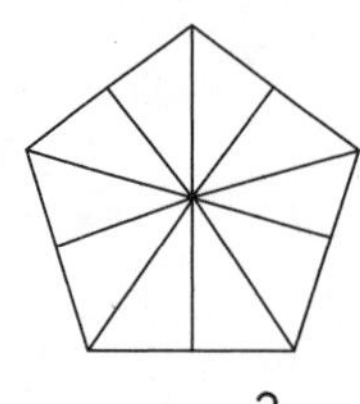

e) $\frac{3}{10}$

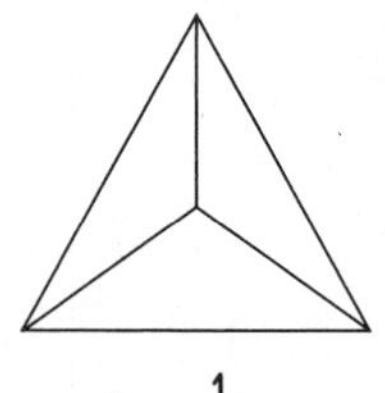

f) $\frac{1}{3}$

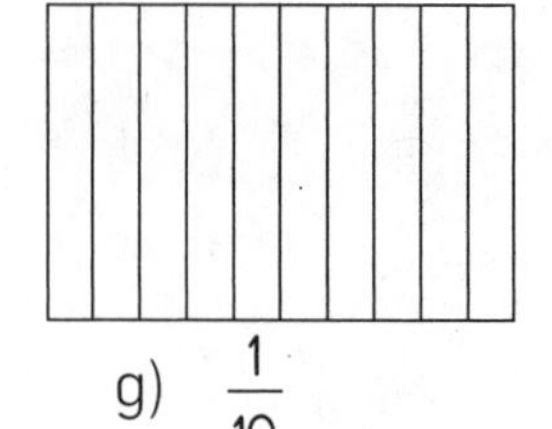

g) $\frac{1}{10}$

h) $\frac{2}{5}$

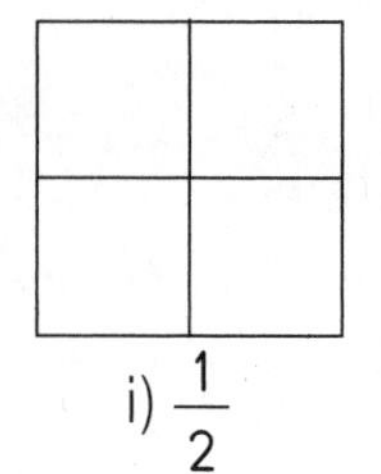

i) $\frac{1}{2}$

3. Colorie le nombre d'oiseaux représentant la fraction demandée.

a)

$\frac{1}{2}$

b)

$\frac{1}{3}$

c)

$\frac{4}{6}$

d)

$\frac{3}{8}$

e)

$\frac{5}{8}$

f)

$\frac{1}{4}$

g)

$\frac{3}{4}$

h)

$\frac{5}{6}$

4. Encercle les illustrations dont la portion ombragée représente plus que $\frac{1}{2}$.

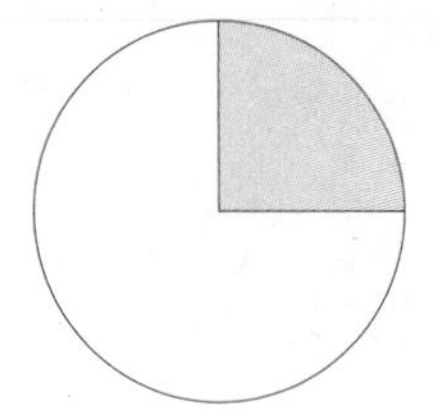

a)

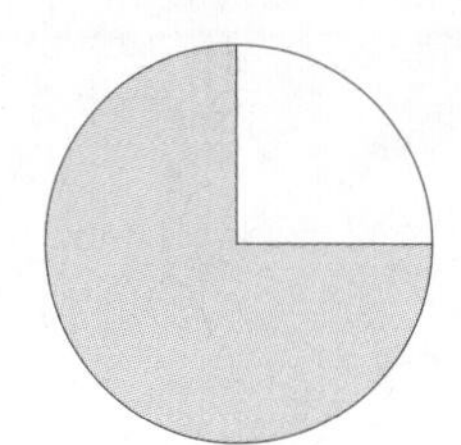

b)

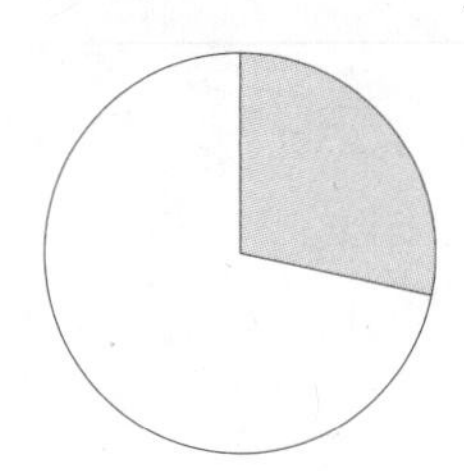

c)

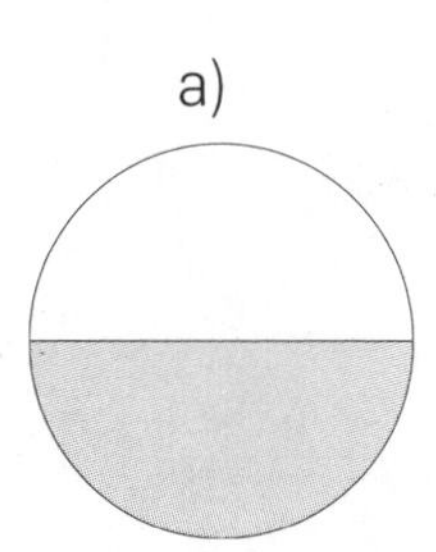

d)

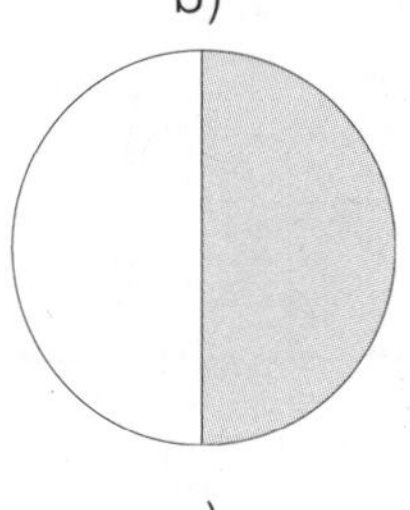

e)

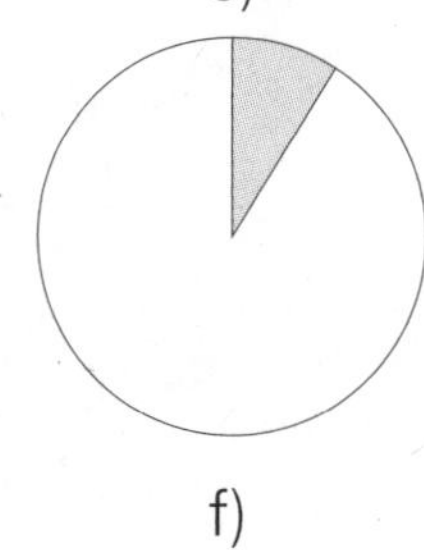

f)

5. Colorie la fraction demandée. Ensuite, classe les fractions dans l'ordre décroissant.

a) $\frac{8}{10}$ ______________

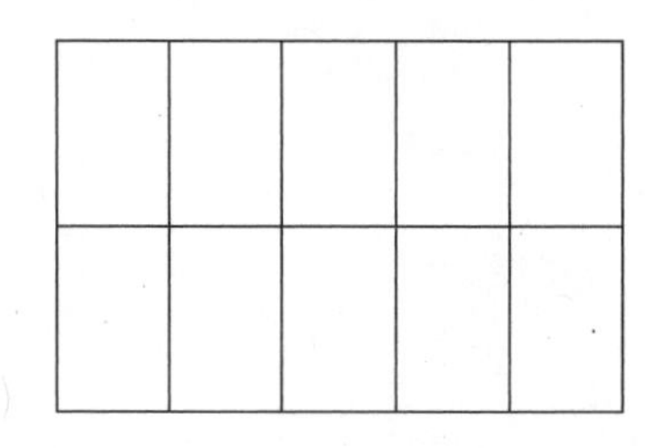

b) $\frac{4}{10}$ ______________

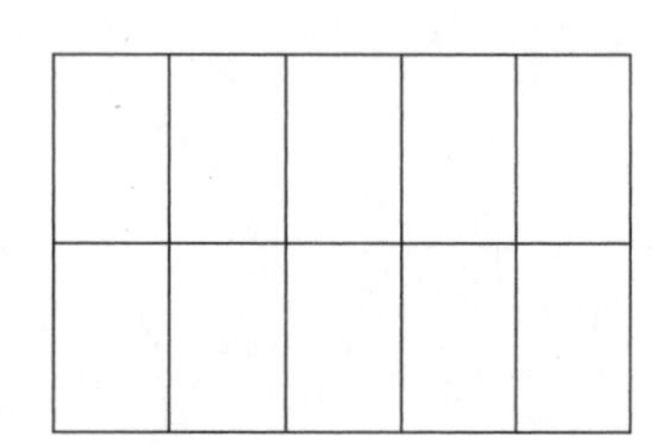

c) $\frac{2}{10}$ ______________

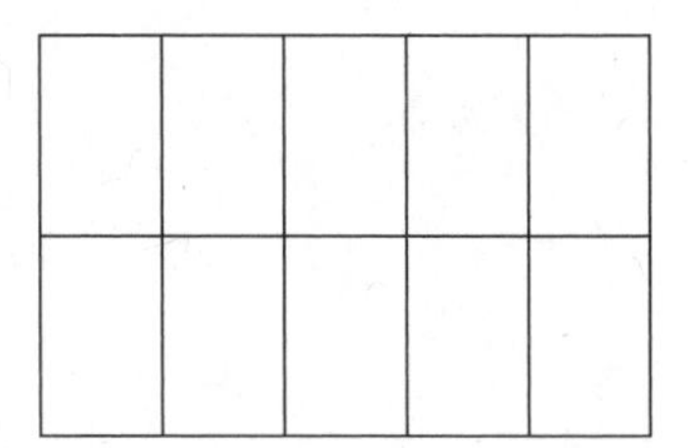

d) $\frac{1}{10}$ ______________

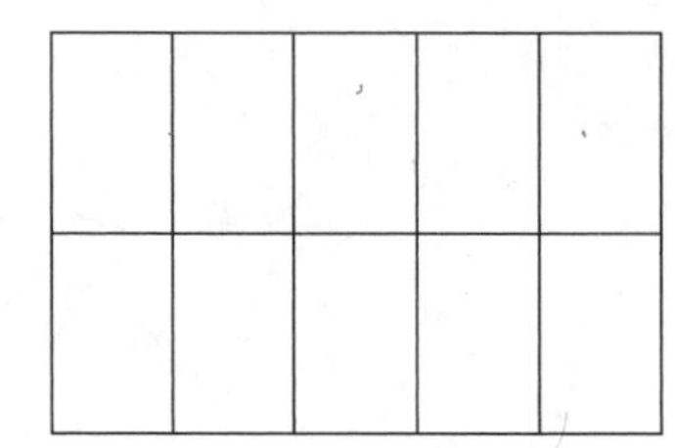

e) $\frac{3}{10}$ ______________

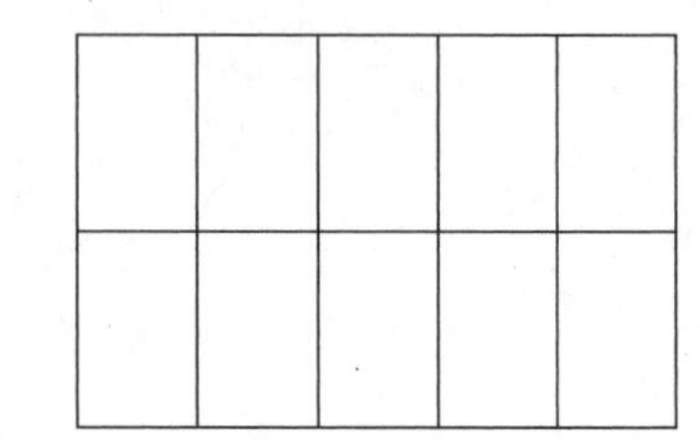

f) $\frac{6}{10}$ ______________

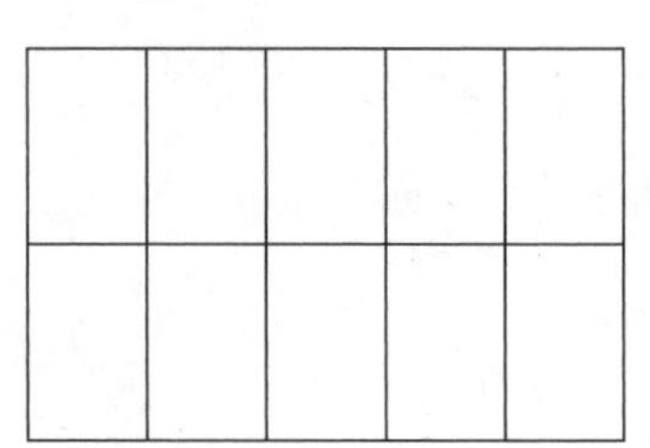

g) $\frac{5}{10}$ ______________

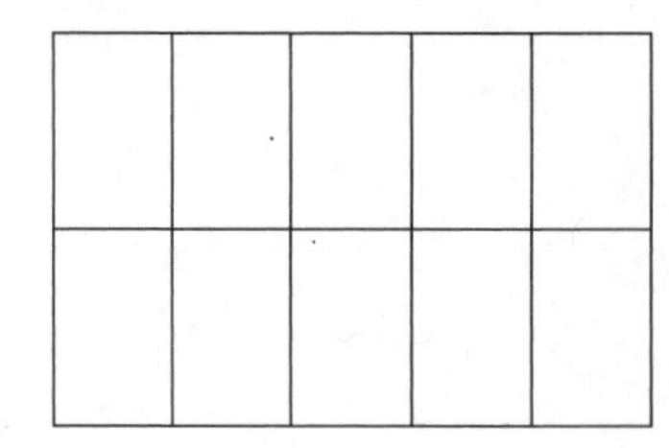

h) $\frac{9}{10}$ ______________

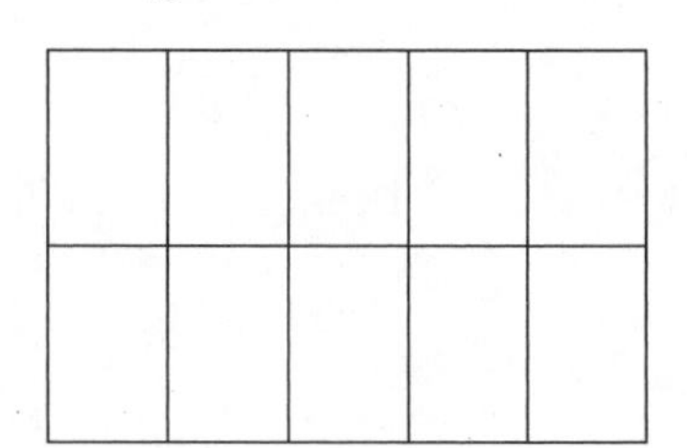

i) $\frac{7}{10}$ ______________

Fractions

Test d'évaluation → Test de suivi

1. Colorie la fraction demandée.

a) $\frac{9}{10}$

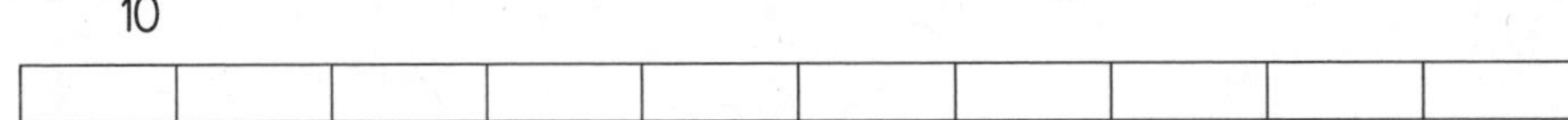

b) $\frac{1}{8}$

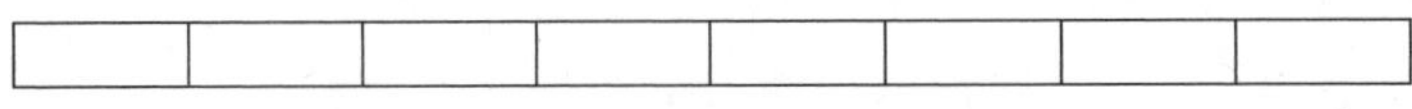

c) $\frac{2}{9}$

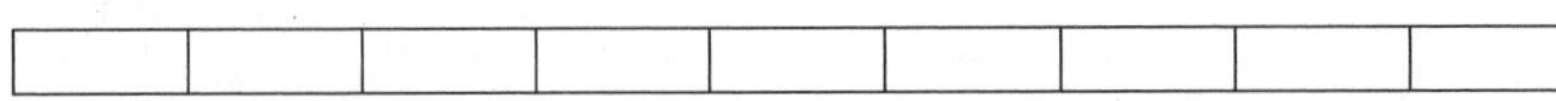

d) $\frac{4}{8}$

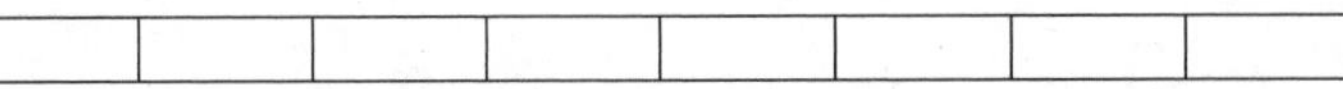

2. Encercle l'illustration dont la portion ombragée représente moins que $\frac{1}{4}$.

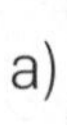

a) 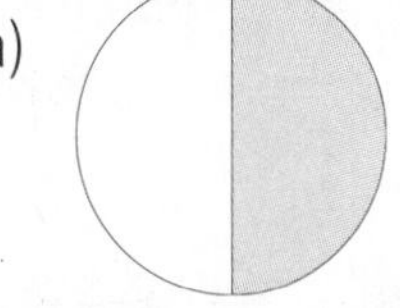

b) 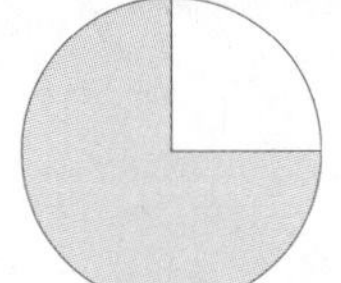

c) 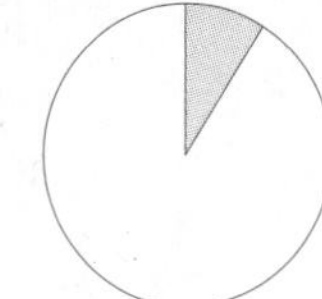

3. Trouve deux façons de diviser les rectangles en 3 parties égales.

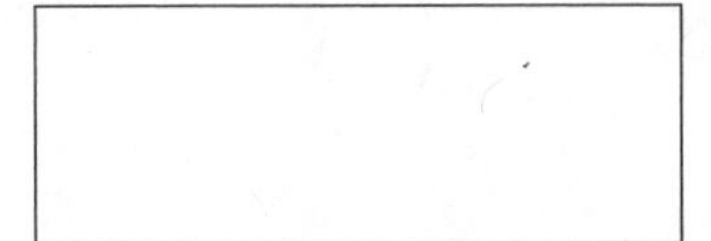

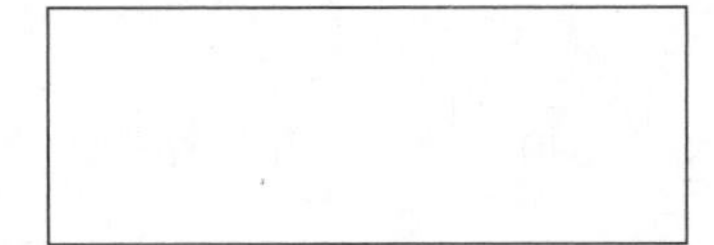

4. Divise également les cercles en sections selon le nombre demandé.

a) 4 parties : 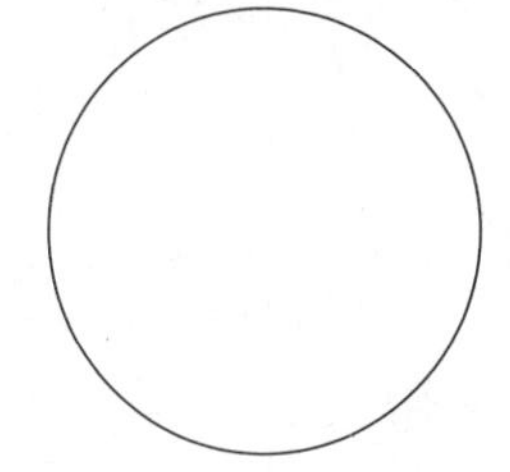

b) 8 parties : 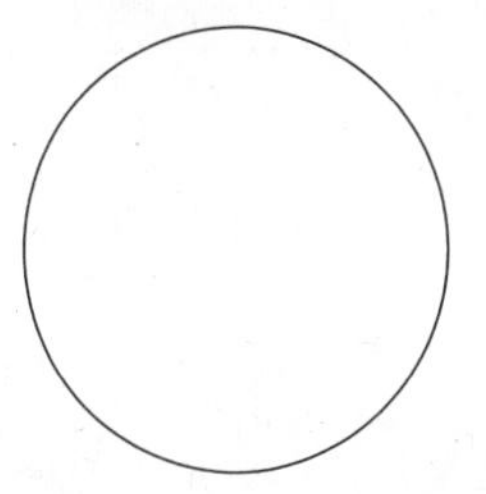

Résultat /9

1. Chacune des formes est divisée également. Écris la fraction représentée par la portion ombragée.

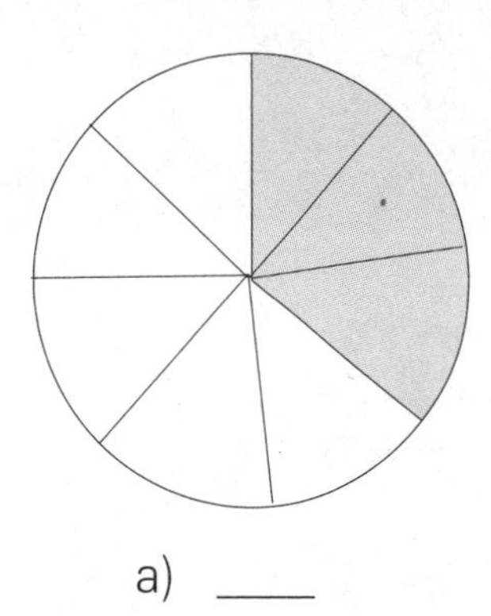

a) ____

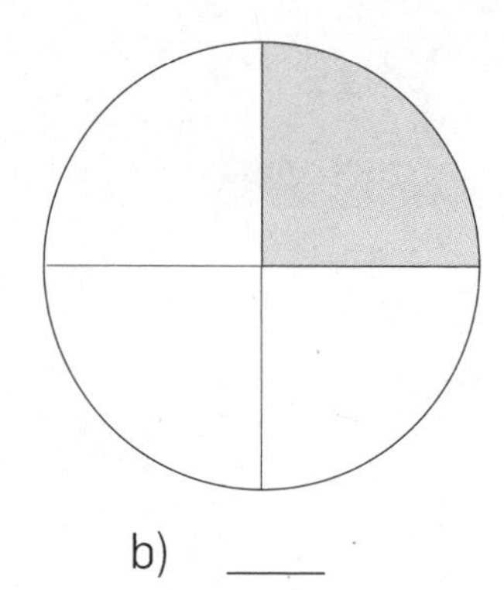

b) ____

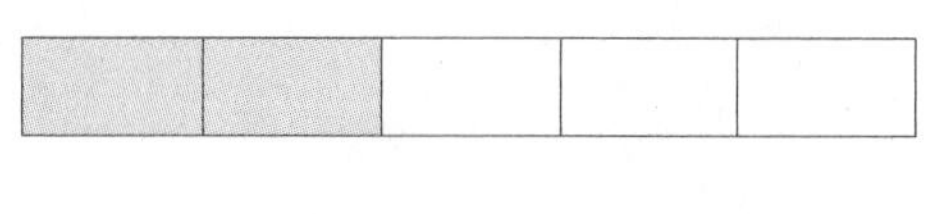

c) ____

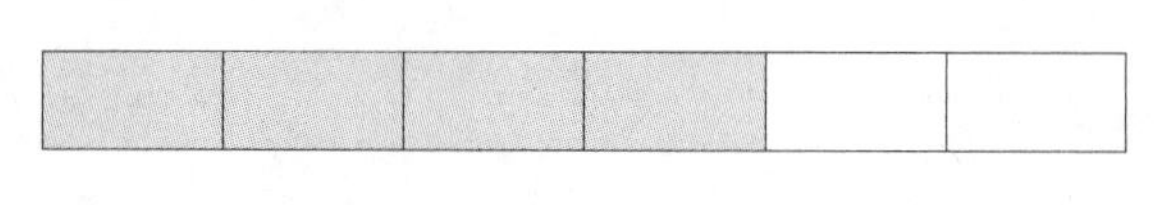

d) ____

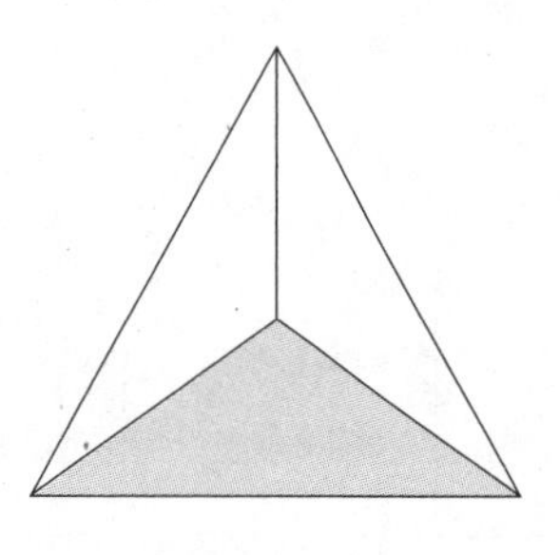

e) ____

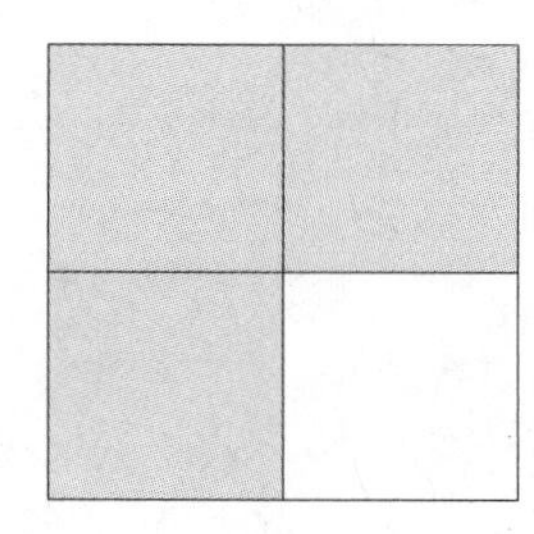

f) ____

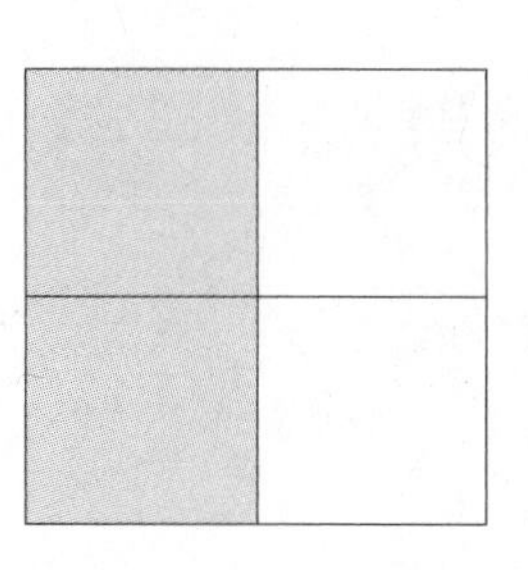

g) ____

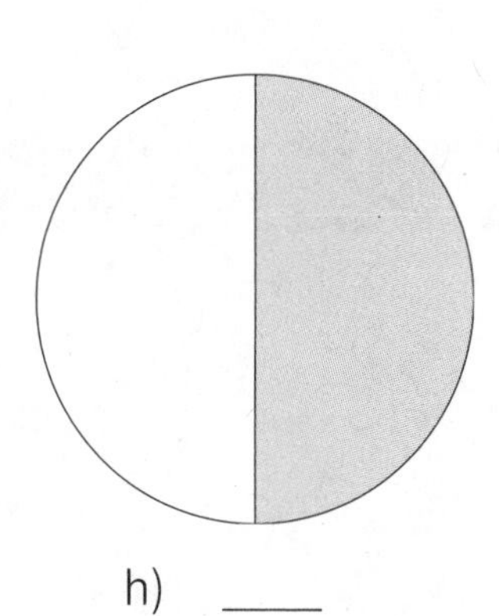

h) ____

français mathématique anglais

2. Colorie la fraction demandée.

a) $\frac{1}{2}$

b) $\frac{1}{4}$

c) $\frac{1}{3}$

d) $\frac{3}{4}$

e) $\frac{1}{10}$

f) $\frac{7}{10}$

g) $\frac{9}{10}$

h) $\frac{6}{10}$

i) $\frac{3}{10}$

3. Divise les illustrations suivantes en 2 parties égales.

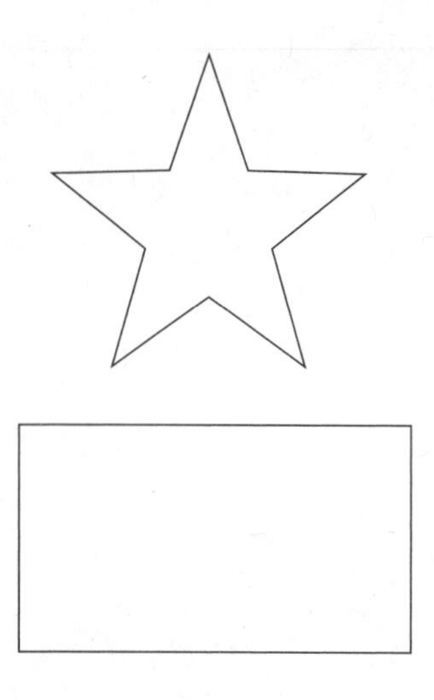

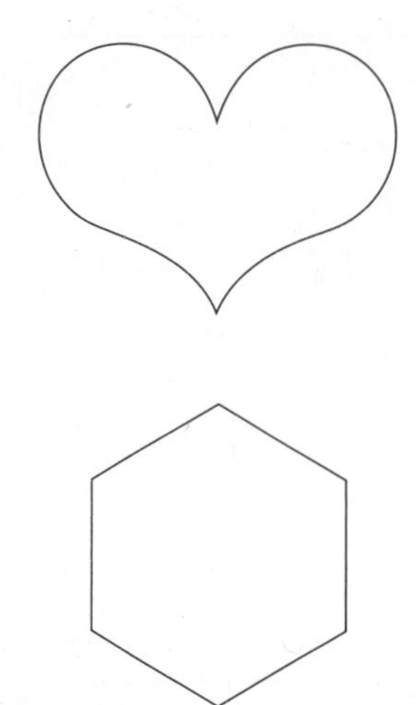

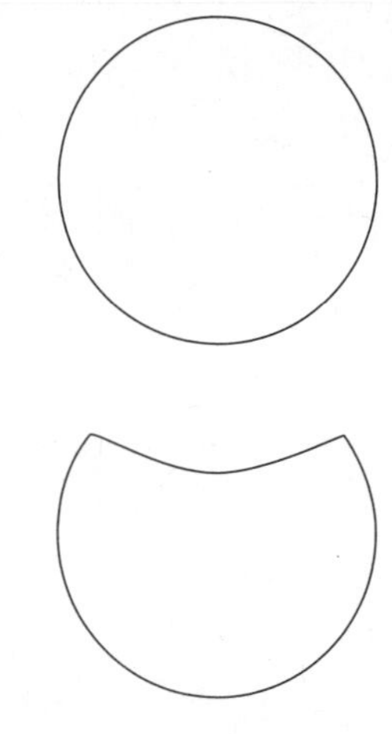

4. Trouve les fractions.

a) Il y a 5 vélos à vendre chez mon voisin. Il en a vendu 3.
Quelle fraction des vélos a été vendue ?

______

b) Mon frère a fait 12 muffins. J'en ai mangé 6.
Quelle fraction des muffins ai-je mangée ?

______

Nombres décimaux

→ Test d'évaluation Test de suivi

1. Écris le nombre décimal correspondant à chaque fraction et illustre-le sur le rectangle.

a) | | | | | | | | | | |

Fraction : $\frac{1}{10}$ Nombre décimal : ____

b) | | | | | | | | | | |

Fraction : $\frac{4}{10}$ Nombre décimal : ____

c) | | | | | | | | | | |

Fraction : $\frac{7}{10}$ Nombre décimal : ____

d) | | | | | | | | | | |

Fraction : $\frac{5}{10}$ Nombre décimal : ____

e) | | | | | | | | | | |

Fraction : $\frac{3}{10}$ Nombre décimal : ____

f) | | | | | | | | | | |

Fraction : $\frac{9}{10}$ Nombre décimal : ____

g) | | | | | | | | | | |

Fraction : $\frac{10}{10}$ Nombre décimal : ____

h) | | | | | | | | | | |

Fraction : $\frac{2}{10}$ Nombre décimal : ____

Résultat /16

1. Écris en chiffres les nombres décimaux ci-dessous.

a) cinq dixièmes: ____________________ b) trois virgule neuf: ____________________

c) deux virgule quatre: ____________________ d) sept dixièmes: ____________________

e) dix et un dixième: ____________________ f) vingt virgule neuf: ____________________

2. Classe les nombres décimaux dans l'ordre croissant.

a)

14, 1	1,6	6,3	2,4	4,8

____

b)

2,58	2,55	2,50	2,59	2,53

____

c)

23,2	12,9	26,9	13,9	37,7

____

3. Classe les nombres décimaux dans l'ordre décroissant.

a)

6,5	2,4	4,6	3,7	7,5

____

b)

32,7	32,1	32,5	32,2	32,9

____

c)

23,2	12,9	26,9	13,9	37,7

____

4. Encercle la personne qui est la plus grande et souligne le prénom de la plus petite personne.

Yannick : 1,65 m	Ramzy : 1,25 m	Justine : 1,80 m
Geneviève : 1,55 m	Laura : 1,79 m	Michel : 1,78 m

5. Additionne les montants d'argent suivants. Pour t'aider, dessine les pièces de monnaie. La pièce de 1 cent n'existe plus, mais fais comme si.

Voici un exemple :

$$\begin{array}{r} 1,25 \\ +\ \underline{1,00} \\ 2,25 \end{array}$$

a) $\begin{array}{r} 1,39 \\ +\ \underline{0,68} \end{array}$

b) $\begin{array}{r} 2,09 \\ +\ \underline{1,03} \end{array}$

c) $\begin{array}{r} 0,55 \\ +\ \underline{0,10} \end{array}$

d) $\begin{array}{r} 2,75 \\ +\ \underline{1,10} \end{array}$

e) $\begin{array}{r} 5,08 \\ +\ \underline{1,01} \end{array}$

f) $\begin{array}{r} 9,36 \\ +\ \underline{0,12} \end{array}$

g) $\begin{array}{r} 2,73 \\ +\ \underline{2,21} \end{array}$

6. Écris les fractions suivantes en nombres décimaux.

a) $\frac{9}{100}$ _____ b) $\frac{94}{100}$ _____ c) $\frac{9}{10}$ _____

d) $\frac{3}{10}$ _____ e) $\frac{93}{100}$ _____ f) $\frac{8}{10}$ _____

7. Trouve le nombre caché en suivant les consignes.

Biffe tous les nombres compris entre 1,04 et 2,80.

Biffe tous les nombres supérieurs à 5,70 mais inférieurs à 21,2.

Biffe tous les nombres compris entre 21,2 et 25,2.

Biffe tous les nombres supérieurs à 37, 4 mais inférieurs à 40,2.

Biffe tous les nombres compris entre 41,4 et 44,5.

Biffe tous les nombres supérieurs à 49,9 mais inférieurs à 60,1.

1,25	10,9	11,9	21,3	39,4
41,5	2,7	42,6	50,1	51,9
14,1	16,7	25,1	11,6	10,5
12,9	37,5	44,4	23,6	50,3
17,2	2,27	4,41	5,98	7,20

Le nombre mystère est : _____

8. Écris les sommes d'argent représentées.

a) _____

b) _____

Nombres décimaux

Test d'évaluation → Test de suivi

1. Illustre en coloriant les nombres décimaux suivants.

a)

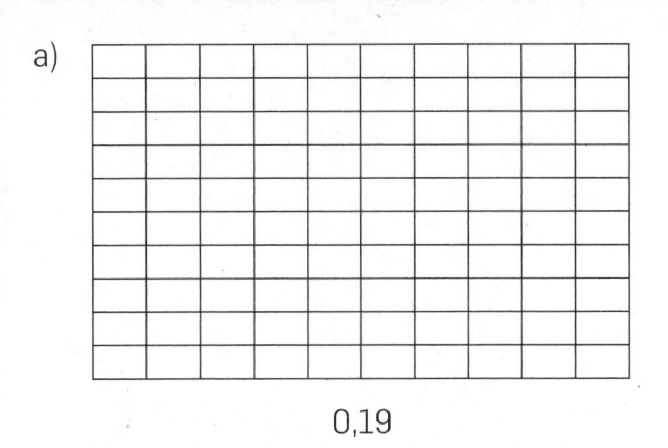

0,19

b)

0,44

c)

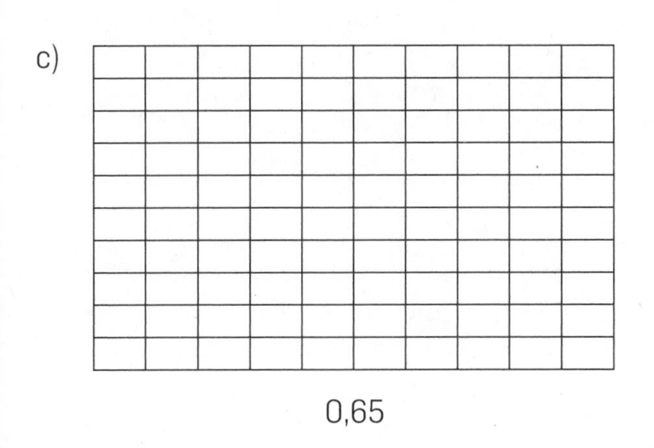

0,65

d)

0,78

e)

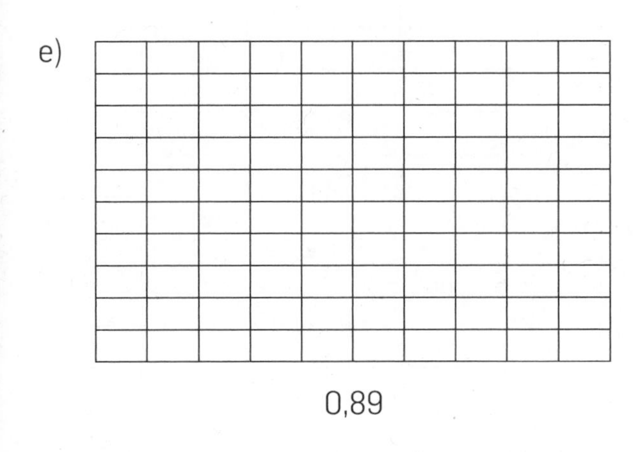

0,89

f)

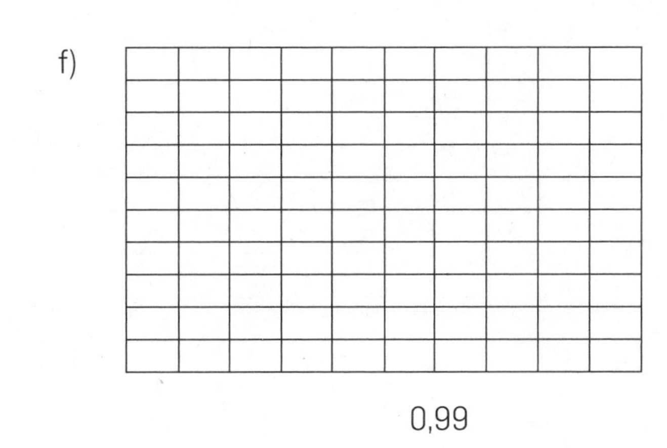

0,99

Résultat /6

1. Écris le nombre décimal représenté par la portion ombragée.

a)

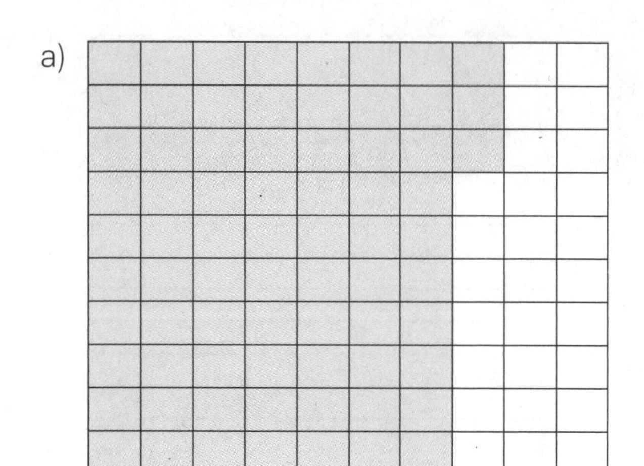

______

b)

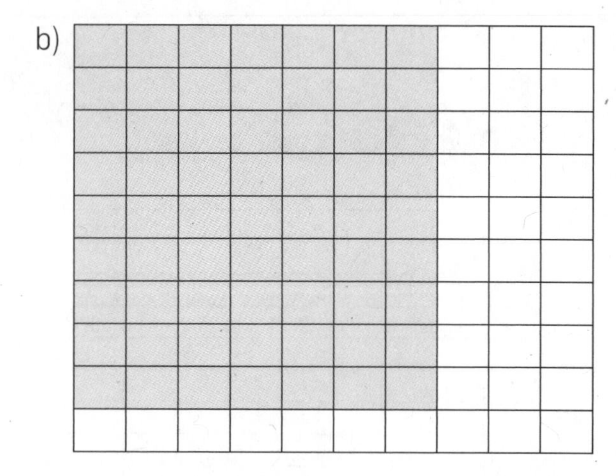

______

c)

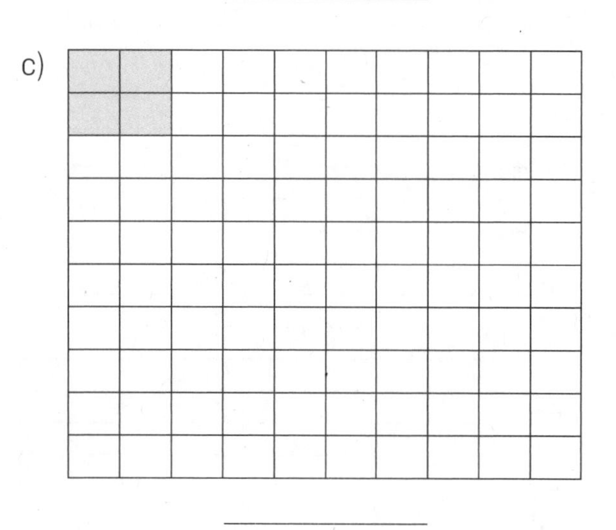

______

d)

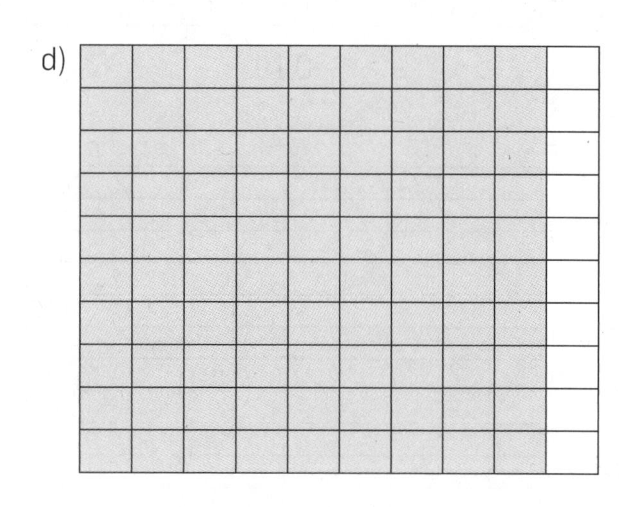

______

e)

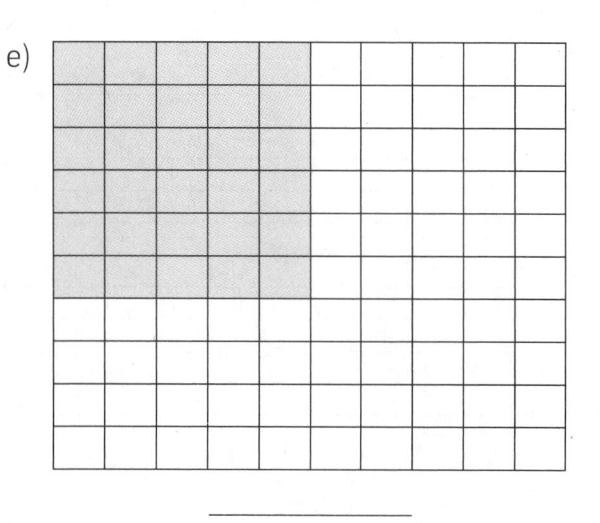

______

f)

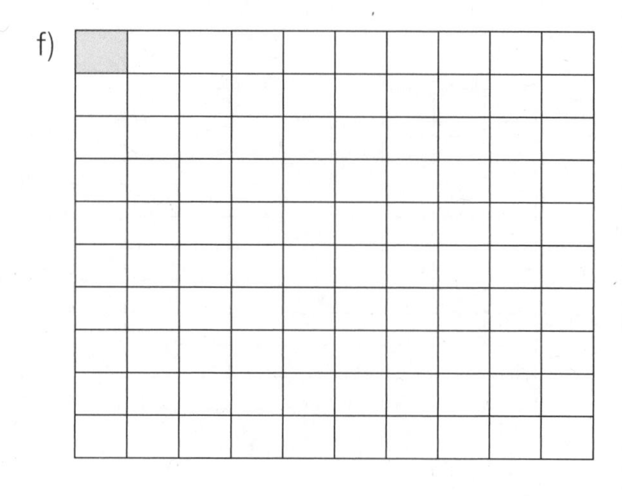

______

2. Additionne les montants d'argent suivants. Pour t'aider, dessine les pièces de monnaie. La pièce d'un cent n'existe plus, mais fais comme si.

a) 5,40 + 1,21

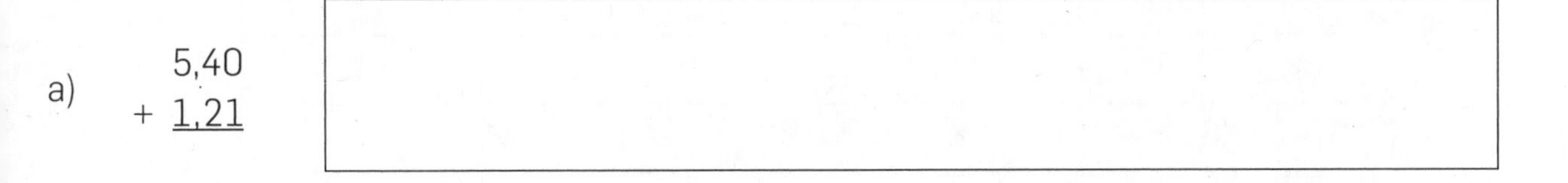

b) 4,24 + 1,03

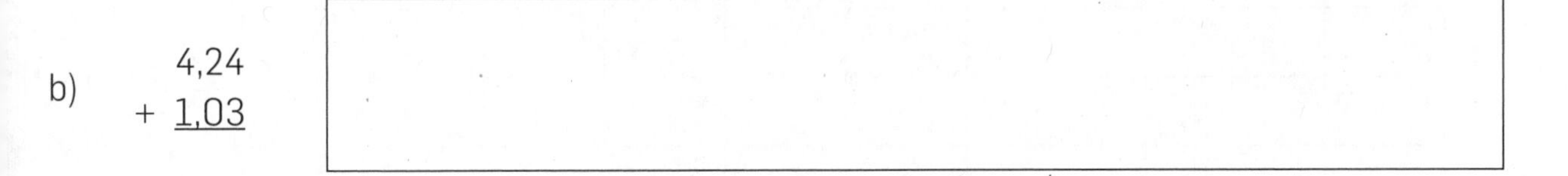

c) 7,01 + 0,25

d) 3,35 + 1,10

e) 9,01 + 0,78

f) 5,25 + 0,25

g) 1,73 + 1,21

h) 4,13 + 4,24

3. Écris le nombre décimal représenté par la partie ombragée.

a)

b)

Figures planes

→ Test d'évaluation Test de suivi

1. Colorie les figures planes.

a) 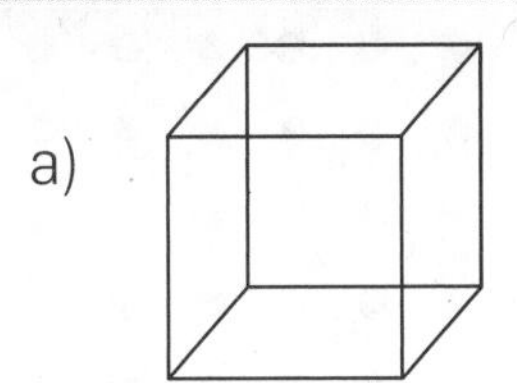

b) 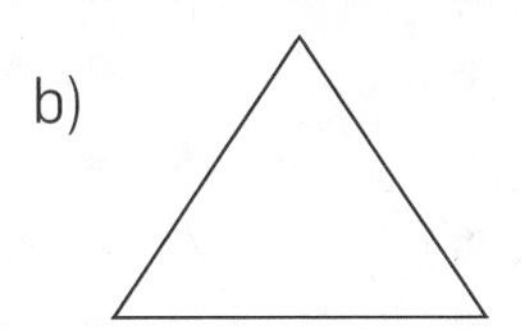

c) 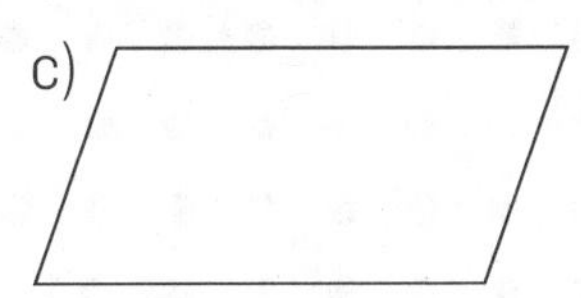

d) 

e) 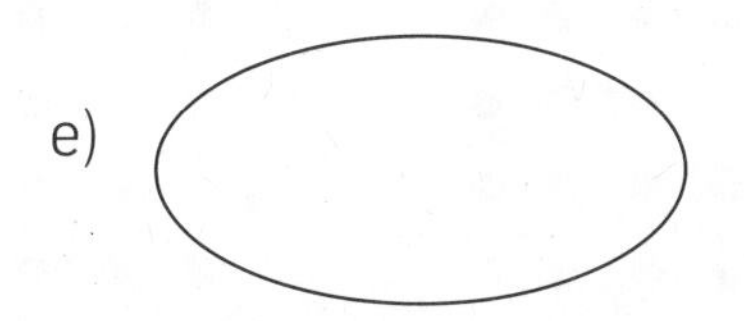

f) 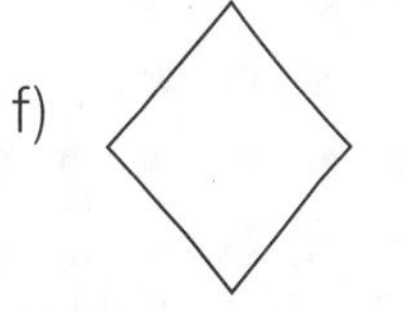

2. Nomme les angles suivants.

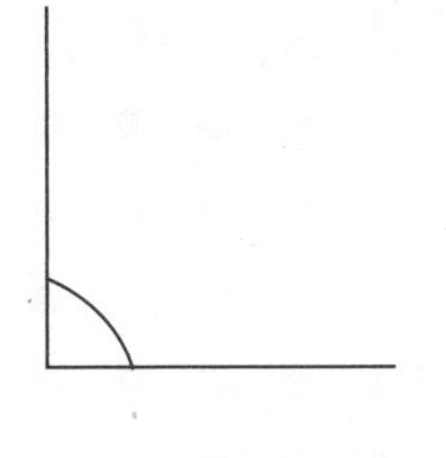

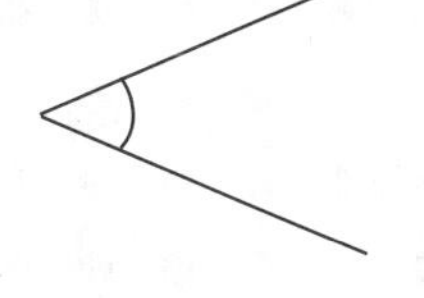

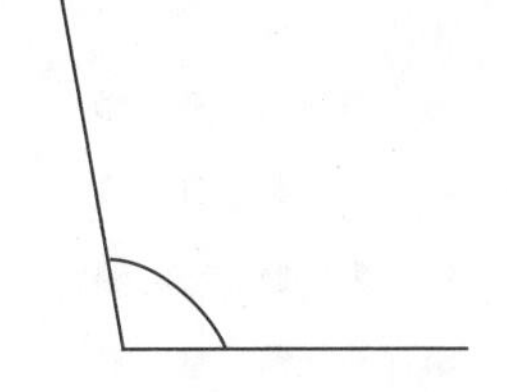

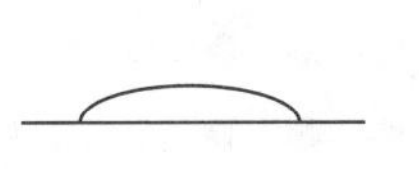

a) ______ b) ______ c) ______ d) ______

3. Écris le nombre de côtés de chacun des polygones suivants.

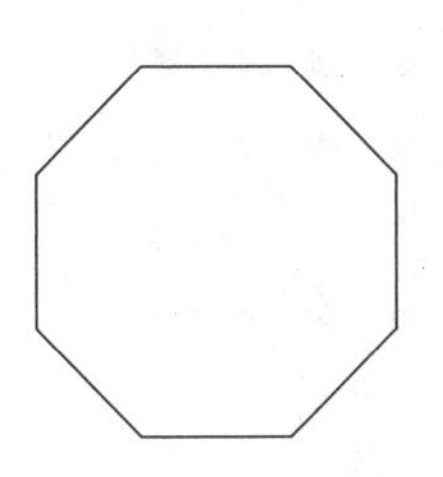

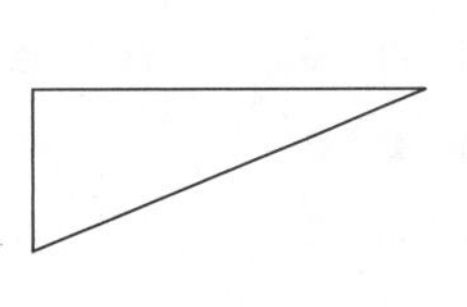

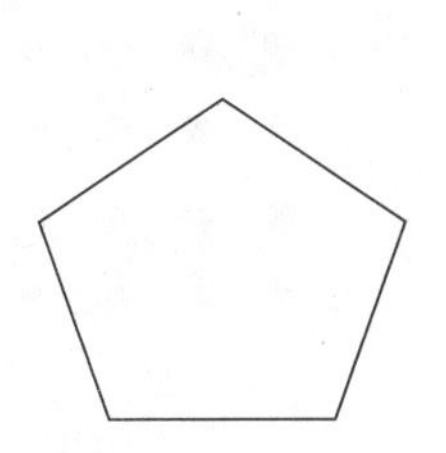

a)  b) ________ c) ________ d) ________ e) ________

Résultat /13

1. Relie les points pour former les figures demandées.

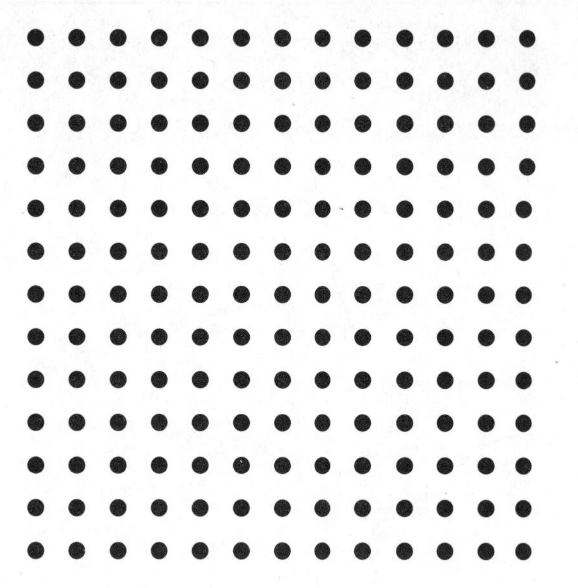

2 figures différentes à 3 côtés

2 figures différentes à 4 angles

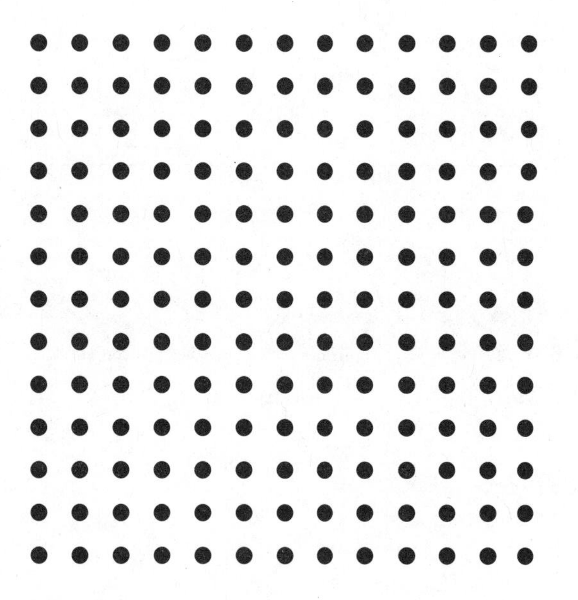

2 figures différentes à 4 côtés

2 figures différentes à 5 côtés

2. Colorie en bleu les figures qui ont un ou des angles droits.

a) 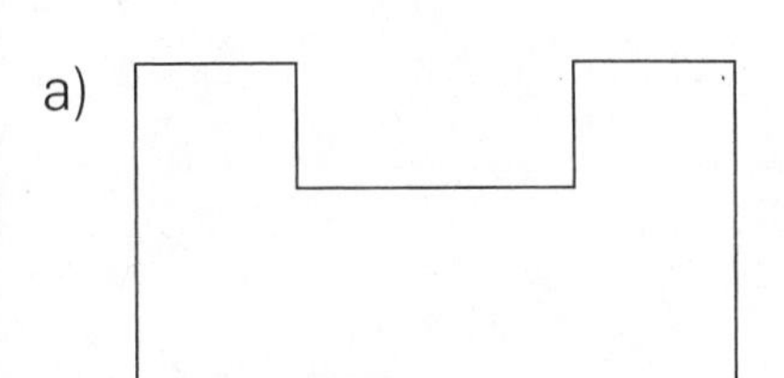

b) 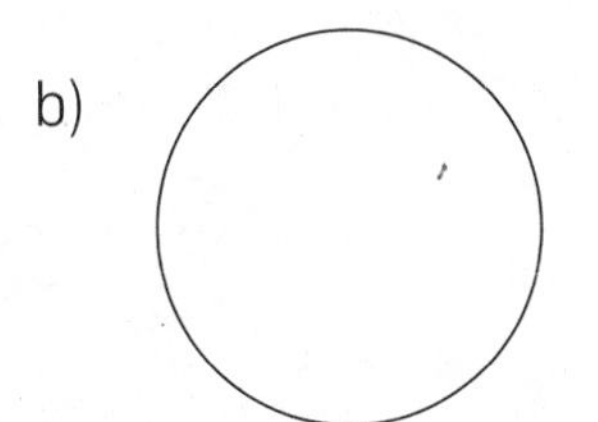

c) 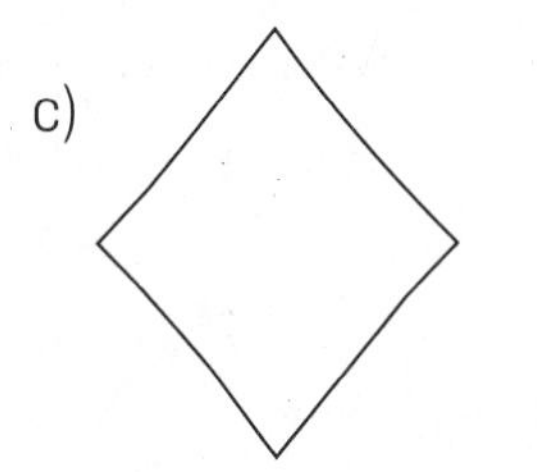

d) 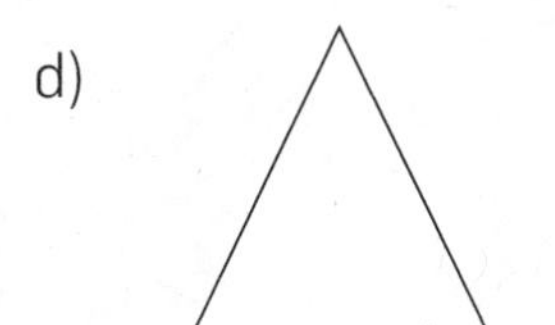

e) 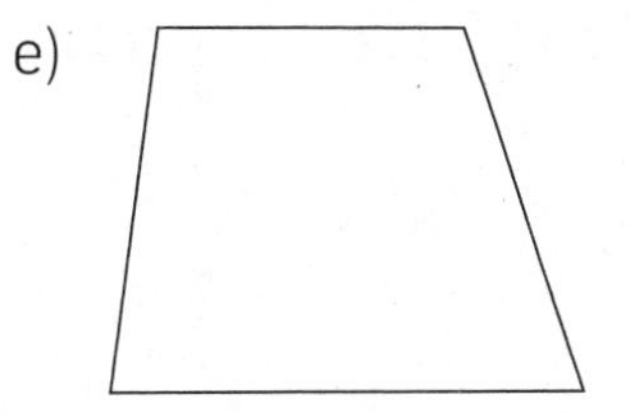

f) 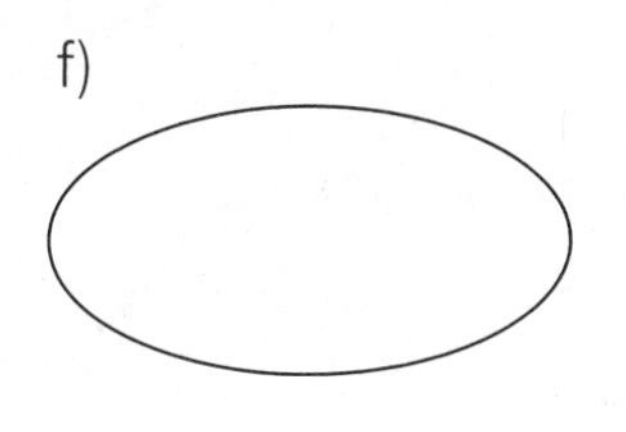

g) 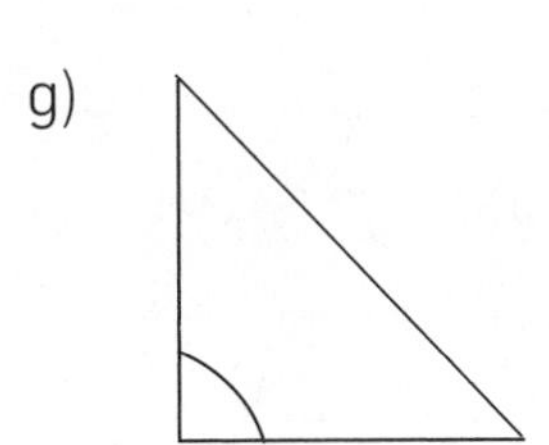

h) 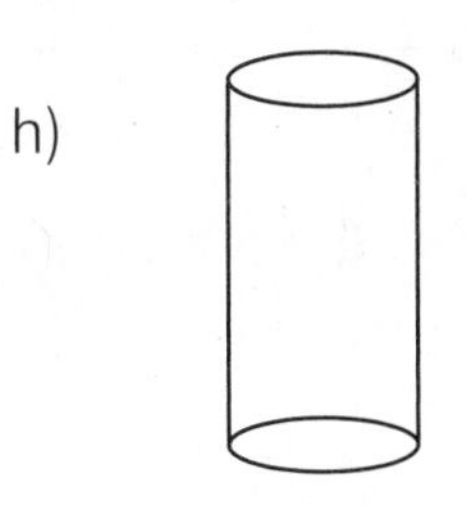

i) 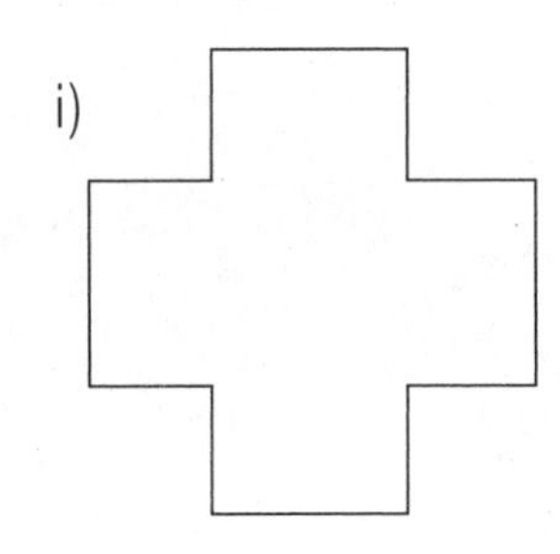

3. Combien de figures planes figurent dans cette illustration ?

Carrés : ____

Losanges : ____

Triangles : ____

Rectangles : ____

Cercles : ____

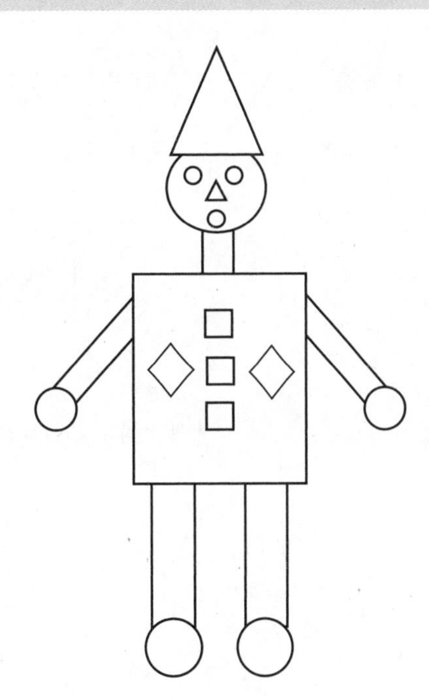

4. Colorie les figures convexes.

a) 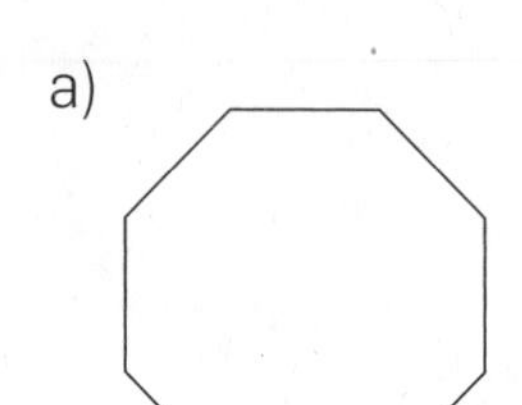
b) 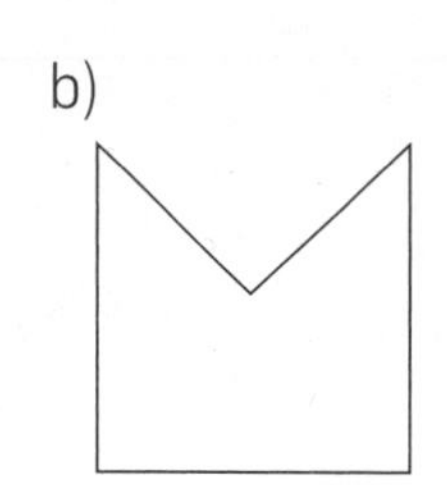
c) 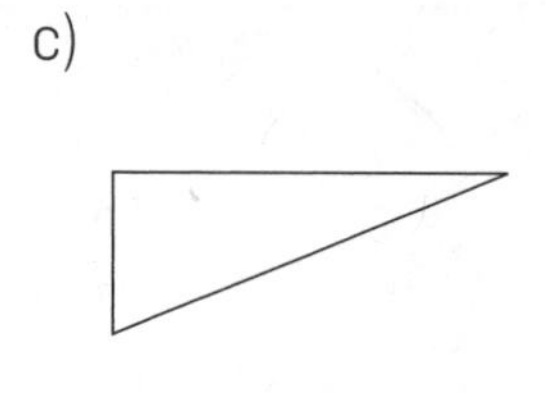
d) 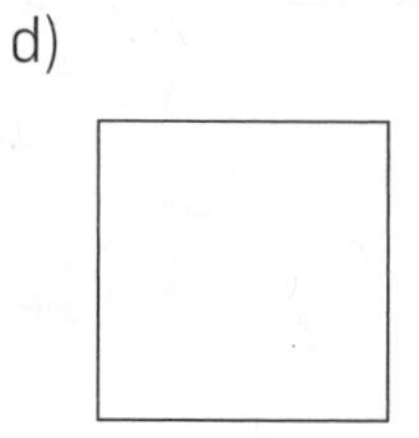
e) 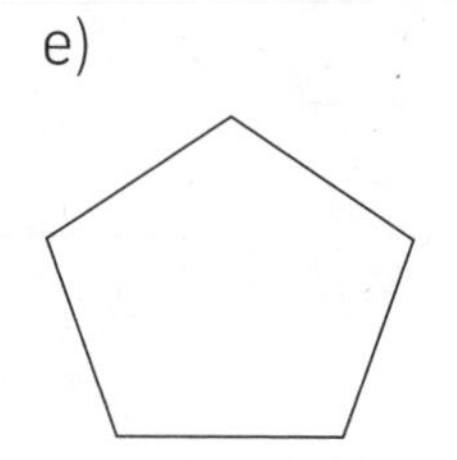

5. Colorie en vert les polygones.

a) 
b) c) 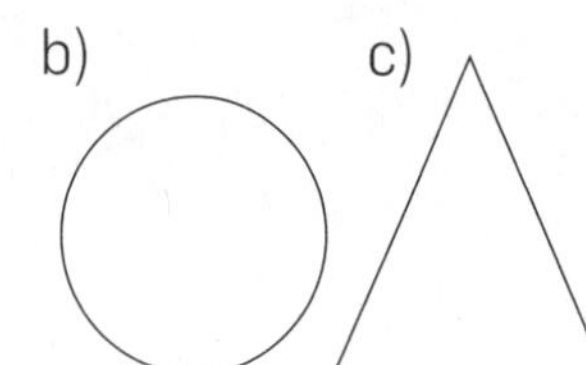
d) 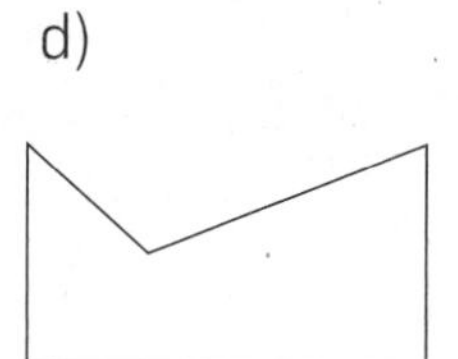
e) 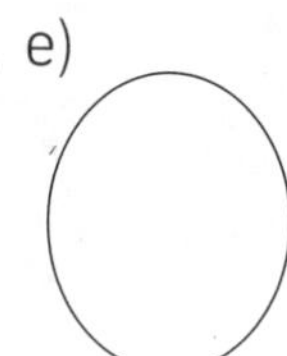
f) 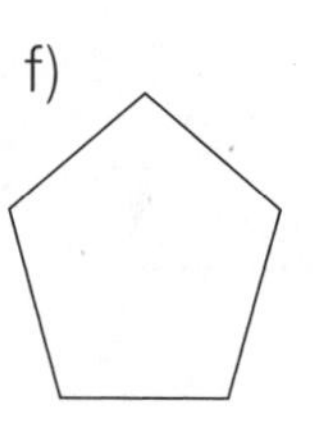
g) 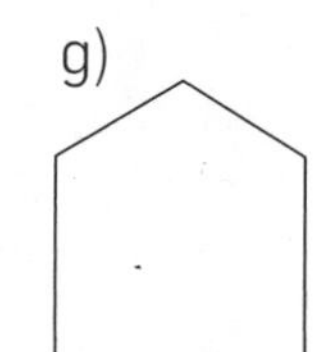

6. Colorie en bleu les figures qui ont au moins un angle obtus.

a) 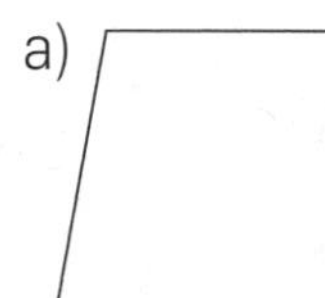
b) 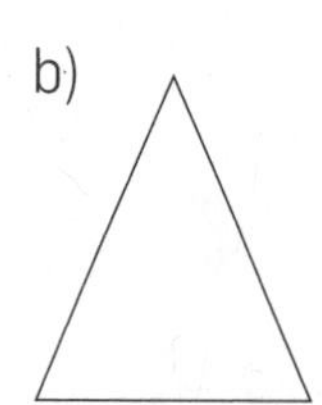
c) 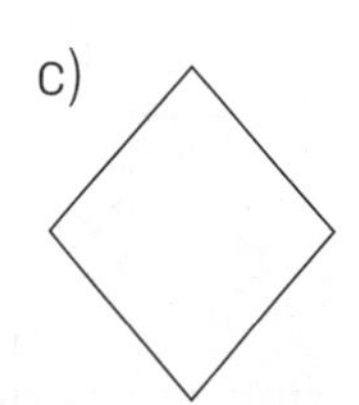
d) 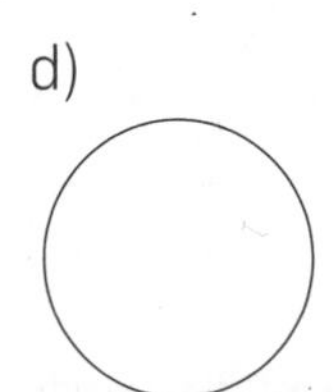
e) 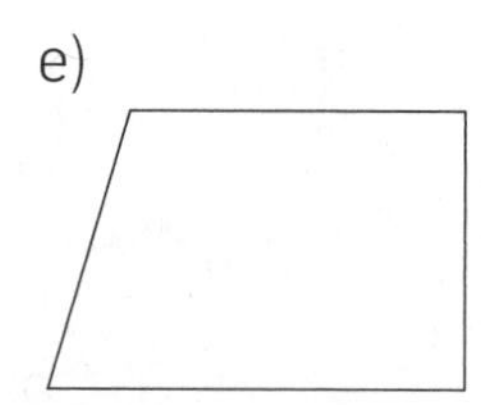

7. Colorie en jaune la figure qui a au moins deux angles droits.

a) 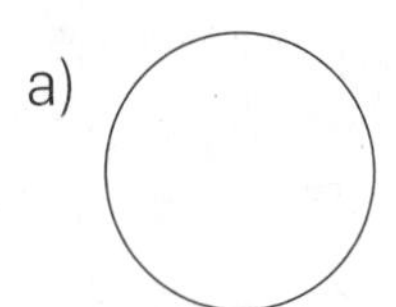
b) 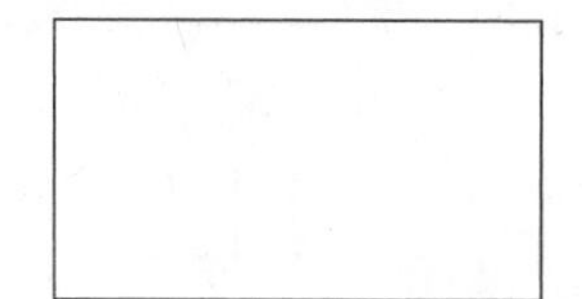
c) 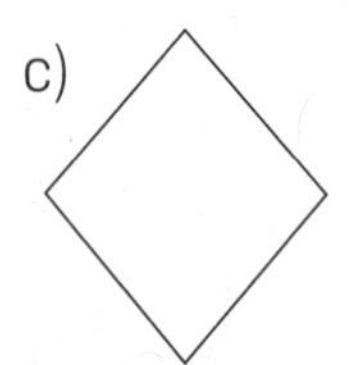
d) 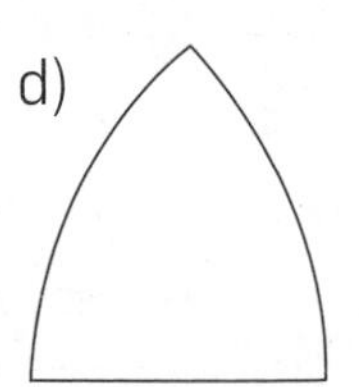

8. Encercle la figure qui n'a qu'un seul angle droit.

a) 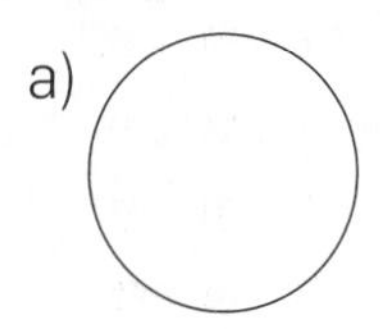
b) 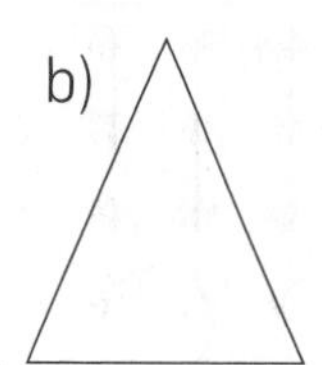
c) 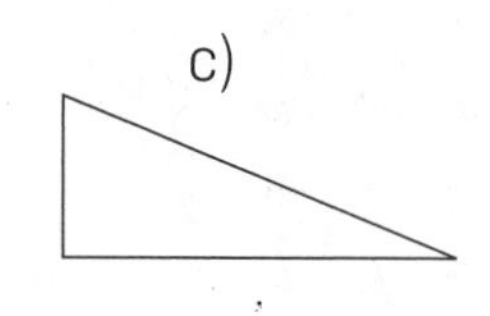
d) 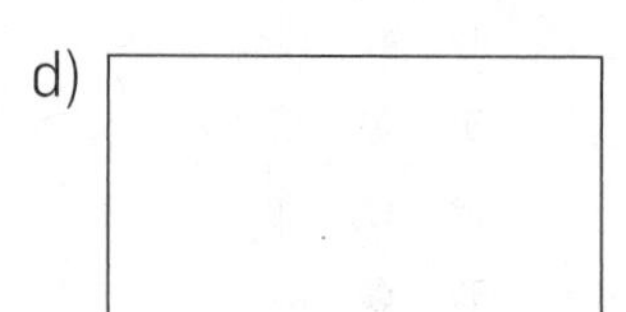

Figures planes

Test d'évaluation → **Test de suivi**

1. Écris le nombre d'angles et de côtés de chacune des figures.

a) Nombre de côtés : __
Nombre d'angles : __

b) Nombre de côtés : __
Nombre d'angles : __

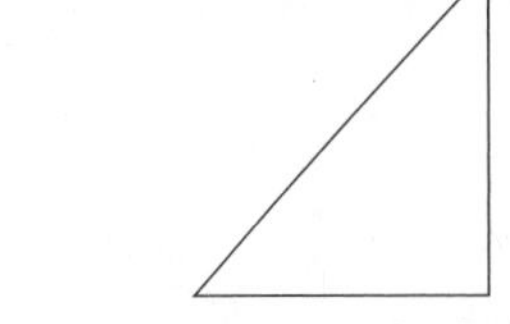

c) Nombre de côtés : __
Nombre d'angles : __

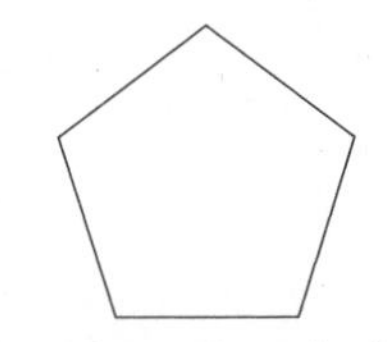

d) Nombre de côtés : __
Nombre d'angles : __

e) Nombre de côtés : __
Nombre d'angles : __

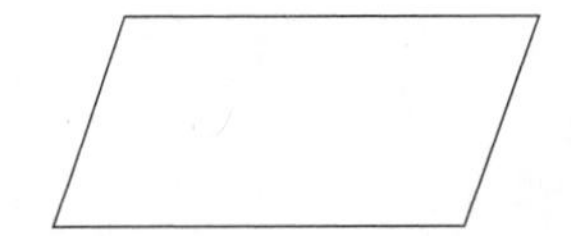

f) Nombre de côtés : __
Nombre d'angles : __

2. Relie des points de la grille pour former 1 losange, 1 parallélogramme, 1 triangle et 1 rectangle.

Résultat /16

1. En te servant de figures planes, dessine 1 clown. Tu dois avoir au moins 2 cercles, 3 triangles, 4 rectangles.

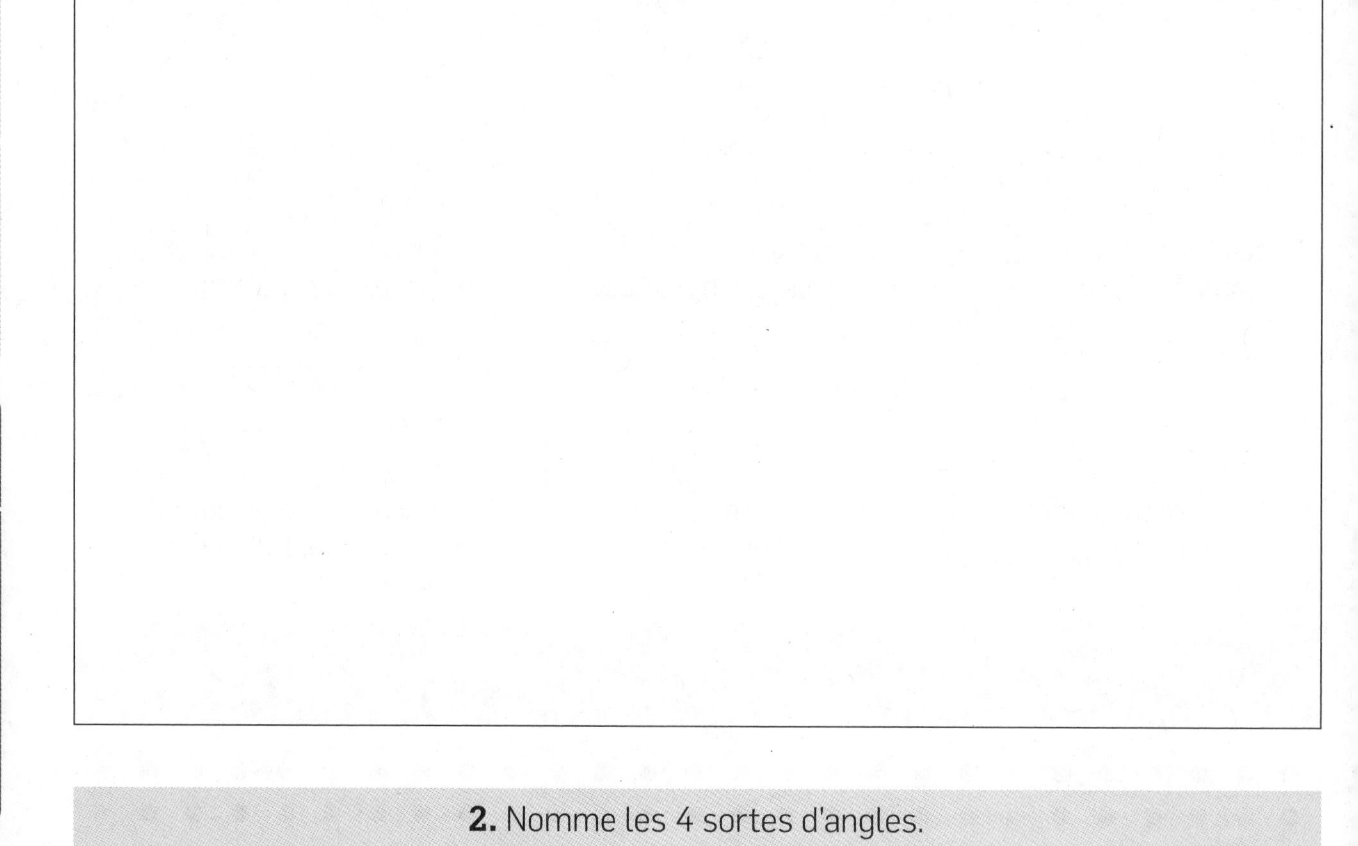

2. Nomme les 4 sortes d'angles.

3. Relie les points pour former 2 quadrilatères différents.

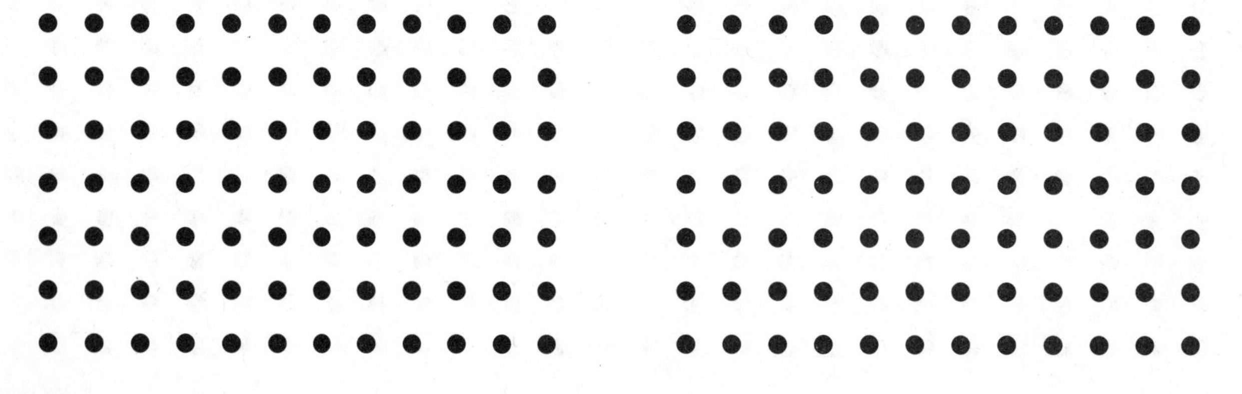

4. Colorie les côtés congrus des figures suivantes.

a) 

b) 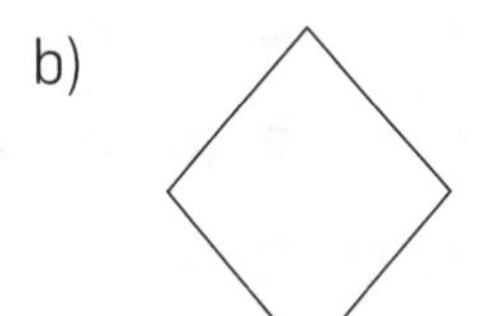

c) 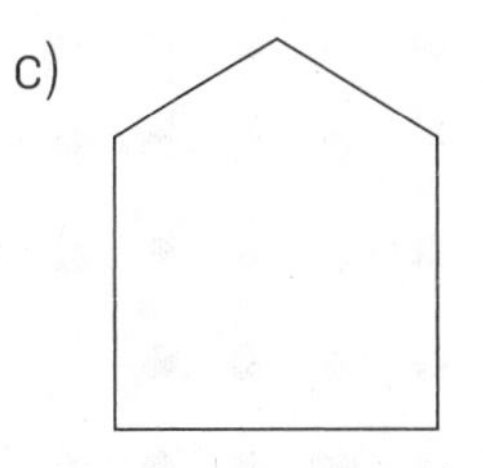

d) 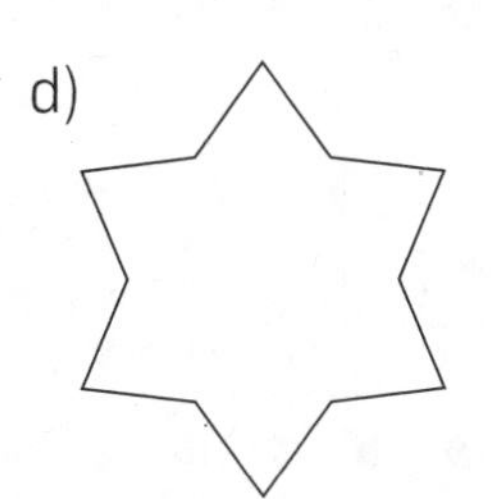

e) 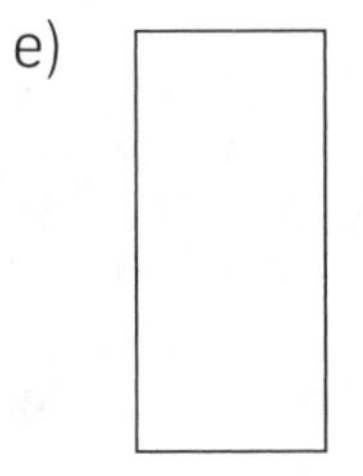

f) 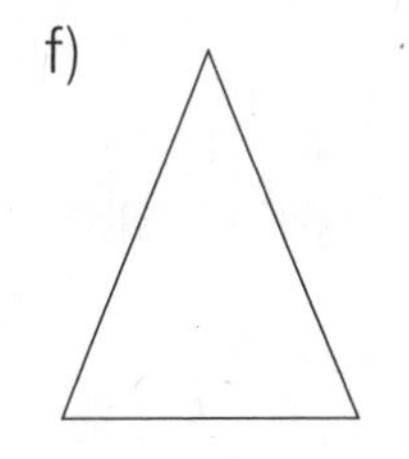

g) 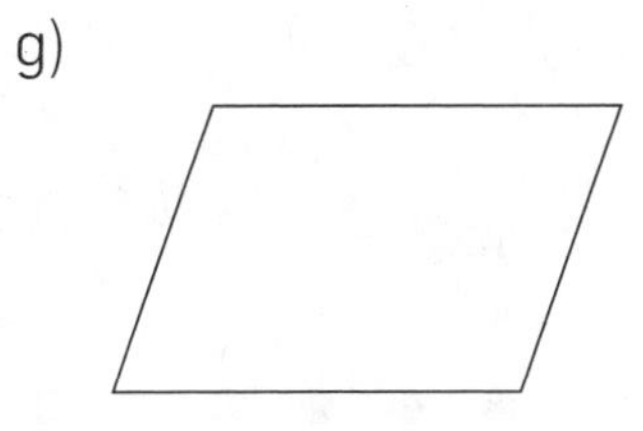

5. Dessine une figure concave (qui possède un creux ou une partie rentrée) et une figure convexe (qui n'a pas de creux ou de partie rentrée).

Exemples :

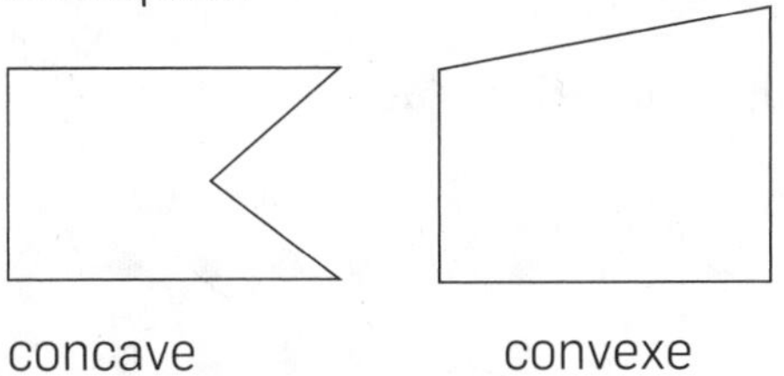

concave convexe

6. Trace des triangles de différentes grosseurs et formes.

7. Trace des rectangles de différentes grosseurs.

8. Trace des quadrilatères de différentes grosseurs et formes.

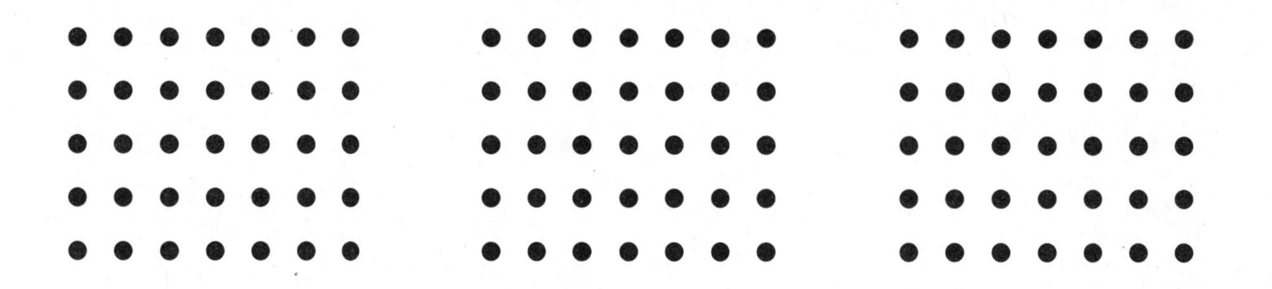

9. Trace des polygones de différentes grosseurs et formes.

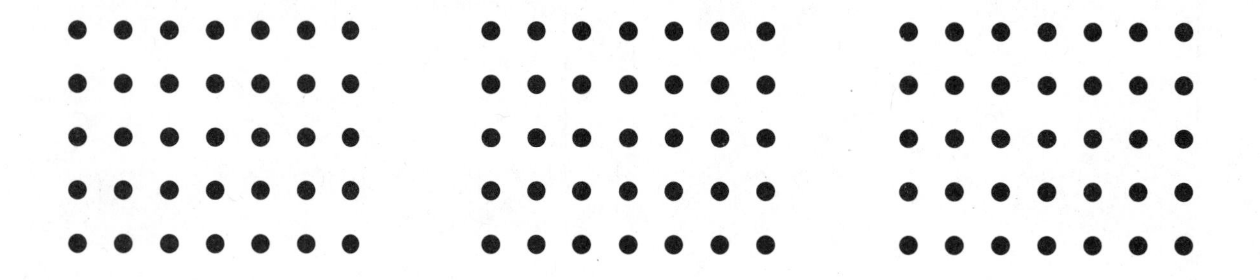

Solides

→ Test d'évaluation Test de suivi

1. En te servant des mots de la banque, écris le nom des solides ci-dessous.

prisme à base rectangulaire, prisme à base triangulaire, cube, pyramide à base carrée, pyramide à base rectangulaire, pyramide à base triangulaire

a) 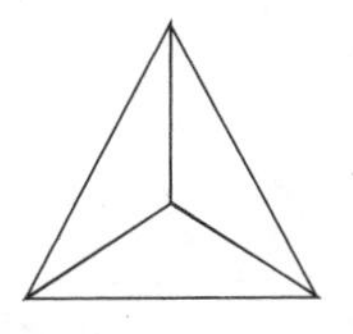

____

b) 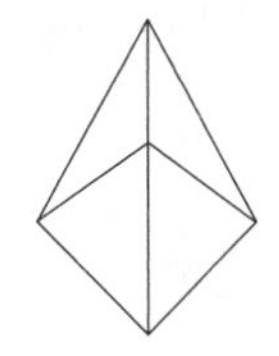

____

c) 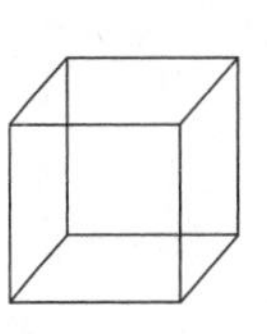

____

d) 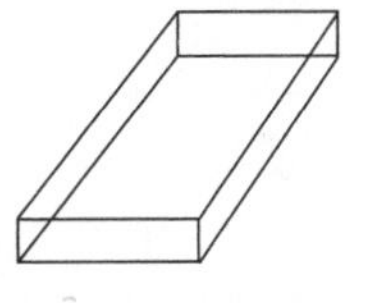

____

e) 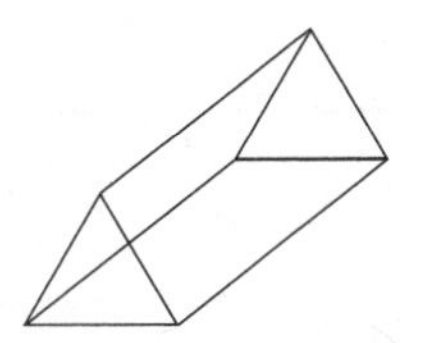

____

f) 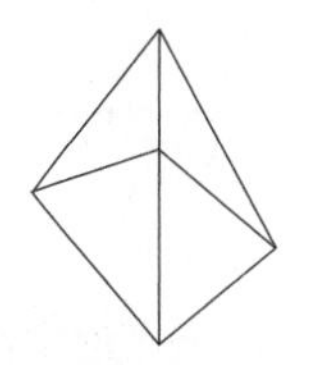

____

2. Écris le nombre de faces et d'arêtes des solides suivants.

a) 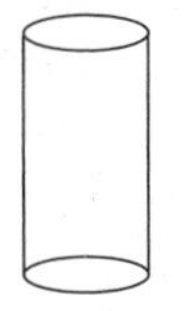

Faces : ______

Arêtes : ______

b) 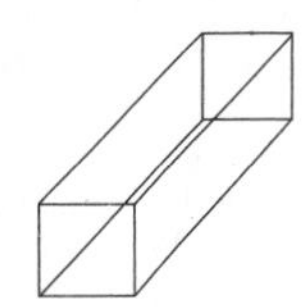

Faces : ______

Arêtes : ______

3. Écris le nom d'un solide qui peut rouler.

____

4. Écris le nom d'un solide qui peut glisser.

____

Résultat /12

Exercices | Solides

1. Observe les solides et indique s'ils roulent seulement, glissent seulement ou roulent et glissent.

		Glisse seulement	Roule seulement	Glisse et roule
a)				
b)				
c)				

2. Écris le nombre de sommets et d'arêtes de chacun des solides.

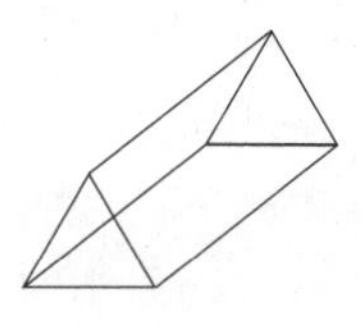

a)
Sommets : ___

Arêtes : ___

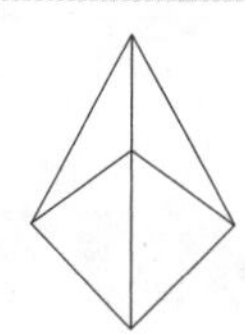

b)
Sommets : ___

Arêtes : ___

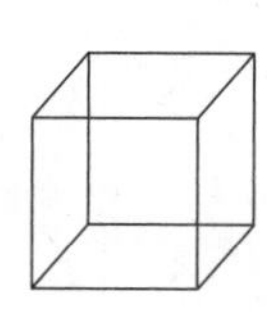

c)
Sommets : ___

Arêtes : ___

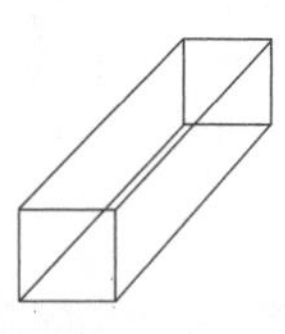

d)
Sommets : ___

Arêtes : ___

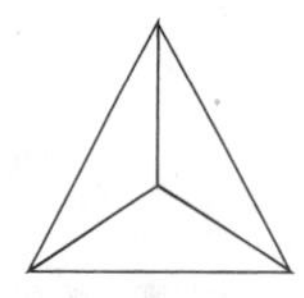

e)
Sommets : ___

Arêtes : ___

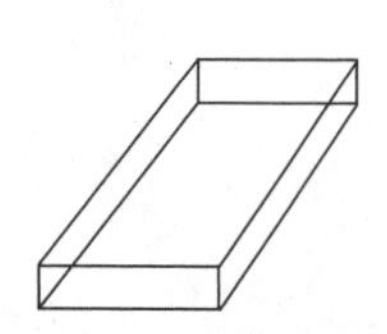

f)
Sommets : ___

Arêtes : ___

3. Encercle les figures planes dont tu as besoin pour construire les solides suivants.

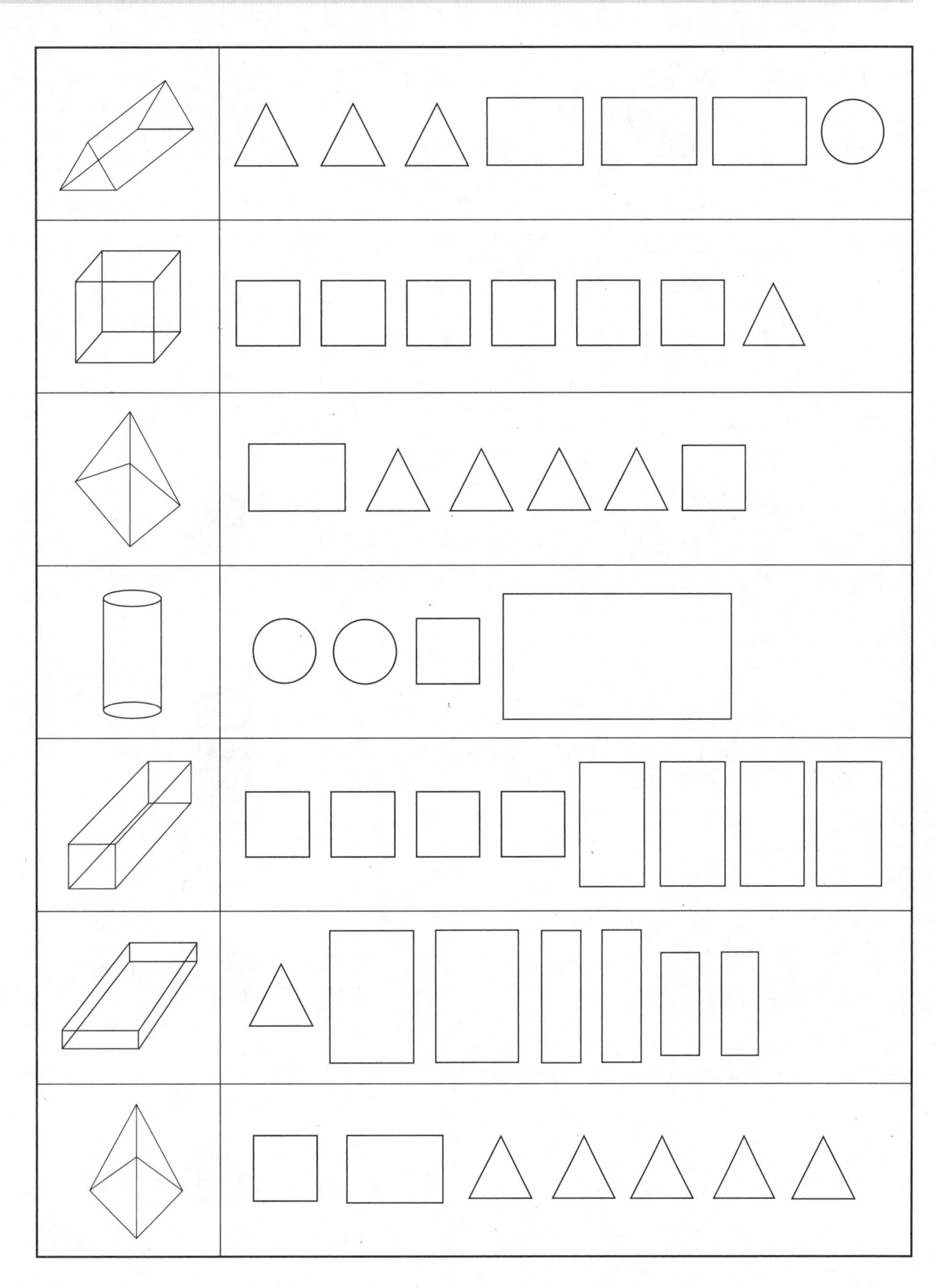

4. Associe le solide à l'objet qui lui ressemble.

a) 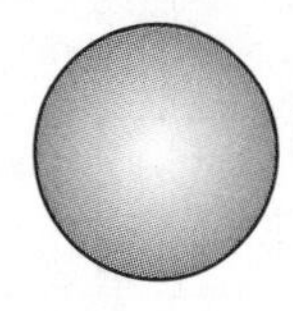

1 

b) 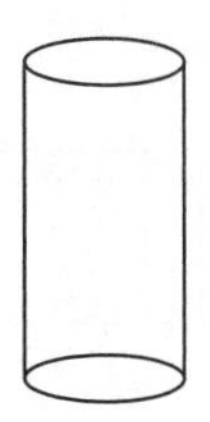

2 

c) 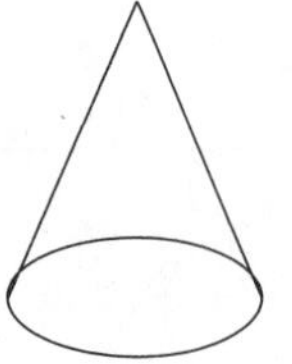

3 

d) 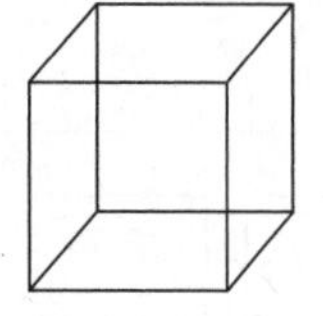

4 

e) 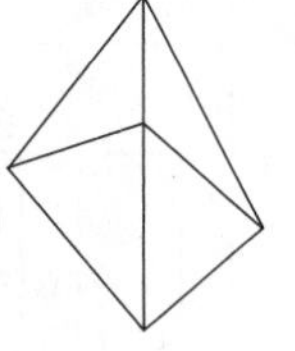

5 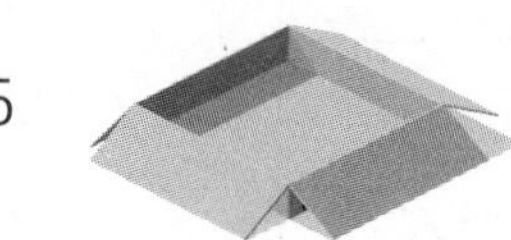

f) 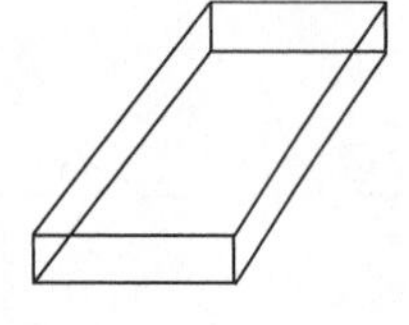

6 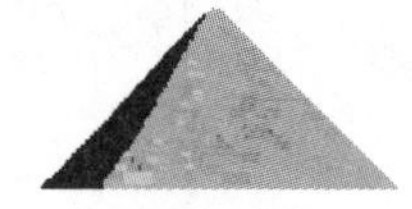

Solides

Test d'évaluation → Test de suivi

1. Écris le nombre de faces planes ou de faces courbes pour chacun des solides suivants.

a)

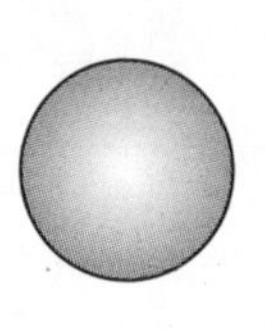

Faces planes : ______

Faces courbes : ______

b)

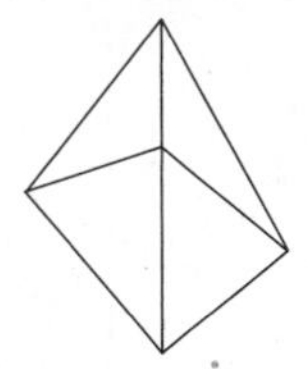

Faces planes : ______

Faces courbes : ______

c)

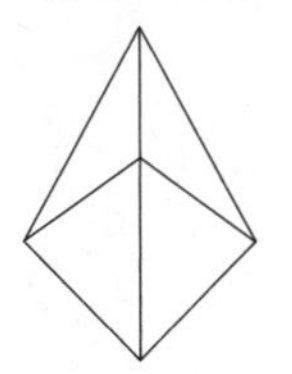

Faces planes : ______

Faces courbes : ______

d)

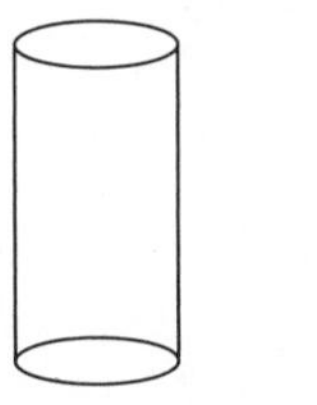

Faces planes : ______

Faces courbes : ______

e)

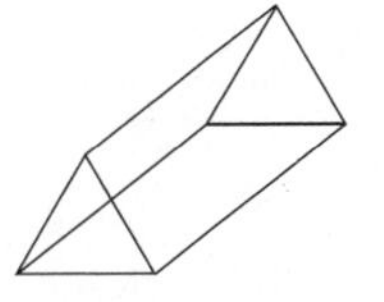

Faces planes : ______

Faces courbes : ______

f)

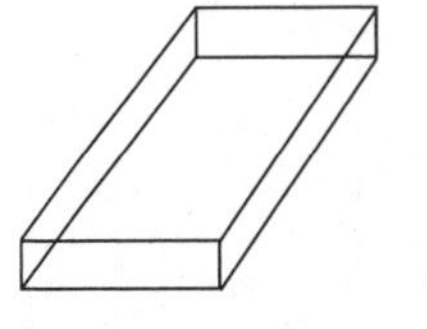

Faces planes : ______

Faces courbes : ______

2. Encercle le solide qui est décrit.

a) Il a des faces planes et une face courbe. (cylindre, cube, sphère)

b) Il n'a pas de face carrée. (cube, prisme à base carrée, pyramide à base rectangulaire)

3. Quel développement permet de construire le solide suivant ?

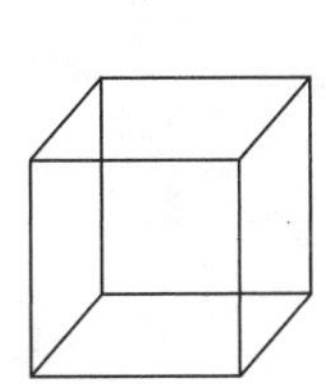

a)

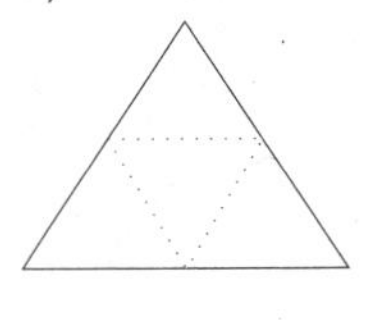

b)

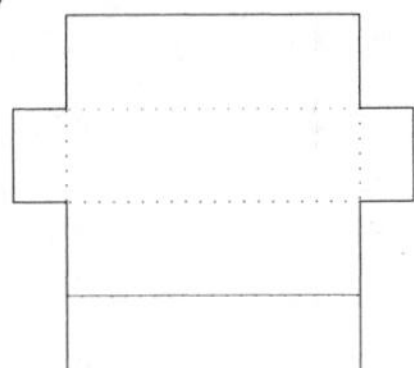

c)

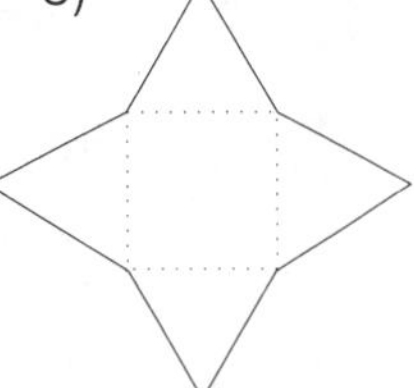

d)

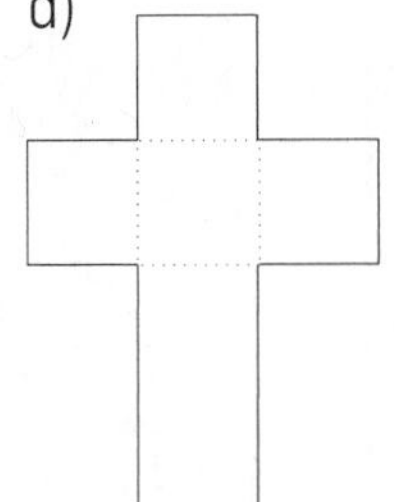

1. Fais un X dans les colonnes qui décrivent les solides suivants.

		Peut rouler seulement	Peut glisser seulement	Peut glisser et rouler
a)	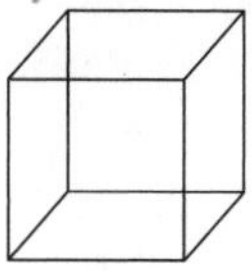			
b)				
c)	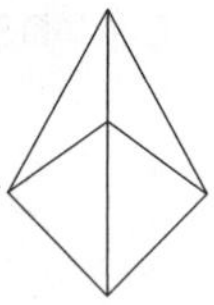			
d)	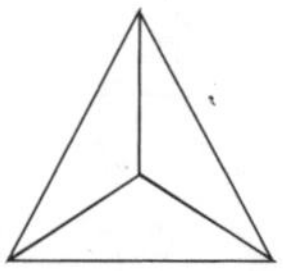			
e)	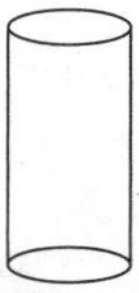			
f)	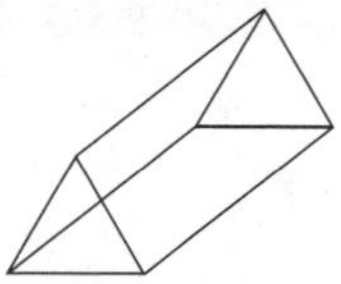			
g)	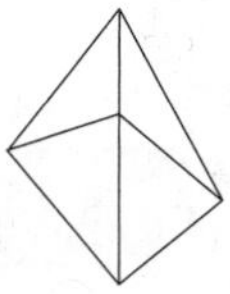			
h)	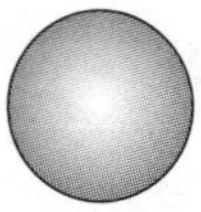			
i)	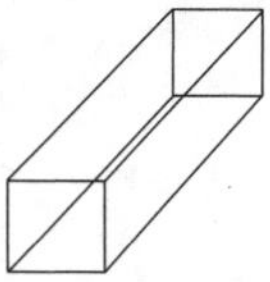			

2. Complète le tableau en faisant un X dans les cases qui décrivent les solides.

	Faces planes	Faces courbes	Faces planes et courbes
a) 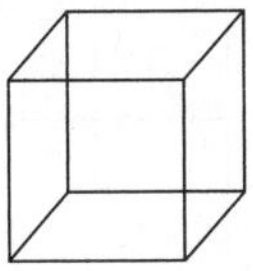			
b) 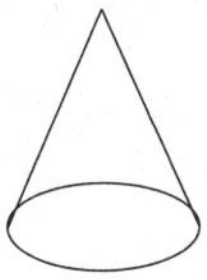			
c) 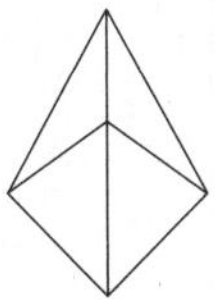			
d) 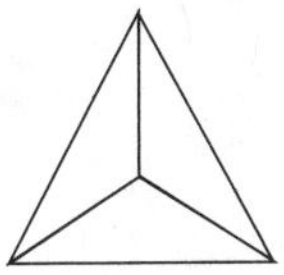			
e) 			
f) 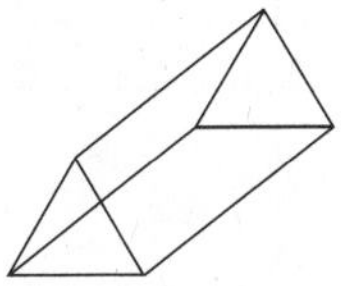			
g) 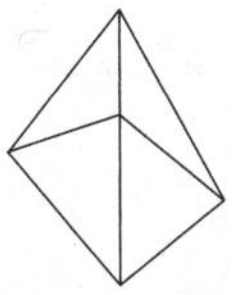			
h) 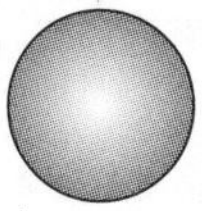			
i) 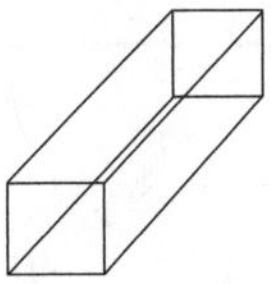			

3. Écris le nombre de figures planes dont sont formés les solides suivants.

	Triangle 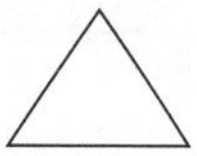	Carré	Cercle 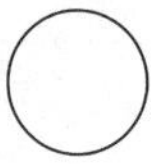	Rectangle 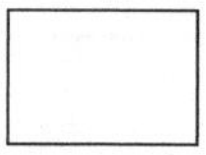
a) 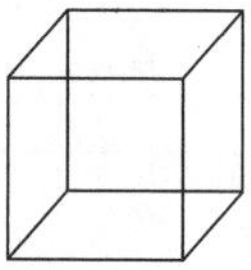				
b) 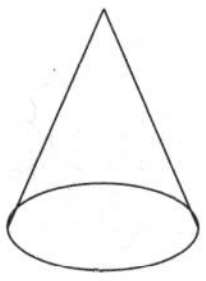				
c) 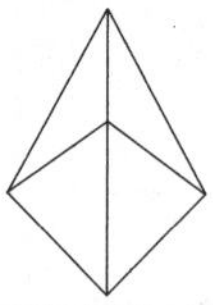				
d) 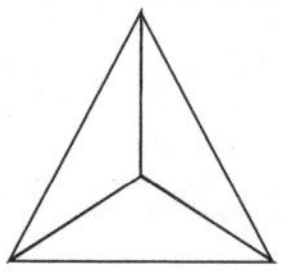				
e) 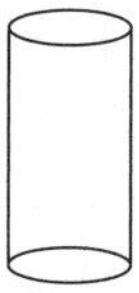				
f) 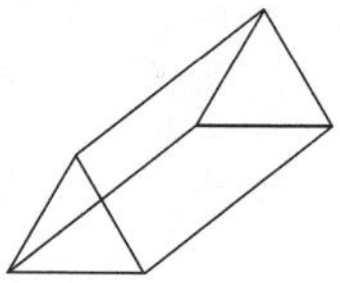				
g) 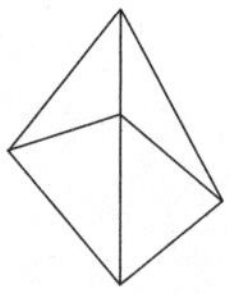				
h) 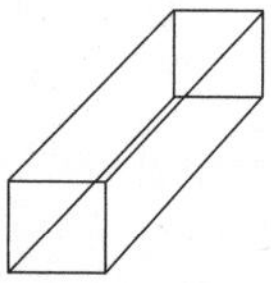				

Espace, réflexion, plan cartésien, frises et dallages

→ Test d'évaluation Test de suivi

1. Reproduis l'autre moitié du dessin.

a)

b)

c)

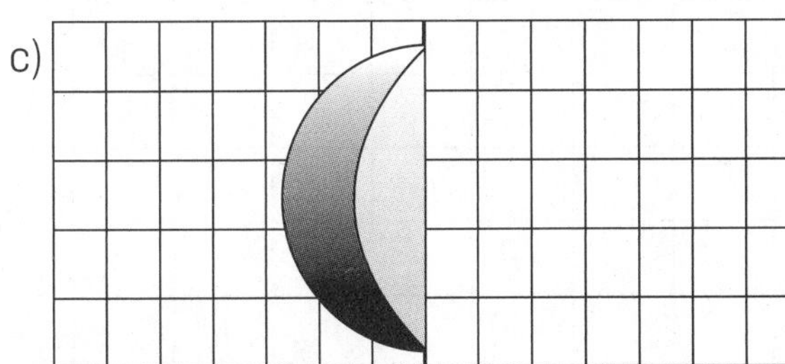

d)

2. Colorie les cases demandées.

a)

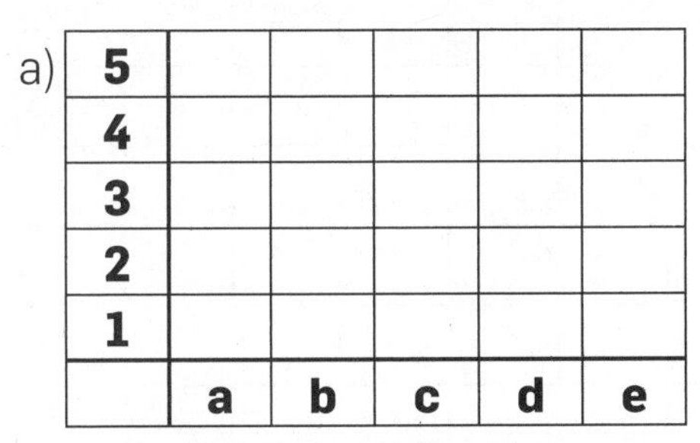

(b, 2) (b, 3) (b, 4) (b, 5)
(c, 2) (d, 2) (d, 3) (d, 4) (d, 5)

b)

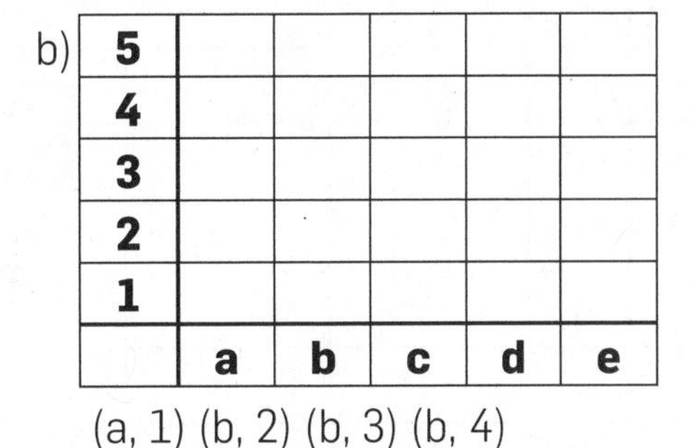

(a, 1) (b, 2) (b, 3) (b, 4)
(c, 2) (d, 2) (d, 4) (e, 1)

3. Colorie le dallage de 4 couleurs différentes.

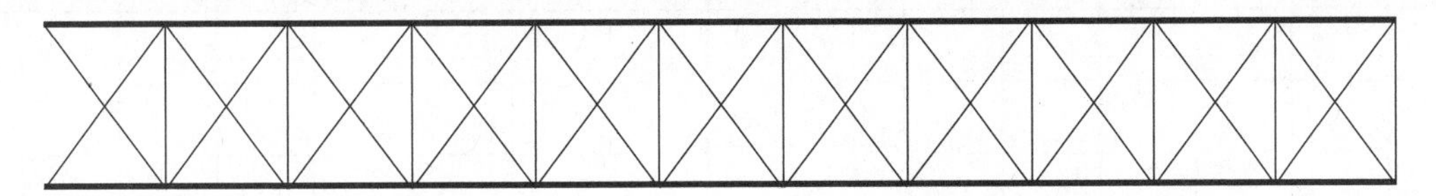

4. Colorie la frise de 2 couleurs différentes.

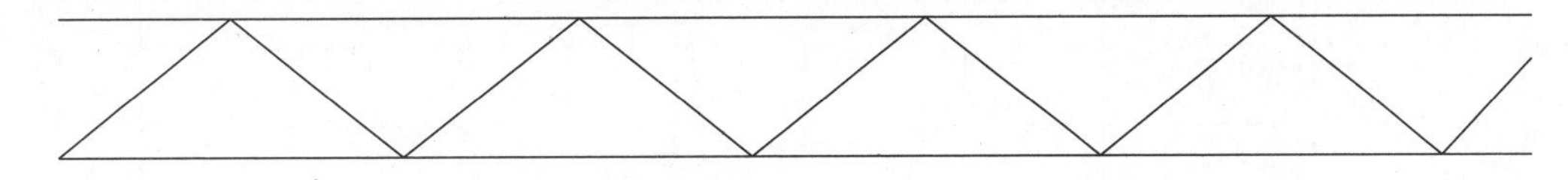

1. Reproduis l'autre moitié des dessins par réflexion.

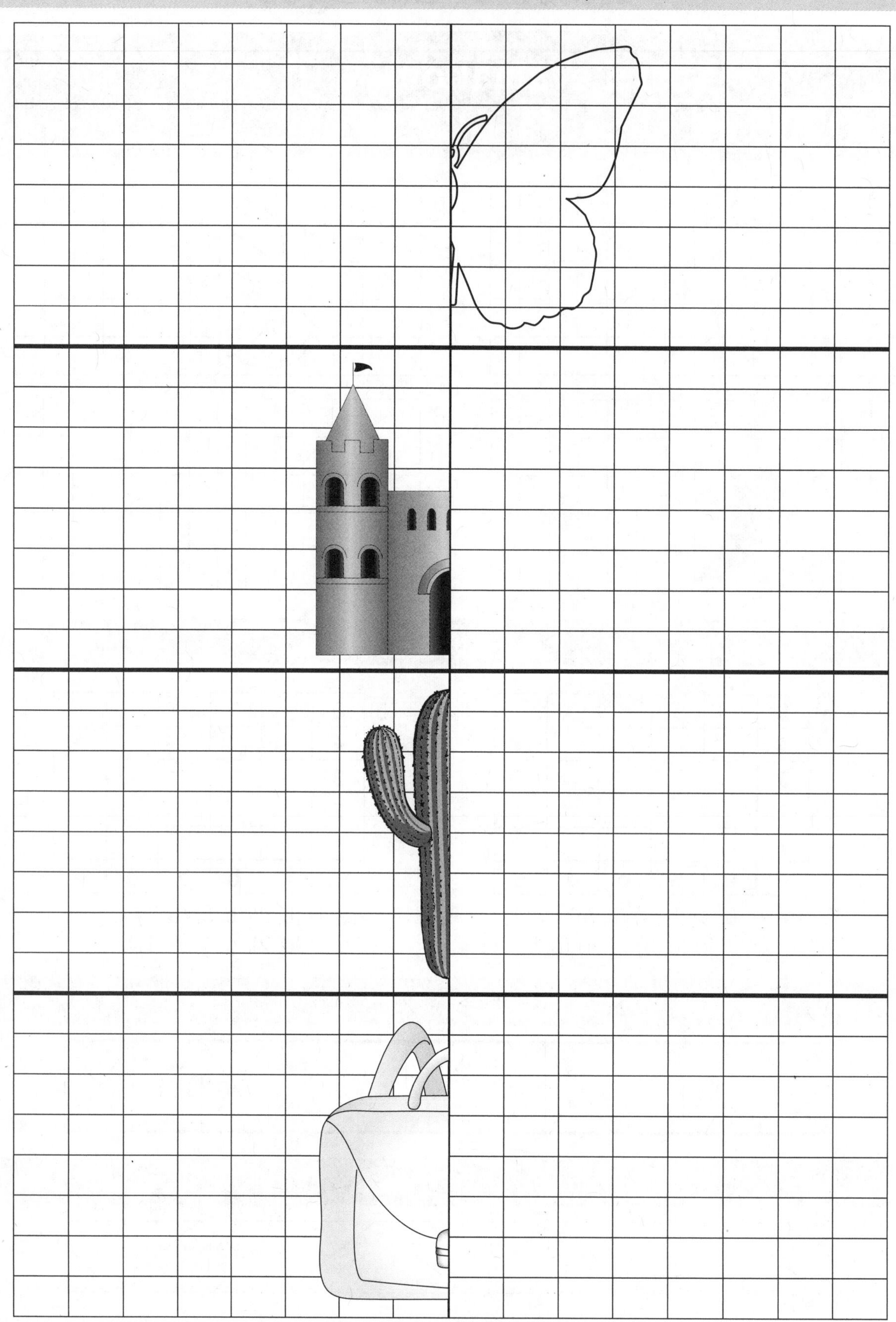

2. Trace les axes de symétrie sur les illustrations suivantes.

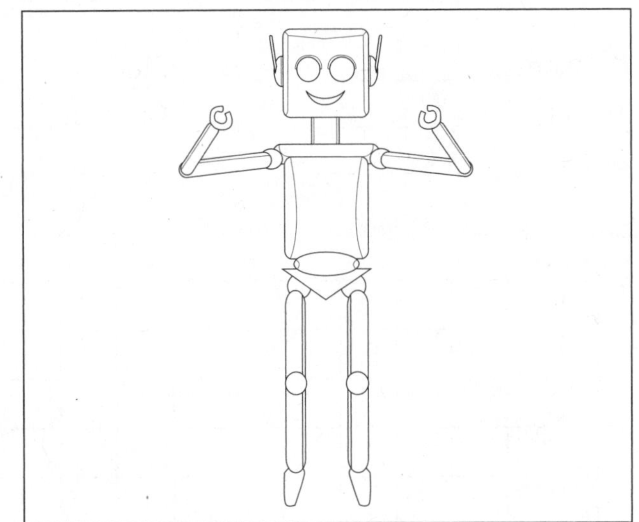

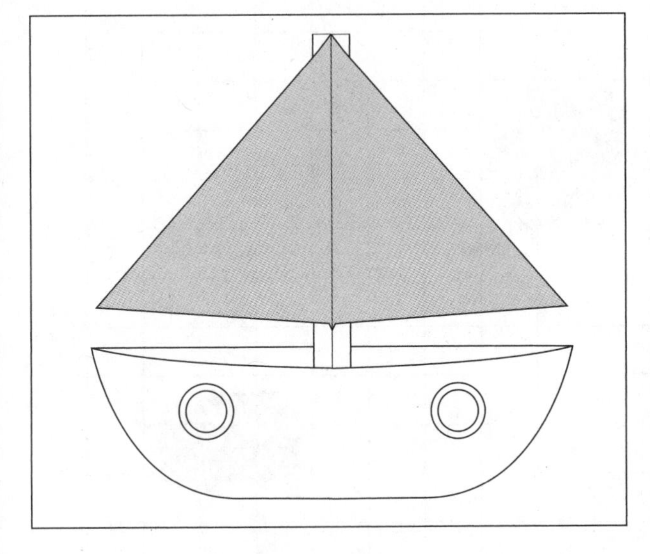

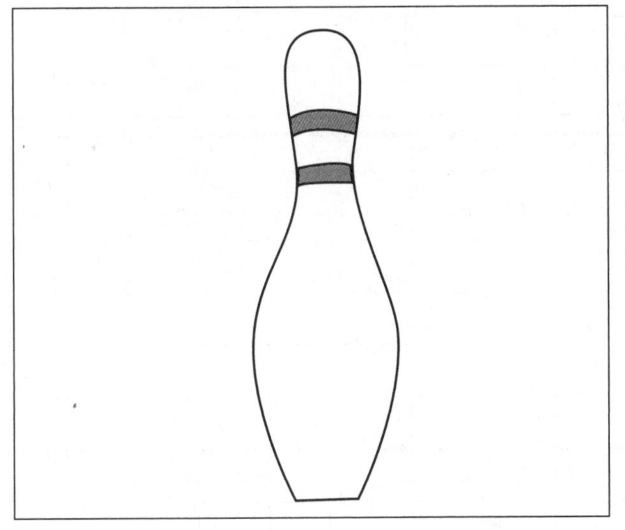

3. Voici le plan du pirate qui indique où sont cachés le trésor et d'autres objets. Écris les coordonnées de chaque élément.

Poissson : ___________ Île : ___________ Perroquet : ___________

Trésor : ___________ Crochet : ___________ Drapeau : ___________

Sirène : ___________

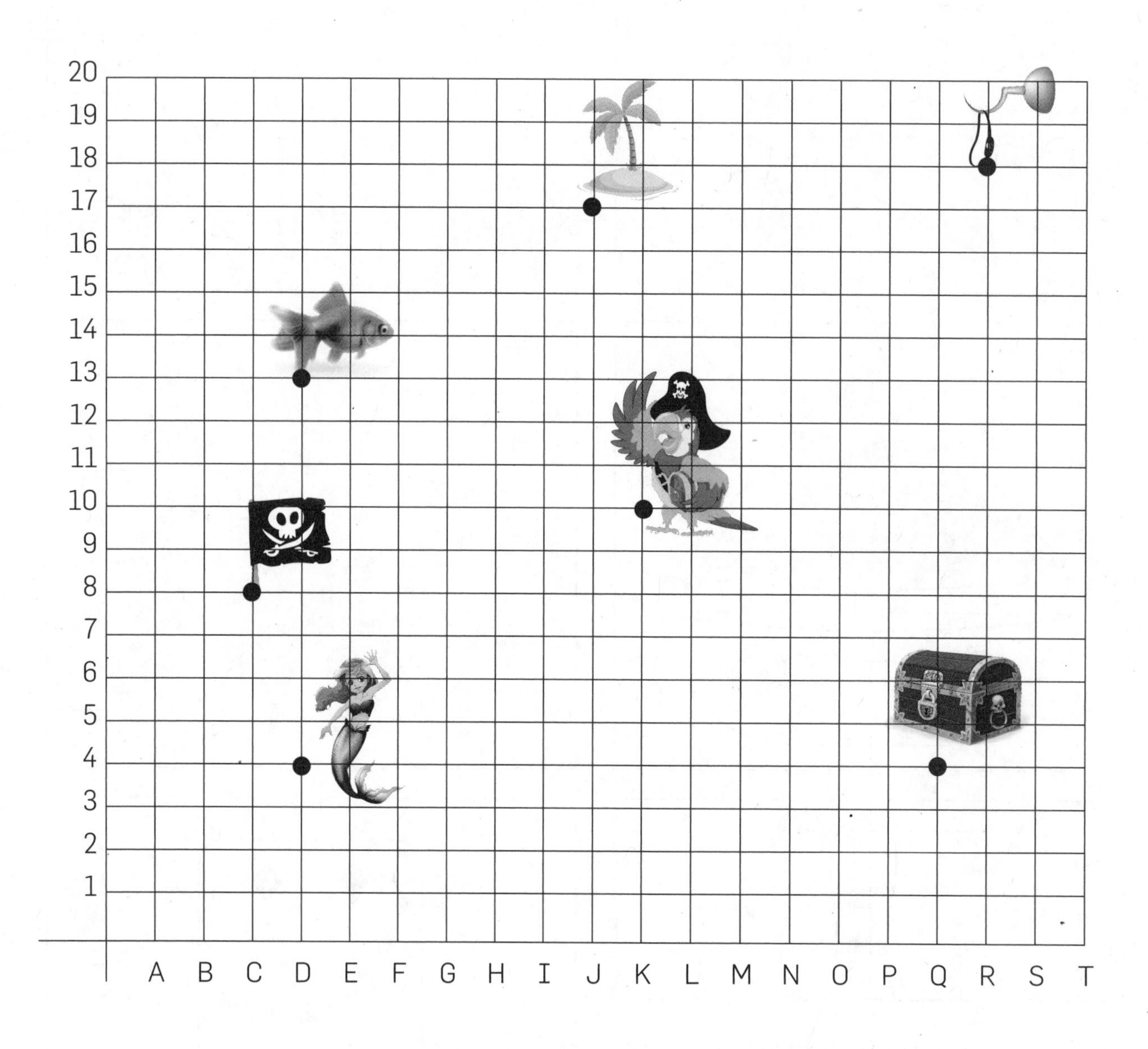

Espace, réflexion, plan cartésien, frises et dallages

Test d'évaluation → Test de suivi

1. Trace les axes de symétrie si c'est possible.

2. Complète la frise suivante en utilisant la réflexion.

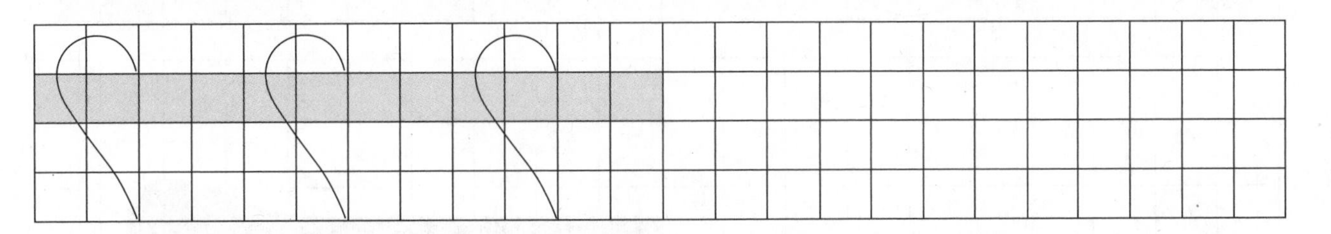

3. Dessine des points aux endroits demandés sur le plan.

	1	2	3	4	5
a					
b					
c					
d					
e					
f					

a) Dessine un point rouge dans la case dont les coordonnées sont c-5.

b) Dessine un point vert dans la case dont les coordonnées sont d-1.

c) Dessine un point bleu dans la case dont les coordonnées sont f-3.

d) Dessine un point jaune dans la case dont les coordonnées sont a-4.

Résultat /10

1. Reproduis l'autre moitié des dessins par réflexion.

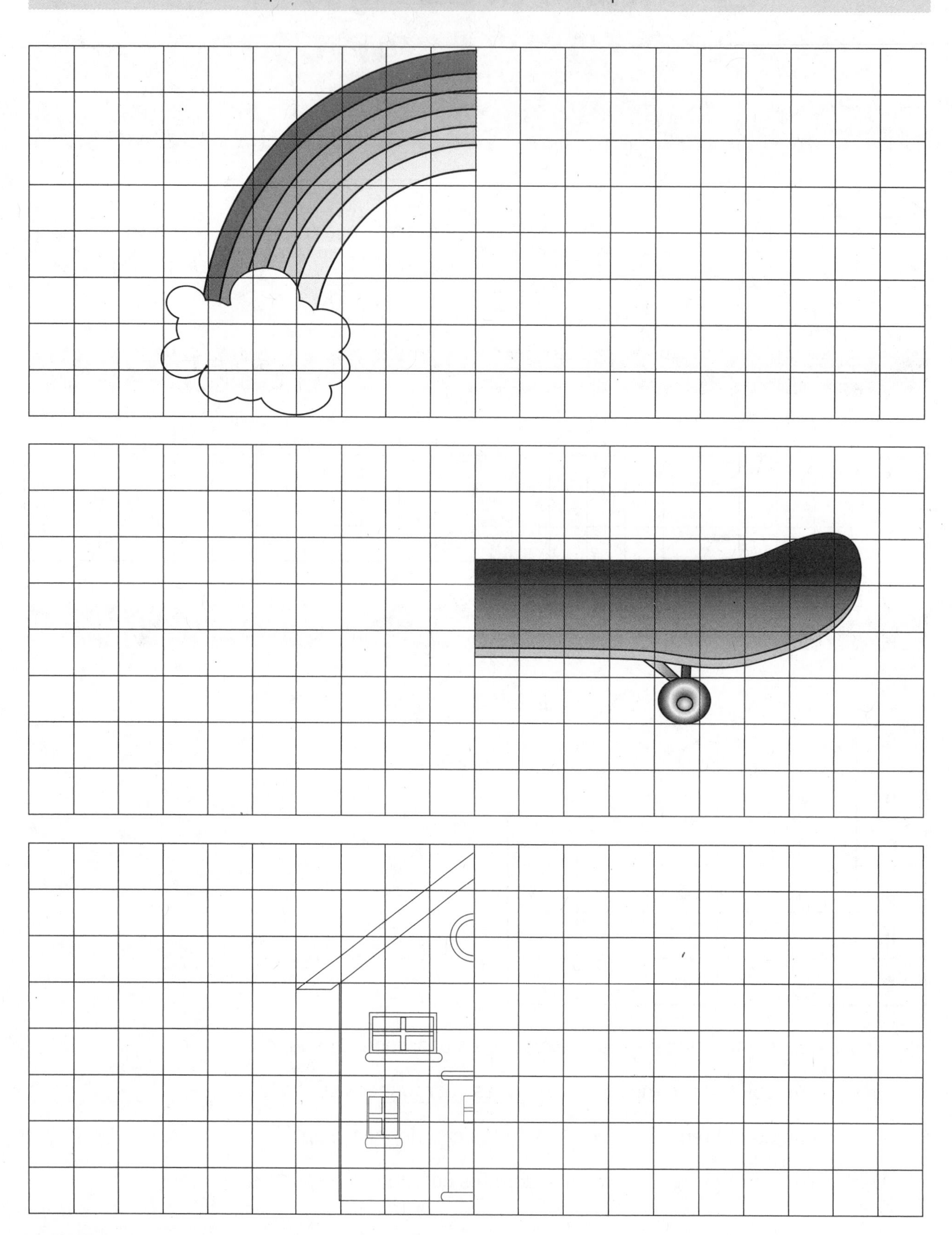

2. Colorie le dallage des couleurs de ton choix.

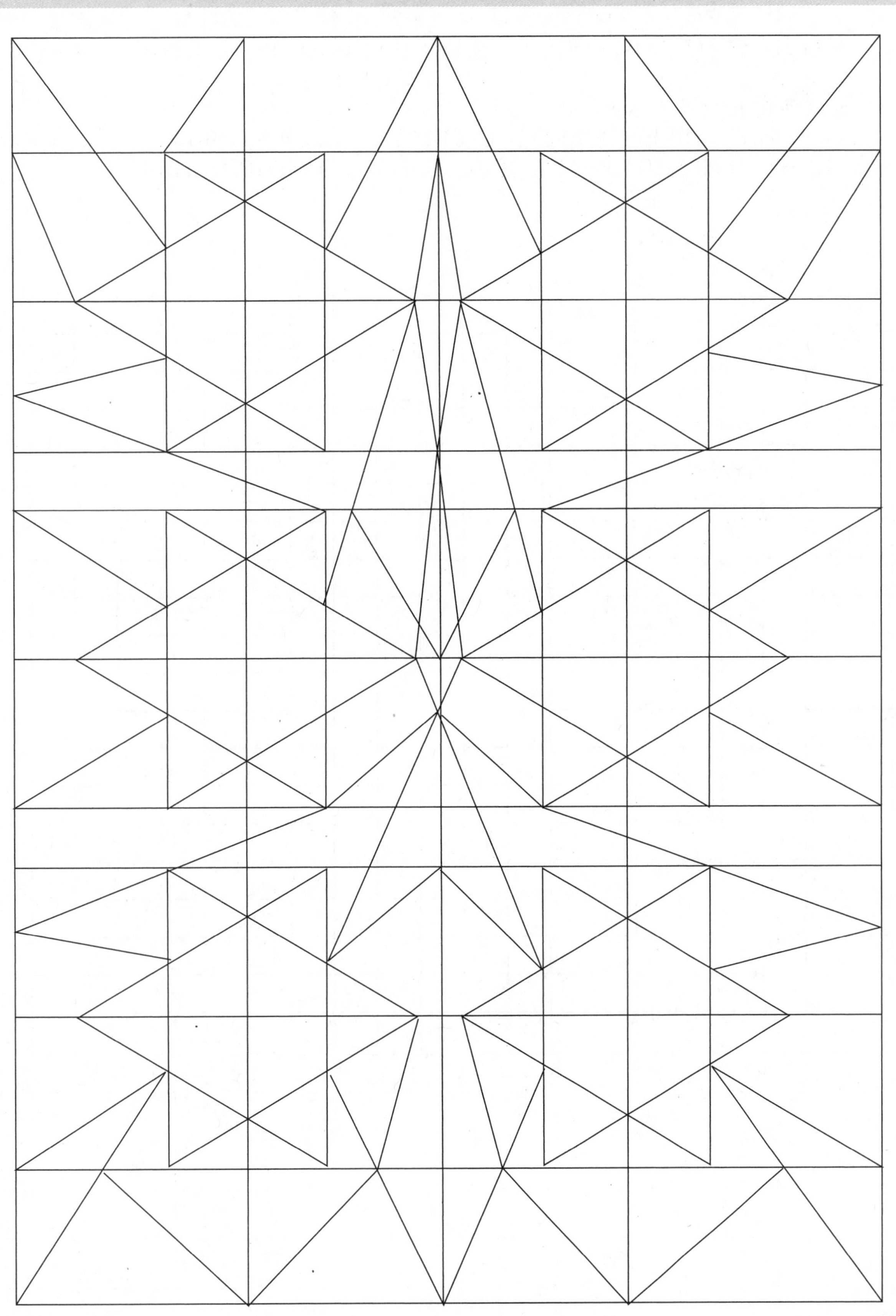

3. Trace des points selon les coordonnées suivantes :

(1, G), (4, E), (18, E), (17, G), (9, H), (10, H), (9, L), (10, L), (5, L), (13, L), (10, Q)

Maintenant, relie les points suivants :
(1, G) à (4, E); (4, E) à (18, E); (18, E) à (17, G); (17, G) à (1, G); (9, H) à (9, L);
(9, H) à (10, H); (10, H) à (10, L); (5, L) à (13, L); (13, L) à (10, Q); (10, Q) à (5, L)

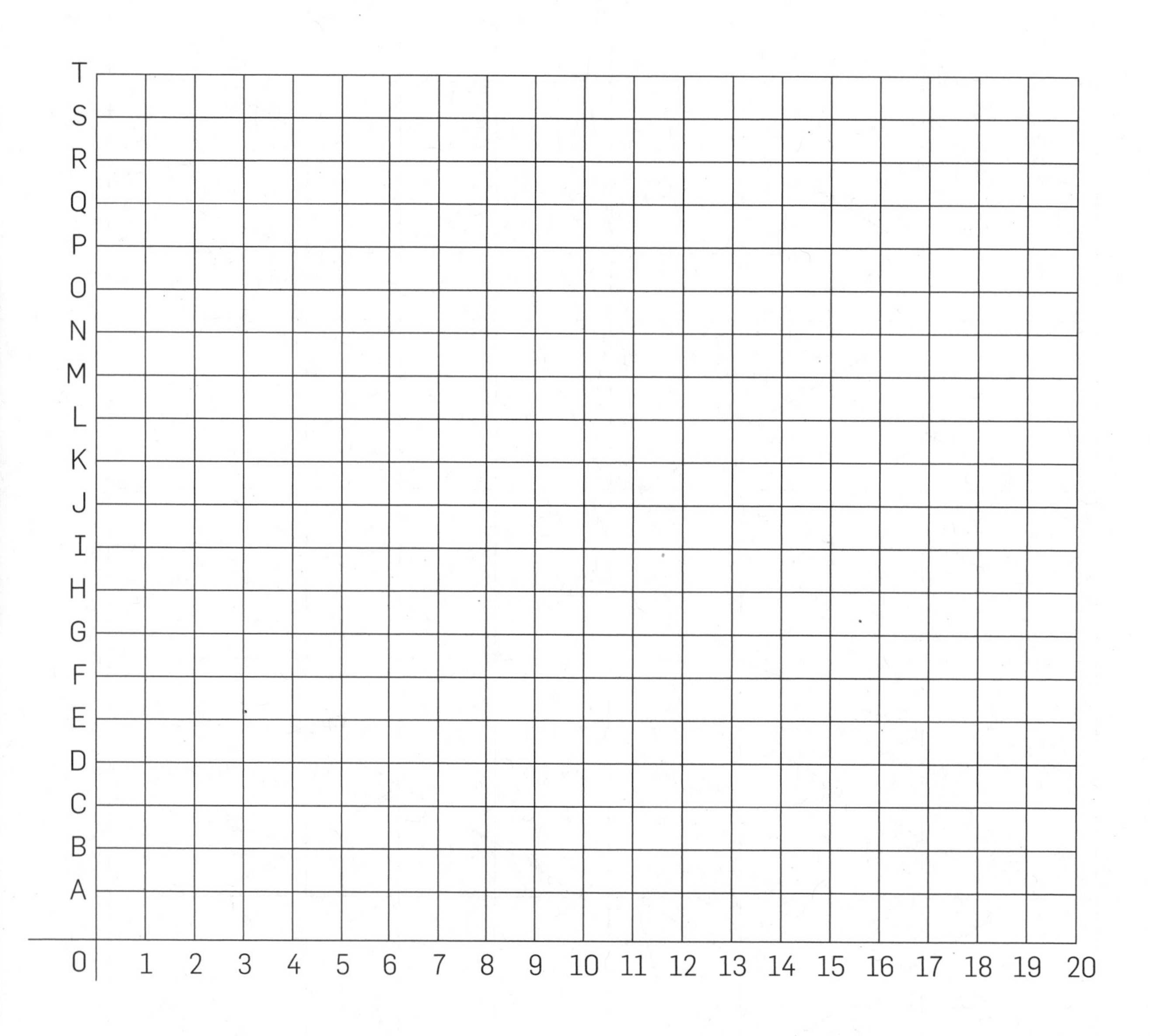

Longueurs : mesure et estimation, périmètre, aire, volume

→ Test d'évaluation Test de suivi

1. Estime en centimètres la mesure des objets suivants.
Sers-toi de ta règle pour vérifier ton estimation.

a)

Estimation : ______________

Mesure : ______________

b)

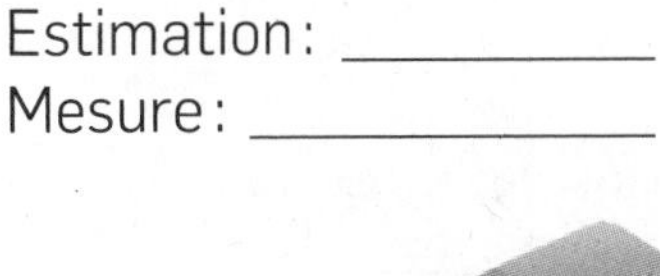

Estimation : ______________

Mesure : ______________

c)

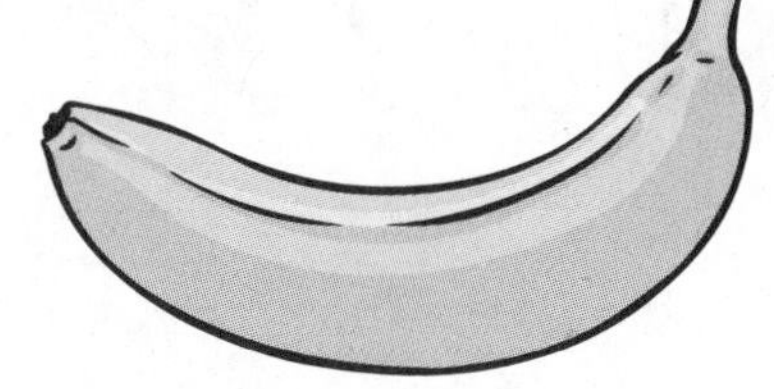

Estimation : ______________

Mesure : ______________

d)

Estimation : ______________

Mesure : ______________

2. Trouve l'aire et le périmètre.

a)

Aire : ____

Périmètre : ____

b)

Aire : ____

Périmètre : ____

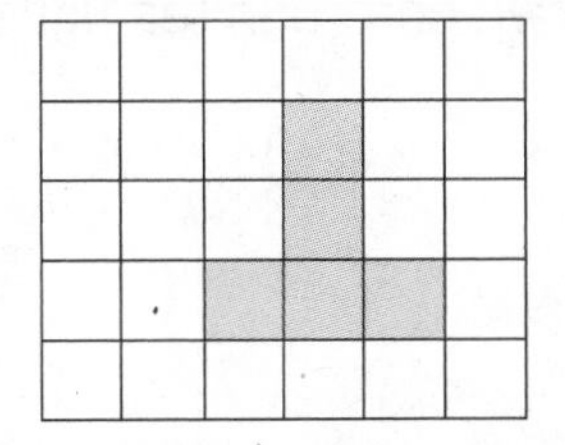

3. Pour trouver le volume, compte combien de cubes-unités ont été nécessaires pour former les solides suivants.

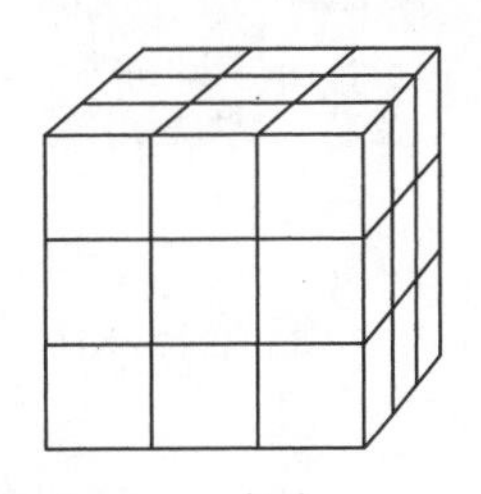

a) Cubes-unités : ____

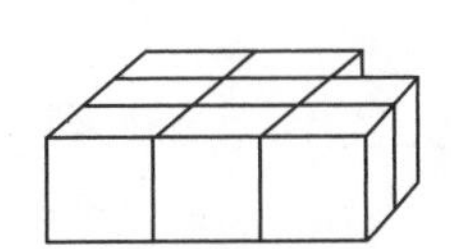

b) Cubes-unités : ____

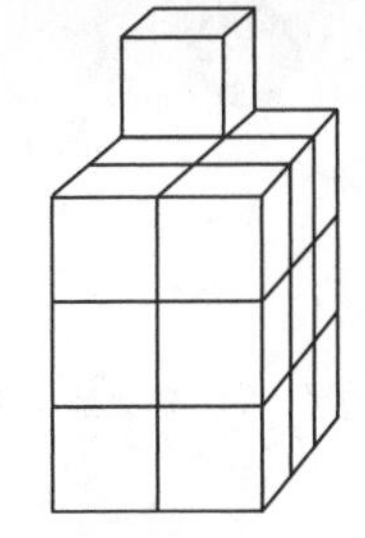

c) Cubes-unités : ____

1. Fais un X dans la colonne de l'unité dont tu te servirais pour mesurer les objets suivants.

	m	dm	cm
a) la longueur d'un train			
b) la longueur d'une paille			
c) la longueur d'un ver de terre			
d) la longueur d'une voiture			
e) la longueur de ton pied			

2. Trace des lignes de la longueur demandée.

a) 2 cm

b) 1 dm

c) 7 cm

d) 10 cm

Qu'ont en commun les lignes b et d ? ______________________

3. Quelle est l'estimation la plus juste ?

a) 5 m 20 cm 1 dm

b) 500 m 2 m 20 cm

c) 10 cm 6 m 1 km

4. Calcule l'aire et le périmètre des parties ombragées.

a)

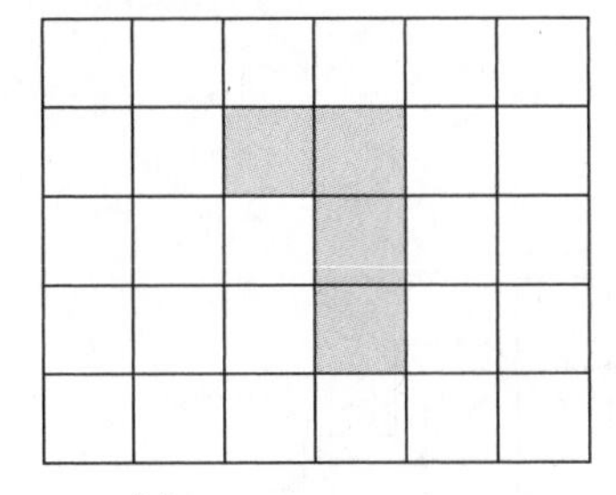

Aire : ____
Périmètre : ____

b)

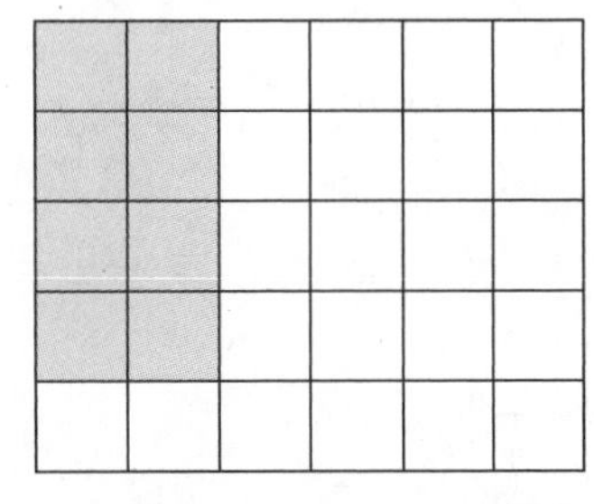

Aire : ____
Périmètre : ____

c)

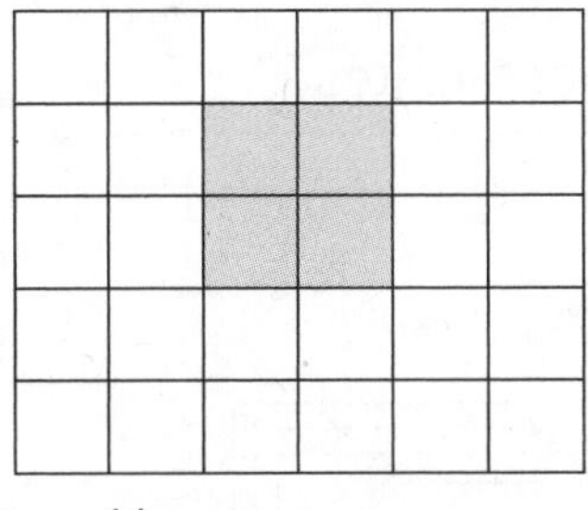

Aire : ____
Périmètre : ____

d)

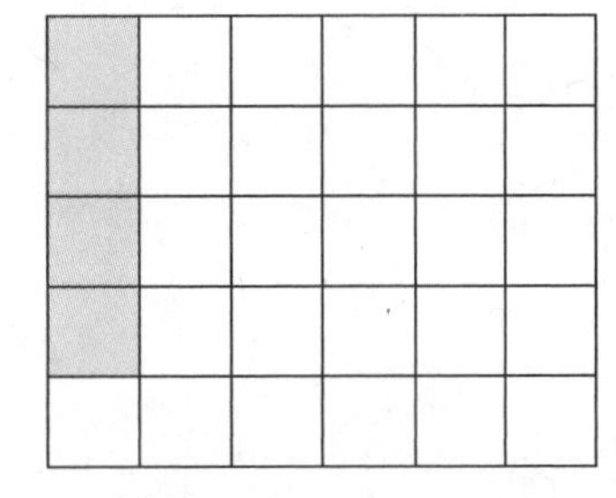

Aire : ____
Périmètre : ____

e)

Aire : ____
Périmètre : ____

f)

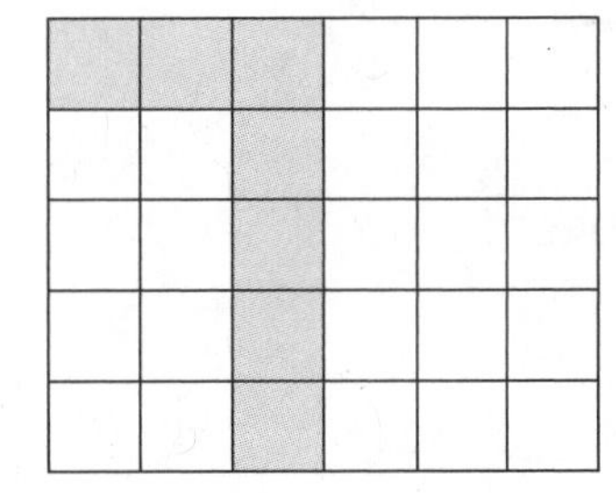

Aire : ____
Périmètre : ____

g)

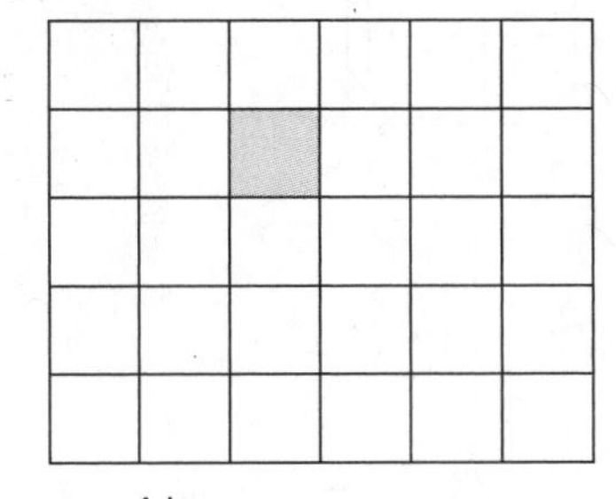

Aire : ____
Périmètre : ____

h)

Aire : ____
Périmètre : ____

5. Pour trouver le volume, compte combien de cubes-unités ont été nécessaires pour former les solides suivants.

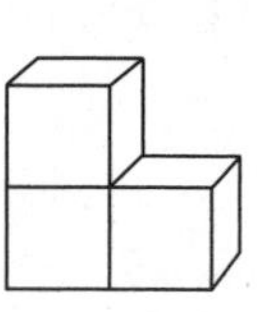

a) Cubes-unités : ____

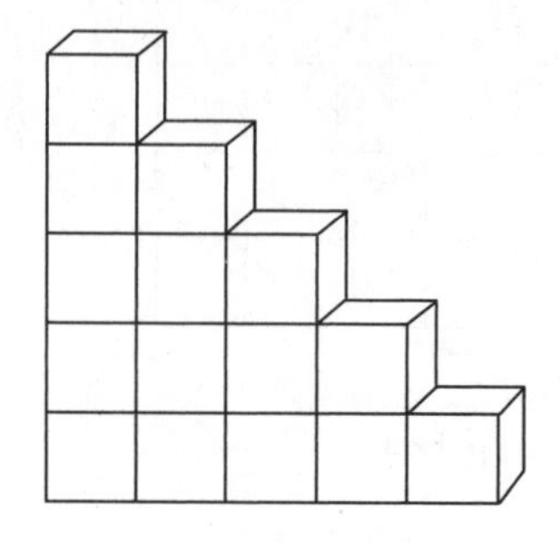

b) Cubes-unités : ____

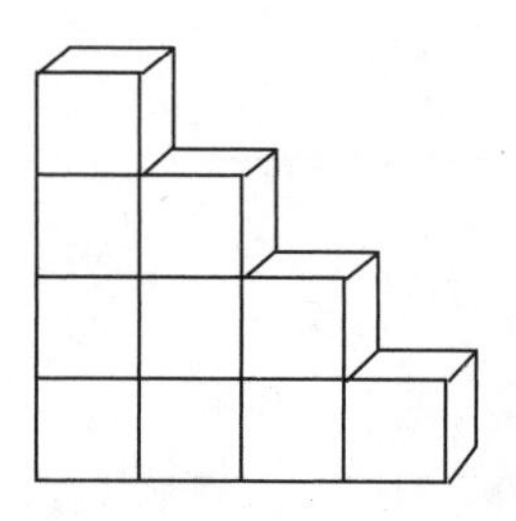

c) Cubes-unités : ____

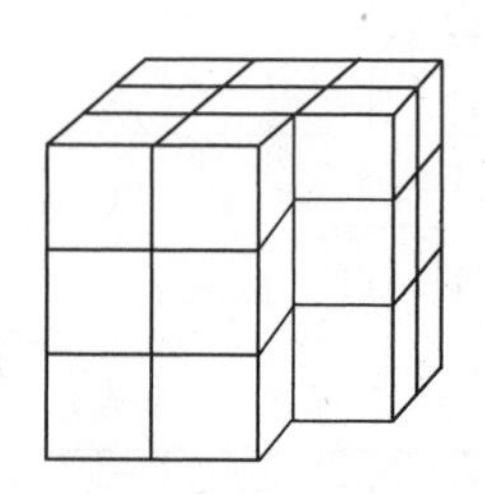

d) Cubes-unités : ____

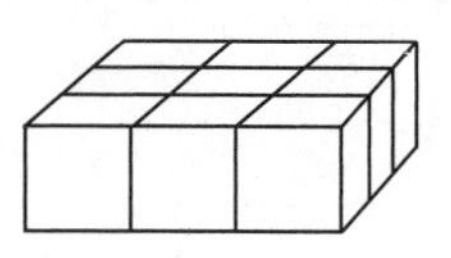

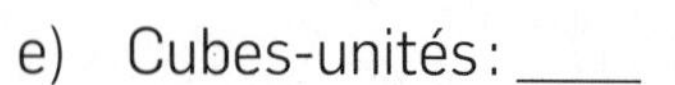

e) Cubes-unités : ____

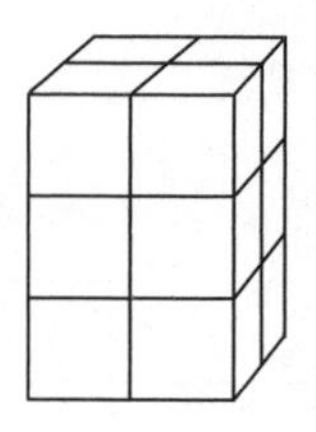

f) Cubes-unités : ____

Longueurs : mesure et estimation, périmètre, aire, volume

Test d'évaluation → **Test de suivi**

1. Transforme les unités suivantes.

a) 8 dm = ____cm
b) 5 dm = ____cm
c) 1 dm = ____cm
d) 1 m = ____cm
e) 1 m = ____dm
f) 50 dm = ____m

2. Colorie 1 dm sur la ligne.

____

3. Trouve l'aire et le périmètre des parties ombragées.

a)

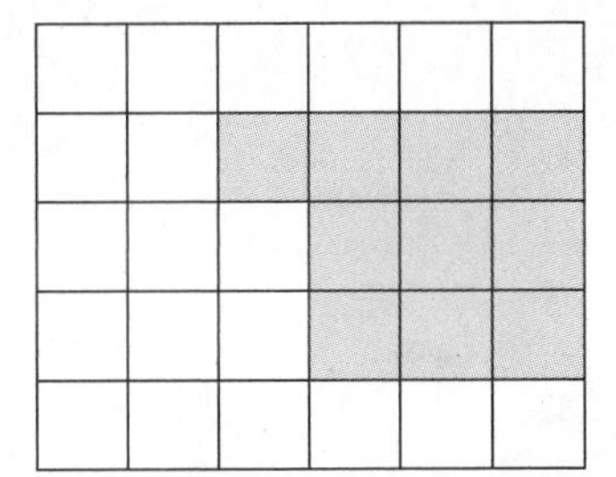

Aire : ____

Périmètre : ____

b)

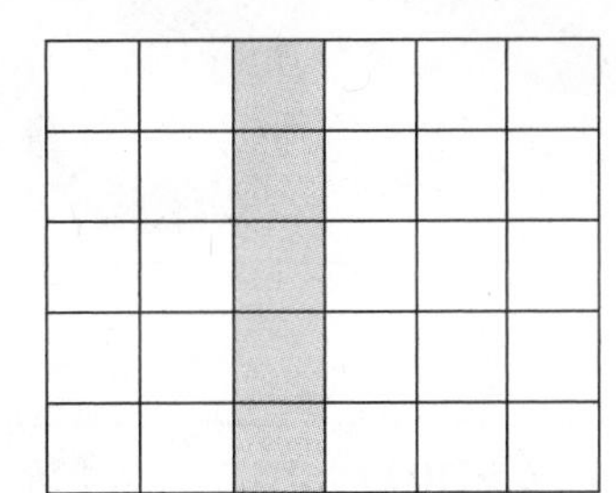

Aire : ____

Périmètre : ____

4. Pour trouver le volume, compte combien de cubes-unités ont été nécessaires pour former les solides suivants.

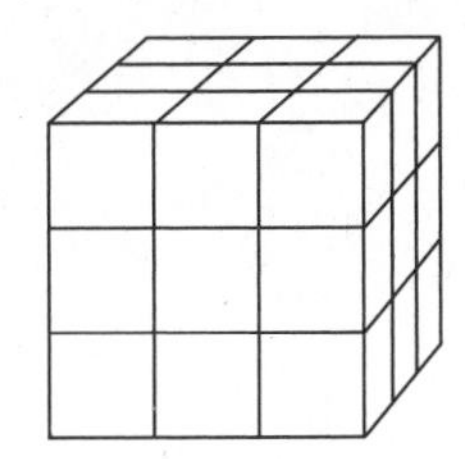

a) Cubes-unités : ______

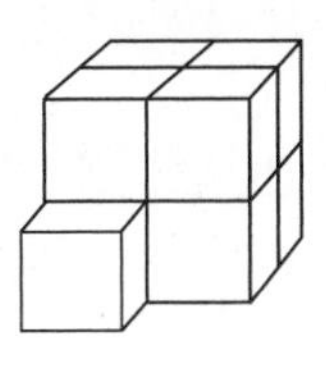

b) Cubes-unités : ______

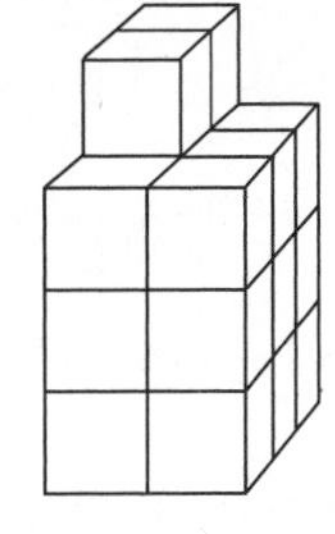

c) Cubes-unités : ______

Résultat 

1. Estime la longueur des objets suivants. Ensuite, vérifie ton estimation à l'aide d'une règle.

	Estimation	Mesure
auto		
voilier		
serpent		
vélo		
chenille		
avion		

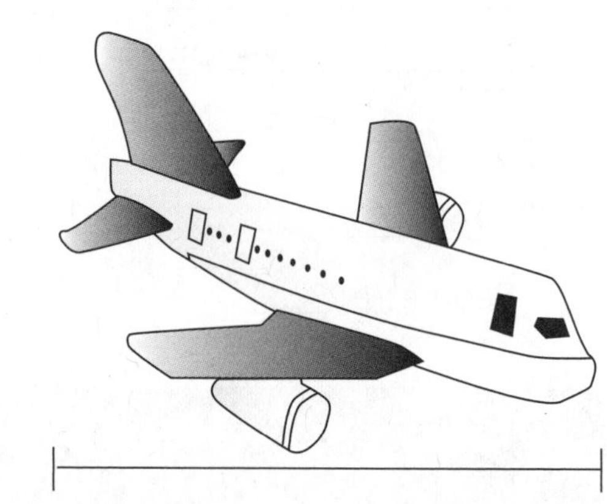

2. Réponds par vrai ou faux.

a) Dans la réalité, un avion mesure plus de 1000 m. ________

b) Dans la réalité, une vache mesure plus de 4 m de haut. ________

c) Dans la réalité, une gomme à effacer mesure moins de 1 dm. ________

3. Calcule l'aire et le périmètre des parties ombragées.

a)

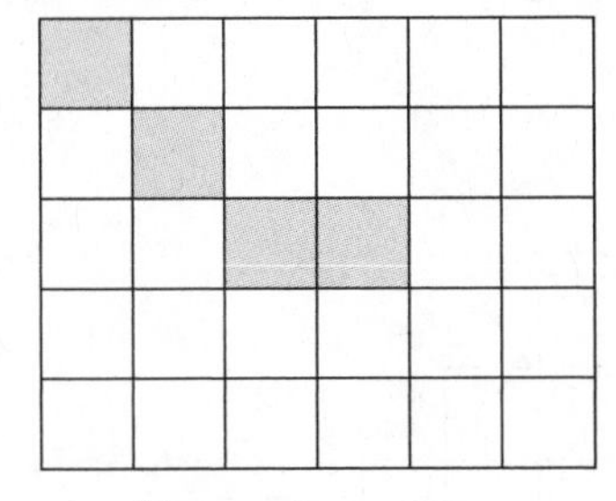

Aire : ______
Périmètre : ______

b)

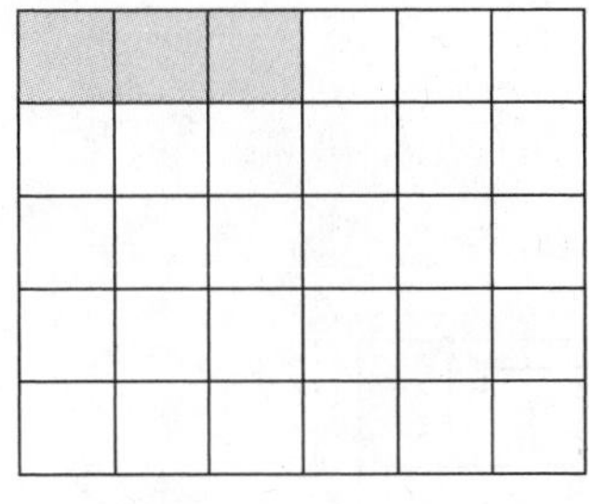

Aire : ______
Périmètre : ______

c)

Aire : ______
Périmètre : ______

d)

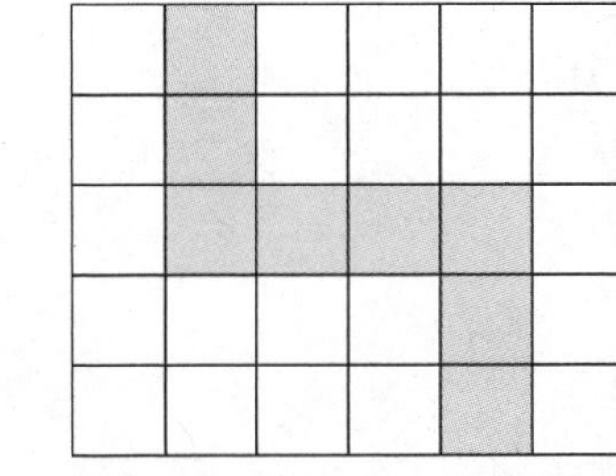

Aire : ______
Périmètre : ______

e)

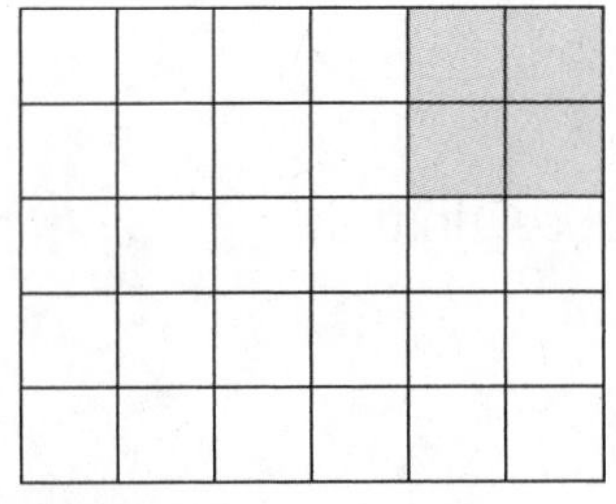

Aire : ______
Périmètre : ______

f)

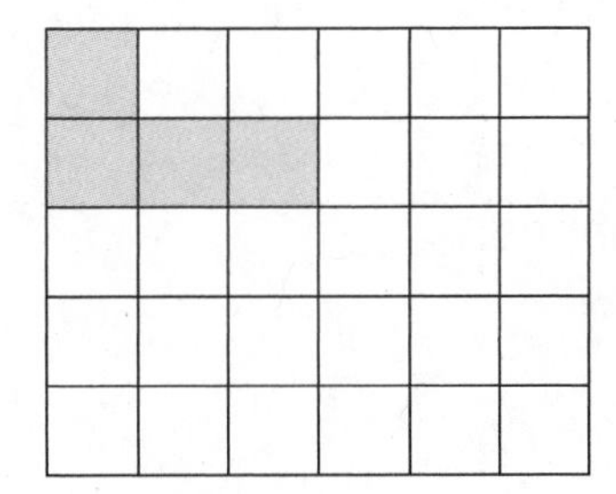

Aire : ______
Périmètre : ______

g)

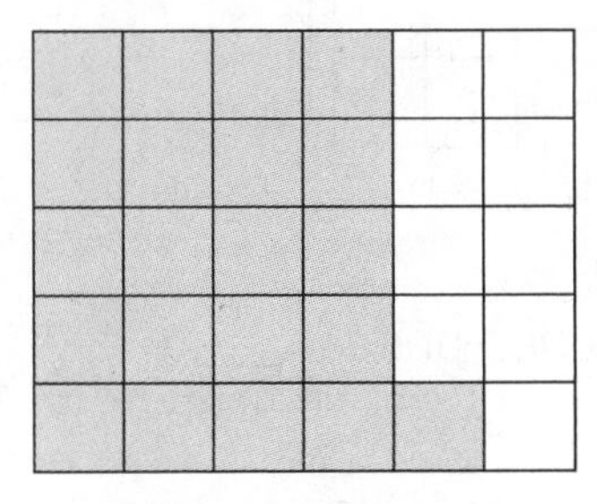

Aire : ______
Périmètre : ______

h)

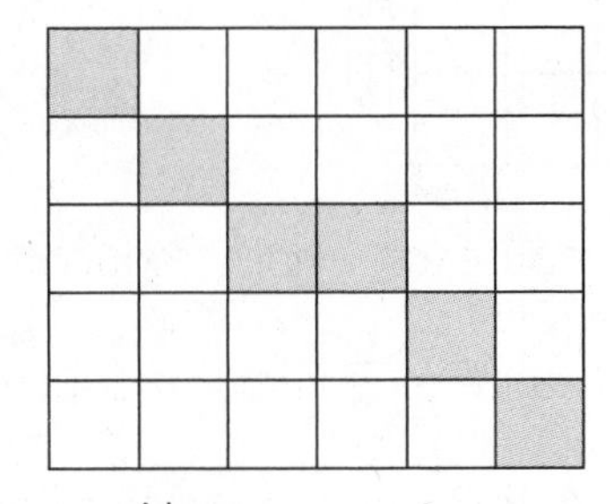

Aire : ______
Périmètre : ______

4. Pour trouver le volume, compte combien de cubes-unités ont été nécessaires pour former les solides suivants.

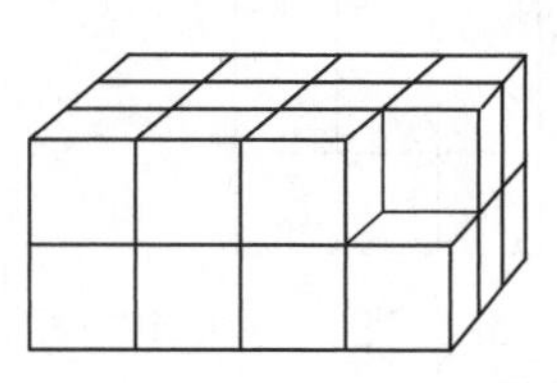

a) Cubes-unités : ____

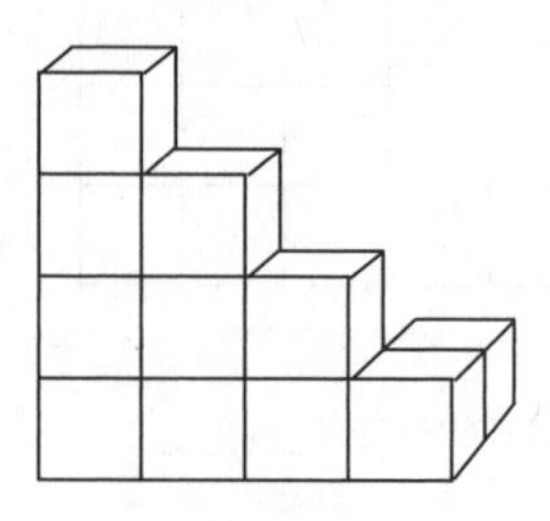

b) Cubes-unités : ____

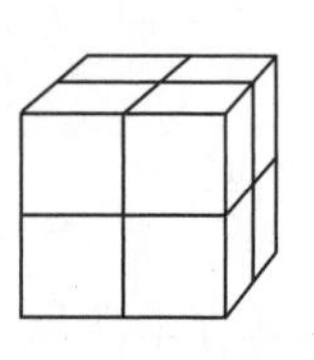

c) Cubes-unités : ____

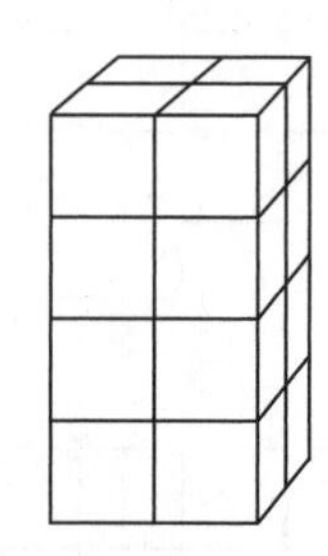

d) Cubes-unités : ____

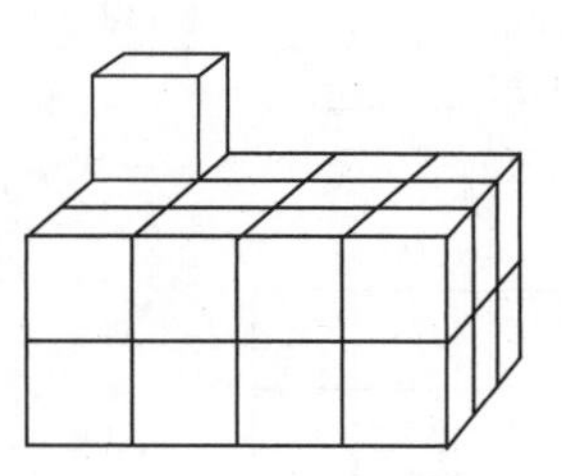

e) Cubes-unités : ____

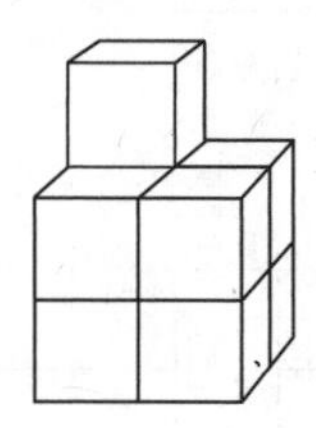

f) Cubes-unités : ____

Temps

→ Test d'évaluation Test de suivi

1. Écris le moment de la journée où tu accomplis les actions suivantes.

a) Pendre ton petit-déjeuner. ______________________

b) Te mettre au lit pour la nuit. ______________________

c) Manger ton dîner à l'école. ______________________

2. Écris l'heure de l'avant-midi représentée sur chaque horloge.

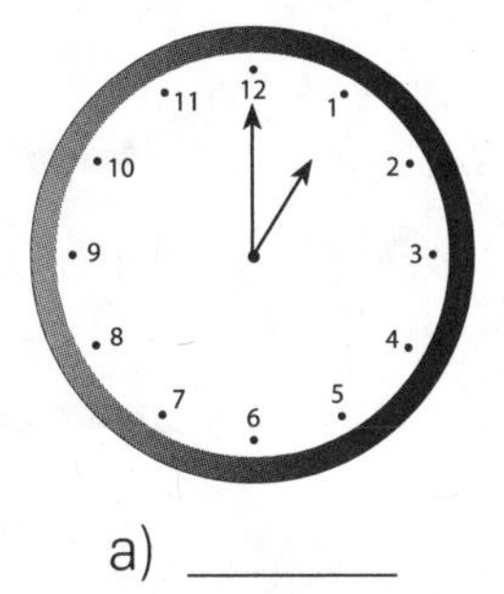

a) ______

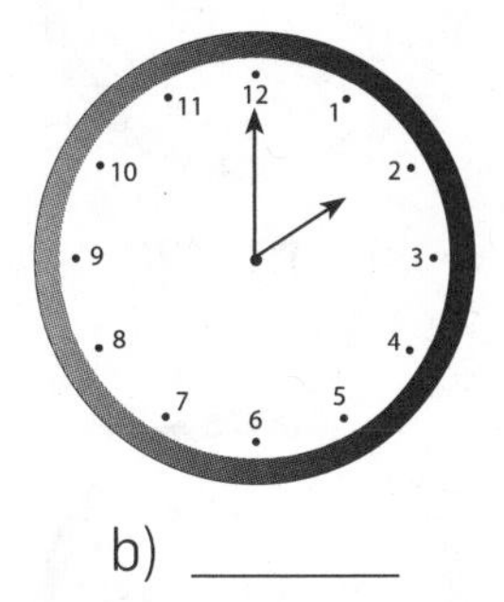

b) ______

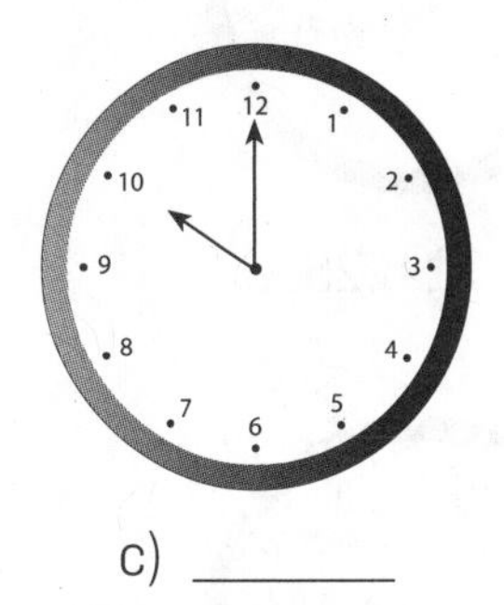

c) ______

3. Réponds aux questions.

a) Combien y a-t-il de mois dans une année ? ______________________

b) Combien y a-t-il de jours dans une semaine ? ______________________

c) Combien y a-t-il de jours dans une année ? ______________________

d) Combien y a-t-il de minutes dans une heure ? ______________________

e) Combien y a-t-il d'heures dans une journée ? ______________________

f) Combien y a-t-il de saisons dans une année ? ______________________

g) Combien y a-t-il de secondes dans une minute ? ______________________

h) Combien y a-t-il d'années dans un siècle ? ______________________

i) Combien y a-t-il de semaines dans un mois ? ______________________

Résultat 

1. Dessine les aiguilles pour indiquer l'heure qu'il est.

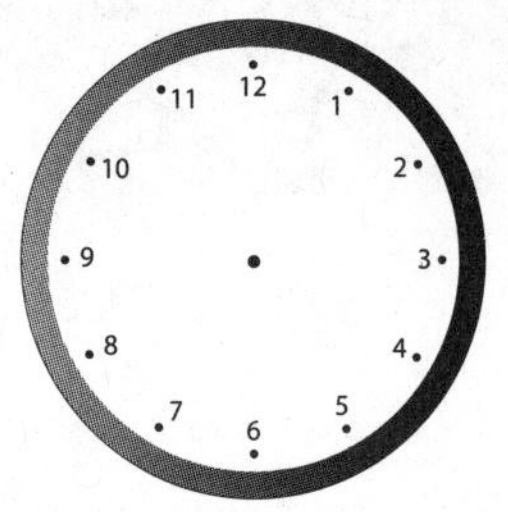

a) 12 h 15

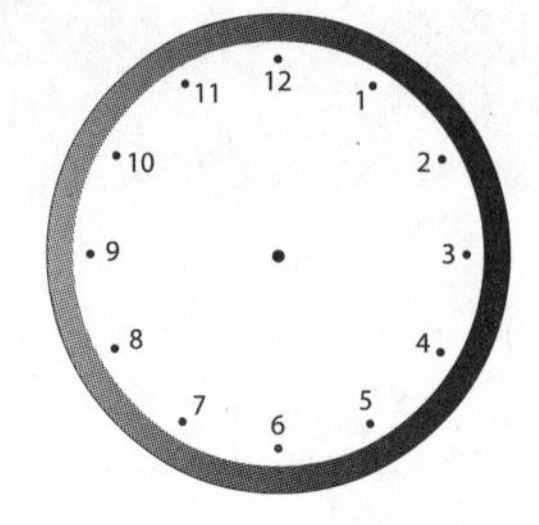

b) 11 h 05

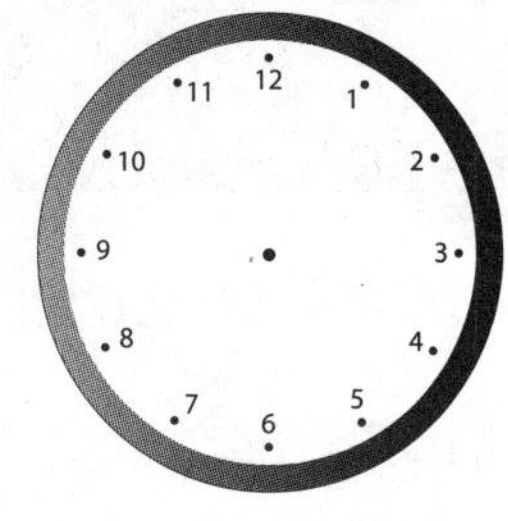

c) 10 h 15

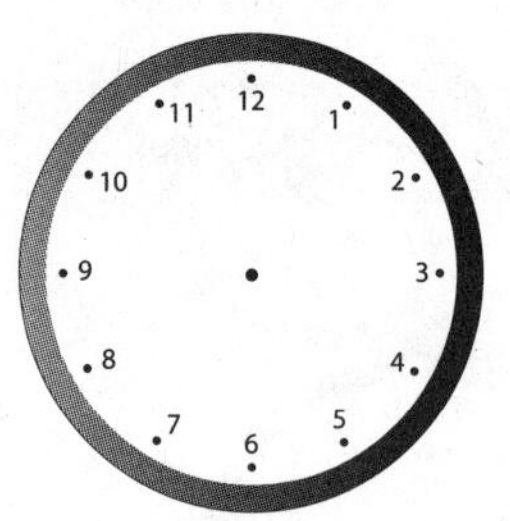

d) 21 h 25

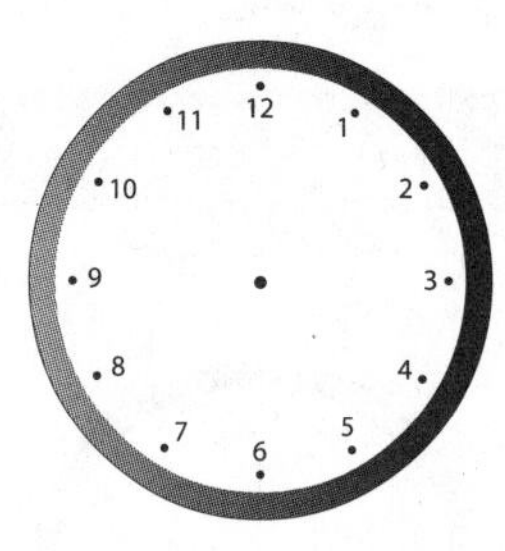

e) 13 h 20

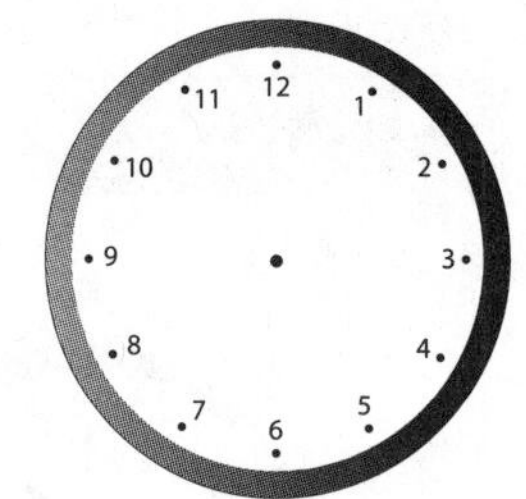

f) 1 h 05

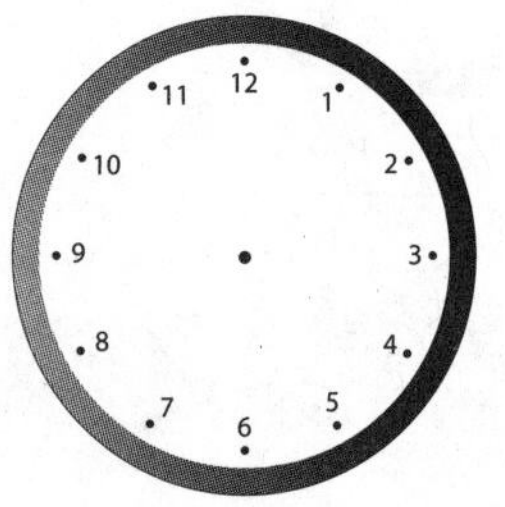

g) 22 h 45

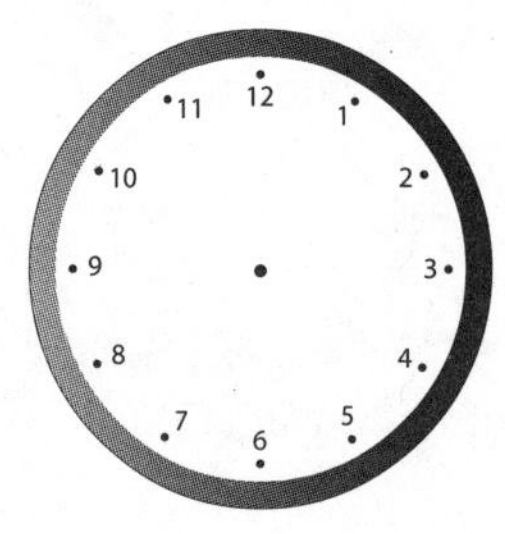

h) 14 h 50

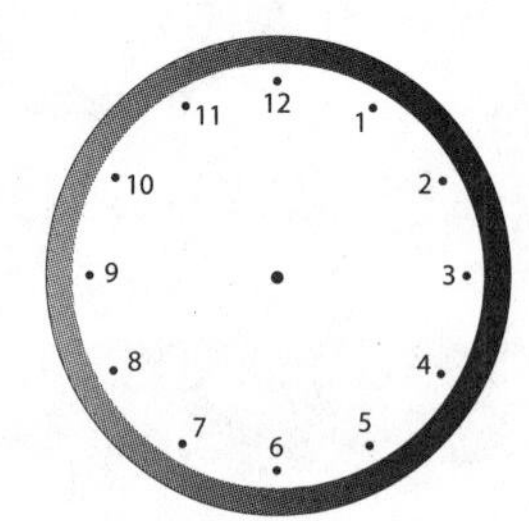

i) 20 h 55

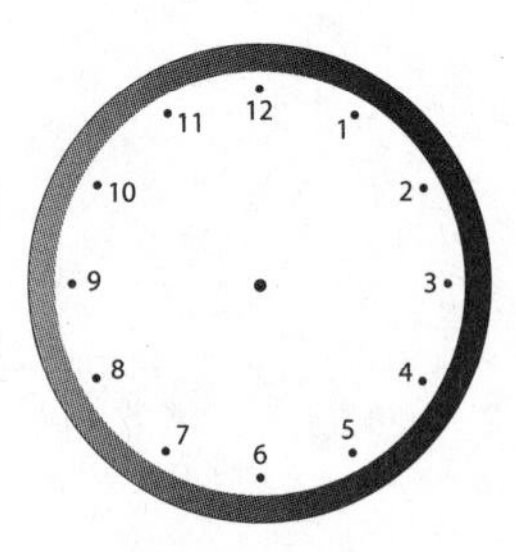

j) 17 h 55

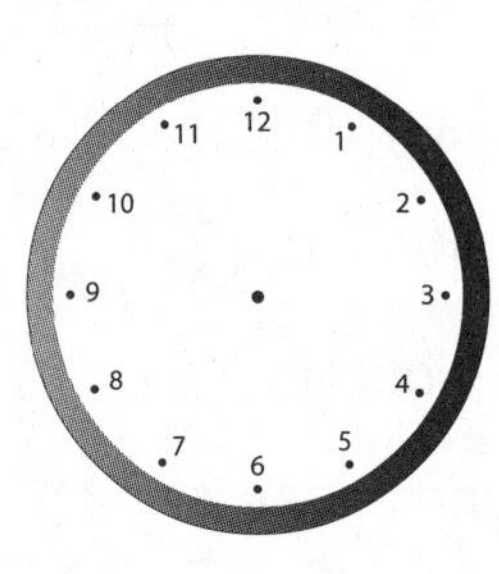

k) 9 h 40

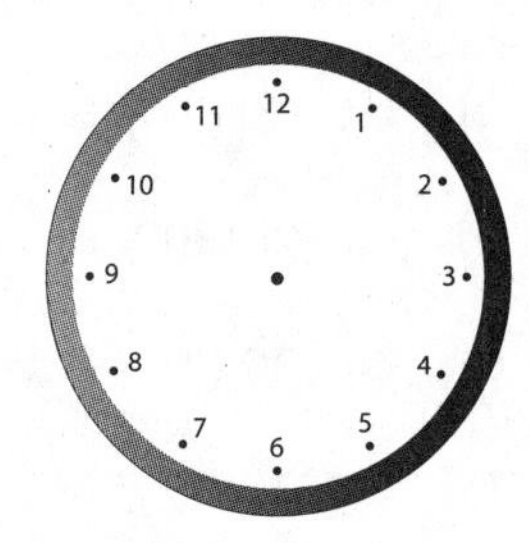

l) 12 h 15

2. Écris l'heure de l'après-midi représentée sur chaque horloge.

a) ______

b) ______

c) ______

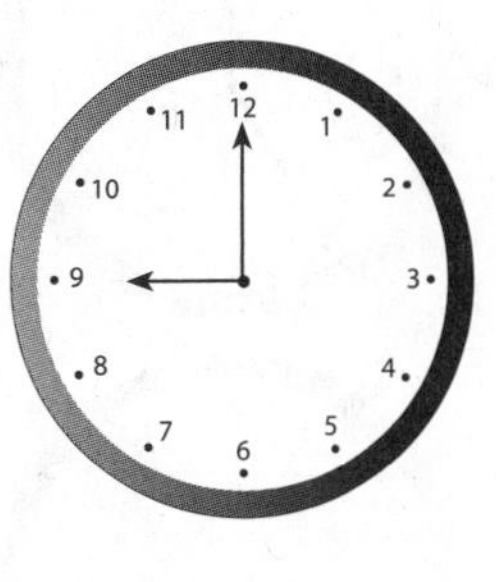

d) ______

e) ______

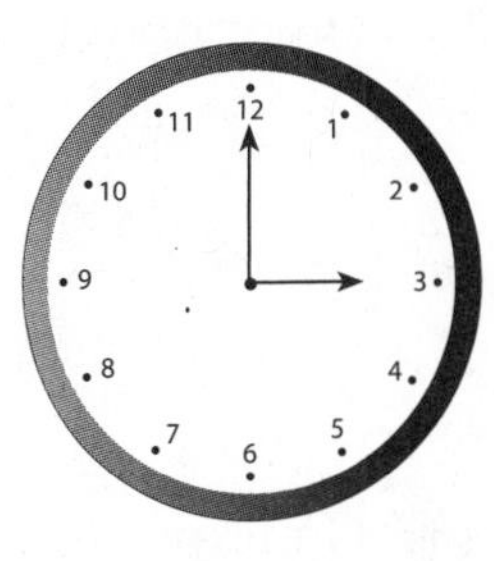

f) ______

3. Combien y a-t-il de minutes...

a) dans 1 heure ? ______

b) dans 1 h 30 ? ______

c) dans 2 heures ? ______

4. Écris le moment de la journée où tu accomplis les actions suivantes.

a) T'habiller pour aller à l'école. __________

b) Te mettre en pyjama. __________

5. Indique l'heure du début ou l'heure de la fin des activités suivantes.

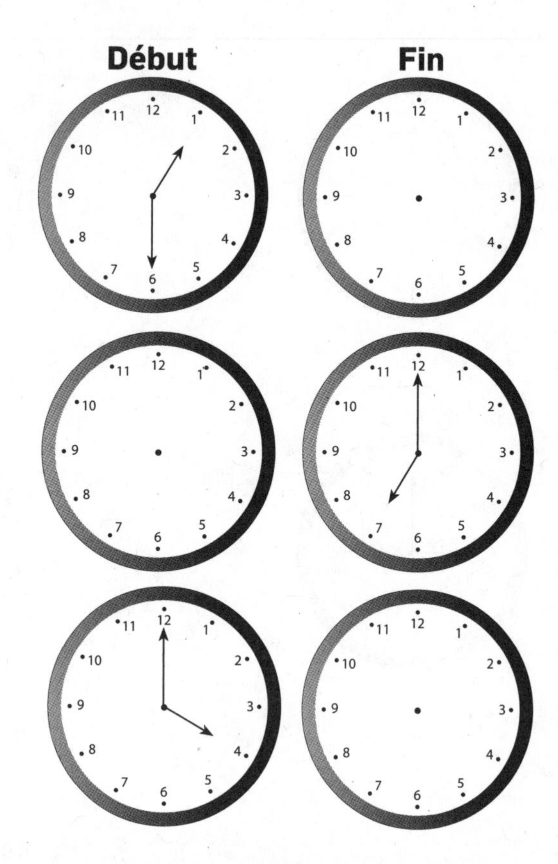

a) Un cours de 30 minutes

b) Un match de soccer de 90 minutes

c) Un film de 3 h 05

6. Choisis la bonne unité de mesure pour calculer le temps.

seconde minute heure jour semaine mois année

a) Du mercredi au mercredi ______________

b) Du 1er au 31 ______________

c) De janvier à décembre ______________

d) Le temps que ça prend pour dire bonjour______________

e) La durée d'une chanson ______________

7. Vers quel chiffre pointera la grande aiguille s'il est:

a) 21 h 30____

b) 13 h 05 ____

c) 14 h 25 ____

d) 15 h 10 ____

e) 20 h 15 ____

f) 15 h 20 ____

Temps

Test d'évaluation → Test de suivi

1. Résous les problèmes suivants.

a) Ma mère commence à travailler à 8 h. Elle prend une pause-café à 10 h. Combien de temps a-t-elle travaillé entre 8 h et 10 h ?

____

b) Mon père commence à travailler à minuit. Il finit à 7 h. Combien d'heures travaille-t-il par nuit ?

____

c) Il est 6 h 15. Mon match de soccer commence à 20 h. Combien de temps reste-t-il avant le début de mon match ?

____

2. Écris l'heure de l'avant-midi et de l'après-midi représentée sur chaque horloge.

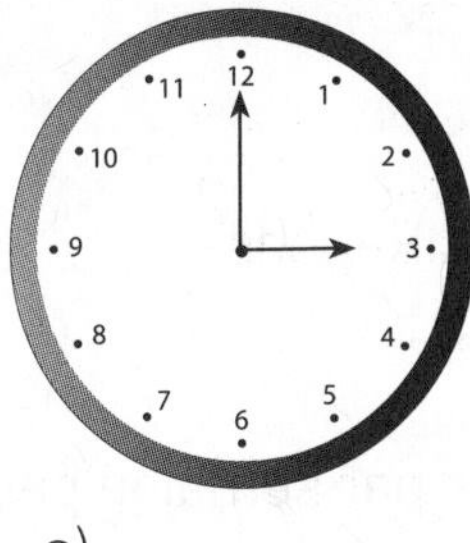

a) ____________
____

b) ____________
____

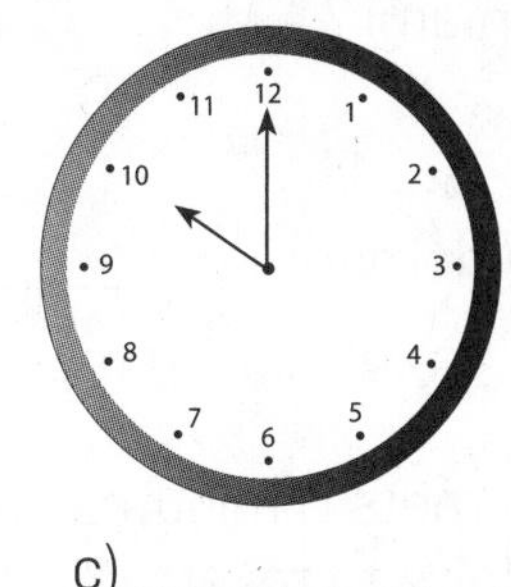

c) ____________
____

d) ____________
____

e) ____________
____

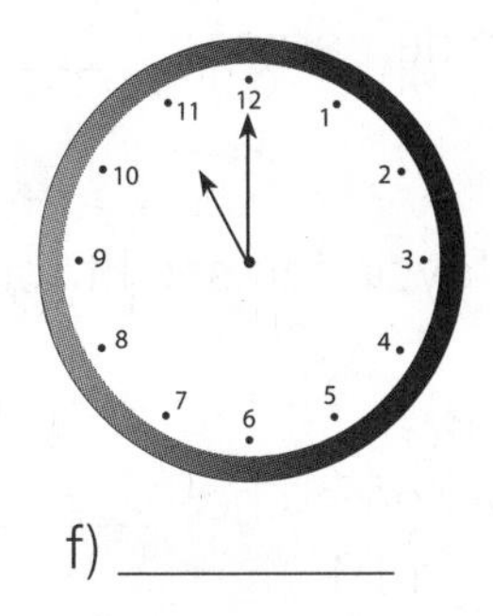

f) ____________
____

1. Résous les problèmes suivants.

a) Tu fais 1 heure de jogging par jour. Combien d'heures de jogging fais-tu par semaine ?

Ta démarche : ____________________ Réponse : __________

b) Tu vas voir l'orthopédagogue 1 heure par jour du lundi au vendredi. Combien d'heures par semaine vois-tu l'orthopédagogue ?

Ta démarche : ____________________ Réponse : __________

c) Tu t'exerces au chant 1 fois par semaine avec la chorale. Combien de fois vas-tu à tes répétitions dans l'année ?

Ta démarche : ____________________ Réponse : __________

d) Tu vas 2 fois par semaine jouer chez ton ami Pietro. Combien de fois par mois vas-tu chez ton ami ?

Ta démarche : ____________________ Réponse : __________

e) Tu mets 5 minutes par jour à faire ta toilette. Combien de minutes par semaine passes-tu à faire ta toilette ?

Ta démarche : ____________________ Réponse : __________

f) Aloysia fait son lit tous les jours. Combien de jours par année fait-elle son lit ?

Ta démarche : ____________________ Réponse : __________

2. Fais un X sur l'horloge qui n'indique pas la bonne heure.

a) 3 h

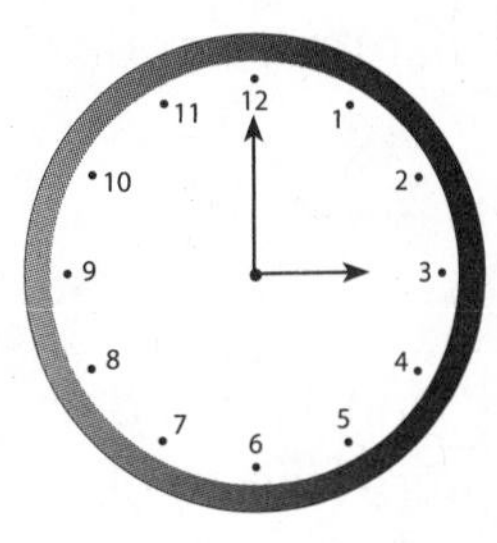
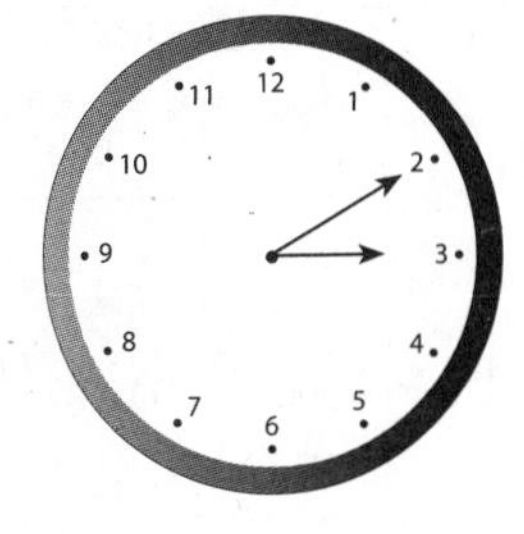

b) 3 h 10

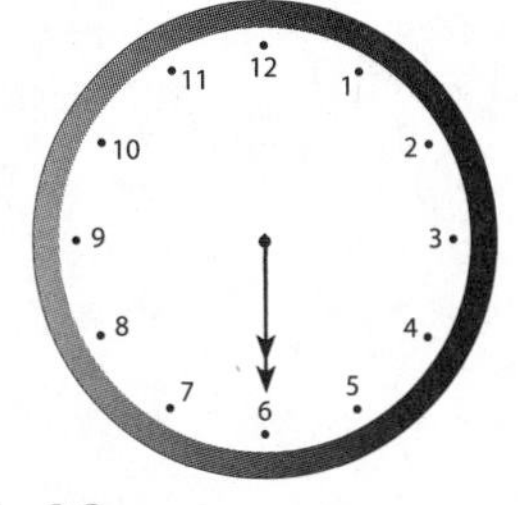

c) 6 h 20

d) 8 h 35

3. Écris l'heure indiquée sur les horloges.

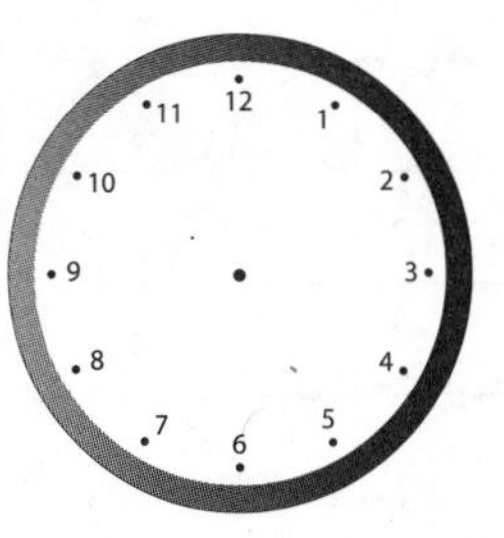

a) 7 h 45

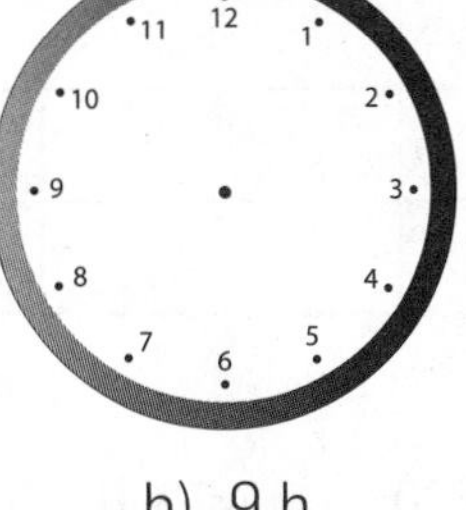
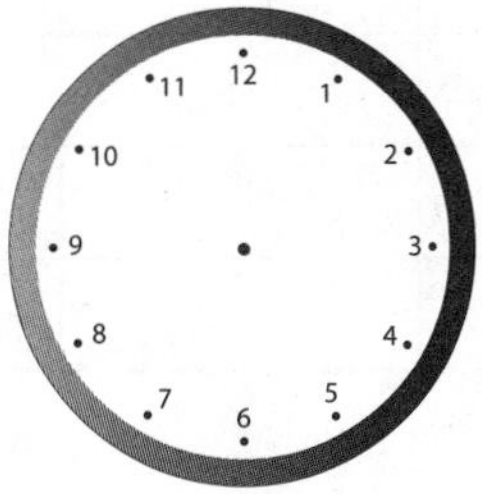

b) 9 h

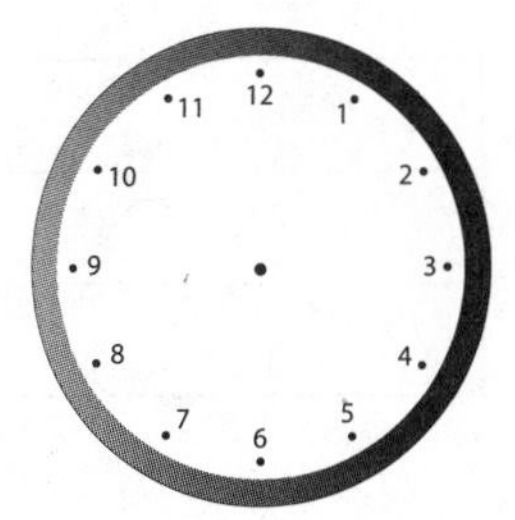

c) 12 h 10

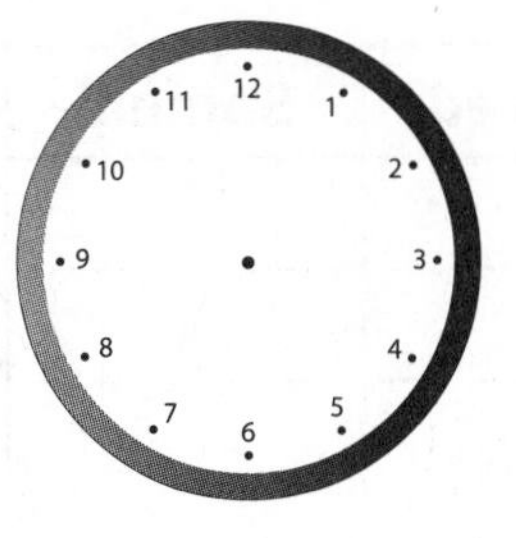

d) 12 h 15

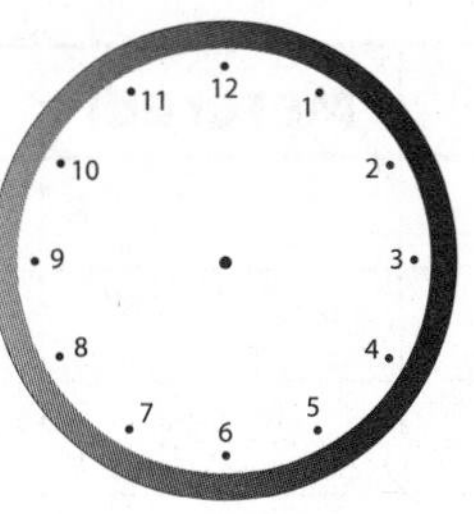

e) 8 h 30

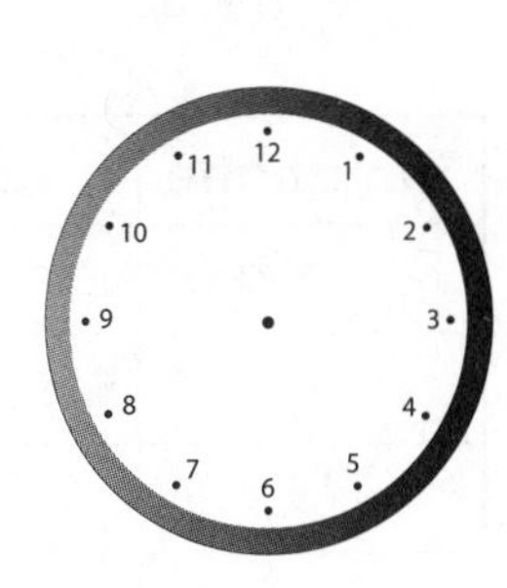

f) 6 h 20

4. Réponds aux questions suivantes.

a) Si le 15 décembre est un samedi, quel jour serons-nous le 25 décembre ?

____

b) Nous sommes le 1er janvier. Tu dois aller chez le médecin le 13 janvier.
Dans combien de jours iras-tu chez le médecin ?

____

c) Combien de jours y a-t-il **entre** le 28 mars et le 11 avril ?

____

d) Complète le calendrier du mois de janvier.

Dimanche	Lundi	Mardi	Mercredi	Jeudi	Vendredi	Samedi
1						
8						
		17				
		31				

e) En te basant sur le calendrier du mois de janvier, complète le calendrier du mois de février en supposant que ce n'est pas une année bissextile.

Dimanche	Lundi	Mardi	Mercredi	Jeudi	Vendredi	Samedi

Statistiques

→ Test d'évaluation Test de suivi

1. Voici les genres de livres qui ont été empruntés à la bibliothèque. Utilise le diagramme pour répondre aux questions.

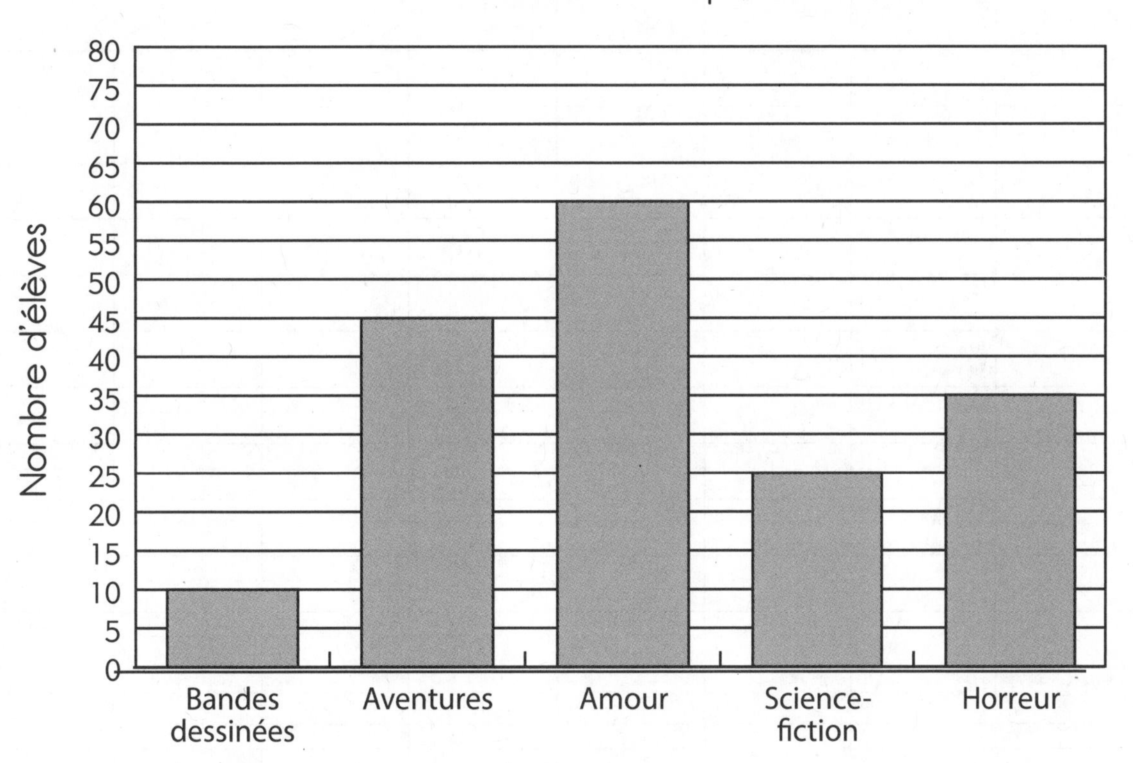

a) Combien d'élèves ont pris des romans d'aventures ? _______

b) Combien d'élèves ont pris des romans d'amour ? _______

c) Combien d'élèves ont pris des romans d'horreur ? _______

d) Combien d'élèves ont pris des romans de science-fiction ? _______

e) Combien d'élèves ont pris des bandes dessinées ? _______

f) Classe dans l'ordre croissant les genres du moins populaire au plus populaire.

____

Résultat /6

1. Voici le nombre de timbres que Youri a achetés entre janvier et août.

janvier : 75 | février : 35 | mars : 80 | avril : 25
mai : 40 | juin : 100 | juillet : 50 | août : 90

Complète le diagramme à ligne brisée puis réponds aux questions.

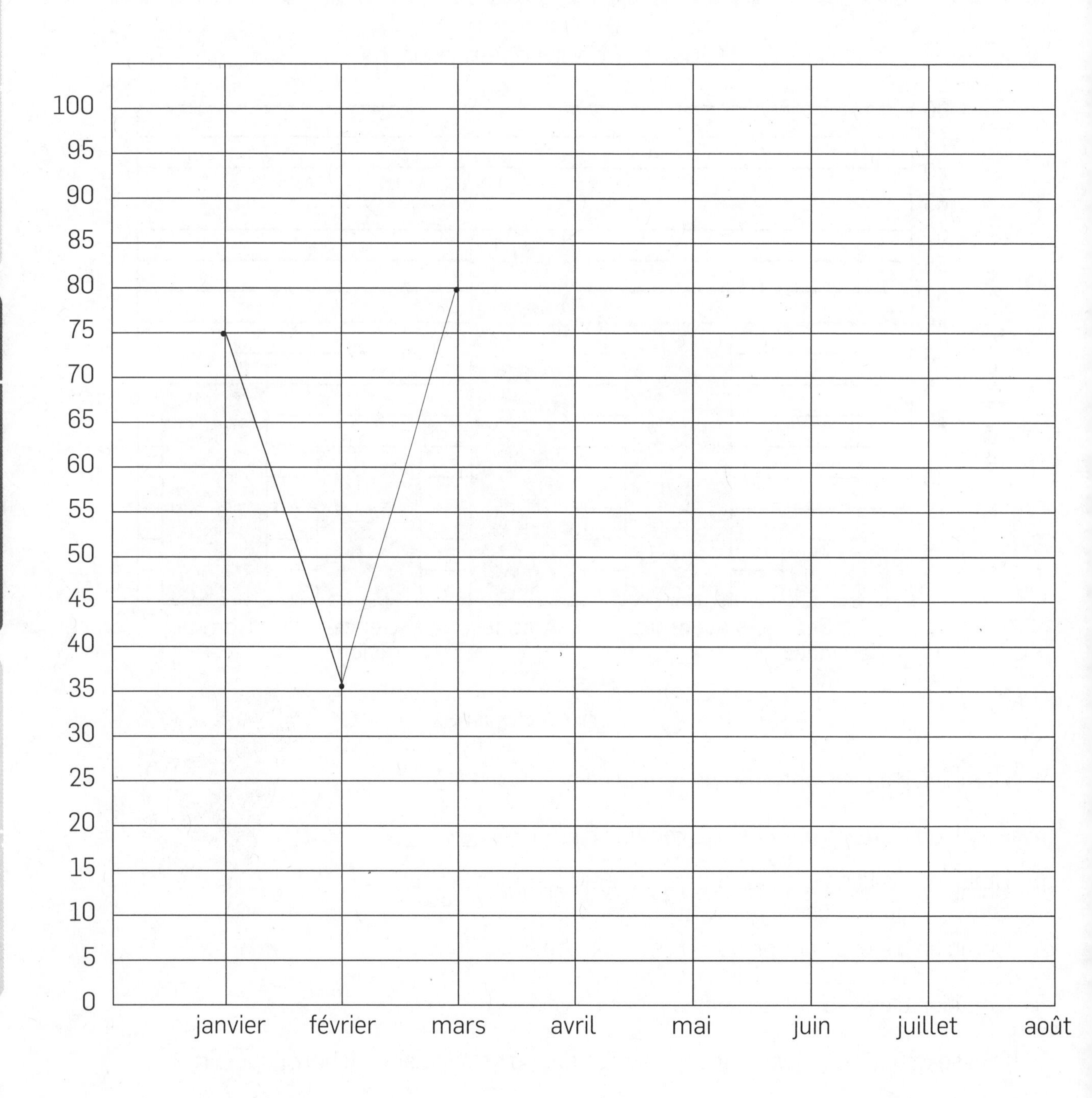

a) Quel mois en a-t-il achetés le plus ?

___

b) Quel mois en a-t-il achetés le moins ?

___

c) Combien de timbres au total compte la collection de Youri ?

___

d) Quelle est la différence entre le nombre de timbres achetés en février et en juin ?

___

e) Combien de timbres a-t-il achetés de plus au mois d'août qu'au mois d'avril ?

___

f) Quel écart sépare janvier et mars ?

___

g) Classe dans l'ordre croissant les mois en commençant par celui où Youri a acheté le moins de timbres.

___

2. Justine travaille dans une pâtisserie. Le diagramme ci-dessous montre le nombre de desserts qu'elle a préparés lundi. Réponds aux questions ci-dessous.

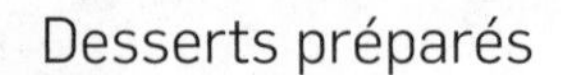

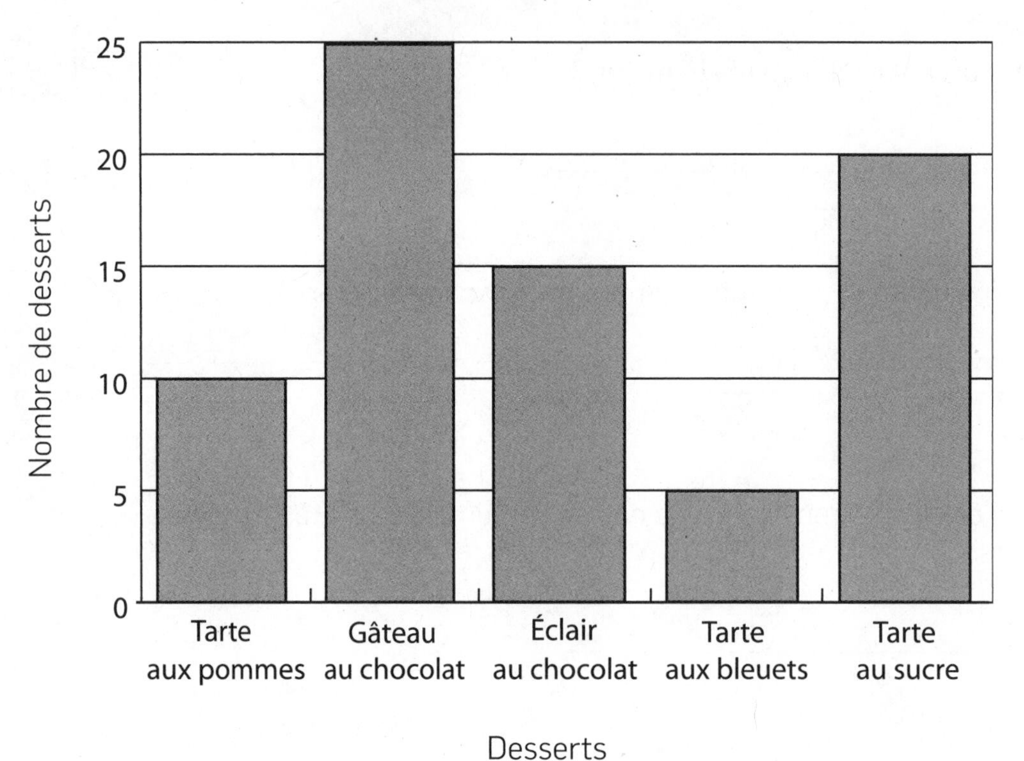

a) Combien de tartes aux pommes a-t-elle préparées ? __________

b) Combien de tartes au sucre a-t-elle préparées ? __________

c) Combien de gâteaux au chocolat a-t-elle préparés ? __________

d) Combien de tartes aux bleuets a-t-elle préparées ? __________

e) Combien d'éclairs au chocolat a-t-elle préparés ? __________

f) Pourquoi crois-tu qu'elle a préparé plus de gâteaux au chocolat ?

____

Statistiques

Test d'évaluation → Test de suivi

1. Compose des questions sur le graphique.

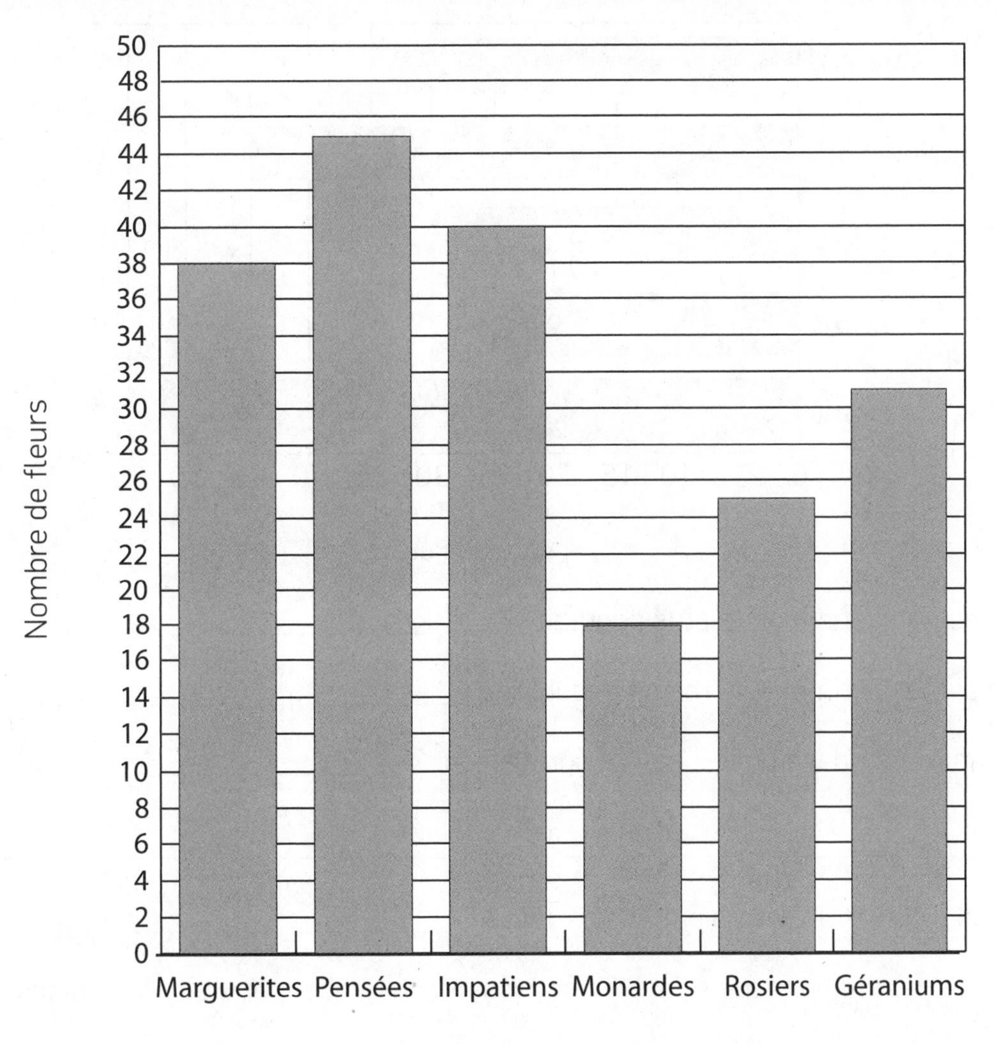

1. Les élèves veulent faire un voyage, et plusieurs destinations sont proposées. En regardant le diagramme, réponds aux questions.

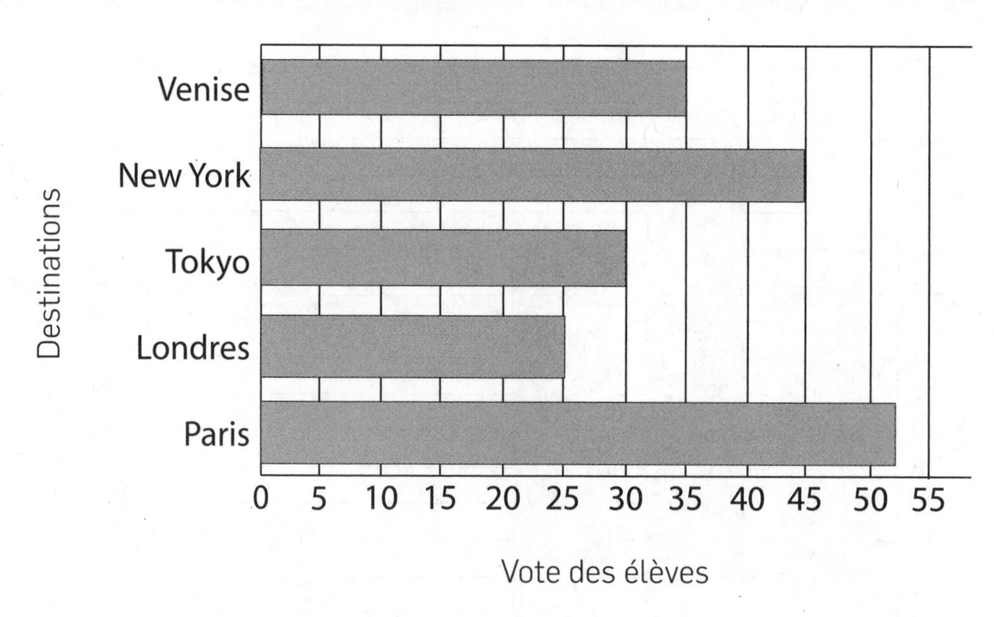

a) Quelle est la destination la plus populaire ? ______________________

b) Quelle est la destination la moins populaire ? ______________________

c) Comment ce sondage peut-il aider le professeur ? ______________________

____

d) Combien d'élèves préféreraient aller à Tokyo ? ______________________

e) Classe les destinations dans l'ordre décroissant, de la plus populaire à la moins populaire.

____

2. Fais un sondage auprès de tes amis pour connaître leur sport préféré.

Noms	**Hockey**	**Tennis**	**Vélo**	**Soccer**	**Ski**
Exemple : Antoine	x				
Total					

a) Combien préfèrent le hockey ? ________

b) Combien préfèrent le tennis ? ________

c) Combien préfèrent le vélo ? ________

d) Combien préfèrent le soccer ? ________

e) Combien préfèrent le ski ? ________

3. Maintenant, dessine un diagramme à bandes avec les résultats de ton sondage.

Sondage auprès de tes camarades sur leur sport favori

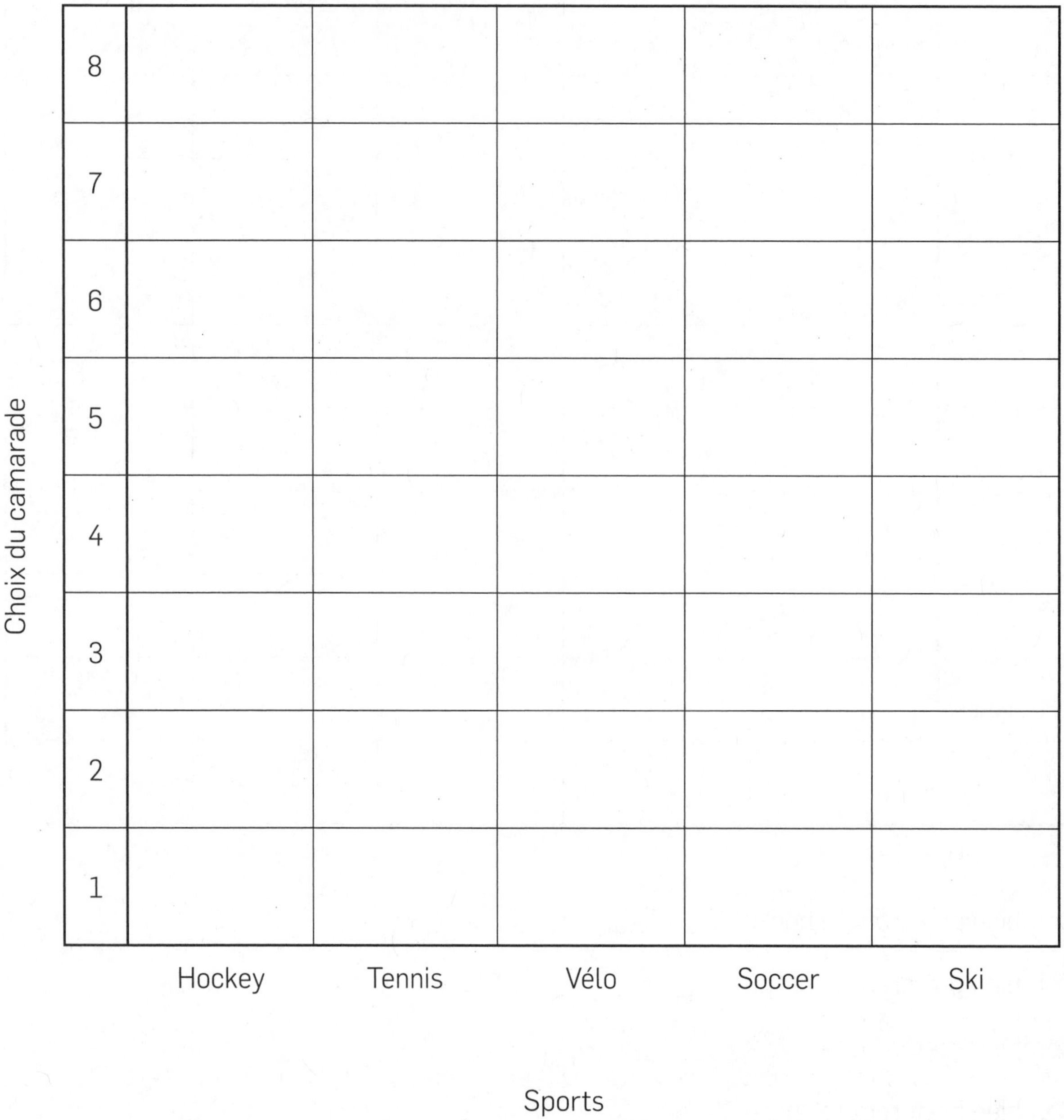

Choix du camarade	Hockey	Tennis	Vélo	Soccer	Ski
8					
7					
6					
5					
4					
3					
2					
1					

Sports

Probabilités

→ Test d'évaluation Test de suivi

1. Coche la case qui convient.

		Certain	Possible	Impossible
a)	Je suis capable de regarder un film.			
b)	Je suis capable de voler comme un oiseau.			
c)	Je suis capable de conduire un autobus scolaire.			
d)	Je suis capable de me gratter le nez.			
e)	Je suis capable de parler.			

2. Julie ne sait pas à quel groupe se joindre pour participer à un tirage entre les participants du groupe. Dans le groupe 1, il y a 12 participants et dans le groupe 2, il y a 24 participants.

Selon toi, dans lequel des groupes Julie a-t-elle le plus de chances de gagner le prix ?

____

Pourquoi ? ____

Résultat /7

1. Stéphane offre à Gaston de piger 2 cartes dans son paquet de 4 cartes. Illustre toutes les combinaisons possibles.

2. Lance 2 dés 9 fois de suite et note tes résultats.
Voici un exemple de ce que nous avons obtenu.

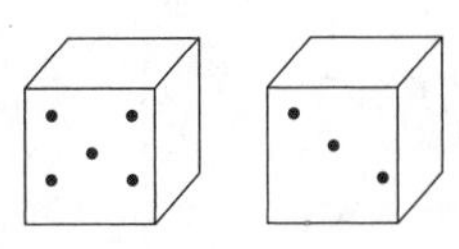
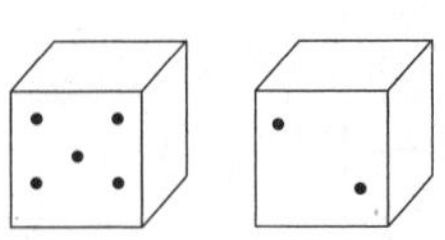
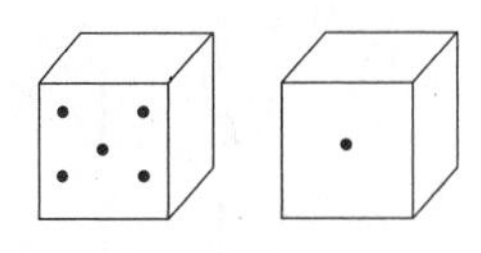

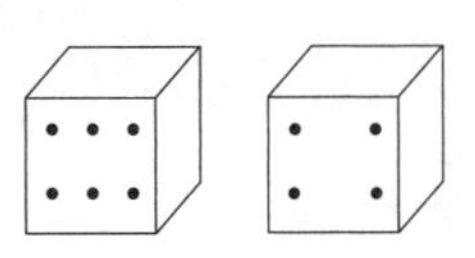
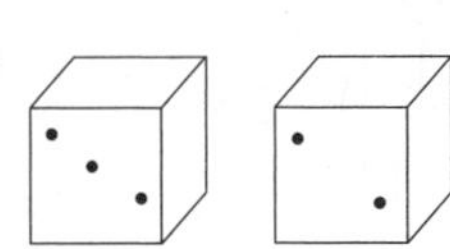
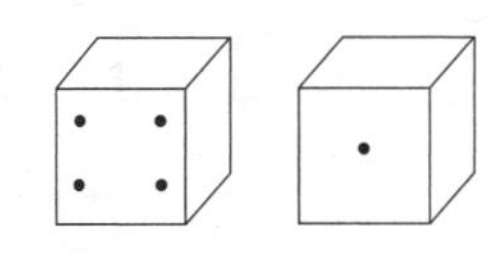

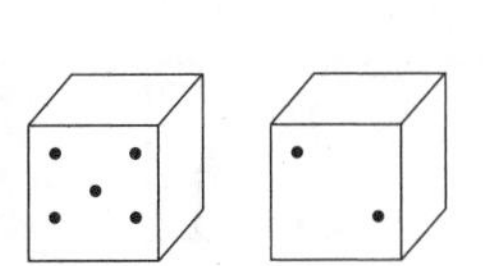
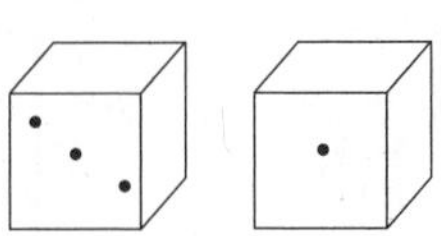
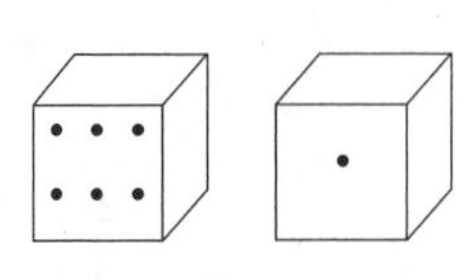

Que remarques-tu ? ____

3. Fais un X sur les illustrations qui sont impossibles.

a)

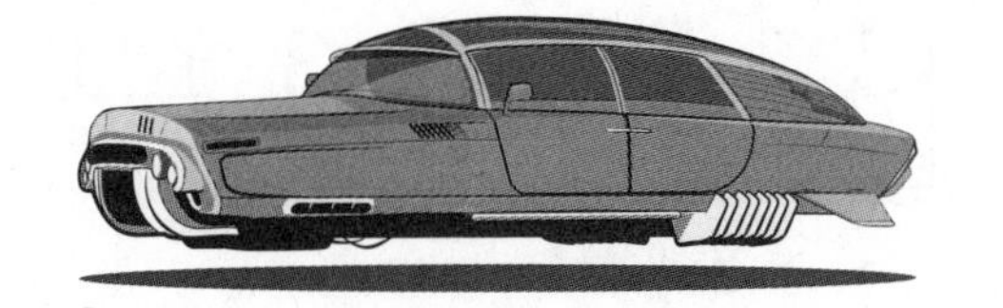

b)

c)

d)

4. Observe les rectangles suivants.

1

2	1	2	2	2	2	1	2
1	1	3	1	2	2	1	2
1	1	2	1	1	2	3	1

2

2	2	1	1	1	3	1	3
1	1	1	3	2	1	2	3
1	3	3	1	2	2	1	1

3

1	2	1	3	3	2	3	1
2	1	2	2	3	2	1	3
1	3	2	3	2	1	3	1

4

3	3	1	3	2	2	3	1
2	2	3	2	3	2	2	3
1	3	3	2	3	3	1	3

5

1	1	3	1	3	2	1	1
2	3	1	1	1	1	1	1
3	1	1	2	1	2	1	1

6

3	3	3	3	2	3	1	3
3	3	3	3	1	3	1	3
3	1	2	3	3	3	1	1

a) Combien de nombres contient chaque rectangle ? ____________________

b) Si tu veux avoir un 3, dans quel rectangle as-tu le plus de chances de le trouver ? _______

Le moins de chances de le trouver ? __________________

c) Dans quel rectangle as-tu le plus de chances de trouver un 1 ? __________

d) Dans quel rectangle as-tu autant de chances de trouver un 1 que de trouver un 2 ?

____

Probabilités

Test d'évaluation → **Test de suivi**

1. En te servant de jaune, de bleu et de noir, colorie les cercles suivants de façon que chaque série soit différente des autres.

2. Coche la case qui convient.

	Certain	Possible	Impossible
a) Je suis capable de visiter la planète Mercure.			
b) Je suis capable de boire 2 petits verres d'eau.			
c) Je suis capable de manger tout un bœuf au déjeuner.			
d) Je suis capable de réciter l'alphabet.			
e) Je suis capable de gagner une partie de carte.			

Résultat /11

1. Remplis les cases avec des situations de ton choix en respectant les X dans les colonnes.

	Certain	Possible	Impossible
		X	
	X		
			X
	X		
		X	
			X

2. Sur laquelle des cibles as-tu le plus de chances d'atteindre le milieu ?

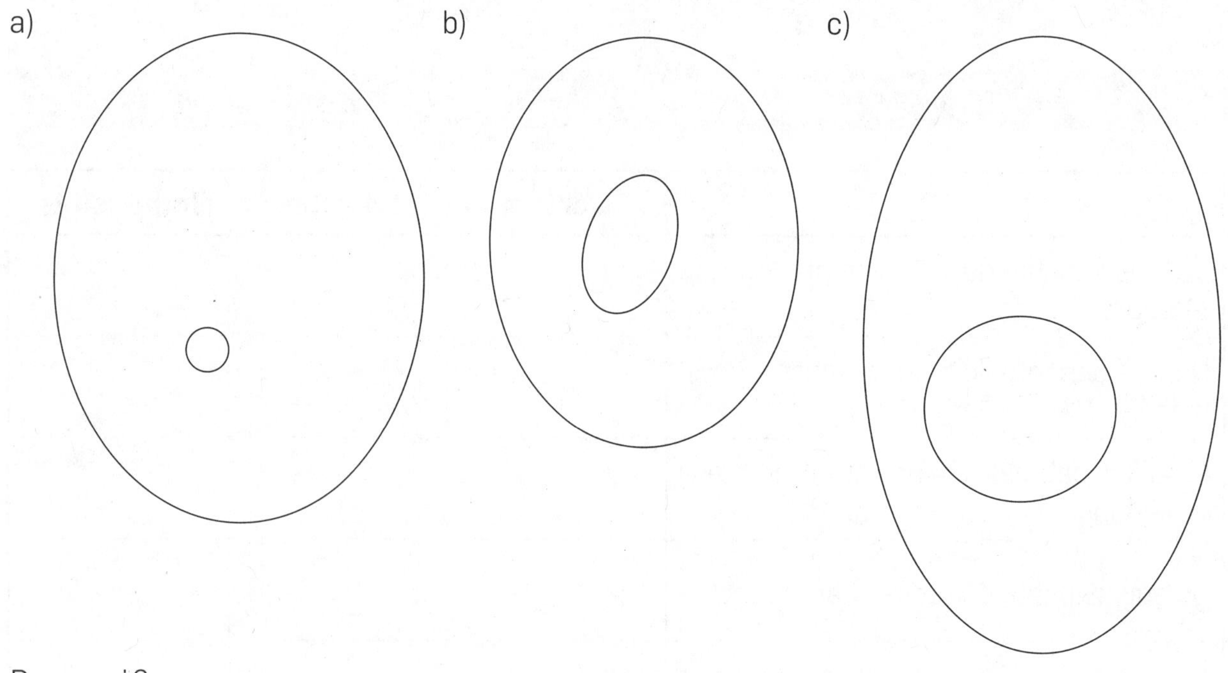

Pourquoi ? ____________________

français
mathématique
anglais

3. Trouve des combinaisons possibles avec 5, 4, 7 et 1:

a) Des combinaisons de 2 chiffres

_____ _____ _____ _____ _____ _____

_____ _____ _____ _____ _____ _____

b) Des combinaisons de 4 chiffres

_____ _____ _____ _____ _____ _____

_____ _____ _____ _____ _____ _____

c) Des combinaisons de 3 chiffres

_____ _____ _____ _____ _____ _____

_____ _____ _____ _____ _____ _____

4. Trouve des combinaisons possibles avec 6, 3, 2 et 4.

a) Des combinaisons de 2 chiffres

_____ _____ _____ _____ _____ _____

_____ _____ _____ _____ _____ _____

b) Des combinaisons de 4 chiffres

_____ _____ _____ _____ _____ _____

_____ _____ _____ _____ _____ _____

Révision

→ Test d'évaluation Test de suivi

1. Compare les nombres en écrivant <, > ou =.

a) 6947 ________ 7469 b) 4896 ________ 8956 c) 9125 ________ 5129

d) 4258 ________ 2584 e) 3695 ________ 2357 f) 8371 ________ 7813

2. Écris les nombres suivants en chiffres.

a) trois mille neuf cent quarante-neuf : ________________

b) six mille cinq cent quatre-vingt-dix-neuf : ________________

c) sept mille huit cent vingt et un : ________________

3. Trouve la valeur du ou des chiffres soulignés.

a) $14\underline{8}9$ ________ b) $\underline{7}892$ ________ c) $369\underline{8}$ ________

d) $9\underline{874}$ ________ e) $36\underline{97}$ ________ f) $\underline{97}81$ ________

4. Arrondis à la centaine près.

a) 4259 ________ b) 5173 ________ c) 3547 ________

d) 3541 ________ e) 3699 ________ f) 7412 ________

5. Réponds aux questions.

a) Combien y a-t-il d'unités dans 2148 ? ________________

b) Combien de centaines y a-t-il dans 3678 ? ________________

c) Quel chiffre est la position des unités dans 3479 ? ________________

d) Combien y a-t-il d'unités de mille dans 3698 ? ________________

6. Trouve la somme de chaque addition.

a) 394 + 68	b) 485 + 79	c) 836 + 377	d) 608 + 735
e) 1939 + 473	f) 1634 + 546	g) 2409 + 863	h) 3614 + 978
i) 4376 + 652	j) 4039 + 355	k) 5936 + 741	l) 7329 + 556
m) 9744 + 128	n) 6723 + 784	o) 5400 + 397	p) 6528 + 647
q) 8569 + 256	r) 7633 + 937	s) 9218 + 366	t) 8491 + 473

7. Trouve la différence de chaque soustraction en la décomposant.

Ex. :
```
  675 = 600 + 60 + 15
− 348   300 + 40 +  8
        300 + 20 +  7  = 327
```

a)
```
  826 = ____ + ____ + ____
− 453   ____   ____   ____
        ____   ____   ____ = ____
```

b)
```
  584 = ____ + ____ + ____
− 379   ____   ____   ____
        ____   ____   ____ = ____
```

c)
```
  706 = ____ + ____ + ____
− 533   ____   ____   ____
        ____   ____   ____ = ____
```

d)
```
  957 = ____ + ____ + ____
− 638   ____   ____   ____
        ____   ____   ____ = ____
```

e)
```
  815 = ____ + ____ + ____
− 264   ____   ____   ____
        ____   ____   ____ = ____
```

f)
```
  648 = ____ + ____ + ____
− 352   ____   ____   ____
        ____   ____   ____ = ____
```

g)
```
  496 = ____ + ____ + ____
− 137   ____   ____   ____
        ____   ____   ____ = ____
```

8. Trouve les chiffres manquants dans chaque équation.

a) 6□4 + 59□ = 1219

b) □76 - 35□ = 518

c) 349 + 3□4 = 72□

d) 7□3 - 466 = □87

e) 567 + 3□6 = □93

f) 908 - 67□ = 2□7

g) □82 + 46□ = 949

h) 6□9 - 28□ = 331

i) 749 + □72 = 13□1

j) 6□2 - 486 = 16□

k) 29□ + □47 = 646

l) 45□ - 1□5 = 255

m) □35 + 564 = 99□

n) 54□ - 2□6 = 267

o) 6□8 + □92 = 1270

p) 94□ - 786 = □61

q) 528 + 8□8 = 1□16

r) □27 - 651 = 1□6

s) 45□ + □63 = 1318

t) □83 - 25□ = 525

9. Trouve le produit de chaque multiplication.

Ex.: $\begin{array}{r} \overset{2}{8}5 \\ \times \ 4 \\ \hline 340 \end{array}$

a) $\begin{array}{r} 60 \\ \times \ 4 \\ \hline \end{array}$ b) $\begin{array}{r} 53 \\ \times \ 9 \\ \hline \end{array}$ c) $\begin{array}{r} 71 \\ \times \ 6 \\ \hline \end{array}$ d) $\begin{array}{r} 44 \\ \times \ 8 \\ \hline \end{array}$

e) $\begin{array}{r} 82 \\ \times \ 5 \\ \hline \end{array}$ f) $\begin{array}{r} 39 \\ \times \ 3 \\ \hline \end{array}$ g) $\begin{array}{r} 26 \\ \times \ 7 \\ \hline \end{array}$ h) $\begin{array}{r} 18 \\ \times \ 2 \\ \hline \end{array}$

10. Trouve le quotient de chaque division.

Ex.:

```
   270 |_5_
 - 25↓   54
   ---
    20
 -  20
   ---
     0
```

a) 82 | 2

b) 48 | 4

c) 78 | 6

d) 639 | 3

e) 258 | 6

f) 445 | 5

g) 576 | 8

h) 504 | 9

français mathématique anglais

11. Représente chaque nombre décimal en coloriant le nombre de cases approprié si chaque grille représente 1 unité.

a) 2,5

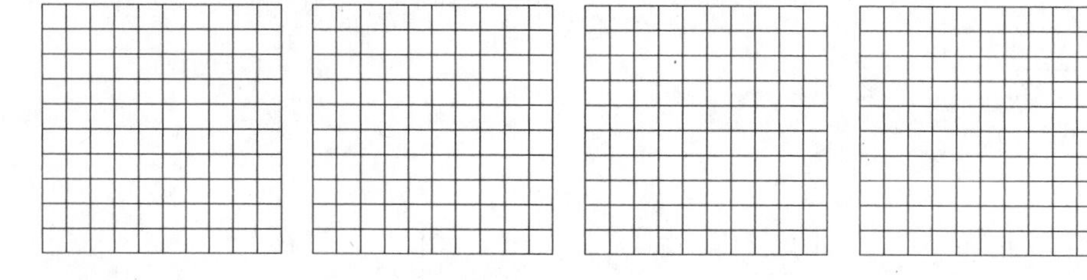

b) 1,48

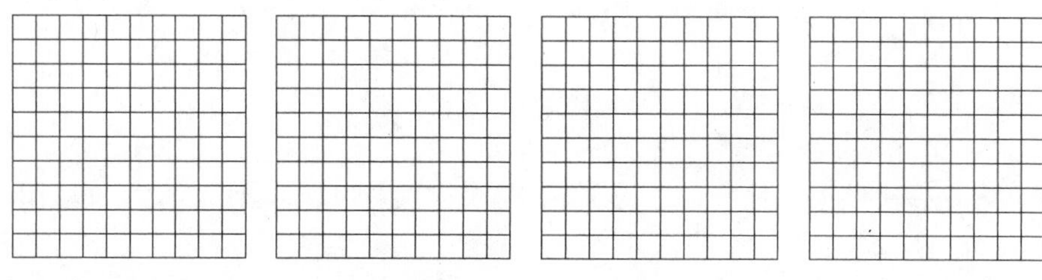

c) 3,73

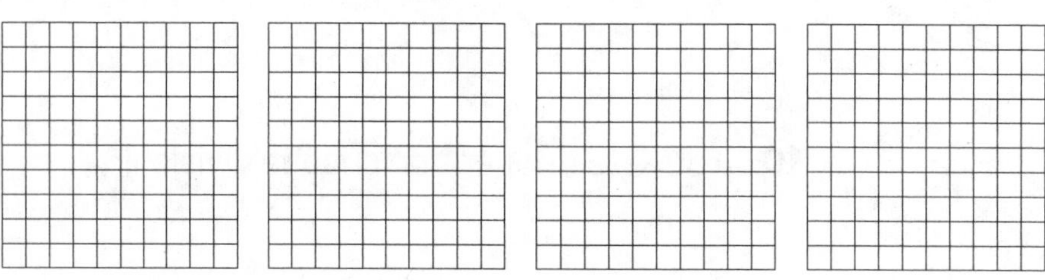

12. Trouve la fraction qui correspond aux parties coloriées.

a) 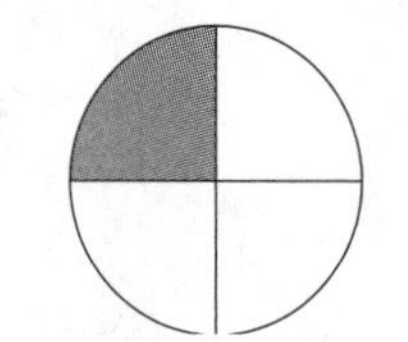

Fraction : ______

b) 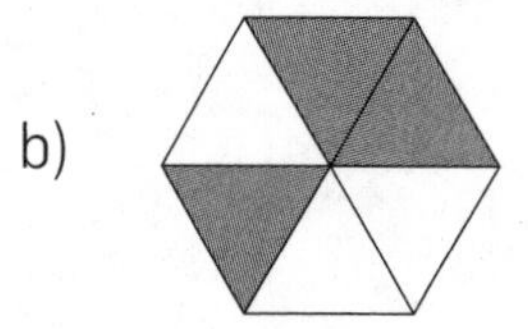

Fraction : ______

c) 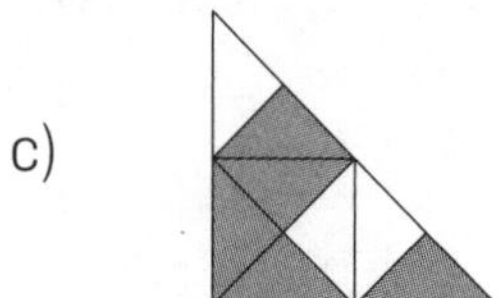

Fraction : ______

d) 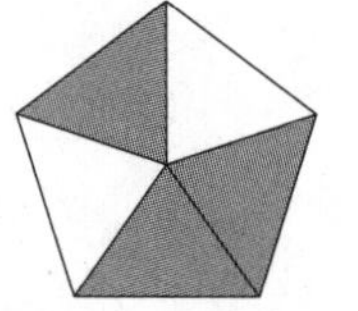

Fraction : ______

e) 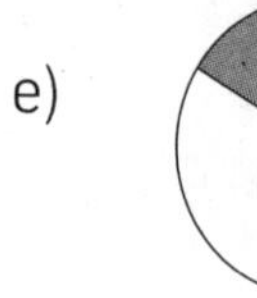

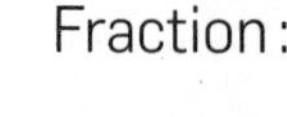

Fraction : ______

f)  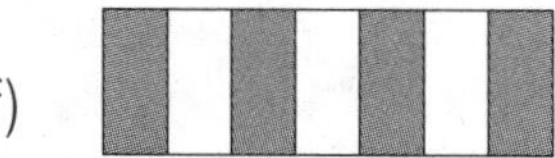

Fraction : ______

g) 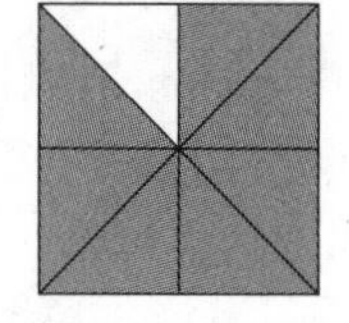

Fraction : ______

h)  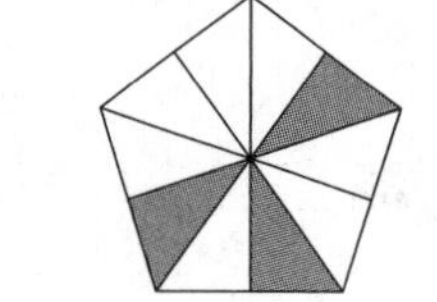

Fraction : ______

i)  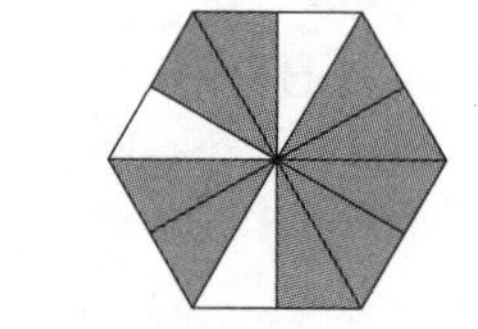

Fraction : ______

13. Décompose chaque tangram en y traçant avec ta règle des segments de droite afin d'obtenir les figures planes demandées.

a) 1 carré et 2 triangles

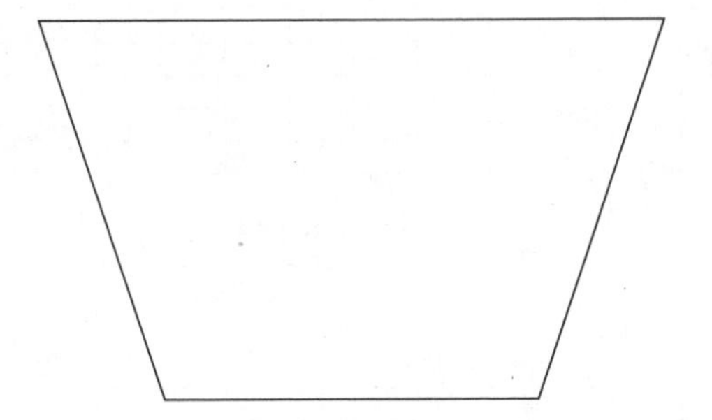

b) 2 triangles, 1 rectangle et 2 parallélogrammes

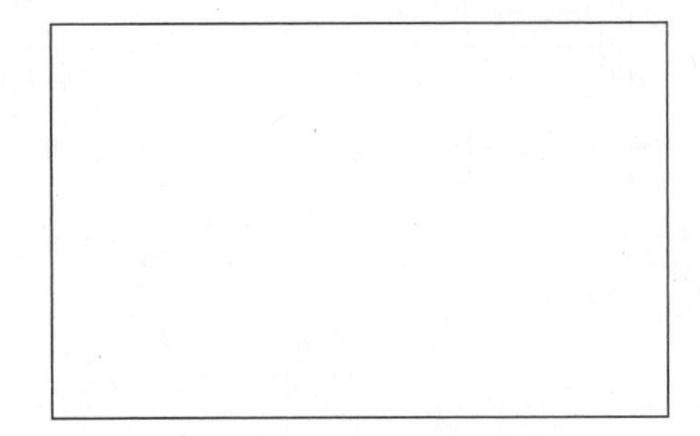

c) 3 carrés et 2 triangles

d) 2 rectangles et 2 triangles

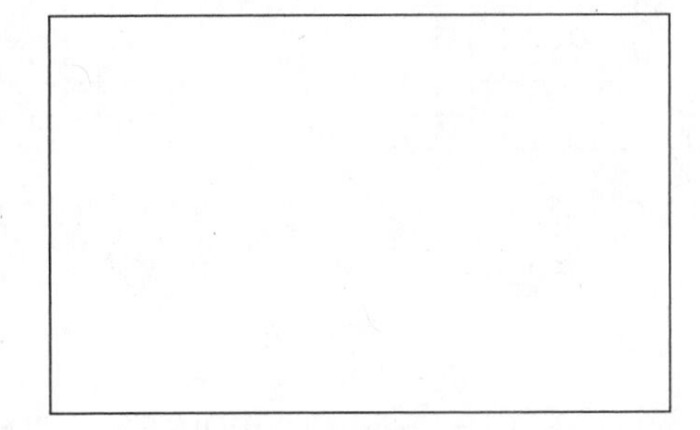

14. Sur chaque figure, surligne en vert les droites qui sont des axes de réflexion et en rouge les droites qui ne le sont pas.

a)

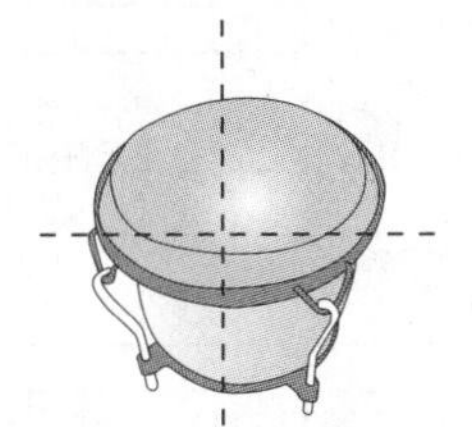

b)

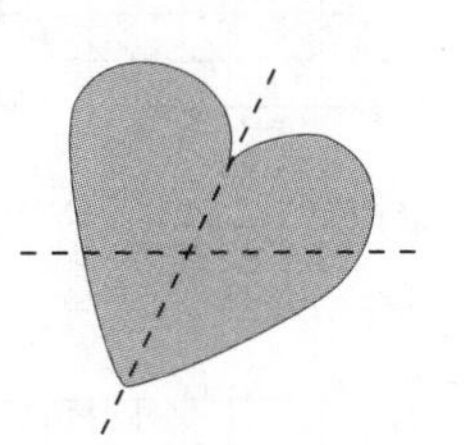

c)

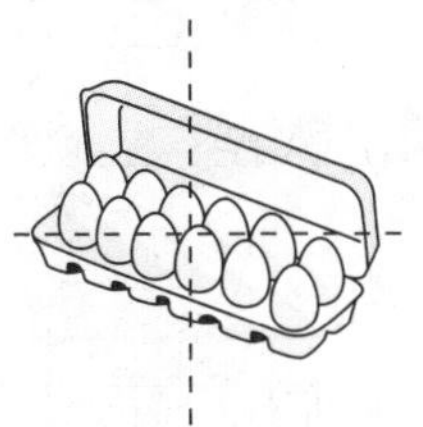

d)

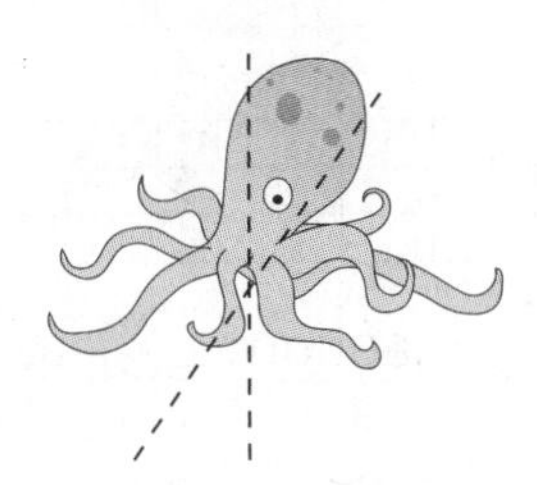

e)

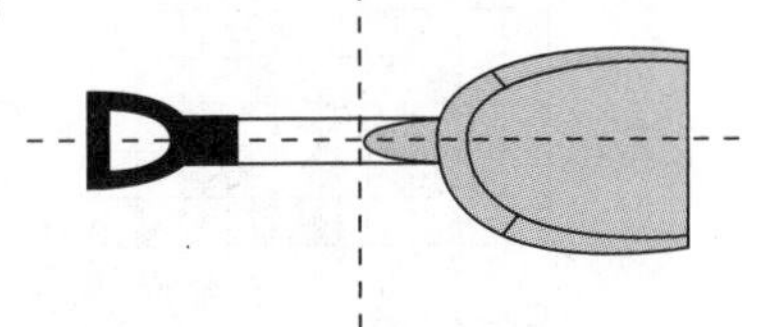

f)

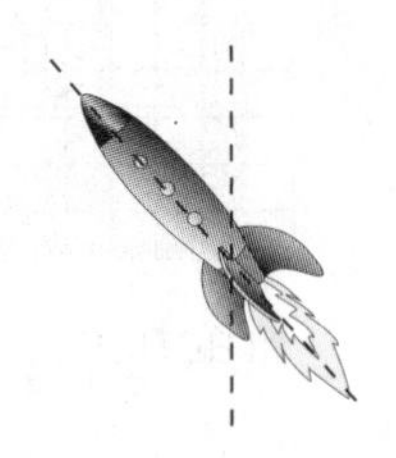

15. Calcule le périmètre des figures représentées par les parties ombragées.

a)

Périmètre :
_____ cases

b)

Périmètre :
_____ cases

c)

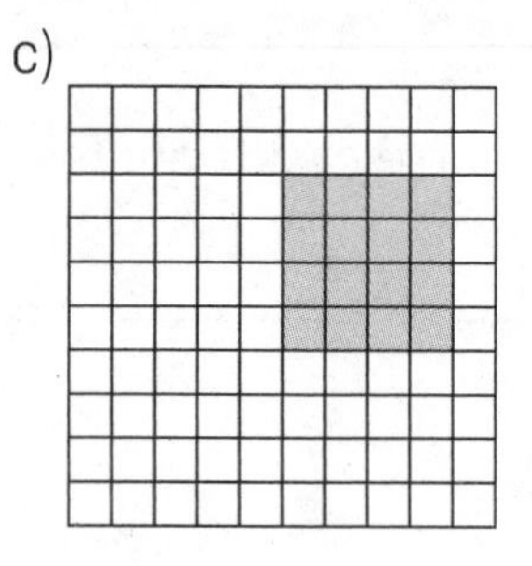

Périmètre :
_____ cases

d)

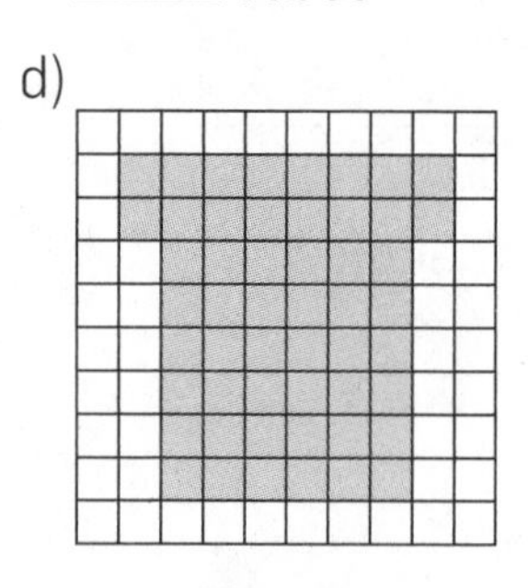

Périmètre :
_____ cases

e)

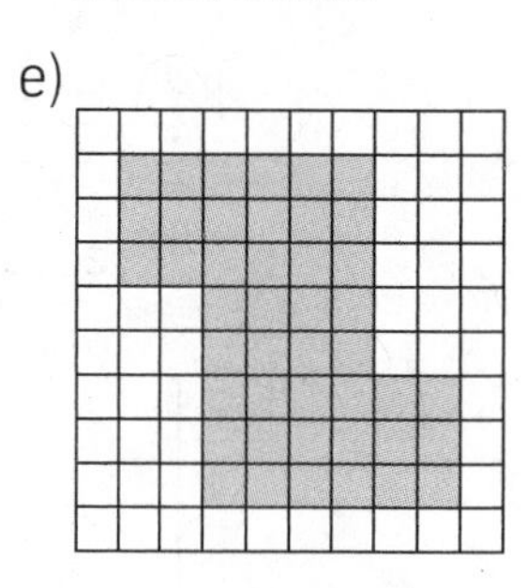

Périmètre :
_____ cases

f)

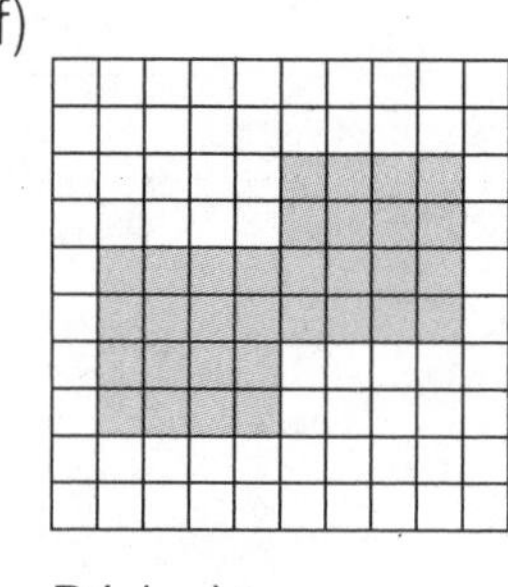

Périmètre :
_____ cases

16. Calcule l'aire des figures représentées par les parties ombragées.

a)

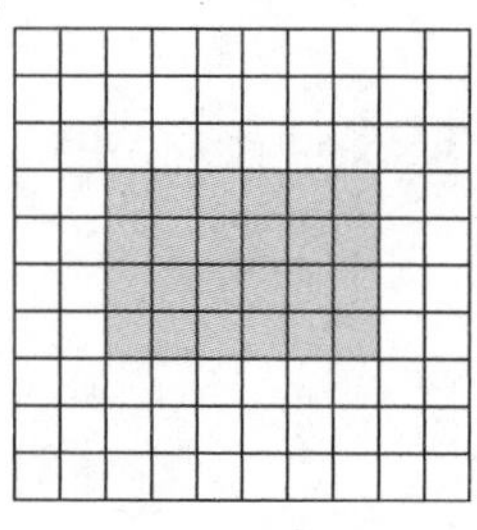

Aire : _____ cases

b)

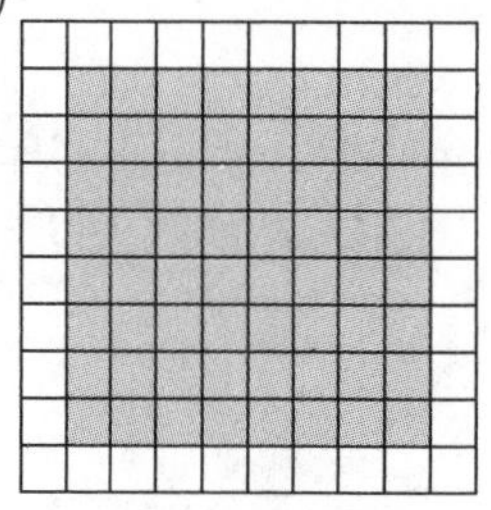

Aire : _____ cases

c)

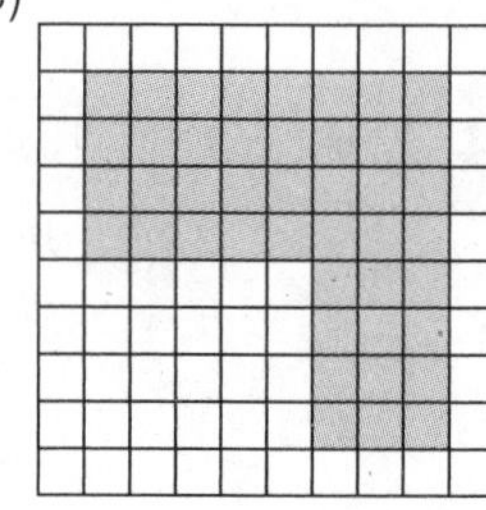

Aire : _____ cases

d)

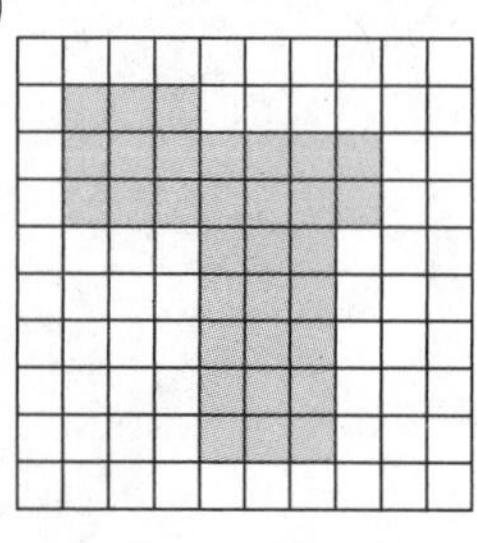

Aire : _____ cases

e)

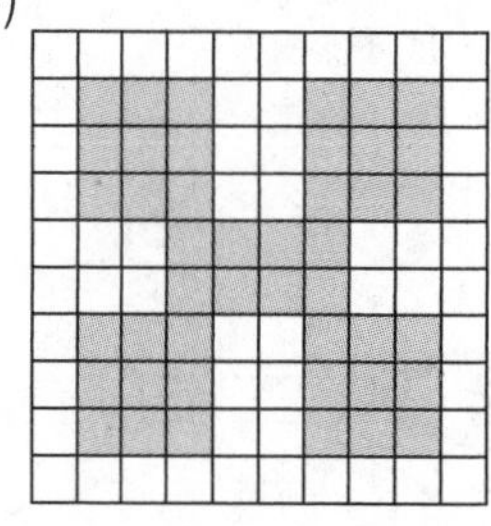

Aire : _____ cases

f)

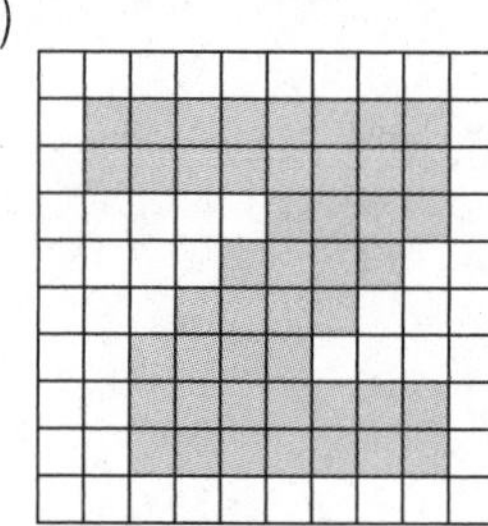

Aire : _____ cases

Colette Laberge

Anglais

Possessive and Contracted Forms, Pronouns, Articles, the Plural Form

→ Test d'évaluation Test de suivi

1. Rewrite the following sentences in the possessive form.

Example: The house of my mother is blue.
My mother's house is blue.

a) The bicycle of my sister is new.

____

b) The horses of the farmer are in the barn.

____

c) The car of my father is in the garage.

____

2. Complete each sentence with the correct pronoun.

Word bank	I	you	he	she	it	we	they

a) (third person plural) ______________ are in the classroom.

b) (first person singular) ______________ am the oldest in my family.

c) (third person singular) ______________ is the most popular girl in school.

d) (first person plural) ______________ are waiting for the bus.

3. Rewrite these words in the plural form.

a) snow ________ b) eraser ________ c) head ________

d) telephone ________ e) fox ________ f) camera ________

g) book ________ h) lady ________ i) friend ________

4. Rewrite these verbs in their contracted form.

a) I am: ________ b) You will do: ________ c) She did not: ________

Résultat /20

français mathématique anglais

1. Usually, the letter "s" is added to the end of a word to change it to the plural form. There are some exceptions. Use the word bank to help you write the plural form of the nouns below.

Word bank

babies boxes buses children crises families feet foxes knives men mice stories ~~potatoes~~ teeth wives wolves women

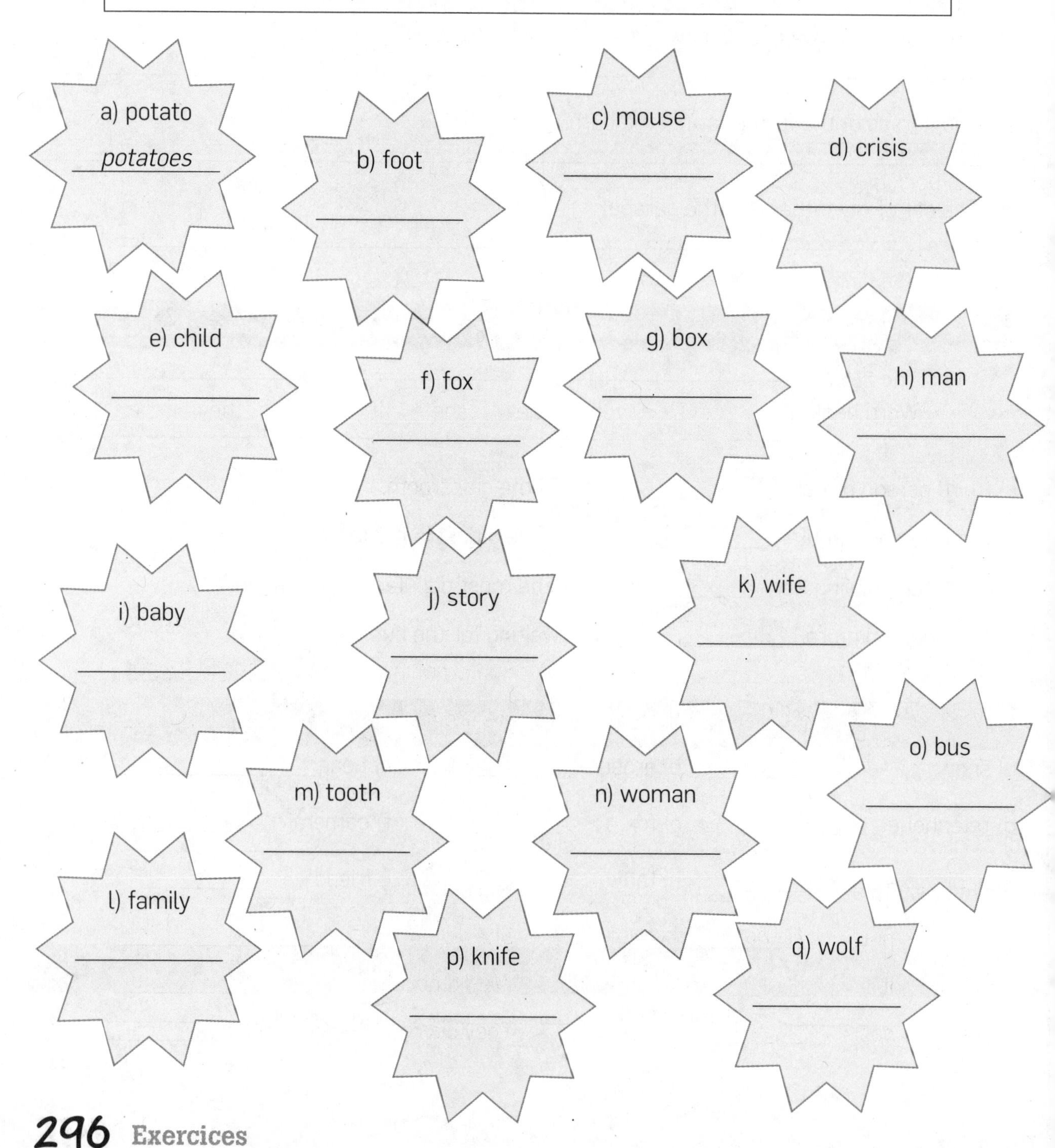

2. Rewrite the following sentences in the possessive form.

add 's

Examples: This is ~~the~~ house ~~of~~ my mother.

This is my mother's house.

add 's

This is ~~the~~ computer ~~of~~ my cousin.

This is my cousin's computer.

a) This is the cat of my friend.

____

b) The book of Nick is on the table.

____

c) This is the piano of Nathalie.

____

d) This is the dog of my best friend.

____

3. Rewrite these verbs in their contracted form.

a) I am = *I'm*

You are = *You're*

He is = ______

We are = ______

They are = ______

b) I am not = ______

You are not = *You aren't* or *you're not*

She is not = *She isn't* or *She's not*

We are not = ______

They are not = ______

c) I do not = *I don't*

You do not = ______

He does not = *He doesn't*

We do not = ______

They do not = ______

d) I did not = ______

You did not = ______

She did not = ______

We did not = ______

They did not = *They didn't*

français mathématique anglais

4. Fill in the blank with the correct pronoun.

a) **Roberto** (third person singular): ___*He*___ is not with us today.

b) **My new pants** (third person plural): ______________ are in my closet.

c) **Horses** (third person plural): ______________ are fast animals.

d) **My friend and I** (first person plural): __________ are hockey players.

e) **Dennis** (third person singular): ______________ is a good student.

f) (Second person singular): ______________ are from Maniwaki.

g) **Anthony and Tara** (third person plural): ________ are my brother and sister.

h) (First person singular): ______________ am watching TV.

i) **The moon** (third person singular): ______________ shines in the sky.

j) (Third person plural): ______________ are alone in the house.

k) (Second person singular): ______________ took a plane for Spain.

l) **The window** (third person singular): ______________ is open.

m) **Amber and Bianca** (third person plural): _____________ are singing a song.

n) **Dylan** (third person singular): ______________ looks like my brother.

o) (First person plural): ______________ are lost.

p) (First person singular): ______________ am in the gymnasium.

q) (Third person plural): ______________ are reading a book.

5. Write *a*, *an* or nothing at all in front of the following words.

a) _________ idea b) _________ bat c) _________ lemons

d) _________ computers e) _________ apple f) _________ orange

g) _________ sea otter h) _________ ovation i) _________ cup

Possessive and Contracted Forms, Pronouns, Articles, the Plural Form

Test d'évaluation → **Test de suivi**

1. Rewrite these verbs in their contracted form.

a) They do not: ________ b) I did not: ________ c) She is not: ________

d) I am not: ________ e) They are: ________ f) They will not: ________

2. Write *a, an* or nothing at all in front of the following words.

a) ________ drum b) ________ eraser c) ________ apology

d) ________ airplane e) ________ episode f) ________ friend

3. Rewrite the following sentences in the possessive form.

a) The new bicycle of Blake is cool.

____

b) The swimming pool of my friend is broken.

____

c) The turtles of the zoo are sick.

____

4. Write the correct pronoun next to each description.

a) Third person plural: ________ b) Second person plural: ________

c) Second person singular: ________ d) First person singular: ________

e) Third person singular: ________ f) First person plural: ________

5. Rewrite these words in the plural form.

a) pen: ________ b) page: ________ c) car: ________

d) story: ________ e) man: ________ f) team: ________

g) child: ________ h) tooth: ________ i) number: ________

Résultat /30

1. Write the correct pronoun.

a) You and I: ______ b) A book: ______ c) Mary: ______

d) A tree: ______ e) Sean and Zoe: ______ f) You and your sister: ______

2. Circle the correct answer.

a) a eagle
an eagle

b) a bottle
an bottle

c) a apron
an apron

d) a farm
an farm

e) a elephant
an elephant

f) a notebook
an notebook

g) a accident
an accident

h) a island
an island

i) a element
an element

j) a inspector
an inspector

k) a root
an root

l) a flower
an flower

m) a action
an action

n) a truck
an truck

o) a test
an test

p) a effort
an effort

q) a absence
an absence

r) a home
an home

s) a mountain
an mountain

français
mathématique
anglais

3. Rewrite these sentences using the contracted form of the underlined verbs.

Example: I do not live in your neighbourhood.

I don't live in your neighbourhood.

a) I am not your best friend.

b) They will not see a movie tonight.

c) We have not eaten dinner yet.

d) She has not seen her grandmother in two years.

e) She did not fix her broken bicycle.

f) I have not studied for my test yet.

g) You do not want to share your candy.

h) She is not ready to go out.

i) It is not my turn to speak in front of the class.

j) They do not want to play outside.

k) They did not answer the questions.

4. Rewrite these nouns in the plural form.

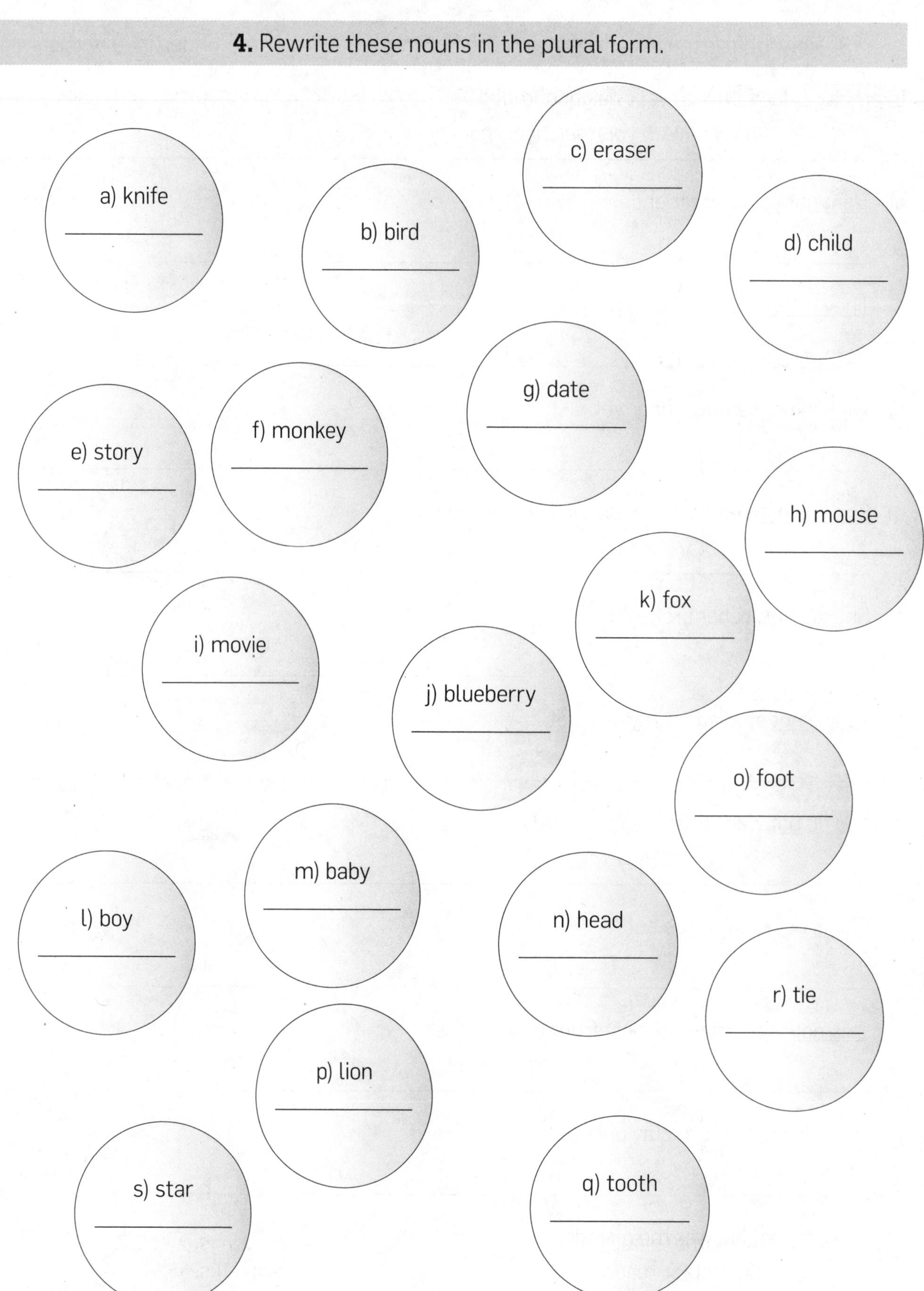

Verbs

→ Test d'évaluation Test de suivi

1. Circle the sentence that matches each picture.

a)

Mark plays hockey.
Mark pays for his book.

b)

The child thinks.
The child talks.

c)

The lady smiles.
The lady cries.

d)

The man walks.
The man runs.

e)

The boy sits.
The boy swims.

f)

Sarah drinks.
Sarah eats.

g)

The mother sleeps.
The mother reads.

h)

Rick sings.
Rick talks.

Résultat /8

1. Use the verbs in the word bank to complete the sentences below.

Word bank

cries listens pays puts skate slide takes walks watches writes

a)

The girl __________ for her book.

b)

The girl __________ because she is sad.

c)

The girl __________ TV.

d)

The boy __________ to music.

e)

My cousin __________ in his workbook.

f)

My brother __________ the dog.

g)

The boys __________ down the hill.

h)

My friends __________ on the ice rink.

2. Circle the verb in each sentence.

a)

Matthew throws his garbage in the can.

b)

Wyatt shivers.

c)

My father shovels the snow.

d)

Nathan fishes in the lake.

e)

My brother fell off his skateboard.

f)

Samuel plants flowers.

g)

Liam plays hockey.

h)

Jacob climbs the mountain.

3. Circle the verb in each list.

a)

basket skate shoes

b)

surf heart eye

c)

hay tray play

d)

cry sad baby

e)

smile squirrel moon

f)

clock tie minute

g)

shuffle elf short

h)

star brush red

Verbs

Test d'évaluation → **Test de suivi**

1. Circle the verb that matches the picture.

a) 

to jump to dance

b)

to read to plant

c)

to sneeze to play

d)

to wash to go

e)

to watch to celebrate

f)

to walk to sing

g)

to think to write

h)

to read to watch

Résultat /8

1. Use the verbs in the word bank to complete the sentences below.

Word bank

bakes	counts	cries	looks	loves
sits	skis	smiles	stands	waters

a)

The farmer ________________________
the number of animals.

b)

The grandmother ________________________
her grandson.

c)

The man ________________________
through a magnifying glass.

d)

Erin ________________________
the flowers.

e)

The pastry chef ________________________
delicious desserts.

f)

Brooke ________________________
on the sand.

g)

Maude ________________________
on the beach.

h)

Caleb ________________________
on the mountain.

2. Circle the verb in the sentence.

a)

Simon holds his baby girl.

b)

Riley talks a lot.

c)

James cooks a tasty supper.

d)

The lumberjack cuts a tree.

e)

The cat drinks milk.

f)

Lauren raises her hand.

g)

The lion-tamer pets the lion.

h)

Maya reads a book.

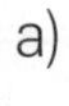

3. Circle the verb in each list.

a)

play child mother

b)

sheet shower they

c)

dog buy how

d)

sleep shoes funny

e)

winter move letter

f)

puck stick cook

g)

rise boy girl

h)

rake dog cat

i)

snowflake walk storm

j)

open apple orange

Verbs: Simple Present and Present Progressive

→ Test d'évaluation Test de suivi

1. Circle the verbs in simple present tense in the sentences below.

a) Isaac walks with Logan.

b) Adam rides his new bicycle.

c) Brad sends a postcard to his friend.

d) Sofia likes to watch old movies.

2. Place a check mark to indicate if each sentence is set in the past, the present or the future.

	Past (Yesterday)	Present (Today)	Future (Tomorrow)
a) Please, don't do that.	☐	☒	☐
b) Thomas was a great dancer when he was young.	☐	☐	☐
c) William will join us later this evening.	☐	☐	☐
d) My friends were at my birthday party yesterday.	☐	☐	☐
e) Emily went shopping last weekend.	☐	☐	☐
f) Jim watches a good movie.	☐	☐	☐
g) Gabrielle and Rachelle did their chores last night.	☐	☐	☐

3. Complete each sentence by writing the verb "to have" in the present progressive tense.

a) I'm ____________________ trouble with my homework.

b) They are ____________________ a party next week.

4. Complete each sentence by writing the verb "to be" in the simple present tense.

a) We ____________________ in the library.

b) She ____________________ my new friend.

Résultat /15

1. Conjugate the verbs in the simple present tense.

a) To be (Être)
I ___________
You ___________
He ___________
She ___________
It ___________
You ___________
We ___________
They ___________

b) To do (Faire)
I ___________
You ___________
He ___________
She ___________
It ___________
You ___________
We ___________
They ___________

c) To read (Lire)
I ___________
You ___________
He ___________
She ___________
It ___________
You ___________
We ___________
They ___________

d) To run (Courir)
I ___________
You ___________
He ___________
She ___________
It ___________
You ___________
We ___________
They ___________

e) To have (Avoir)
I ___________
You ___________
He ___________
She ___________
It ___________
You ___________
We ___________
They ___________

f) To play (Jouer)
I ___________
You ___________
He ___________
She ___________
It ___________
You ___________
We ___________
They ___________

g) To love (Aimer)
I ___________
You ___________
He ___________
She ___________
It ___________
You ___________
We ___________
They ___________

h) To look (Regarder)
I ___________
You ___________
He ___________
She ___________
It ___________
You ___________
We ___________
They ___________

i) To go (Aller)
I ___________
You ___________
He ___________
She ___________
It ___________
You ___________
We ___________
They ___________

2. Conjugate the verbs in the present progressive tense.

a) To be (Être)

I ______________
You ______________
He ______________
She ______________
It ______________
You ______________
We ______________
They ______________

b) To do (Faire)

I ______________
You ______________
He ______________
She ______________
It ______________
You ______________
We ______________
They ______________

c) To read (Lire)

I ______________
You ______________
He ______________
She ______________
It ______________
You ______________
We ______________
They ______________

d) To run (Courir)

I ______________
You ______________
He ______________
She ______________
It ______________
You ______________
We ______________
They ______________

e) To have (Avoir)

I ______________
You ______________
He ______________
She ______________
It ______________
You ______________
We ______________
They ______________

f) To play (Jouer)

I ______________
You ______________
He ______________
She ______________
It ______________
You ______________
We ______________
They ______________

g) To love (Aimer)

I ______________
You ______________
He ______________
She ______________
It ______________
You ______________
We ______________
They ______________

h) To look (Regarder)

I ______________
You ______________
He ______________
She ______________
It ______________
You ______________
We ______________
They ______________

i) To go (Aller)

I ______________
You ______________
He ______________
She ______________
It ______________
You ______________
We ______________
They ______________

3. Conjugate the verb in brackets in the simple present tense.

a) I (to be) ___*am*___ your new art teacher.

b) You (to have) ________________ a very nice cat.

c) We (to love) ________________ playing with you.

d) She (to paint) ________________ nice pictures.

e) It (to run) ________________ faster than a rabbit.

f) They (to talk) ________________ on the phone every night.

g) Gabriel and I (to read) ________________ a book on astronomy.

h) He (to write) ________________ a letter to his grandmother.

i) Anna (to go) ________________ to the pediatrician every year.

4. Conjugate the verb in brackets in the present progressive tense.

a) They (to dream) ___*are dreaming*___ of becoming rock stars.

b) Andrew (to have)________________ a bad day.

c) My cousin Arianna (to love) ________________ her new job.

d) We (to do)________________ our homework.

e) I (to run) ________________ for first place.

f) You (to talk) ________________ to my parents.

g) Mom (to read) ________________ in her bedroom.

h) He (to write) ________________ a long story about a fairy.

Verbs: Simple Present and Present Progressive

Test d'évaluation → Test de suivi

1. Circle the verbs in the simple present tense in the sentences below.

a) Mary eats pizza every Friday.

b) Robert is a fast runner.

c) Justin wants an apple.

d) Bianca has a new coat.

2. Place a check mark to indicate if each sentence is set in the past, the present or the future.

	Past (Yesterday)	Present (Today)	Future (Tomorrow)
a) I am a good dancer.	☐	☐	☐
b) Laura was with us yesterday.	☐	X	☐
c) Susan is reading a book at this moment.	☐	☐	☐
d) They gave a present to their father last week.	☐	☐	☐
e) Claudio will go to Italy next year.	☐	☐	☐
f) Benjamin wrote a letter last night.	☐	☐	☐
g) I'm leaving the house.	☐	☐	☐

3. Complete each sentence by writing the verb "to read" in the present progressive tense.

a) She ____________________ a book on history.

b) We ____________________ in the library.

4. Complete each sentence by writing the verb "to do" in the simple present tense.

a) I ____________________ my homework.

b) He ____________________ his chores.

Résultat 

1. Conjugate the verbs in the simple present tense.

a) To walk (Marcher)
I ____________
You ____________
He ____________
She ____________
It ____________
You ____________
We ____________
They ____________

b) To eat (Manger)
I ____________
You ____________
He ____________
She ____________
It ____________
You ____________
We ____________
They ____________

c) To drink (Boire)
I ____________
You ____________
He ____________
She ____________
It ____________
You ____________
We ____________
They ____________

d) To study (Étudier)
I ____________
You ____________
He ____________
She ____________
It ____________
You ____________
We ____________
They ____________

e) To want (Vouloir)
I ____________
You ____________
He ____________
She ____________
It ____________
You ____________
We ____________
They ____________

f) To clean (Nettoyer)
I ____________
You ____________
He ____________
She ____________
It ____________
You ____________
We ____________
They ____________

g) To open (Ouvrir)
I ____________
You ____________
He ____________
She ____________
It ____________
You ____________
We ____________
They ____________

h) To close (Fermer)
I ____________
You ____________
He ____________
She ____________
It ____________
You ____________
We ____________
They ____________

i) To swim (Nager)
I ____________
You ____________
He ____________
She ____________
It ____________
You ____________
We ____________
They ____________

2. Conjugate the verbs in the present progressive tense.

a) To walk (Marcher)
I ____________
You ____________
He ____________
She ____________
It ____________
You ____________
We ____________
They ____________

b) To eat (Manger)
I ____________
You ____________
He ____________
She ____________
It ____________
You ____________
We ____________
They ____________

c) To drink (Boire)
I ____________
You ____________
He ____________
She ____________
It ____________
You ____________
We ____________
They ____________

d) To study (Étudier)
I ____________
You ____________
He ____________
She ____________
It ____________
You ____________
We ____________
They ____________

e) To want (Vouloir)
I ____________
You ____________
He ____________
She ____________
It ____________
You ____________
We ____________
They ____________

f) To clean (Nettoyer)
I ____________
You ____________
He ____________
She ____________
It ____________
You ____________
We ____________
They ____________

g) To open (Ouvrir)
I ____________
You ____________
He ____________
She ____________
It ____________
You ____________
We ____________
They ____________

h) To close (Fermer)
I ____________
You ____________
He ____________
She ____________
It ____________
You ____________
We ____________
They ____________

i) To swim (Nager)
I ____________
You ____________
He ____________
She ____________
It ____________
You ____________
We ____________
They ____________

3. Look at the illustrations below and complete each sentence by writing the verb in the present simple tense and the simple progressive tense. Use the word bank for help.

Example: ( ) To brush

The boy *brushes* his teeth.

The boy *is brushing* his teeth.

Word bank: To play | To read | To drink | To walk | To open | To look

a)

Zoe *walks* in the rain.

Zoe *is walking* in the rain.

b)

My father ____________ his tool box.

My father ____________ his tool box.

c)

My friends ____________ on the bed.

My friends ____________ on the bed.

d)

Julie ____________ a book.

Julie ____________ a book.

e)

The cat ____________ milk.

The cat ____________ milk.

f)

The man ____________ through a magnifying glass.

The man ____________ through a magnifying glass.

Verbs: Simple Past and Future

→ Test d'évaluation Test de suivi

1. Place a check mark to indicate if the verb in each sentence is in the simple past tense or in the future tense.

	Simple Past	Future
a) Parker had a cold last week.	X	
b) The horse ate a carrot yesterday.		
c) The rabbit will sneak into the garden tonight.		
d) I bought a computer this morning.		
e) I will call my cousin tonight.		
f) The principal was sick yesterday.		
g) My parents will pay for my new video game.		
h) My father got his driver's licence when he was 16.		
i) You will be the next one on the list.		
j) We will build a tree house.		

2. Write the simple past form of each verb to complete these sentences. Use the word bank for help.

Word bank	made got looked loved played ran was

a) David (to be) ______________ a football player years ago.

b) They (to make) ______________ a lot of noise last night.

c) She (to run) ______________ the Boston Marathon.

d) Tristan (to get) ______________ a snowboard for Christmas.

e) We (to play) ______________ with our friends last night.

f) You (to love) ______________ the supper that your parents made.

g) I (to look) ______________ in the dictionary for a definition.

Résultat /17

Verbs: Simple Past and Future

1. Conjugate these verbs in the simple past tense.

a) To be (Être)

I ____________
You ____________
He ____________
She ____________
It ____________
You ____________
We ____________
They ____________

b) To do (Faire)

I ____________
You ____________
He ____________
She ____________
It ____________
You ____________
We ____________
They ____________

c) To read (Lire)

I ____________
You ____________
He ____________
She ____________
It ____________
You ____________
We ____________
They ____________

d) To run (Courir)

I ____________
You ____________
He ____________
She ____________
It ____________
You ____________
We ____________
They ____________

e) To have (Avoir)

I ____________
You ____________
He ____________
She ____________
It ____________
You ____________
We ____________
They ____________

f) To play (Jouer)

I ____________
You ____________
He ____________
She ____________
It ____________
You ____________
We ____________
They ____________

g) To love (Aimer)

I ____________
You ____________
He ____________
She ____________
It ____________
You ____________
We ____________
They ____________

h) To look (Regarder)

I ____________
You ____________
He ____________
She ____________
It ____________
You ____________
We ____________
They ____________

i) To go (Aller)

I ____________
You ____________
He ____________
She ____________
It ____________
You ____________
We ____________
They ____________

2. Conjugate these verbs in the future tense.

a) To be (Être)

I ____________
You ____________
He ____________
She ____________
It ____________
You ____________
We ____________
They ____________

b) To do (Faire)

I ____________
You ____________
He ____________
She ____________
It ____________
You ____________
We ____________
They ____________

c) To read (Lire)

I ____________
You ____________
He ____________
She ____________
It ____________
You ____________
We ____________
They ____________

d) To run (Courir)

I ____________
You ____________
He ____________
She ____________
It ____________
You ____________
We ____________
They ____________

e) To have (Avoir)

I ____________
You ____________
He ____________
She ____________
It ____________
You ____________
We ____________
They ____________

f) To play (Jouer)

I ____________
You ____________
He ____________
She ____________
It ____________
You ____________
We ____________
They ____________

g) To love (Aimer)

I ____________
You ____________
He ____________
She ____________
It ____________
You ____________
We ____________
They ____________

h) To look (Regarder)

I ____________
You ____________
He ____________
She ____________
It ____________
You ____________
We ____________
They ____________

i) To go (Aller)

I ____________
You ____________
He ____________
She ____________
It ____________
You ____________
We ____________
They ____________

3. Place these verbs in the correct column.

I took	We gave	She did	We will dance
I read	You will love	I will drink	They will walk
You will learn	I will close	We opened	They drank

Yesterday (Past)	Tomorrow (Future)

4. Write the verb "to go" in the simple past tense to complete the following sentences.

a) I ____________________ to Toronto yesterday.

b) You ____________________ to the gas station this morning.

c) He ____________________ in the pool with his friends.

d) We ____________________ in the woods.

e) They ____________________ to the park.

5. Write the verb "to be" in the future tense to complete the following sentences.

a) I ____________________ in New York next week.

b) You ____________________ the only participant in your category.

c) She ____________________ the witch in the play.

d) We ____________________ at the restaurant at 7 o'clock.

e) They ____________________ late for supper.

Verbs: Simple Past and Future

Test d'évaluation → **Test de suivi**

1. Place a check mark to indicate if the verb in each sentence is in the simple past tense or in the future tense.

	Past	Future
a) It will be a beautiful day.	☐	☐
b) Carter loved the movie.	☐	☐
c) Alexis will eat at the cafeteria.	☐	☐
d) Jonah sang a song last night.	☐	☐
e) They will take the bus.	☐	☐
f) Nicole and Samantha watched a movie.	☐	☐
g) Lucas will play soccer next summer.	☐	☐
h) The birds will fly south in the fall.	☐	☐
i) The leaves fell to the ground.	☐	☐
j) Addison will study hard for her test.	☐	☐

2. Conjugate the verb in brackets in the future tense.

a) My sister (to have) ______________ a horse for her birthday.

b) They (to be) ______________ at the concert tonight.

c) My brother (to go) ______________ with me.

d) They (to listen) ______________ carefully.

e) Liam (to read) ______________ in front of an audience.

f) He (to say) ______________ the winner's name.

g) Madeline (to write) ______________ all the names in her notebook.

h) I (to look) ______________ for a new CD player.

Résultat /18

1. Conjugate the verbs in the simple past tense.

a) To walk (Marcher)

I ____________
You ____________
He ____________
She ____________
It ____________
You ____________
We ____________
They ____________

b) To eat (Manger)

I ____________
You ____________
He ____________
She ____________
It ____________
You ____________
We ____________
They ____________

c) To drink (Boire)

I ____________
You ____________
He ____________
She ____________
It ____________
You ____________
We ____________
They ____________

d) To study (Étudier)

I ____________
You ____________
He ____________
She ____________
It ____________
You ____________
We ____________
They ____________

e) To want (Vouloir)

I ____________
You ____________
He ____________
She ____________
It ____________
You ____________
We ____________
They ____________

f) To clean (Nettoyer)

I ____________
You ____________
He ____________
She ____________
It ____________
You ____________
We ____________
They ____________

g) To open (Ouvrir)

I ____________
You ____________
He ____________
She ____________
It ____________
You ____________
We ____________
They ____________

h) To close (Fermer)

I ____________
You ____________
He ____________
She ____________
It ____________
You ____________
We ____________
They ____________

i) To swim (Nager)

I ____________
You ____________
He ____________
She ____________
It ____________
You ____________
We ____________
They ____________

2. Conjugate the verbs in the future tense.

a) To walk (Marcher)
I ______________
You ______________
He ______________
She ______________
It ______________
You ______________
We ______________
They ______________

b) To eat (Manger)
I ______________
You ______________
He ______________
She ______________
It ______________
You ______________
We ______________
They ______________

c) To drink (Boire)
I ______________
You ______________
He ______________
She ______________
It ______________
You ______________
We ______________
They ______________

d) To study (Étudier)
I ______________
You ______________
He ______________
She ______________
It ______________
You ______________
We ______________
They ______________

e) To want (Vouloir)
I ______________
You ______________
He ______________
She ______________
It ______________
You ______________
We ______________
They ______________

f) To clean (Nettoyer)
I ______________
You ______________
He ______________
She ______________
It ______________
You ______________
We ______________
They ______________

g) To open (Ouvrir)
I ______________
You ______________
He ______________
She ______________
It ______________
You ______________
We ______________
They ______________

h) To close (Fermer)
I ______________
You ______________
He ______________
She ______________
It ______________
You ______________
We ______________
They ______________

i) To swim (Nager)
I ______________
You ______________
He ______________
She ______________
It ______________
You ______________
We ______________
They ______________

3. Look at the illustrations below and complete each sentence by writing the verb in the future tense and in the simple past tense. Use the word bank for help.

Example: () To brush

The boy ___*will brush*___ his teeth.
The boy ___*brushed*___ his teeth.

Word bank

will dance, danced	will give, gave	will kiss, kissed
will sing, sang	will sleep, slept	will swim, swam

a)

He ________________ in the swimming pool.
He ________________ in the swimming pool.

b)

Tyler ________________ in his bed.
Tyler ________________ in his bed.

c)

Damian ________________ a song.
Damian ________________ a song.

d)

Ava and Zoe ________________ with me.
Ava and Zoe ________________ with me.

e)

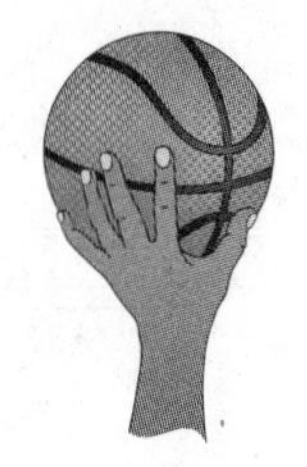

She ________________ me a ball.
She ________________ me a ball.

f)

Lucy and Jack ________________ each other.
Lucy and Jack ________________ each other.

Sports, Chores and Hobbies

→ Test d'évaluation Test de suivi

1. Use the word bank to help you write the name of each activity.

Word bank

flying a kite	collecting rocks	bird-watching
scrapbooking	skipping rope	playing guitar

a)  ____________

b)  ____________

c)  ____________

d)  ____________

e)  ____________

f)  ____________

2. Use the word bank to help you write the name of each sport.

Word bank

basketball	fencing	horseback riding
snowshoeing	tennis	water polo

a)  ____________

b) 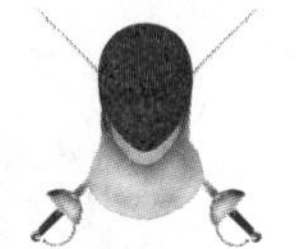 ____________

c)  ____________

d)  ____________

e)  ____________

f)  ____________

3. Use the word bank to help you write the chore in each picture.

Word bank

shovelling the snow	picking up the toys	emptying the dishwasher

a)  ____________

b)  ____________

c)  ____________

français

mathématique

anglais

Résultat /15

Exercices | **Sports, Chores and Hobbies**

1. Use the word bank to help you write the name of each sport.

Word bank

swimming soccer snowboarding skiing hockey skateboarding gymnastics golf football diving boxing basketball

a) 

____

b) 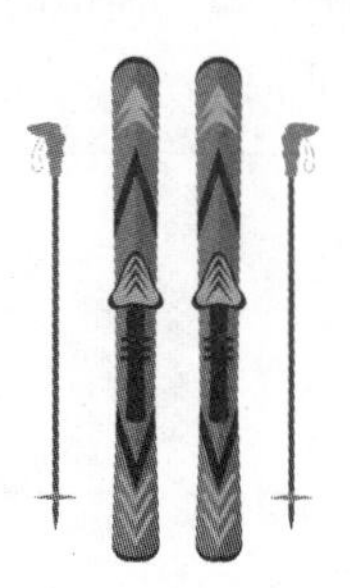

____

c) 

____

d) 

____

e) 

____

f) 

____

g) 

____

h) 

____

i) 

____

j) 

____

k) 

____

l) 

____

2. Write the correct picture number next to the name of each chore.

a) Wash the dishes. _______

4)

3)

b) Empty the dishwasher. _______

c) Sweep the floor. _______

1)

d) Rake the leaves. _______

6)

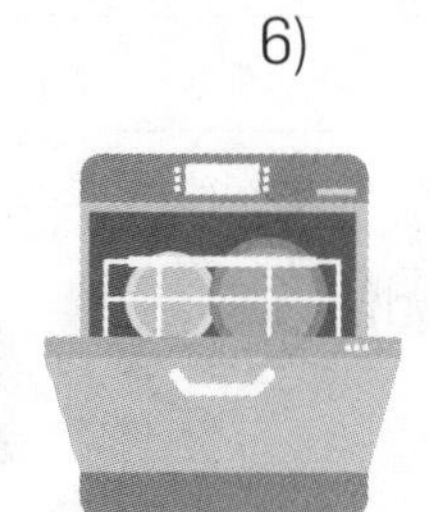

e) Set the table. _______

f) Dust the furniture _______

7)

g) Shovel the driveway. _______

h) Make your bed. _______

i) Clean your room. _______

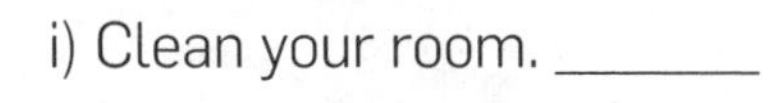

9)

5)

2)

8)

3. Write the name of each activity under the correct picture.

Word bank

acting — going for a bike ride — playing a board game — camping — collecting hockey cards — cooking — playing dominoes — listening to music — playing piano — singing — playing snakes and ladders — watching television

a) 

____

b) 

____

c) 

____

d) 

____

e) 

____

f) 

____

g) 

____

h) 

____

i) 

____

j) 

____

k) 

____

l) 

____

Sports, Chores and Hobbies

Test d'évaluation → Test de suivi

1. Use the word bank to help you write the name of each activity.

Word bank: playing chess · playing cards · reading · going to the movies · dancing · putting together a puzzle

a)  ____________

b)  ____________

c)  ____________

d)  ____________

e)  ____________

f)  ____________

2. Use the word bank to help you write the name of each sport.

Word bank: baseball · boxing · hockey · running · skiing · swimming

a)  ____________

b)  ____________

c)  ____________

d) 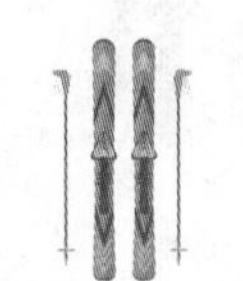 ____________

e)  ____________

f) 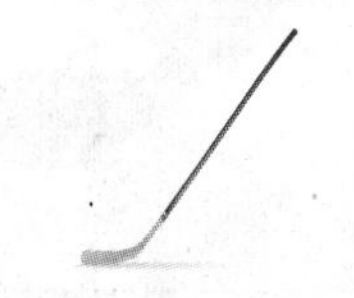 ____________

3. Use the word bank to help you write the chore in each picture.

Word bank: making the bed · vacuuming · washing the dishes

a)   ____________

b)   ____________

c)   ____________

Résultat /15

1. Write the name of the activity below each image. Look at the word bank for help.

Word bank	collecting stamps dancing fishing playing chess playing cards playing a computer game playing a video game reading sewing singing skipping rope snowboarding

a) 

____

b) 

____

c) 

____

d) 

____

e) 

____

f) 

____

g) 

____

h) 

____

i) 

____

j) 

____

k) 

____

l) 

____

2. Write the name of the sport under the matching piece of equipment.
Look at the word bank for help.

Word bank

skating	horseback riding	weightlifting	tennis	hockey	
baseball	fencing	skiing	football	boxing	soccer	bowling

a) 

____

b) 

____

c) 

____

d) 

____

e) 

____

f) 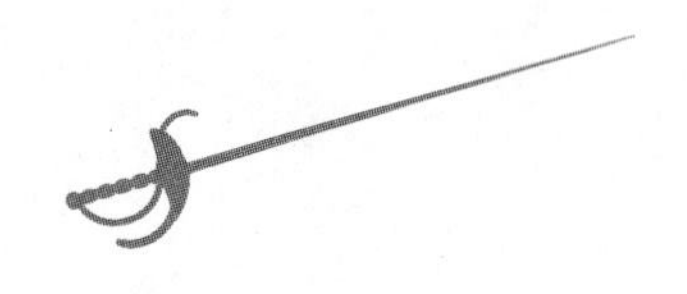

____

g) 

____

h) 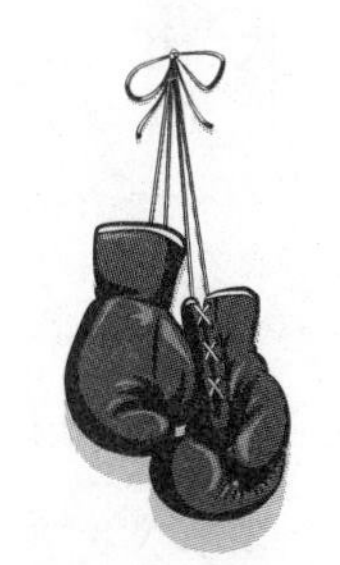

____

i) 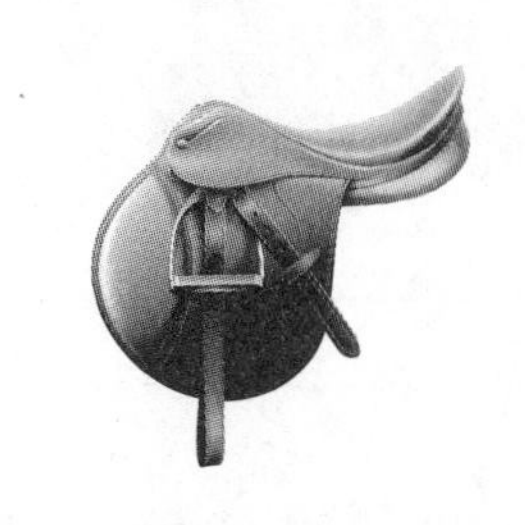

____

j) 

____

k) 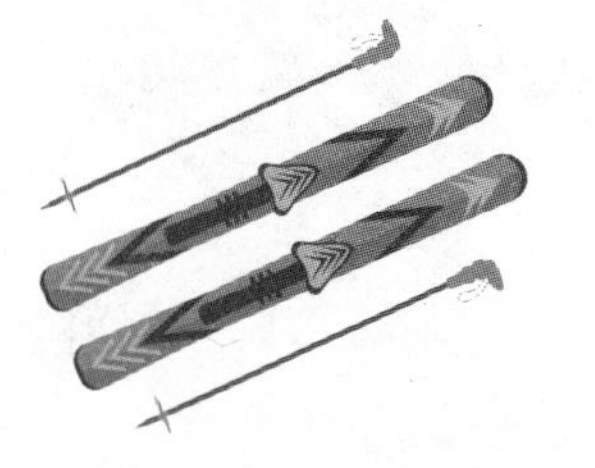

____

l) 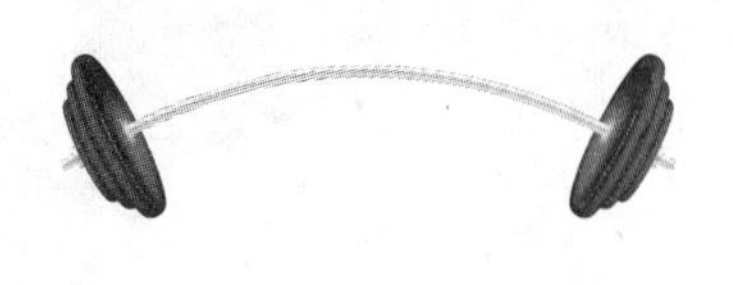

____

3. Use the word bank to help you write the chore in each picture.

Word bank	setting the table · drying the dishes · mowing the lawn · raking · dusting · washing the floor · washing windows · taking out the garbage · cleaning the bathroom

a) 

____

b) 

____

c) 

____

d) 

____

e) 

____

f) 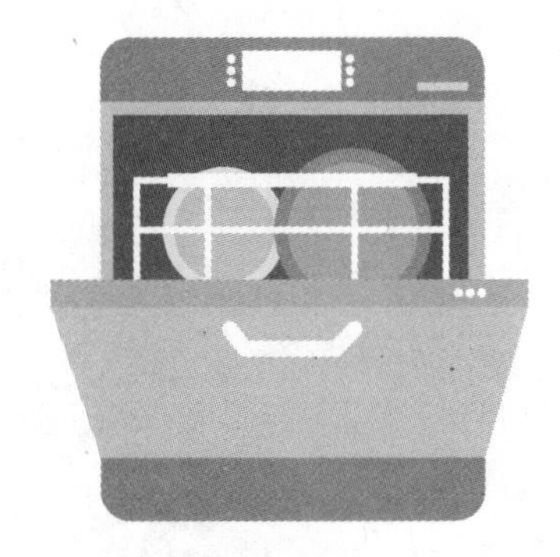

____

g) 

____

h) 

____

i) 

____

Asking Questions

→ Test d'évaluation Test de suivi

1. Draw a line to connect each English word with its matching French word.

a)	who (person) •	• 1. pourquoi
b)	what (thing) •	• 2. qu'est-ce que/quoi
c)	where (place) •	• 3. comment
d)	when (time) •	• 4. qui
e)	why •	• 5. où
f)	how •	• 6. combien
g)	how many/how much •	• 7. quand

2. Use the words below to correctly describe each of these question words.

Date/Time Thing(s) Person/People Place(s)

a) Who: ____________ b) What: ____________

c) Where: ____________ d) When: ____________

3. Write *Who*, *What*, *Where* or *When* to complete the questions below. Read the answers at the end of each sentence for clues.

a) ____________ are you going to Rivière-du-Loup? I'm going in June.

b) ____________ is your English book? I don't know. I lost it.

c) ____________ is your best friend? Damien is my best friend.

d) ____________ is on the table? There are fruits and vegetables on the table.

4. Write *Do* or *Does* to complete each question.

a) *Does* Annabelle like to ski?

b) ____________ you like broccoli?

c) ____________ they take the bus with you?

d) ____________ Justin like to watch TV?

Résultat /18

francais
mathématique
anglais

Exercices | **Asking Questions**

1. Answer these questions with the verb "to be."

Example: <u>Are</u> you ready? *Yes, I am.* **or** *No, I am not.*

a) Is it good? ______________________

b) Is your brother older than you? ______________________

c) Are they your friends? ______________________

d) Am I the next one? ______________________

e) Is your snowmobile fast? ______________________

f) Are we able to succeed? ______________________

g) Is Simon your brother? ______________________

h) Are you a hockey player? ______________________

i) Are you a soccer player? ______________________

2. Write *Do* or *Does* to complete each question.

a) *Does* your mother help you with your homework?

b) *Do* you eat well?

c) ____________ they work for a bank?

d) ____________ Erin sing in the choir?

e) ____________ you know where we are going?

f) ____________ I have to be there?

g) ____________ it keep you warm?

h) ____________ she need help?

i) ____________ you like go-karting?

j) ____________ he drive a blue car?

3. Complete the sentences with *How many* or *How much*.
Read the answers at the end of each sentence for clues.

a) ______________ brothers and sisters do you have? I have a brother and two sisters.

b) ______________ money do you have? I have $5.

c) ______________ does it cost? It costs $20.

d) ______________ days until Christmas? There are 10 days until Christmas.

e) ______________ sugar do you put in your coffee? I put one spoonful of sugar.

f) ______________ do you love me? I love you more than you can imagine.

g) ______________ eggs are there in the recipe? There are two eggs.

h) ______________ months are there in a year? There are 12 months in a year.

i) ______________ money do you need? I need $20.

j) ______________ water is there in the glass? There is 250 milliliters of water in the glass.

k) ______________ lions did you see at the zoo? I saw 12 lions.

l) ______________ sleep did you get last night? I slept eight hours.

m) ______________ people do you know? I know a lot of people.

n) ______________ time does it take to do the test? It takes an hour.

o) ______________ rooms are there in your house? There are 10 rooms in my house.

p) ______________ fruits do you eat every day? I eat three fruits a day.

4. Write each question number under the correct picture below.

a) ☐

b)  ☐

c)  ☐

d)  ☐

e)  ☐

f)  ☐

g)  ☐

h) 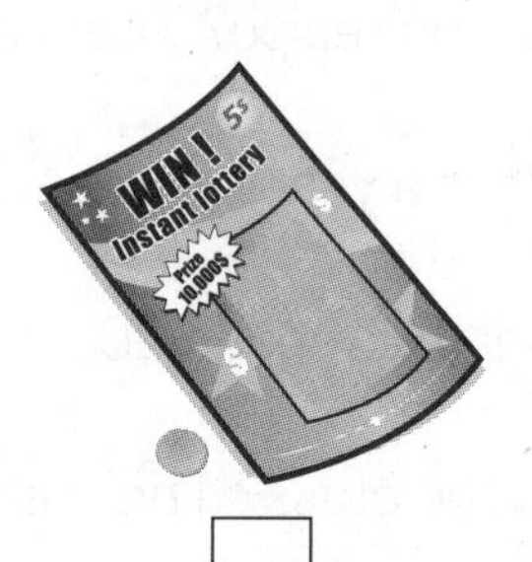

☐

i) 

☐

j)  ☐

k)  ☐

l)  ☐

1. How many snowmen do you see?
2. Is the door open?
3. How many balls are in the air?
4. Who's wearing sunglasses?
5. Is that your dog?
6. When is your birthday?
7. Who's holding the broom?
8. Are you sick?
9. What is in the statue's left hand?
10. Do you have any winning numbers?
11. Is it windy today?
12. Where is the Eiffel Tower?

Asking Questions

Test d'évaluation → Test de suivi

1. Write *Who, What, Where* or *When* to complete the questions below. Read the answers at the end of each sentence for clues.

a) ______________ are you going? I'm going to the library.

b) ______________ will we see the full moon? We will see it in two days.

c) ______________ is St. Patrick's Day? It's on March 17.

d) ______________ did buy your necklace? I bought it in Italy.

e) ______________ did you put your coat? I put it in the closet.

f) ______________ is your English teacher? Mrs. Daly is my English teacher.

g) ______________ is your brother? He is in his bedroom.

h) ______________ is your best friend? Anthony is my best friend.

i) ______________ is on your desk? My pencil and my eraser are on my desk.

j) ______________ time do you get up in the morning? I get up at seven o'clock.

k) ______________ is the dog? He is in his doghouse.

l) ______________ will you do your homework? I will do it after supper.

2. Write *Do* or *Does* to complete each question.

a) ______________ you like your gift?

b) ______________ they know the rules?

c) ______________ she see the doctor?

d) ______________ he like your painting?

e) ______________ birds eat worms?

Résultat /17

Exercices | **Asking Questions**

1. Use the word bank to help you translate the French word in each sentence to English.

Word bank

Who	What	When	Where	Why	How	How many

a) (Pourquoi) ______________ does the girl have an umbrella? ( )

b) (Comment) ______________ do you feel? ( )

c) (Où) ______________ is the swimmer? ( )

d) (Quand) ______________ do the leaves fall from the trees? ( )

e) (Combien) ______________ people do you see? ( )

f) (Qui) ______________ is sitting on the cheese? ( )

g) (Qu'est-ce que) ______________ is in the farmer's mouth? ( )

2. Write *Who*, *What*, *Where*, *When* or *Why* to complete the questions below. Read the answers at the end of each sentence for clues.

a) ______________ did you change your shirt? Because it's dirty.

b) ______________ are you going to play tennis? I will play on Saturday.

c) ______________ will you do tonight? I will go for a run.

d) ______________ are they hiding? They are hiding behind a tree.

e) ______________ is the next contestant? Tristan is the next one.

3. Write *Who*, *What*, *When* or *Where* below each picture.

a) 

____

b) 

____

c) 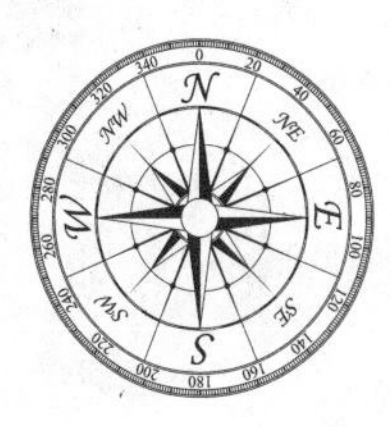

____

d) 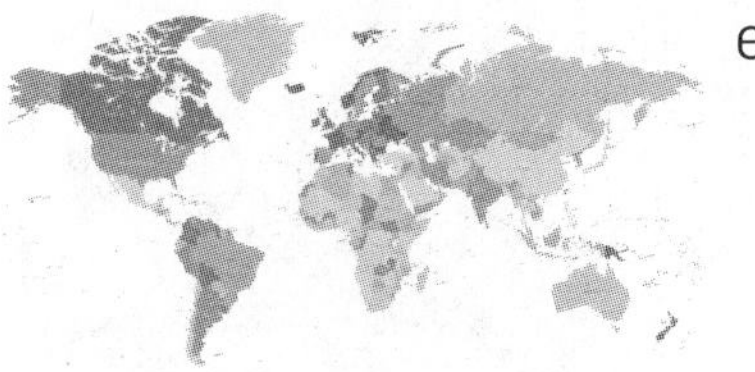

____

e) 

____

f) 

____

g) 

____

h) 

____

i) 

____

4. Circle the question word in each sentence, then answer the question.

a) Who is your neighbour? ____________________

b) What's your favourite animal? ____________________

c) Where do you live? ____________________

d) How old are you? ____________________

e) What is your address? ____________________

f) What's your phone number? ____________________

g) Where is your school? ____________________

h) How do you feel? ____________________

i) What is the last month of the year? ____________________

5. Write each question number under the correct picture below.

1. How much does the ice cream cost?
2. Hi, how are you today?
3. Did you have a good night's sleep?
4. Can I have more chicken, please?
5. Where is the lion?
6. What time is it?
7. How old is the birthday girl?
8. Hello, may I speak to Bridget, please?
9. Where is the tools store?
10. Is this bus going to school?
11. Are you sad?
12. Do you love me?

Colours and Shapes

→ Test d'évaluation Test de suivi

1. Follow the instructions to colour in the picture.

1: yellow

2: red

3: light yellow

4: black

5: orange

6: blue

2. Follow the instructions to colour in the picture.

square: red

circle: black

rectangle: green

triangle: orange

Résultat /100

1. Follow the instructions to colour in the picture.

1: purple 2: blue 3: red 4: brown 5: dark blue

2. Find the shapes, then follow the code to colour in the picture.

○ blue ☐ yellow

▭ green △ orange ⬭ red

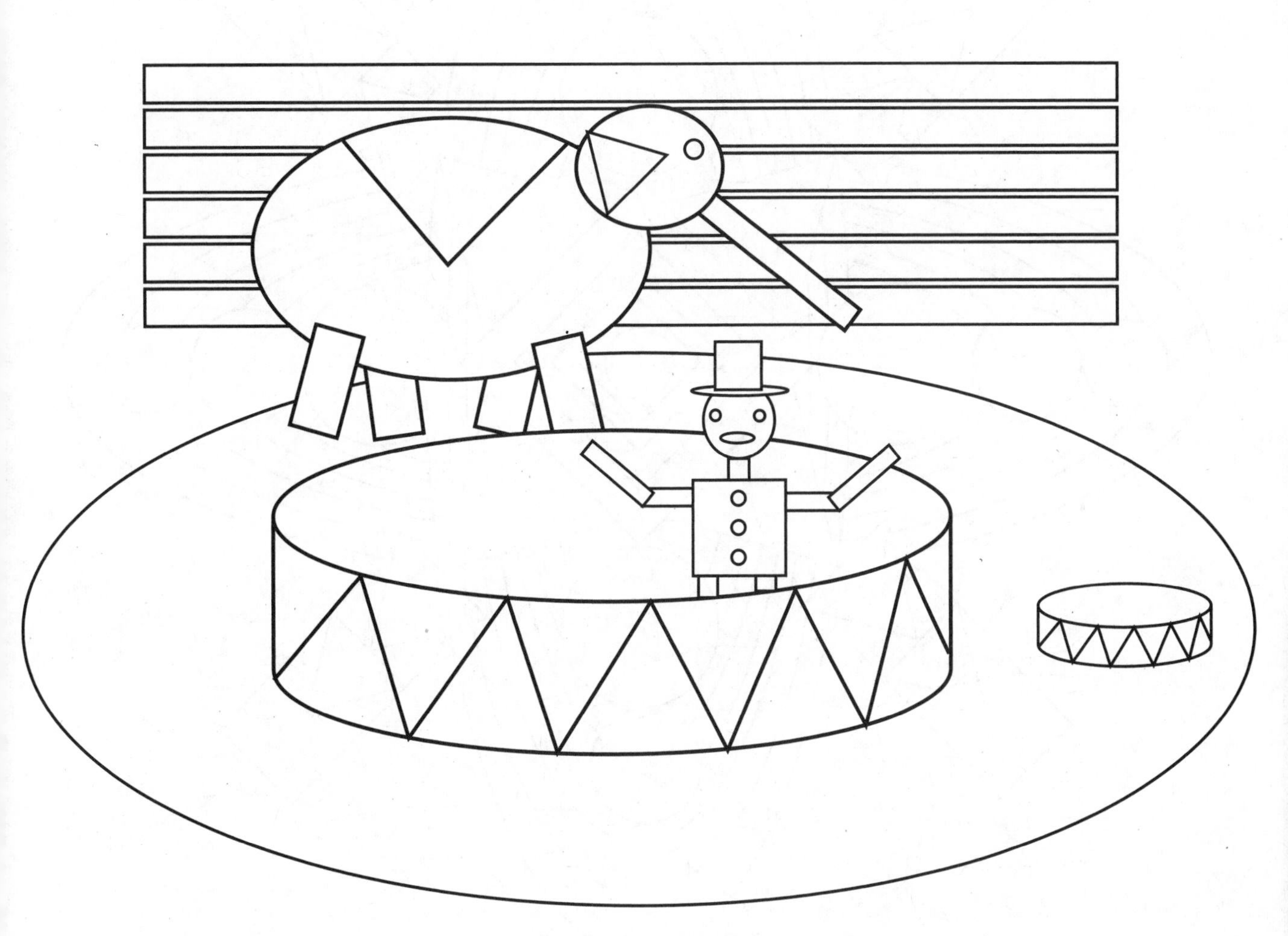

3. Write your own colour code, then colour in the picture.

triangle: ________ rectangle: ________ circle: ________ square: ________

Colours and Shapes

Test d'évaluation → Test de suivi

1. Colour each moon in the colour indicated.

a)   pink

b)  yellow

c) 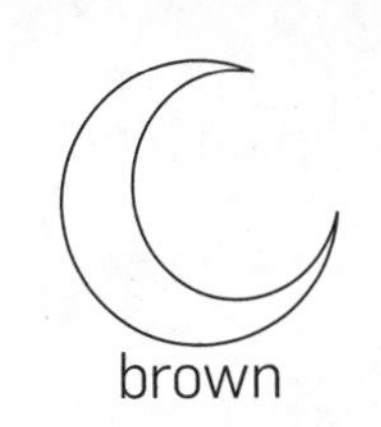 brown

d) 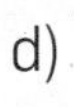 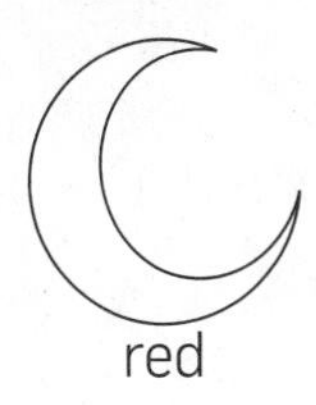 red

e)   blue

f)  black

g)   white

h)   purple

2. Colour in the hen.

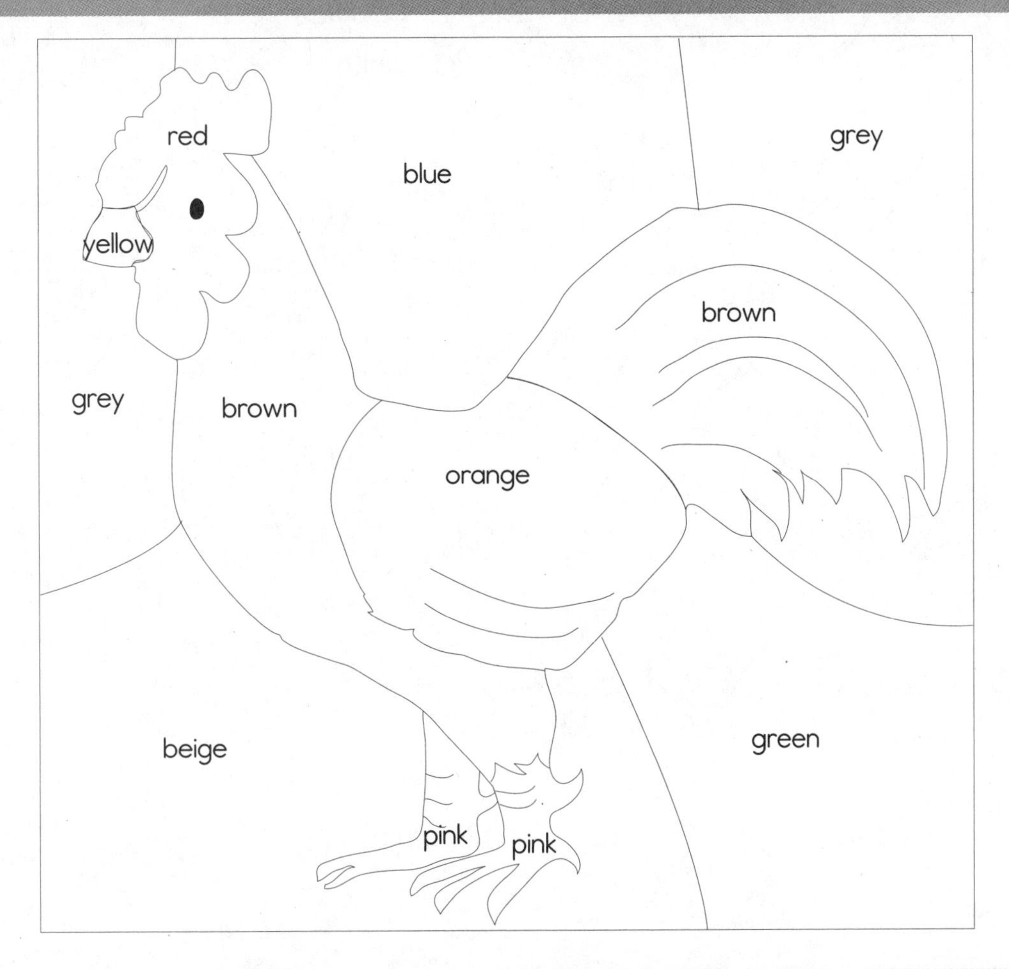

Résultat /20

1. Colour each butterfly in the colour indicated.

2. Colour each flag in the colours indicated.

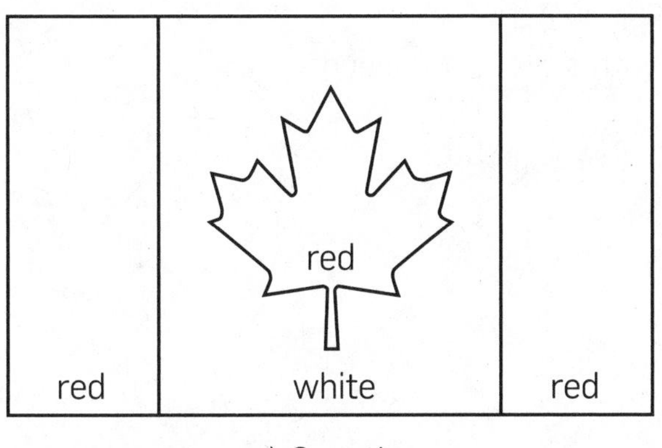

a) Canada

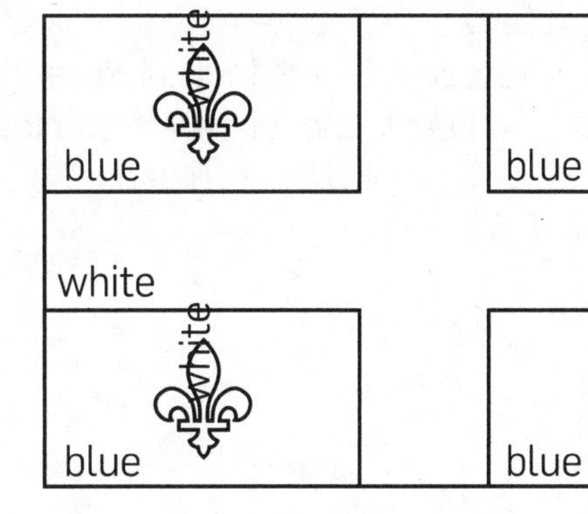

b) Québec

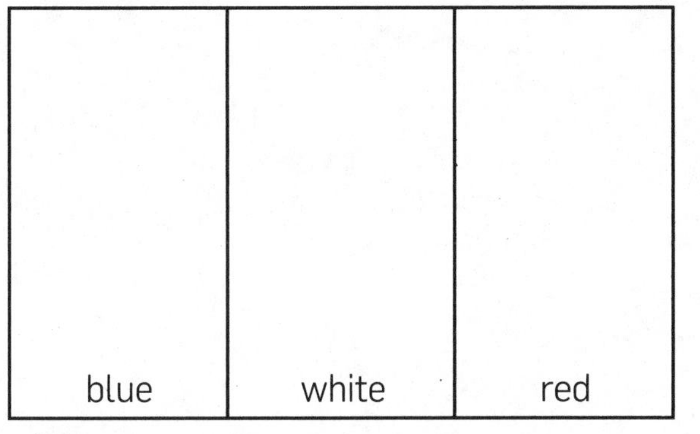

c) France

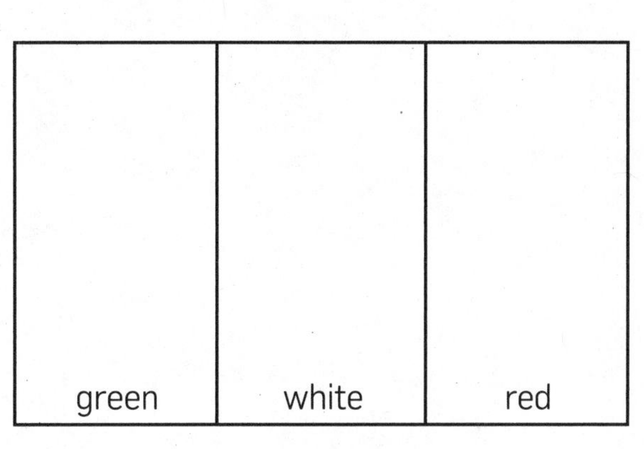

d) Italy

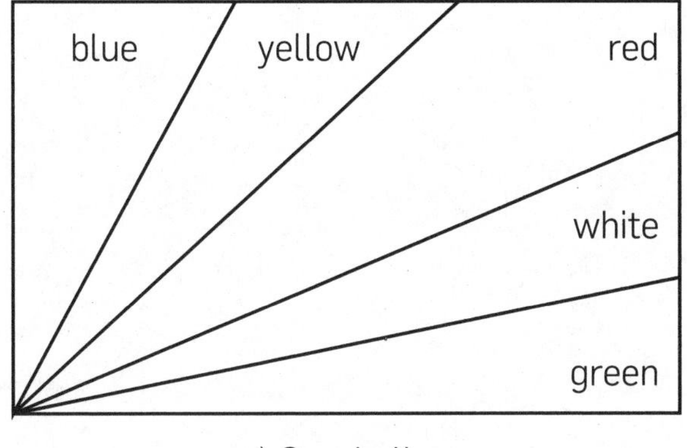

e) Seychelles

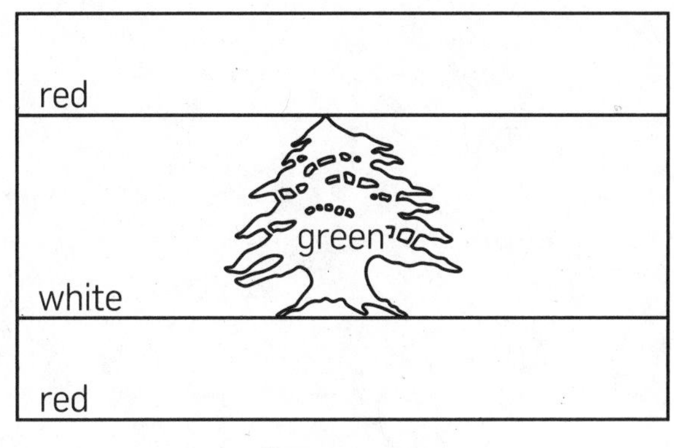

f) Lebanon

3. Follow the steps to draw a robot.

Draw one square for its body and another one for its head.
Draw two rectangles for its eyes.
Draw one triangle for its nose.
Draw an oval for its mouth.
Draw a rectangle for its neck.
Draw rectangles for its legs and arms with a circle at the end of each one for hands and feet.
Draw other geometric shapes to finish off your robot.

Days, Months, Seasons and Holidays

→ Test d'évaluation Test de suivi

1. Finish writing the names of the months below. Remember that, like the days of the week, the months begin with a capital letter.

a) J________________

b) F________________

c) M________________

d) A________________

e) M________________

f) J________________

g) J________________

h) A________________

i) S________________

j) O________________

k) N________________

l) D________________

2. Finish writing the names of the days of the week below. Remember that, like the months of the year, the days begin with a capital letter.

a) S________________

b) M________________

c) T________________

d) W________________

e) T________________

f) F________________

g) S________________

3. Write the names of the seasons displayed in the pictures below.

a)

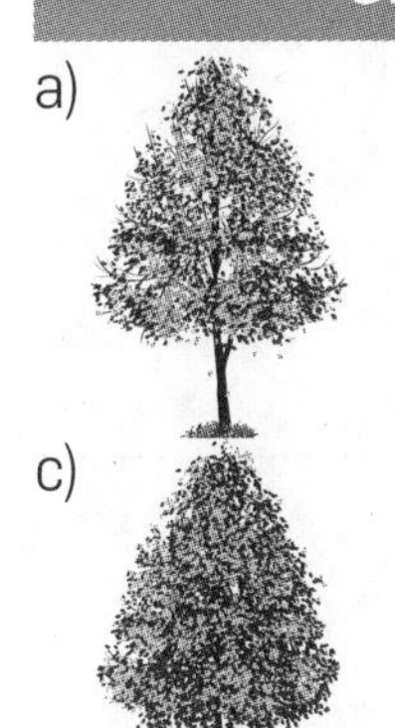

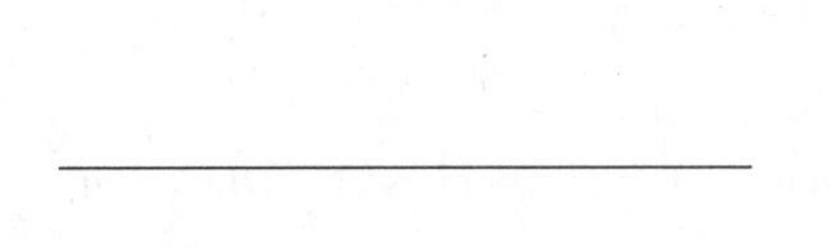

b)

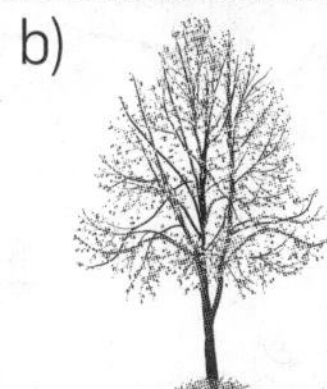

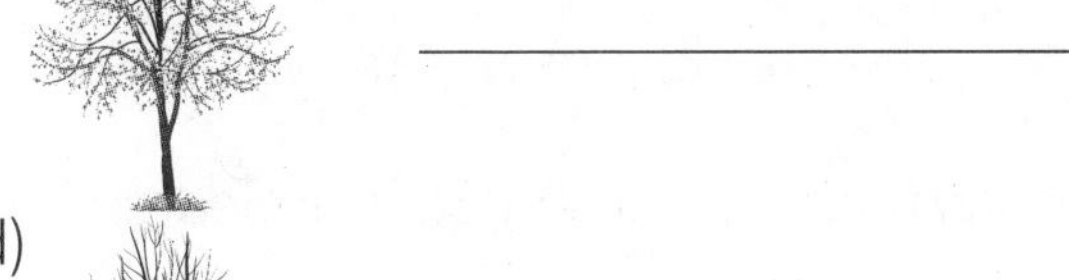

c)

____

d)

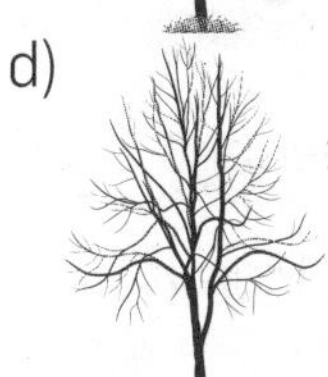

____

4. Write the months in which these holidays are celebrated.

a) Christmas: ________________

b) Halloween: ________________

c) Valentine's Day: ________________

d) New Year's Eve: ________________

Exercices | **Days, Months, Seasons and Holidays**

1. Colour all the fish with the word "Monday" in blue, the fish with the word "Sunday" in red, the fish with the word "Wednesday" in black and the fish with the word "Tuesday" in green.

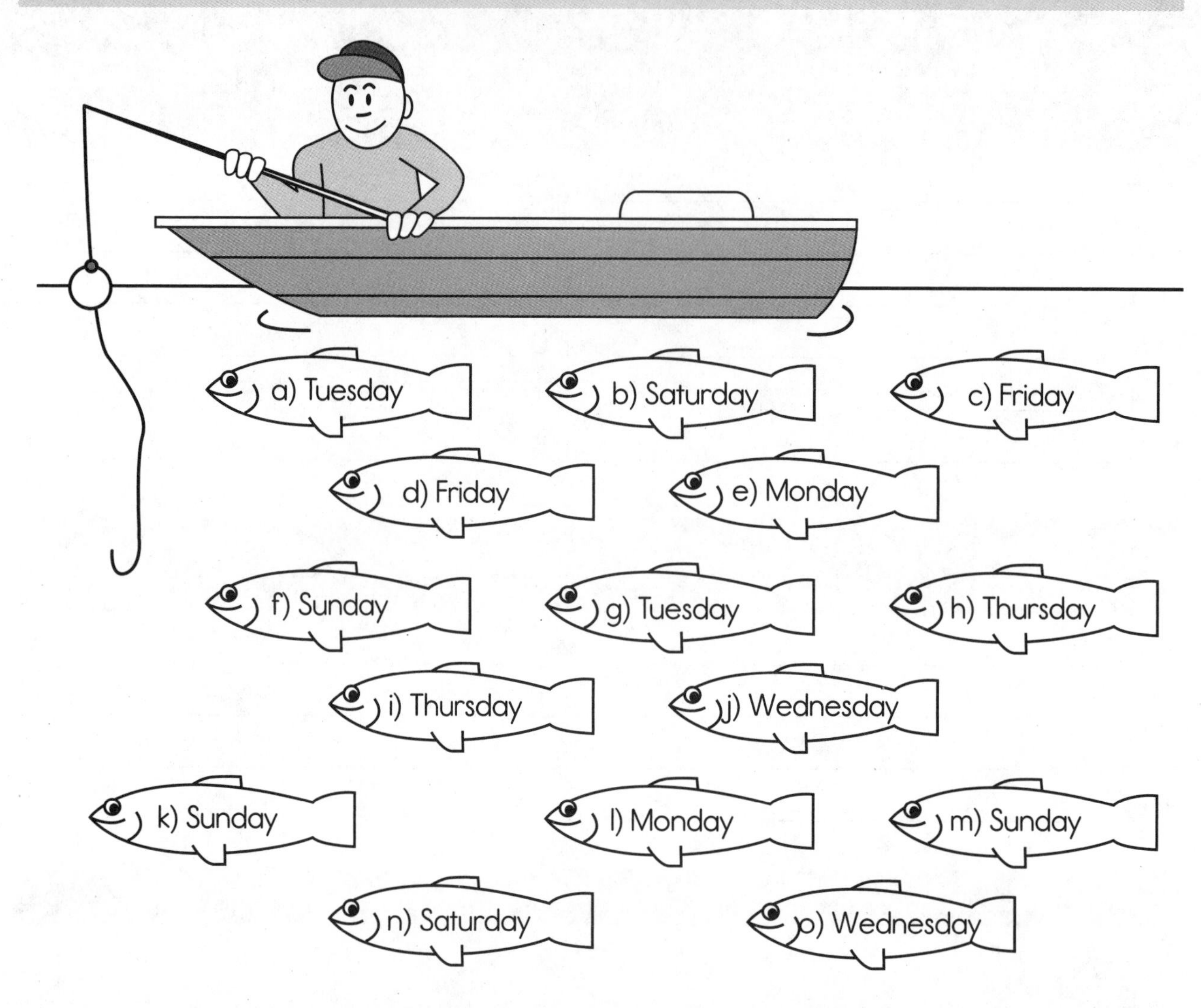

2. Answer these questions about the months of the year.

a) Which month comes right after September? ______________________

b) Which month is between October and December? ______________________

c) Which month comes right after March? ______________________

d) Which month is between June and August? ______________________

e) Which month comes right before February? ______________________

f) Which month comes right before July? ______________________

français | mathématique | anglais

3. Use the word bank to help you write the name of each object under the correct picture.

Word bank

arrow	balloons	cake	candy	Christmas tree	Cupid
gift	heart	pumpkin	reindeer	Santa Claus	witch

a) 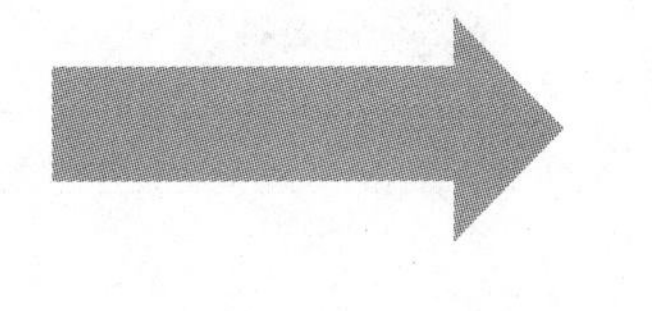

____

b) 

____

c) 

____

d) 

____

e) 

____

f) 

____

g) 

____

h) 

____

i) 

____

j) 

____

k) 

____

l) 

____

4. Write the names of the seasons displayed in the pictures below.

a)

____

b)

____

c)

____

d)

____

e)

____

f)

____

g)

____

h)

____

i)

____

j)

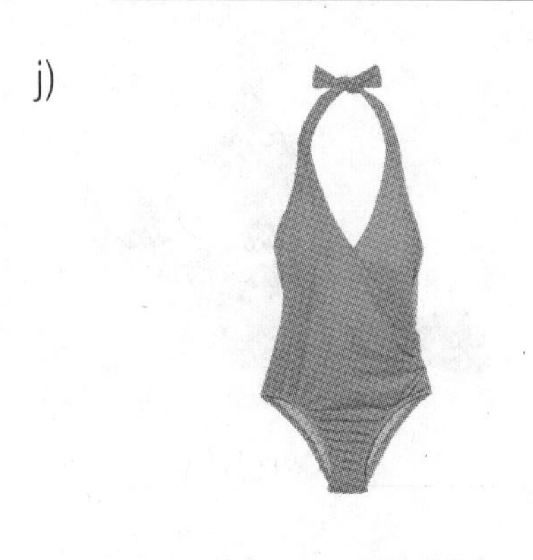

____

k)

____

l)

____

Days, Months, Seasons and Holidays

Test d'évaluation → **Test de suivi**

1. Write the names of the holidays displayed in the pictures below.

a) ____________

b) ____________

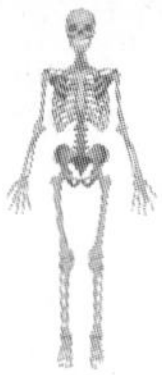

c) ____________

d) ____________

e) ____________

f) ____________

2. Write the names of the four seasons.

____________ ____________

____________ ____________

3. Fill in the blanks to complete each series.

a) Monday ____________ Wednesday

b) Saturday ____________ Monday

c) Tuesday ____________ Thursday

d) Wednesday ____________ Friday

e) Sunday ____________ Tuesday

f) Thursday ____________ Saturday

g) Friday ____________ Sunday

4. Fill in the blanks to complete each series.

a) October ____________ December

b) ____________ March

c) February ____________ April

d) August ____________ October

Résultat /21

1. Look at Clara's schedule, then answer the questions below.

	Monday	Tuesday	Wednesday	Thursday	Friday	Saturday	Sunday
morning	Math exam						
afternoon		Library					Sailing on the lake
supper						Barbecue at grandma's	
evening	Piano lesson		Circus	Playing with my friend	Do the groceries with Mom		

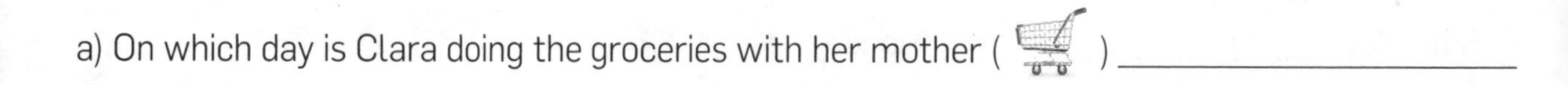
a) On which day is Clara doing the groceries with her mother ( ) ______________________

b) On which day does Clara have her piano lesson ( )? ______________________

c) On which day does Clara have her math exam ( )? ______________________

d) On which day is Clara going to the circus( )? ______________________

2. Write the names of the months on the calendar below.

J____________

S	M	T	W	T	F	S
				1	2	3
4	5	6	7	8	9	10
11	12	13	14	15	16	17
18	19	20	21	22	23	24
25	26	27	28	29	30	31

F____________

S	M	T	W	T	F	S
1	2	3	4	5	6	7
8	9	10	11	12	13	14
15	16	17	18	19	20	21
22	23	24	25	26	27	28

M____________

S	M	T	W	T	F	S
1	2	3	4	5	6	7
8	9	10	11	12	13	14
15	16	17	18	19	20	21
22	23	24	25	26	27	28
29	30	31				

A____________

S	M	T	W	T	F	S
			1	2	3	4
5	6	7	8	9	10	11
12	13	14	15	16	17	18
19	20	21	22	23	24	25
26	27	28	29	30		

M____________

S	M	T	W	T	F	S
					1	2
3	4	5	6	7	8	9
10	11	12	13	14	15	16
17	18	19	20	21	22	23
24	25	26	27	28	29	30
31						

J____________

S	M	T	W	T	F	S
	1	2	3	4	5	6
7	8	9	10	11	12	13
14	15	16	17	18	19	20
21	22	23	24	25	26	27
28	29	30				

J____________

S	M	T	W	T	F	S
			1	2	3	4
5	6	7	8	9	10	11
12	13	14	15	16	17	18
19	20	21	22	23	24	25
26	27	28	29	30	31	

A____________

S	M	T	W	T	F	S
						1
2	3	4	5	6	7	8
9	10	11	12	13	14	15
16	17	18	19	20	21	22
23	24	25	26	27	28	29
30	31					

S____________

S	M	T	W	T	F	S
		1	2	3	4	5
6	7	8	9	10	11	12
13	14	15	16	17	18	19
20	21	22	23	24	25	26
27	28	29	30			

O____________

S	M	T	W	T	F	S
				1	2	3
4	5	6	7	8	9	10
11	12	13	14	15	16	17
18	19	20	21	22	23	24
25	26	27	28	29	30	31

N____________

S	M	T	W	T	F	S
1	2	3	4	5	6	7
8	9	10	11	12	13	14
15	16	17	18	19	20	21
22	23	24	25	26	27	28
29	30					

D____________

S	M	T	W	T	F	S
		1	2	3	4	5
6	7	8	9	10	11	12
13	14	15	16	17	18	19
20	21	22	23	24	25	26
27	28	29	30	31		

3. Match the pictures with the words by writing the correct number next to each word.

1) 

2) 

3) 

4) 

5) 

6) 

7) 

8) 

9) 

10) 

11) 

12) 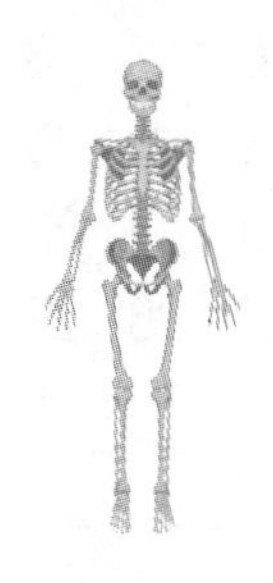

a) balloons _____
b) cake _____
c) card _____
d) candy cane _____
e) Christmas tree _____
f) gift _____
g) pumpkin _____
h) mummy _____
i) reindeer _____
j) skeleton _____
k) Santa Claus _____
l) witch _____

Numbers, Telling Time and Money

→ Test d'évaluation Test de suivi

1. Draw a line to connect each number with its word form.

a)	seventy •	• 19
b)	seven •	• 63
c)	nineteen •	• 70
d)	fifty •	• 14
e)	seventeen •	• 7
f)	thirty-four •	• 17
g)	sixty-three •	• 34
h)	fourteen •	• 50

2. Draw the hands on the clocks to tell the correct time.

a) It's nine o'clock.

b) It's a quarter past five.

c) It's five to one.

d) It's a quarter to five.

3. How much is it?

a) 2 quarters and 3 dimes: ______________________

b) 1 two-dollar coin, 3 quarters, 3 dimes and 2 nickels ______________________

c) 1 ten-dollar bill, 2 one-dollar coins and 3 nickels: ______________________

d) 4 five-dollar bills and 4 quarters: ______________________

1. Write out each number in word form.

11 eleven	6	25	34	18	35	13
30	40	37	7	50	24	39
5	19	26	70	36	3	80
55	15	67	2	28	71	8
9	21	31	60	12	20	26
29	33	1	27	38	10	16
14	100	17	22	90	4	32

2. Draw a connecting line to match each clock with the correct time.

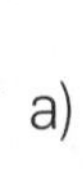

a)  • • 1. It's three o'clock.

b)  • • 2. It's eight o'clock.

c)  • • 3. It's a quarter past nine.

d)  • • 4. It's six o'clock.

e)  • • 5. It's noon (twelve o'clock).

f)  • • 6. It's ten o'clock.

g)  • • 7. It's five o'clock.

h)  • • 8. It's eleven thirty.

i)  • • 9. It's four thirty.

j)  • • 10. It's a quarter past two.

3. Write out these sums of money as shown below.

1 dime, 1 quarter and 1 nickel

a)   ______________________

b)  ______________________

c)    ______________________

d)       ______________________

e)     ______________________

f)    ______________________

g)     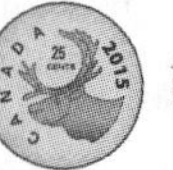 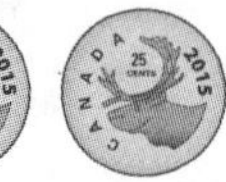  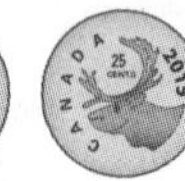 ______________________

h)    ______________________

i)  (this coin is also known as a loonie) ______________________

j)  (this coin is also known as a toonie) ______________________

Numbers, Telling Time and Money

Test d'évaluation → Test de suivi

1. Draw the hands on the clocks to tell the correct time.

a) 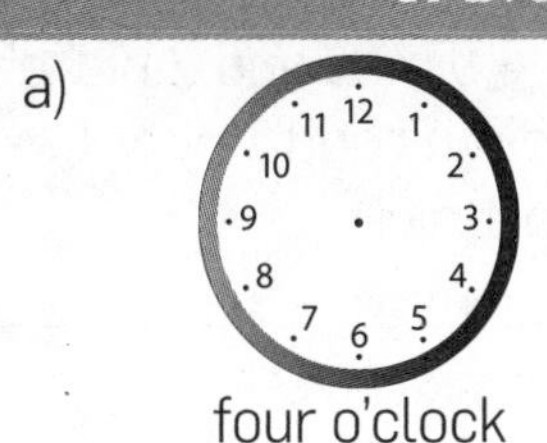
four o'clock

b) 
five o'clock

c) 
one o'clock

d) 
three o'clock

e) 
ten o'clock

f) 
eleven o'clock

g) 
six o'clock

h) 
eight o'clock

i) 
noon

2. How much is it?

a) 1 twenty-dollar bill and 2 five-dollar bills: ________________

b) 2 loonies, 1 toonie: ________________

c) 2 nickels, 3 dimes and 4 quarters: ________________

d) 2 ten-dollar bills, 1 one-dollar coin and 4 two-dollar coins: ________________

e) 2 ten-dollar bills, 2 five-dollar bills and 1 twenty-dollar bill: ________________

3. Write out each number in word form.

a) 52: ________________ b) 15: ________________

c) 11: ________________ d) 7: ________________

e) 22: ________________ f) 78: ________________

g) 66: ________________ h) 100: ________________

i) 92: ________________ j) 37: ________________

Résultat /24

1. Anthony, Benjamin, Annabelle and Zoe are buying food at the grocery store. They each have a different amount of money in their wallet. Calculate how much money they have. Next, find out what each person has bought. Remember: They can't spend more than what they have!

Anthony has: 2 five-dollar bills, 2 one-dollar coins, 2 dimes and 1 nickel.
Benjamin has: 1 ten-dollar bill, 1 two-dollar coin, 2 one-dollar coins, 4 dimes and 2 nickels.
Annabelle has: 4 two-dollar coins, 2 one-dollar coins, 4 quarters, 3 dimes and 1 nickel.
Zoe has: 1 five-dollar bill, 7 one-dollar coins, 4 quarters, 2 dimes and 1 nickel.

a)

$4.20
$3.10
$4.15
Bran Flakes
PEANUT BUTTER
$3.05

Total: ______________

Who bought these items? ______________

b

$2.23
$2.00
$4.12
$3.00

Total: ______________

Who bought these items? ______________

c)

$3.10
$2.15
$3
$5

Total: ______________

Who bought these items? ______________

d)

$3.05
$5.20
$1.50
$2.50

Total: ______________

Who bought these items? ______________

français
mathématique
anglais

2. Connect the dots starting at thirty.

3. Draw a connecting line to match each clock with the correct time.

a)  •   • 1. It's five to seven.

b)  •   • 2. It's a quarter past ten.

c)  •   • 3. It's a quarter to eight.

d)  •   • 4. It's twenty to six.

e)  •   • 5. It's nine thirty.

f)  •   • 6. It's a quarter to four.

g)  •   • 7. It's two o'clock.

h)  •   • 8. It's twenty past one.

4. Write the time as shown.

Example: 

It is a quarter after two.

a) 

____

b) 

____

c) 

____

d) 

____

e) 

____

Prepositions

→ Test d'évaluation   Test de suivi

1. Use the word bank to translate each French word to English.

Word bank: north   south   east   west

a) sud ____________ b) nord ____________

c) ouest ____________ d) est ____________

2. Use the word bank to translate each English word to French.

Word bank: à droite   à gauche   dans   en bas   en haut   entre   sous   sur

a) between: ____________ b) in: ____________

c) up: ____________ d) left: ____________

e) under: ____________ f) down: ____________

g) right: ____________ h) on: ____________

3. Use the word bank to help you describe where the frog ( ) is in each picture.

Word bank: between   ~~in~~   to the left of   on   to the right of   under

a) The frog is ___*in*___ the glass.

b) The frog is ________ the two fish.

c) The frog is ________ the clock.

d) The frog is ________ the dog.

e) The frog is ________ the octopus.

f) The frog is ________ the ant.

Résultat /18

1. Draw the snail where it belongs.

a)

The snail is **on** the table.

b)

The snail is **under** the tree.

c)

The snail is **in** the bath.

d)

The snail is **beside** the teapot.

e)

The snail is **between** the dog and the boy.

f)

The snail is **to the right of** the hippopotamus.

2. Follow the instructions to move through the grid.

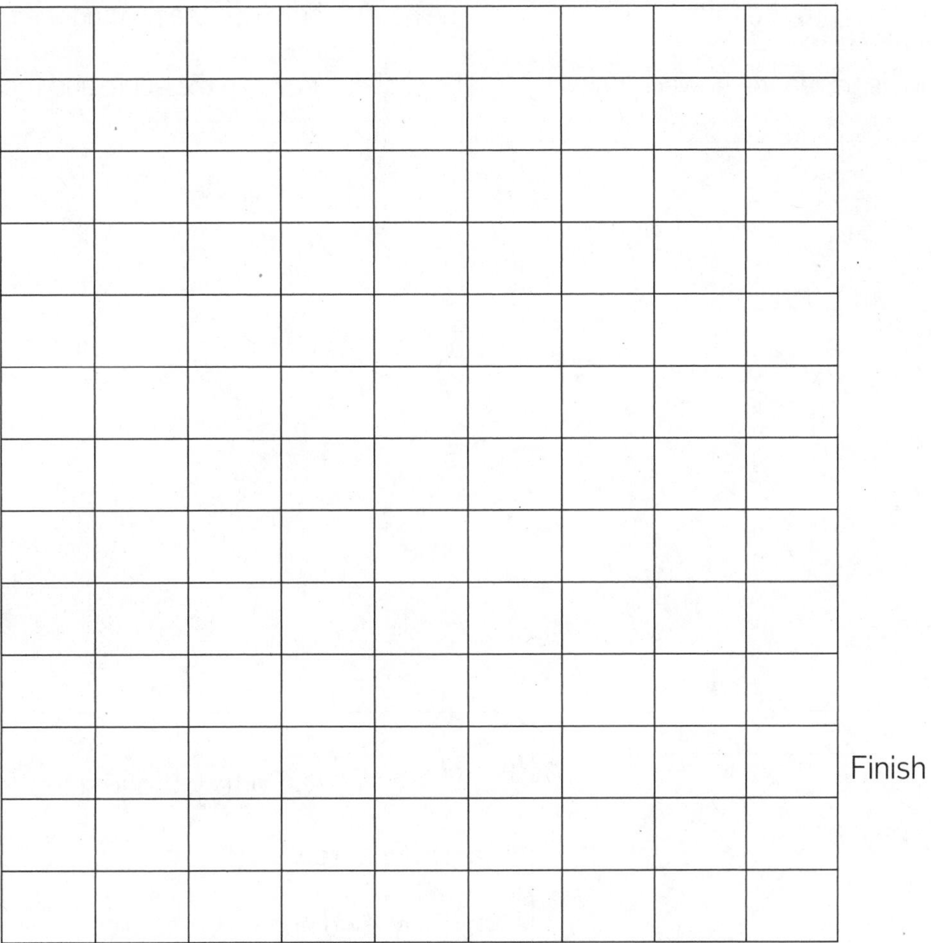

a) 6 squares south

b) 3 squares east

c) 3 squares south

d) 3 squares west

e) 2 squares south

f) 4 squares east

g) 7 squares north

h) 2 squares east

i) 4 squares south

j) 1 square east

k) 3 squares south

l) 1 square east

3. Follow the instructions to draw the objects.

a) The apple is in the middle.

b) The flower is to the right.

c) The banana is to the left.

d) The heart is between the hat and the banana.

e) The glove is beside the flower.

f) The circle is between the apple and the glove.

4. Follow the instructions.

a) Draw a tree.

b) Draw two apples in the tree.

c) Draw four apples under the tree.

d) Draw a girl to the right of the tree.

e) Draw a flower to the left of the tree.

Prepositions

Test d'évaluation → Test de suivi

1. Read the clues, then draw each object on the right area of the grid.

a) The ( ) is to the right of the ( ).

b) The ( ) is above the ( ).

c) The ( ) is below the ( ).

d) The ( ) is between the ( ) and the ( ).

e) The ( ) is two squares below the ( ).

f) The ( ) is two squares above the ( ).

g) The ( ) is at the complete opposite end of the ( ).

h) The ( ) is to the left of the ( ).

i) The (X) is between the ( ) and the ( ).

j) The ( ) is to the right of the ( ).

k) The ( ) is between the ( ) and the (X).

l) The (+) is between the ( ) and the ( ).

m) The ( ) is to the left of the ( ).

n) The (☺) is between the ( ) and the ( ).

1. Underline the right answer and write it down.

a)

in, on, to the right of, to the left of, between, under, in front of

The glass is *to the right of* the bottle.

b)

in, on, to the right of, to the left of, between, under, in front of

The candles are ____________ the cake.

c)

in, on, to the right of, to the left of, between, under, in front of

The juice is ____________ the glass.

d)

in, on, to the right of, to the left of, between, under, in front of

The cup is ____________ the table.

e)

in, on, to the right of, to the left of, between, under, in front of

The baby whale is ____________ his mother.

f)

in, on, to the right of, to the left of, between, under, in front of

The banana is ____________ the apples.

g)

in, on, to the right of, to the left of, between, under, in front of

The moon is ____________ the sky.

h)

in, on, to the right of, to the left of, between, under, in front of

The keyboard in ____________ the screen.

2. Draw ( )...

a) Draw an apple ( ) **on** the table. ( ).

b) Draw an arrow (➔) **between** the bird ( ) and the squirrel ( ).

c) Draw a hat ( ) **on** the mother's head ( ).

d) Draw a star (★) **in** the tent ( ).

e) Draw a circle (◯) **around** the sun ( ).

f) Draw a square (■) **on** the tent ( ).

g) Draw a triangle (▲) **under** the table ( ).

3. Write the correct number of squares and the correct direction that the bee must go to reach the beehive.

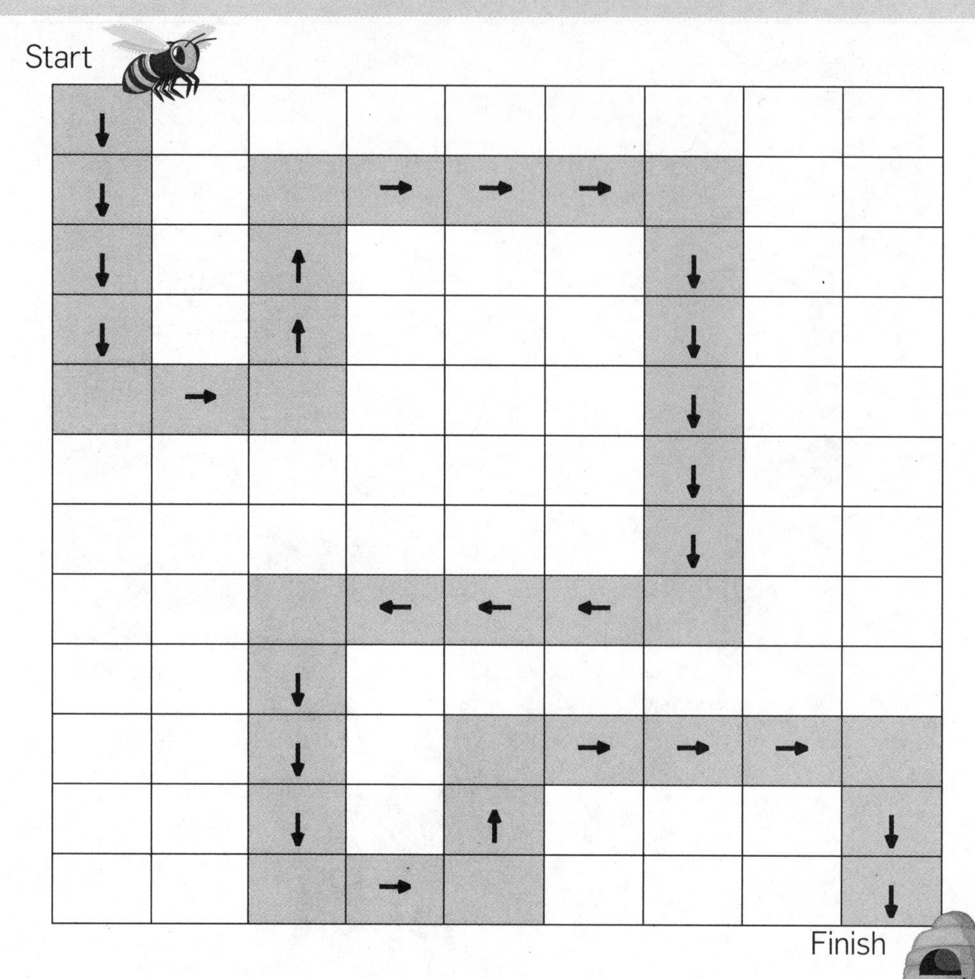

to the left ← **to the right →** **up ↑** **down ↓**

a) It moves _____ squares _____.

b) It moves _____ squares _____.

c) It moves _____ squares _____.

d) It moves _____ squares _____.

e) It moves _____ squares _____.

f) It moves _____ squares _____.

g) It moves _____ squares _____.

h) It moves _____ squares _____.

i) It moves _____ squares _____.

j) It moves _____ squares _____.

k) It moves _____ squares _____.

Animals

→ Test d'évaluation Test de suivi

1. Use the word bank to help you write the correct name under each picture.

Word bank

ant	bear	cat	crab	dinosaur	dog	dolphin	fox	giraffe
horse	kangaroo	lion	lizard	squirrel	zebra			

a)  ______________

b)  ______________

c)  ______________

d)  ______________

e)  ______________

f)  ______________

g)  ______________

h)  ______________

i)  ______________

j)  ______________

k)  ______________

l)  ______________

m)  ______________

n)  ______________

o)  ______________

Résultat /15

1. These wild animals are found in North America. Use the word bank to help you write the correct name under each picture, then:

colour the mammals (mammifères) in red,
colour the insects (insectes) in blue and
colour the birds (oiseaux) in green.

Word bank

Birds:	**Mammals:**	**Insects:**
great horned owl	beaver	ladybug
owl	bison	bee
raven	deer	ant
eagle	whale	fly

a)  ______________ b)  ______________ c) ______________

d)  ______________ e)  ______________ f) ______________

g)  ______________ h)  ______________ i) ______________

j)  ______________ k) 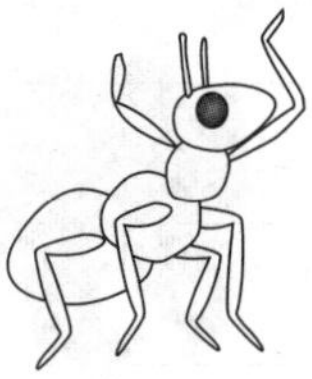 ______________ l) ______________

français

mathématique

anglais

2. Place each animal in the correct column.

I eat plants	I eat other animals	I eat insects

Exercices | **Animals**

3. Draw a line to connect each picture with the correct animal proverb.

a)		1. Sick as a dog.
b)		2. Don't change your horses in the middle of the stream.
c)		3. Eager as a beaver.
d)		4. Curiosity killed the cat.
e)		5. Quiet as a mouse.
f)		6. Eat like a pig.
g)		7. Mean as a snake.
h)		8. Kill two birds with one stone.
i)		9. Brave as a lion.
j)		10. Busy as a bee.
k)		11. A whale of a time.

Animals

Test d'évaluation → Test de suivi

1. Use the word bank to help you write the name of the animal below each picture.

Word bank

beaver	bird	cat	cow	dinosaur	dog	eagle	elephant
frog	giraffe	hen	lion	monkey	sheep	snake	

a) 

____

b) 

____

c) 

____

d) 

____

e) 

____

f) 

____

g) 

____

h) 

____

i) 

____

j) 

____

k) 

____

l) 

____

m) 

____

n) 

____

o) 

____

Exercices | **Animals**

1. Use the word bank to help you write the name of the animal below each picture.

Word bank

duck	goose	llama	ostrich	penguin	rabbit	rat	
kangaroo	seal	snake	swan	tiger	turtle	whale	worm

a)  ______________________

b)  ______________________

c)  ______________________

d)  ______________________

e)  ______________________

f)  ______________________

g)  ______________________

h)  ______________________

i)  ______________________

j)  ______________________

k) 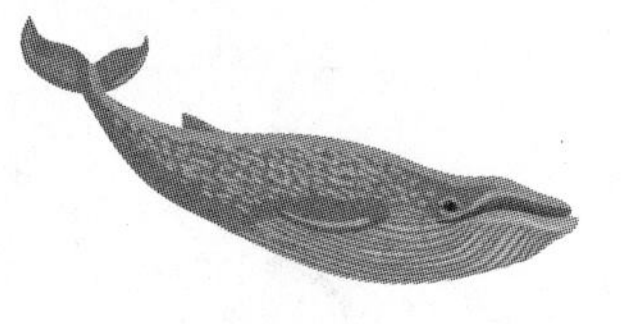 ______________________

l)  ______________________

m)  ______________________

n)  ______________________

o)  ______________________

2. Complete the crossword puzzle. Use the word bank for help.

Word bank

beaver	cow	deer	dog	fox	giraffe	hen	horse
lion	moose	pig	raven	sheep	skunk	whale	

3. Use the word bank to help you write the names of the animal parts below the correct pictures.

Word bank	antler	beak	claw	ear	eye	fin	hoof	mane
	nose	paw	snout	tail	trunk	wing	wool	

a)  w______________

b)  b______________

c)  e______________

d)  a______________

e)  h______________

f)  f______________

g)  c______________

h)  p______________

i)  e______________

j)  n______________

k)  s______________

l)  t______________

m)  m______________

n)  w______________

o)  t______________

The Body and Clothing

→ Test d'évaluation Test de suivi

1. Use the word bank to help you write the name of the body part below each picture.

Word bank	hand legs mouth nose tongue tooth

a)  ______

b) 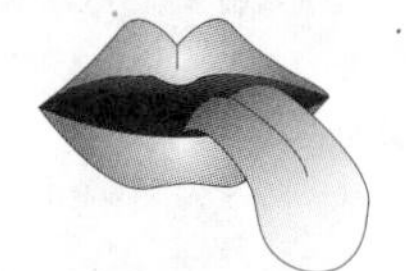 ______

c)  ______

d) 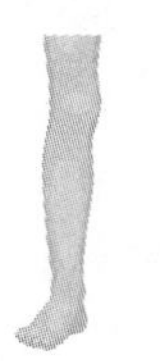 ______

e) 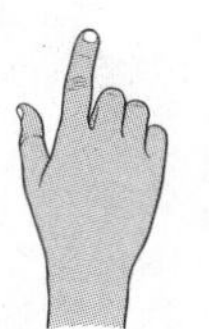 ______

f) 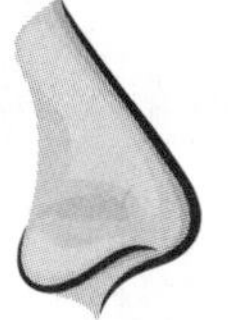 ______

2. Use the word bank to write the piece of clothing below the correct picture.

Word bank	pants slippers toque dress mitten skirt

a)  ______

b)  ______

c)  ______

d)  ______

e)  ______

f)  ______

Résultat /12

1. Draw a line between the name of each body part and its picture.

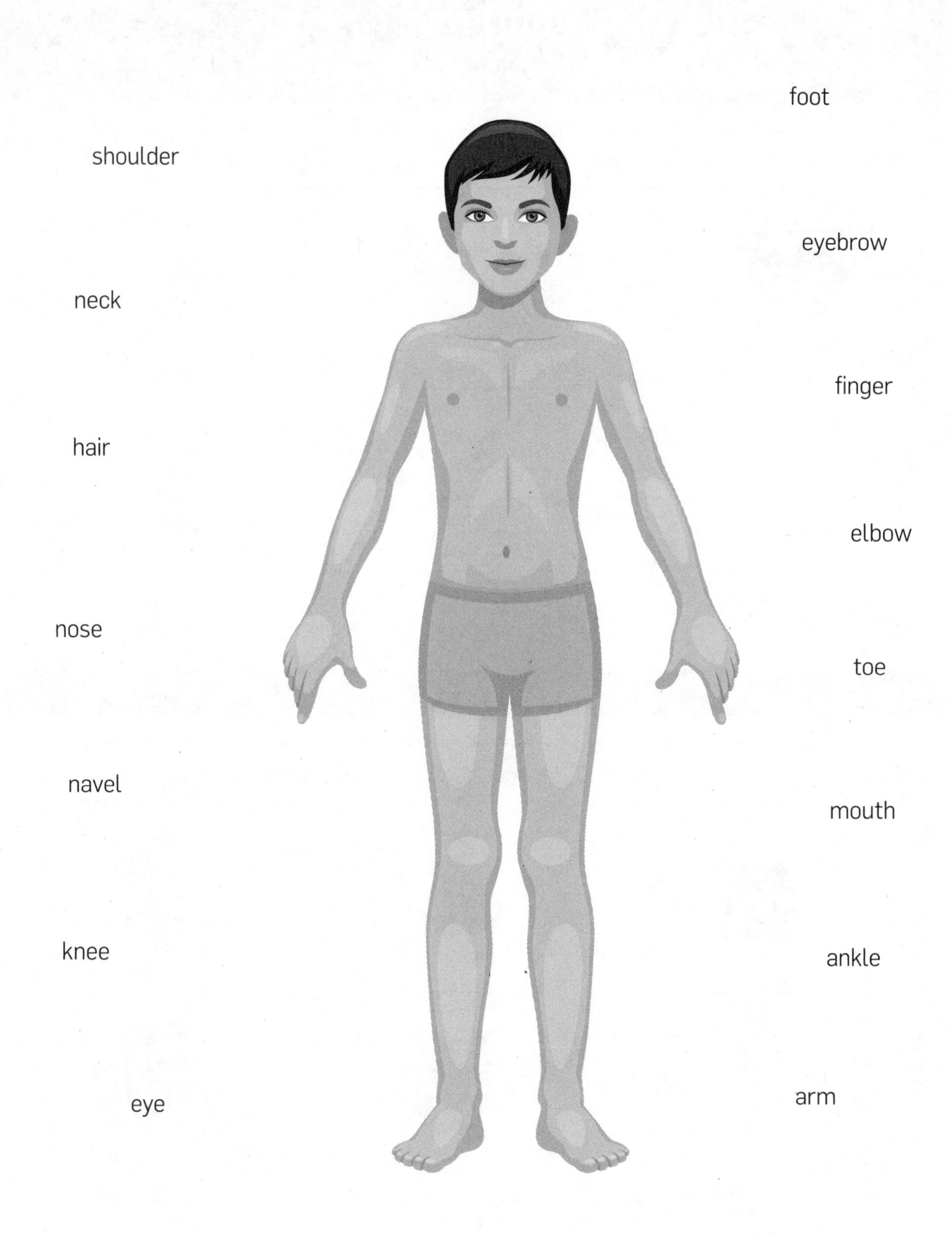

2. Use the word bank to help you identify the clothing below.

Word bank

bathing suit	blouse	boots	cap	coat	dress	gloves	hat	jeans	mittens
pants	pyjamas	sandals	scarf	shoes	shirt	skirt	slippers	socks	toque	underwear

1. ____________________
2. ____________________
3. ____________________
4. ____________________
5. ____________________
6. ____________________
7. ____________________
8. ____________________
9. ____________________
10. ____________________
11. ____________________
12. ____________________
13. ____________________
14. ____________________
15. ____________________
16. ____________________
17. ____________________
18. ____________________
19. ____________________
20. ____________________
21. ____________________

3. Draw a line to connect each piece of clothing with the body part that it covers.

a)	 •	• 1. head
b)	 •	• 2. feet
c)	 •	• 3. torso
d)	 •	• 4. hands
e)	 •	• 5. head
f)	 •	• 6. hands
g)	 •	• 7. legs
h)	 •	• 8. feet

The Body and Clothing

Test d'évaluation → Test de suivi

1. Use the word bank to help you write the names of the clothes below.

Word bank: apron coat jacket mitten pants raincoat skirt toque

a) ____________ b) ____________ c) ____________ d) ____________

e) ____________ f) ____________ g) ____________ h) ____________

2. Use the word bank to help you write the names of the body parts below.

Word bank: arm ear foot eye hair hand head leg mouth nose toes tooth

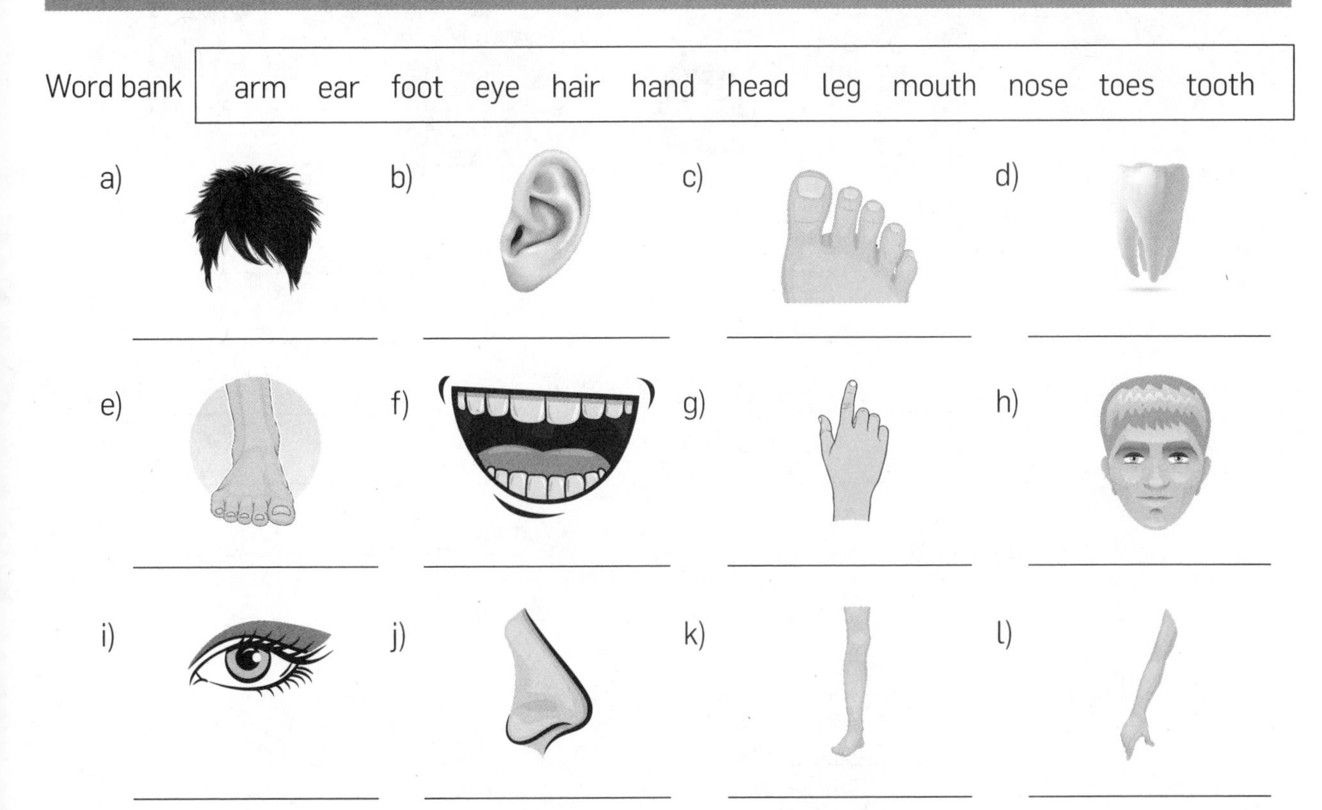

a) ____________ b) ____________ c) ____________ d) ____________

e) ____________ f) ____________ g) ____________ h) ____________

i) ____________ j) ____________ k) ____________ l) ____________

Exercices | **The Body and Clothing**

1. Use the word bank to help you identify the clothing below.

Word bank

Bermuda shorts camisole earmuffs glasses hat jacket pants pyjamas raincoat scarf shorts skirt socks tie T-shirt toque winter coat

a) B______________________

b) s______________________

c) e______________________

d) c______________________

e) h______________________

f) t______________________

g) s______________________

h) s______________________

i) r______________________

j) s______________________

k) g______________________

l) w ______________________

m) p______________________

n) t______________________

o) j______________________

p) p______________________

2. Circle the words in the Word Search below. Then discover the secret word with the remaining letters.

G	L	O	V	E	N	I	G	H	T	G	O	W	N	C
J	A	C	K	E	T	S	L	M	I	T	T	E	N	S
O	R	A	I	N	C	O	A	T	S	K	I	R	T	T
S	H	I	R	T	W	I	N	T	E	R	C	O	A	T
S	A	N	D	A	L	S	H	S	H	O	E	S	E	S
S	L	I	P	P	E	R	T	O	Q	U	E	C	A	P
B	O	O	T	L	D	R	E	S	S	S	H	O	R	T
B	E	R	M	U	D	A	I	B	L	O	U	S	E	S
A	P	R	O	N	E	A	R	M	U	F	F	S	N	E
B	A	T	H	I	N	G	S	U	I	T	H	A	T	S

 apron

 bathing suit

 Bermuda

 blouses

 boot

 dress

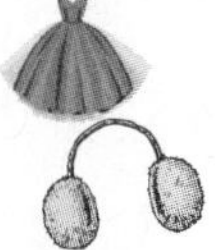 earmuffs

 cap

 glove

 hats

 jackets

 mittens

 night gown

 raincoat

 sandals

 shirt

 shoes

 short

 skirt

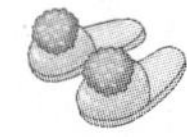 slipper

 toque

 winter coat

Secret word: __ __ __ __ __ __ __ __ __ __ __

3. Complete the crossword puzzle below. Use the word bank for help.

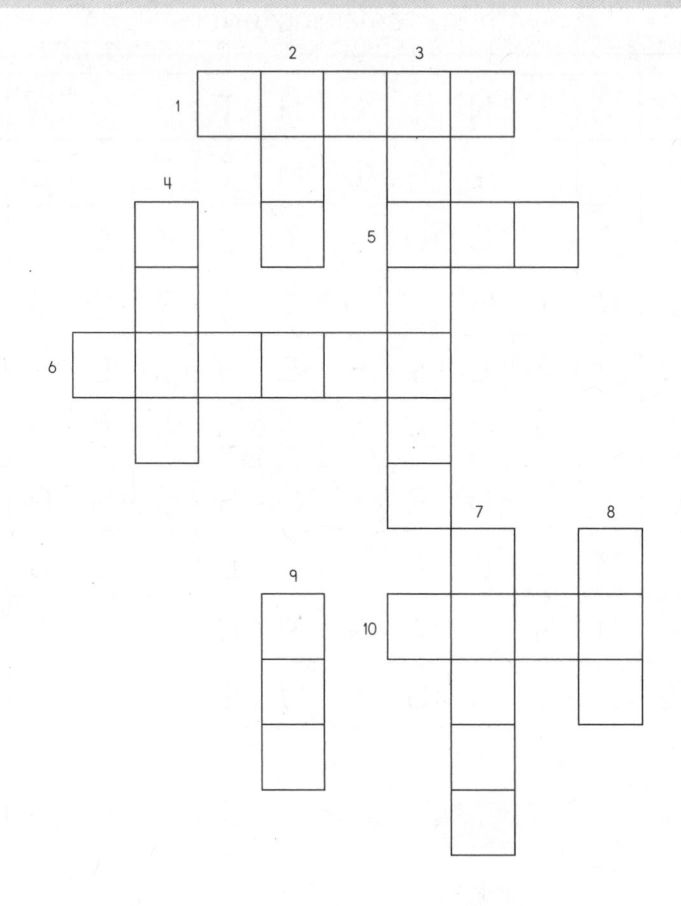

Across		Down	
1.	6.	2.	7.
5.	10.	3.	8.
		4.	9.

Word bank

arm	ear	eyebrow	finger	hair
leg	mouth	navel	nose	toe

School

→ Test d'évaluation Test de suivi

1. Use the word bank to help you write the name of each school supply under the correct picture.

Word bank	backpack blackboard eraser glue paperclip pen pencil case protractor ruler scissors triangle sharpener

a) 

____

b) 

____

c) 

____

d) 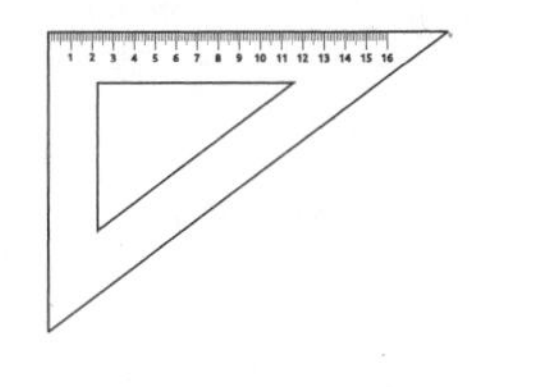

____

e) 

____

f) 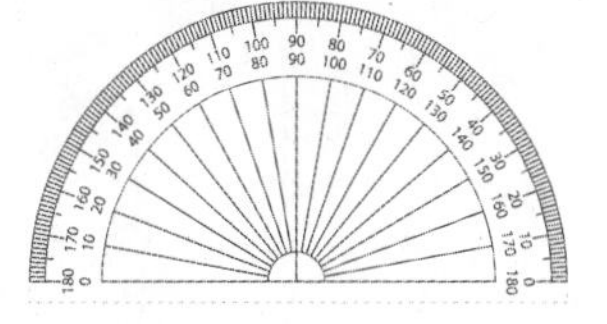

____

g) 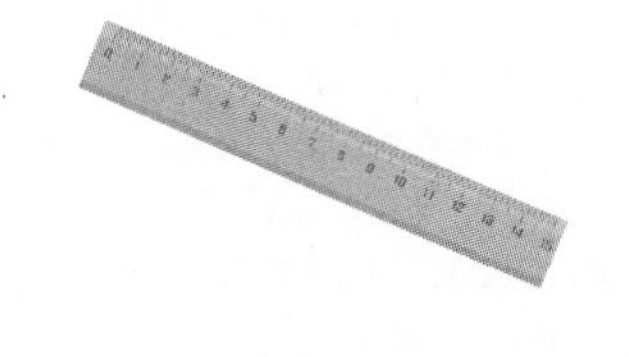

____

h) 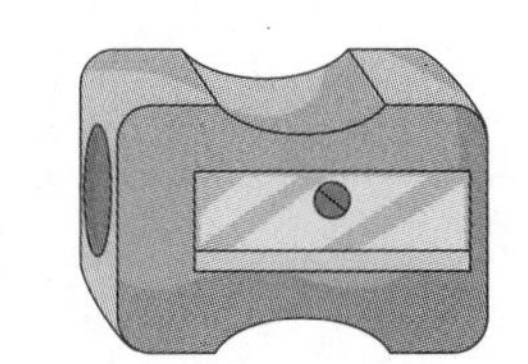

____

i) 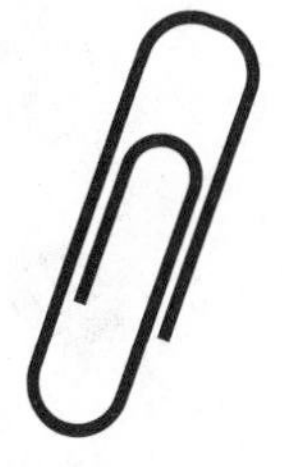

____

j) 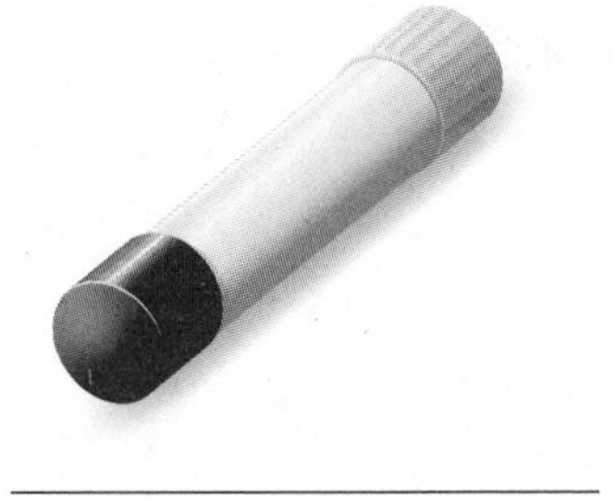

____

k) 

____

l) 

____

français mathématique anglais

Résultat /12

1. Draw a line to connect each picture with the name of the school worker.

a) 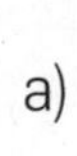		1. art teacher
b)		2. nurse
c)		3. gym teacher
d)		4. music teacher
e)	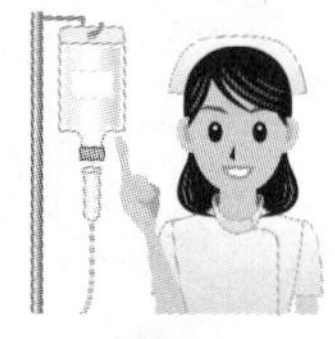	5. English teacher
f)		6. secretary
g)		7. computer science teacher
h)		8. principal
i)		9. janitor

2. Write the room number where you would find each of these school workers.

a)  ☐

b)  ☐

c)   ☐

d) 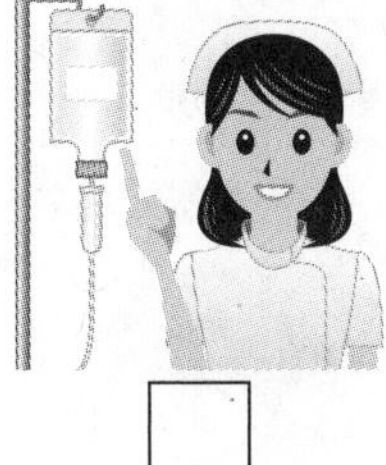 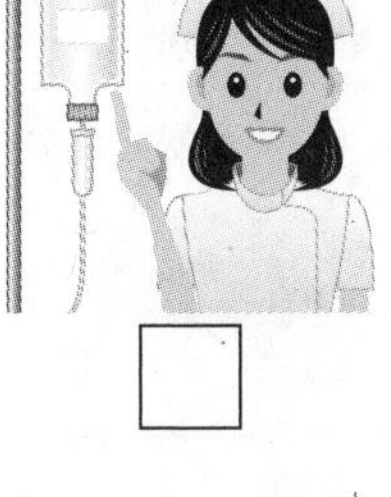 ☐

e)   ☐

f)  ☐

g) ☐

h)  ☐

i)  ☐

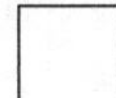

1. Main entrance

- 2. English room
- 3. Principal's office
- 4. Secretary's office
- 5. Computer lab
- 6. Gymnasium
- 7. Art room
- 8. Music room
- 9. Cleaning supply room
- 10. Nurse's office

3. Use the word bank to help you write the name of each classroom object under the correct picture.

Word bank	book bookcase calculator calendar chair chalk clock computer lunch box pencil binder wastebasket

a)

____

b)

____

c)

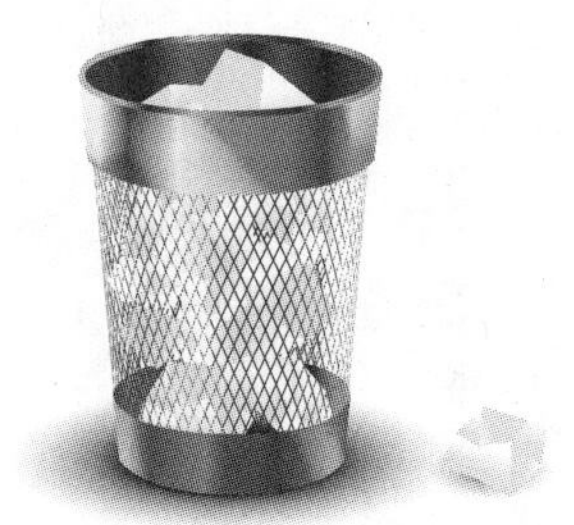

____

d)

____

e)

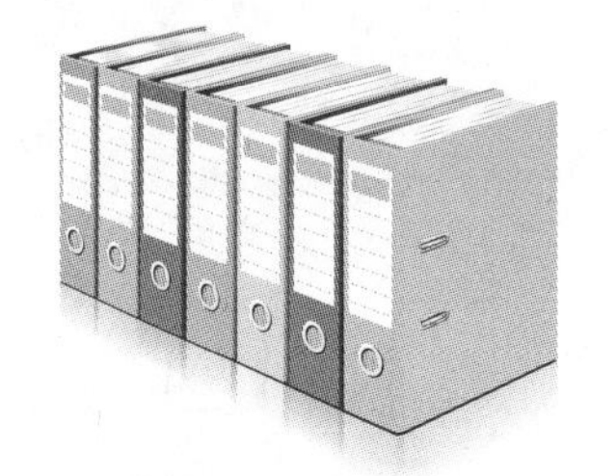

____

f)

____

g)

____

h)

____

i)

____

j)

____

k)

____

l)

____

School

~~Test d'évaluation~~ → Test de suivi

1. Use the word bank to help you write the correct name under each school supply.

Word bank

blackboard paperclip pen pencil case protractor sharpener

a) 

____

b) 

____

c) 

____

d) 

____

e) 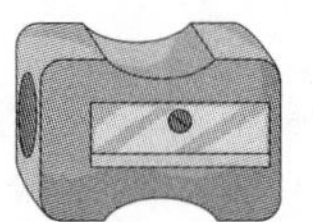

____

f) 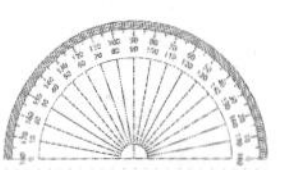

____

2. Draw a line to connect each school worker with the object that he or she uses.

a) nurse • • 1. 

b) secretary • • 2.

c) janitor • • 3.

d) art teacher • • 4.

e) gym teacher • • 5.

f) music teacher • • 6.

g) computer science teacher • • 7.

h) English teacher • • 8. 

Résultat 

1. Label the objects in the classroom by writing the correct number in each circle.

1. window
2. blackboard
3. wastebasket
4. clock
5. desk
6. book

2. Draw a line to connect each image with the correct school subject.

a)		•	• 1. Chemistry
b)		•	• 2. History
c)		•	• 3. Ecology
d)	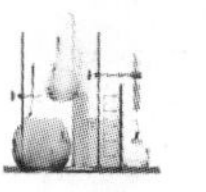	•	• 4. Computer Science
e)		•	• 5. Gymnastics
f)		•	• 6. Geography
g)		•	• 7. Drama
h)		•	• 8. English
i)		•	• 9. Art
j)		•	• 10. Mathematics

3. Cross out the words that are not related to school.

principal's office	computer lab	boys' washroom	barn
art room	cow	dentist	English room
ambulance	pencil	blackboard	tiger
janitor	classroom	eraser	squirrel
student	lamb	wave	gymnasium
book	restaurant	chalk	lion

4. Draw a line to match each illustration with the correct school supply.

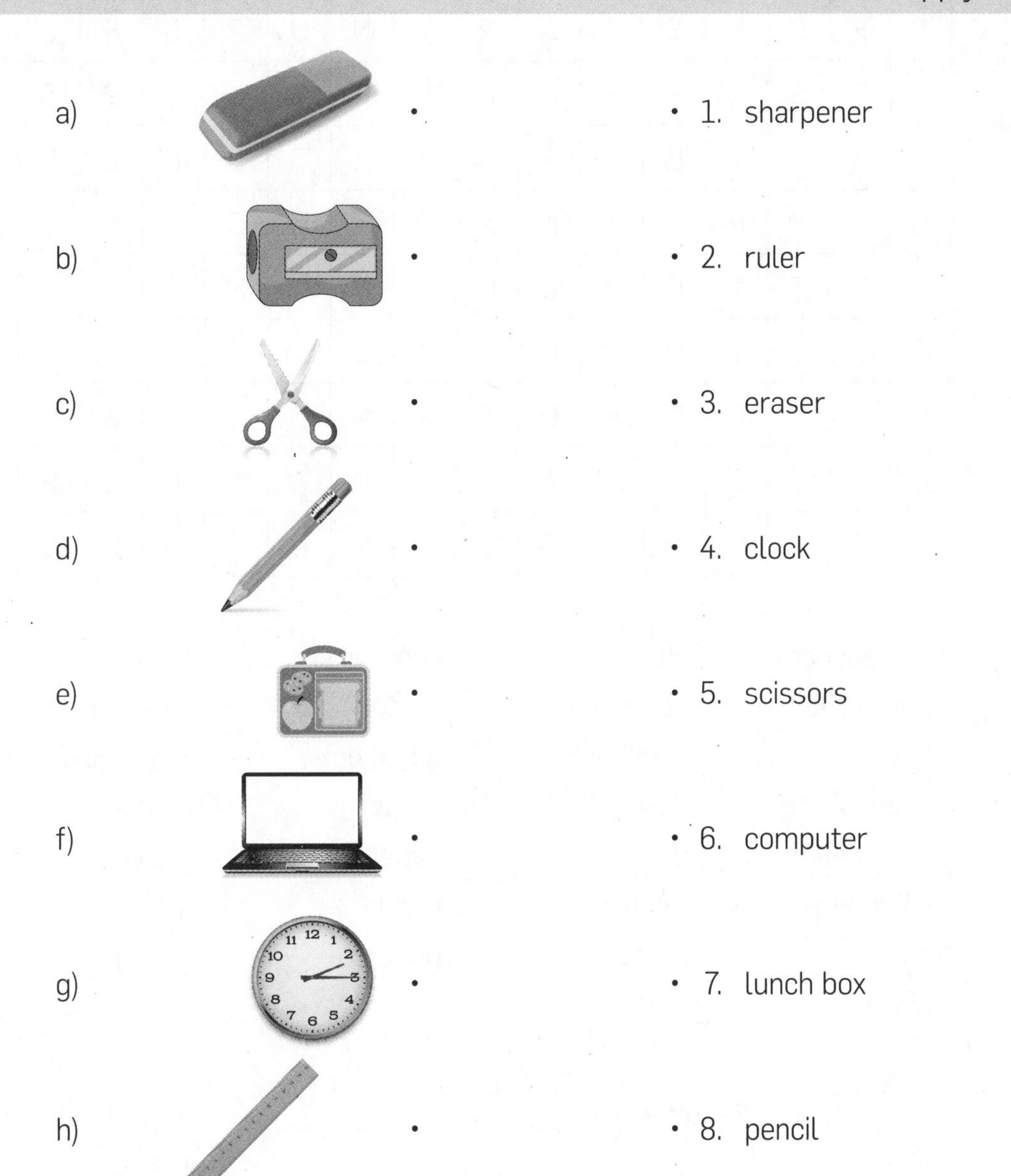

a) •	• 1. sharpener
b) •	• 2. ruler
c) •	• 3. eraser
d) •	• 4. clock
e) •	• 5. scissors
f) •	• 6. computer
g) •	• 7. lunch box
h) •	• 8. pencil

5. Find the words in the Word Search below, then discover the secret word with the remaining letters.

B	A	C	K	P	A	C	K	S	P	E	N	C	I	L
B	L	A	C	K	B	O	A	R	D	C	H	A	I	R
C	S	H	A	R	P	E	N	E	R	R	U	L	E	R
C	O	P	Y	B	O	O	K	J	A	N	I	T	O	R
T	E	A	C	H	E	R	S	C	I	S	S	O	R	S
P	E	N	H	G	L	U	E	O	E	R	A	S	E	R
S	E	C	R	E	T	A	R	Y	N	U	R	S	E	S
D	E	S	K	S	P	A	P	E	R	C	L	I	P	S
W	A	S	T	E	B	A	S	K	E	T	B	E	L	L
C	O	M	P	U	T	E	R	S	T	U	D	E	N	T
A	R	T	T	E	A	C	H	E	R	C	H	A	L	K
O	L	B	I	N	D	E	R	S	C	L	O	C	K	S
L	U	N	C	H	B	O	X	E	N	G	L	I	S	H
C	A	L	C	U	L	A	T	O	R	W	A	L	L	S
S	G	Y	M	N	A	S	I	U	M	D	O	O	R	S

art teacher
backpack
bell
binders
blackboard
calculator
chair
chalk
clocks
computer
copybook
desks
doors
English
eraser
glue
gymnasium
janitor
lunch box
nurses
paperclips
pen
pencil
ruler
scissors
secretary
sharpener
student
teacher
walls
wastebasket

Secret word: ___ ___ ___ ___ ___ ___ ___

Family, Jobs and Feelings

→ Test d'évaluation Test de suivi

1. Write the names of the family members described below.

a) He is male. You have the same parents. He is your ______________________.

b) She is your father's sister. She is your ______________________.

c) He is your mother's brother. He is your ______________________.

d) He is your uncle's son. He is your ______________________.

e) She is your mother's mother. She is your ______________________.

f) She is your mother's sister. She is your ______________________.

g) He is your father's father. He is your ______________________.

h) She is female. You have the same parents. She is your ______________________.

i) You grew in her belly. She is your ______________________.

2. Draw a line to match each feeling with the correct illustration.

a)	happiness •	• 1.	
b)	fear •	• 2.	
c)	boredom •	• 3.	
d)	anger •	• 4.	
e)	surprise •	• 5.	
f)	tiredness •	• 6.	

3. Unscramble the words to discover the job in each illustration.

a) narilibra

____

b) gdo ebreedr

____

c) 

ocwoby

____

Exercices | Family, Jobs and Feelings

1. Match each job with the tool needed for that job.

a)	doctor •		• 1.	
b)	astronaut •		• 2.	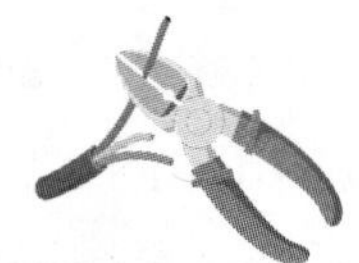
c)	firefighter •		• 3.	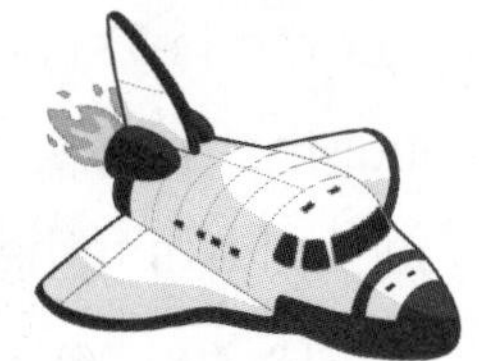
d)	painter •		• 4.	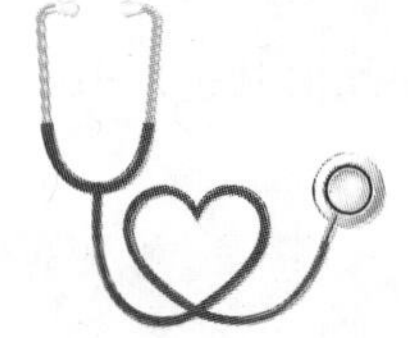
e)	veterinarian •		• 5.	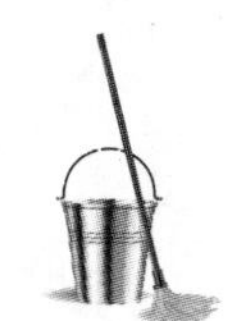
f)	janitor •		• 6.	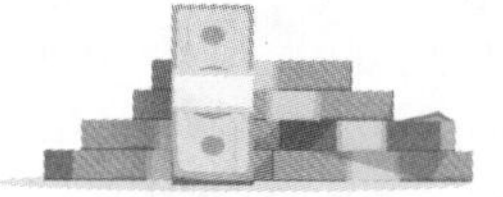
g)	electrician •		• 7.	
h)	computer scientist •		• 8.	
i)	banker •		• 9.	

2. Fill in your family tree by writing the names of your family members in the correct leaves.

3. Write how you feel in each situation. Use the word bank for help.

Word bank

happy (heureux)	sad (triste)	angry (fâché)	surprised (surprise)
nervous (nerveux)	excited (excité)	bored (ennuyé)	embarrassed (embarrassé)
sorry (désolé)	shy (gêné)	afraid (apeuré)	disappointed (désapointé)
proud (fier)	good (bien)	bad (pas bien)	guilty (coupable)

Example: When I eat my favourite meal, I feel *good* .

a) When I see my best friend, I feel ______________________.

b) When my mother kisses me, I feel ______________________.

c) When I watch a scary movie, I feel ______________________.

d) When I lie to my parents, I feel ______________________.

e) When I receive a gift, I feel ______________________.

f) When it's raining outside and I don't have anybody to play with, I feel ______________________.

g) When I see my friend crying, I feel ______________________.

h) When I meet new people, I feel ______________________.

4. How are you today? Circle how you feel.

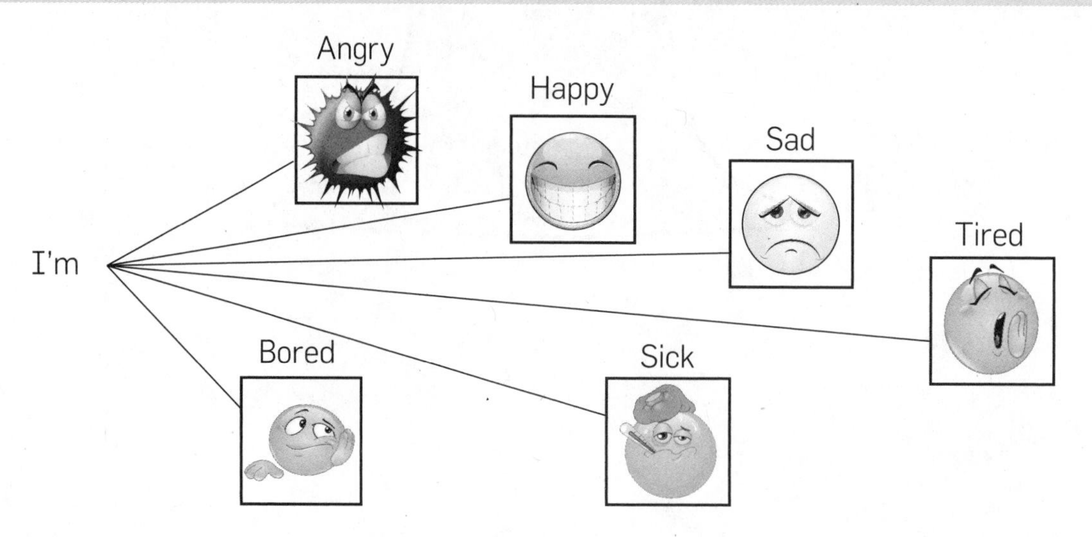

Family, Jobs and Feelings

Test d'évaluation → Test de suivi

1. Unscramble the words to discover the job in each illustration.

a) 

vtaeeriinarn

____

b) 

etachre

____

c) 

fierfierght

____

d) 

fmrare

____

e) 

cnostruntico erwkor

____

f) 

omver

____

2. Circle all the family-related words in the text below.

My parents first met at my father's cousin's wedding. They got married one year later. My brother and sister were born two years later. They are twins. My uncle Martin is my godfather and my aunt Carol is my godmother. My grandfather Joe and my grandmother Marianne are my mother's parents. My grandpa Hank and my grandma Rita are my father's parents.

3. Unscramble the words to discover the feelings. Use the word bank for help.

Word bank	happy sad angry surprised nervous excited sorry shy afraid proud good bad

a) sda ______________ b) psrriudse ______________ c) xiteecd ______________

d) ogdo ______________ e) ganry ______________ f) ysror ______________

g) phayp ______________ h) fadari ______________ i) yhs ______________

j) abd ______________ k) pduro ______________ l) nsevrou ______________

Résultat /18

1. Use the word bank to help you write the name of each worker.

Word bank

hairdresser	caterer	letter carrier	bus driver	dentist	lumberjack
cook	dressmaker	Santa Claus	waiter	shoemaker	doctor

a)  ____________________

b)  ____________________

c)  ____________________

d)  ____________________

e)  ____________________

f)  ____________________

g)  ____________________

h)  ____________________

i)  ____________________

j)  ____________________

k)  ____________________

l)  ____________________

2. Follow the boxes that contain words about feelings to make a path to the finish line.

Start

happy	excited	angry	embarrassed	plate	eraser	spring
blue	radio	dentist	disappointed	fork	picture	ham
name	hour	finger	guilty	apple	work	ruler
square	glue	arm	sad	leave	meal	read
pencil	paper	mother	sorry	door	soccer	write
window	flower	book	proud	floor	ball	number
phone	six	talk	nervous	afraid	good	surprised

Finish

3. Draw a line to connect each feeling to the matching picture.

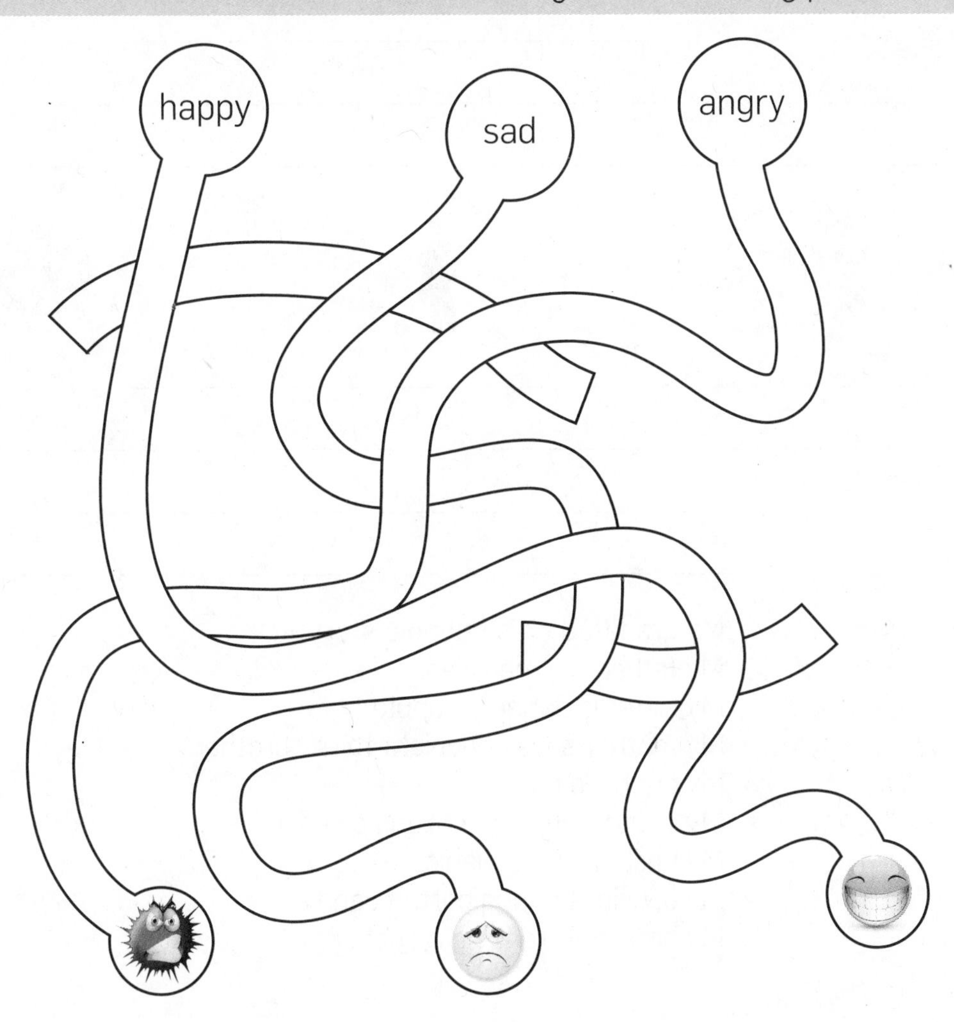

4. Write the correct sentence under each picture.

a) 

b) 

c) 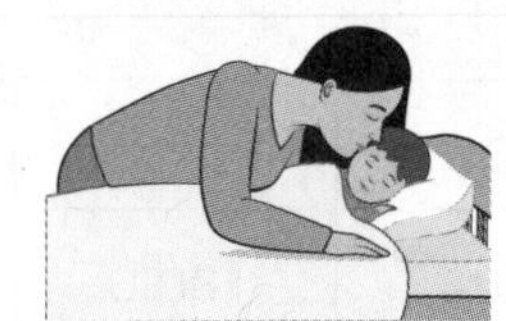

d) 

e) 

f) 

g) 

h) 

i) 

My grandfather is telling a story.
My father is a magician.
My sister is eating an apple.
My mother says goodnight to my brother.
My aunt is a dancer.
My grandmother is knitting a scarf.
My uncle is a mechanic.
My cousin is eating cotton candy.
My brother is reading a book.

The House, Buildings and Transportation

→ Test d'évaluation Test de suivi

1. Use the word bank to help you write the name of each building or vehicle under the pictures below.

Word bank: bank ship bookstore fire truck gas station helicopter airplane

a)  ____________

b) 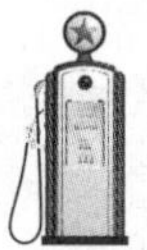 ____________

c)  ____________

d)  ____________

e)  ____________

f)  ____________

2. Would you find these objects in the bathroom, the bedroom, the kitchen or the living room?

a)  ____________

b)  ____________

c) 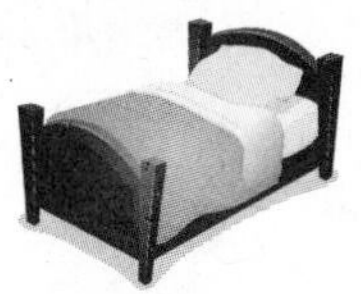 ____________

d)  ____________

e)  ____________

f)  ____________

3. Draw a line to match each picture with the correct word.

a)  • • 1. bank

b) • • 2. movie theatre

c)  • • 3. farm

d) • • 4. castle

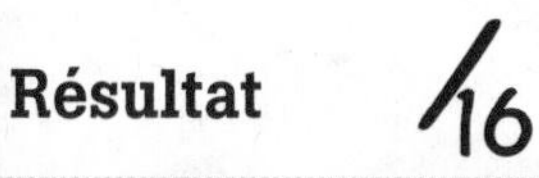
Résultat /16

1. Use the word bank to help you write the name of each vehicle under the pictures below.

Word bank

bicycle	bus	canoe	ferry	helicopter	hot-air balloon
motorcycle	airplane	rocket	submarine	train	truck

francais mathématique anglais

a) 

____

b) 

____

c) 

____

d) 

____

e) 

____

f) 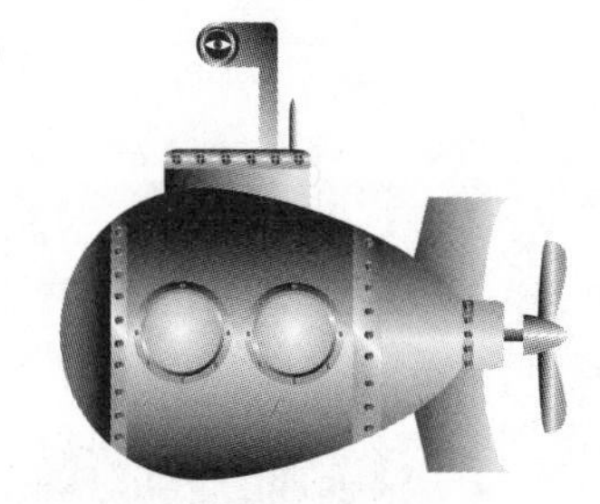

____

g) 

____

h) 

____

i) 

____

j) 

____

k) 

____

l) 

____

2. Use the word bank to help you write the correct name under each building.

Word bank

bank · beauty salon · castle · farm · florist · gas station · grocery store · hotel · library · movie theatre · restaurant · video store

a) 

____

b) 

____

c) 

____

d) 

____

e) 

____

f) 

____

g) 

____

h) 

____

i) 

____

j) 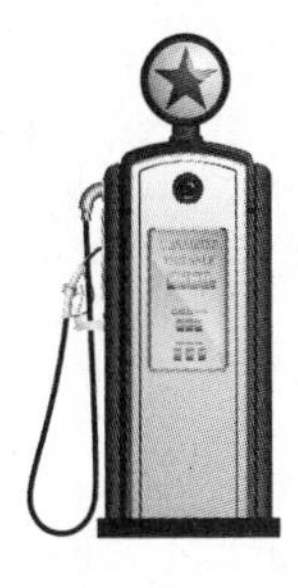

____

k) 

____

l) 

____

3. Use the word bank to help you write the name of each household object under the correct picture.

Word bank

alarm clock	armchair	bed	bookcase	chest	clock
buffet	desk	dresser	dryer	iron	table

a) 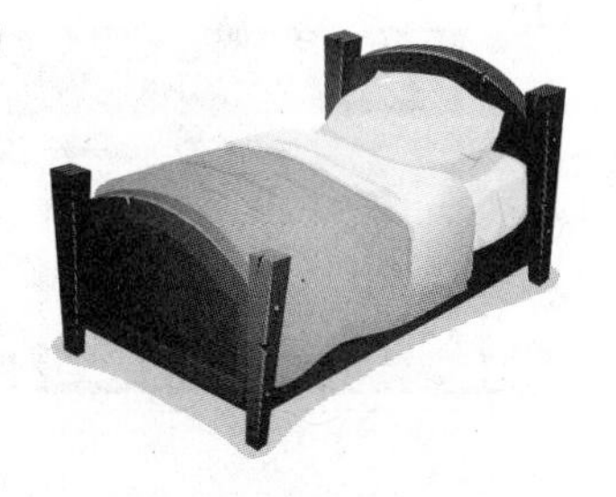

____

b) 

____

c) 

____

d) 

____

e) 

____

f) 

____

g) 

____

h) 

____

i) 

____

j) 

____

k) 

____

l) 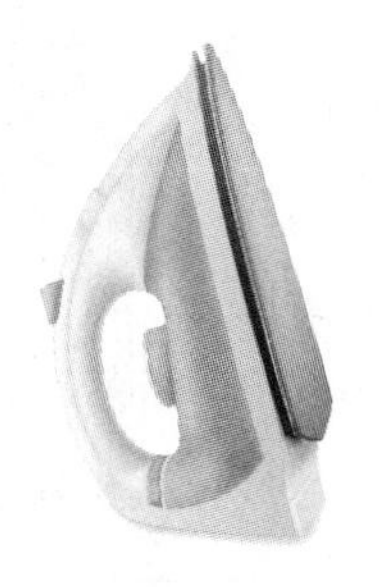

____

The House, Buildings and Transportation

Test d'évaluation → Test de suivi

1. Use the word bank to help you write the correct word under each picture.

Word bank	motorcycle rocket restaurant truck grocery store canoe SUV church space shuttle

a) 

____

b) 

____

c) 

____

d) 

____

e) 

____

f) 

____

g) 

____

h) 

____

i) 

____

2. In which room of the house would find these objects?

a) 

____

b) 

____

c) 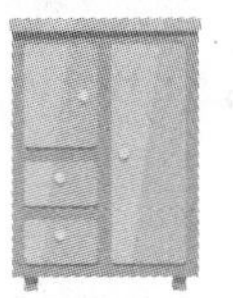

____

d) 

____

e) 

____

f) 

____

Résultat /15

1. Place each vehicle in the correct column.

ferry

kayak

helicopter

bus

unicycle

motorcycle

space shuttle

airplane

rowboat

In the Air	On the Road	On the Water
________	________	________
________	________	________
________	________	________

2. Place each vehicle in the correct column.

bicycle

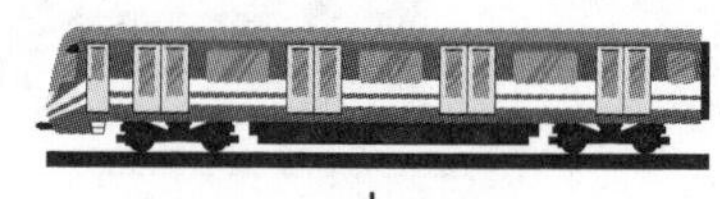
subway

truck

sport utility vehicle (SUV)

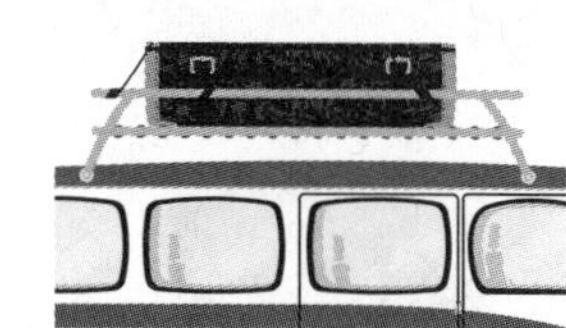
minivan

horse-and-buggy

Non-Polluting	Polluting
________	________
________	________
________	________

3. Connect each road sign to the name that it represents.

	Sign		
a)	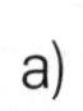	•	• 1. airport
b)		•	• 2. skating arena
c)		•	• 3. bank
d)		•	• 4. church
e)		•	• 5. fire station
f)		•	• 6. gas station
g)		•	• 7. harbour
h)		•	• 8. hospital
i)		•	• 9. library
j)		•	• 10. police station
k)		•	• 11. post office
l)		•	• 12. restaurant
m)		•	• 13. school
n)		•	• 14. theatre
o)		•	• 15. train station

4. Would you find these objects in the bathroom, the bedroom, the kitchen or the living room?

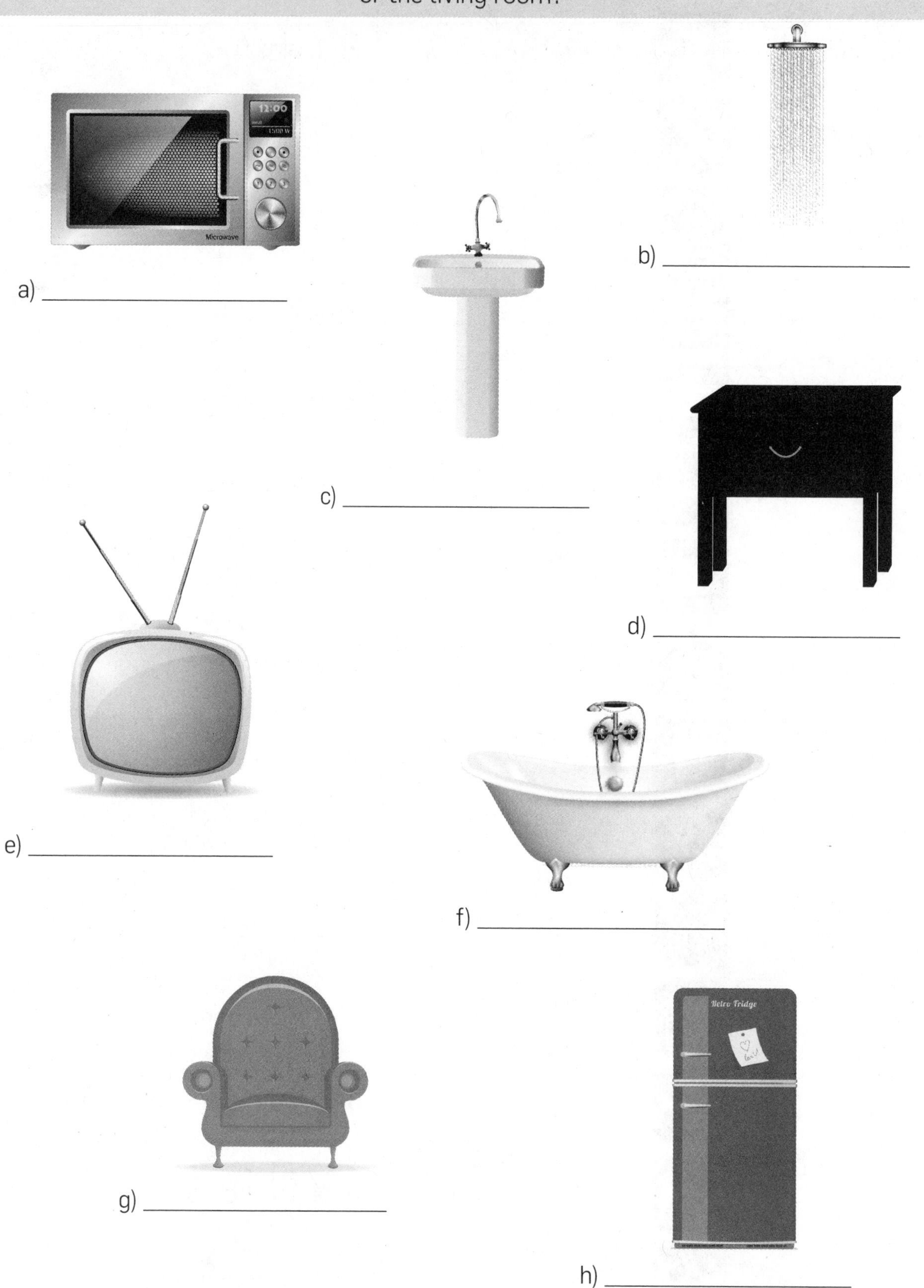

a) ____________________

b) ____________________

c) ____________________

d) ____________________

e) ____________________

f) ____________________

g) ____________________

h) ____________________

Food

→ Test d'évaluation Test de suivi

1. Use the word bank to help you write the names of the foods and kitchen objects under the pictures below.

Word bank

bread	cake	dishwasher	chair	cheese	chicken	coffee	eggs
ham	ice cream	coffee machine	pie	pizza	rice	sandwich	

a) 

____

b) 

____

c) 

____

d) 

____

e) 

____

f) 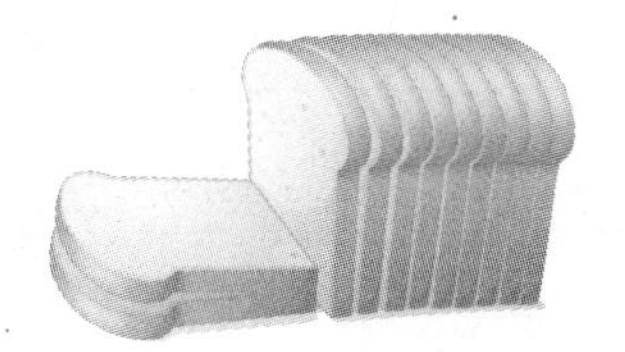

____

g) 

____

h) 

____

i) 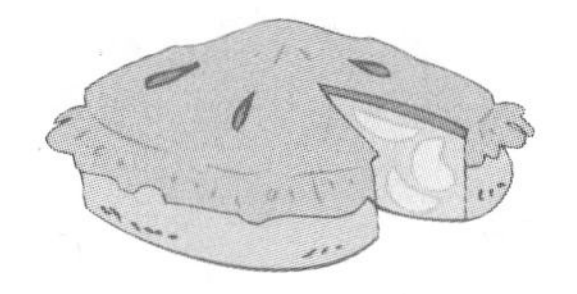

____

j) 

____

k) 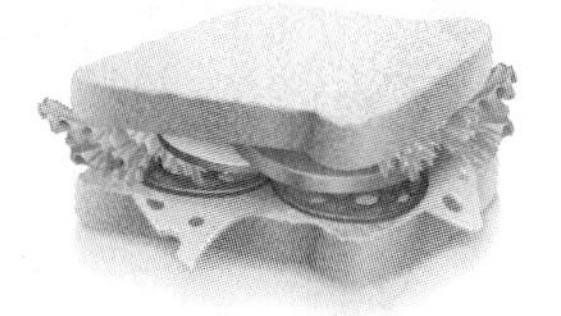

____

l) 

____

m) 

____

n) 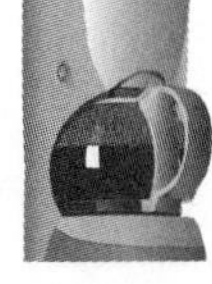
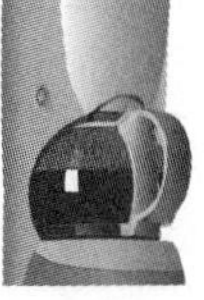

____

o) 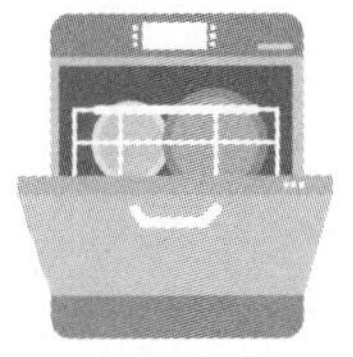

____

Résultat /15

1. Write the name of each food under the correct category.

apple	bread	cheese	couscous	lollipop	pepper
asparagus	broccoli	cherry	fish	macaroni	potato
bagel	cabbage	chicken	goat's milk	milk	pudding
banana	candy	chips	grape	nuts	rice
beans	carrot	chocolate	ham	oil	soy milk
beef	cereal	cotton candy	lemon	orange	yogurt

Fruits	Vegetables	Grains and Cereals
____________	____________	____________
____________	____________	____________
____________	____________	____________
____________	____________	____________
____________	____________	____________
____________	____________	____________

Meat and Substitutes	Dairy	Others
____________	____________	____________
____________	____________	____________
____________	____________	____________
____________	____________	____________
____________	____________	____________
____________	____________	____________

2. Draw a line to connect each picture with the correct kitchen item.

a) 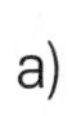  • • 1. sugar bowl

b)  • • 2. toaster

c)  • • 3. coffee machine

d)  • • 4. pots and pans

e)  • • 5. fork

f)  • • 6. refrigerator

g) 

• • 7. knife

h)  • • 8. spatula

i)  • • 9. spoon

j)  • • 10. table

k)  • • 11. glass

l)  • • 12. teapot

3. Write if each of these foods is a fruit or a vegetable.

a) 

____

b) 

____

c) 

____

d) 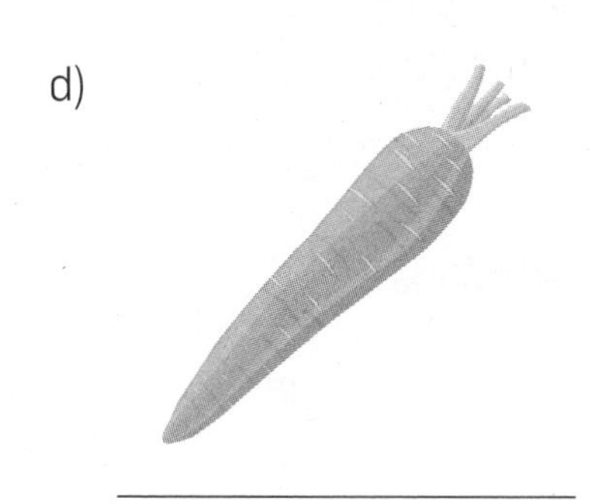

____

e) 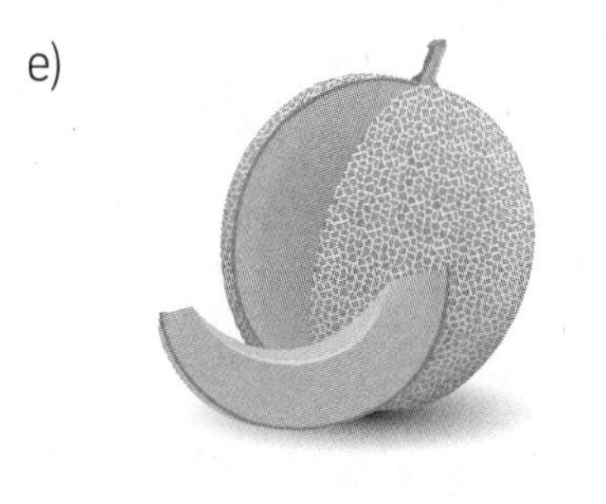

____

f) 

____

g) 

____

h) 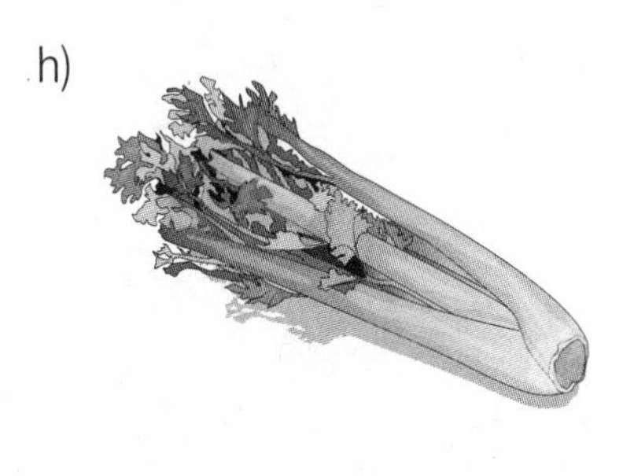

____

i) 

____

j) 

____

k) 

____

l) 

____

m) 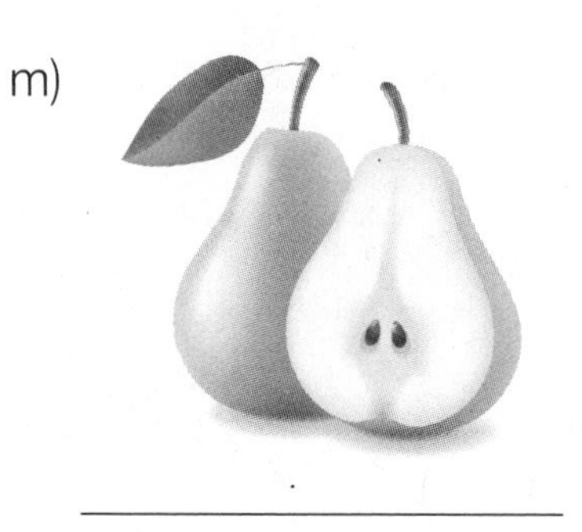

____

n) 

____

o) 

____

Food

Test d'évaluation → **Test de suivi**

1. Use the word bank to help you write the names of the foods and kitchen objects under the pictures below.

Word bank	banana	blueberry	broccoli	chicken	faucet	ham	kiwi	nuts
	pear	pineapple	potato	sausage	table	toaster	tomato	

a) 
______

b) 
______

c) 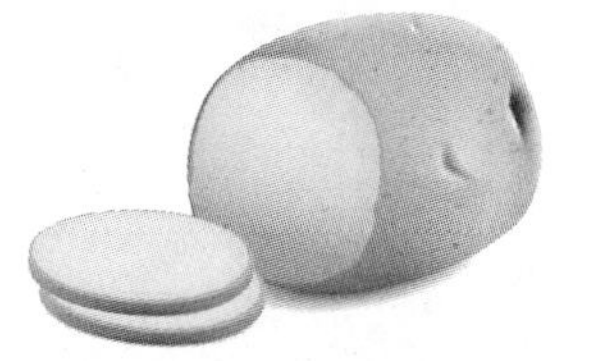
______

d) 
______

e) 
______

f) 
______

g) 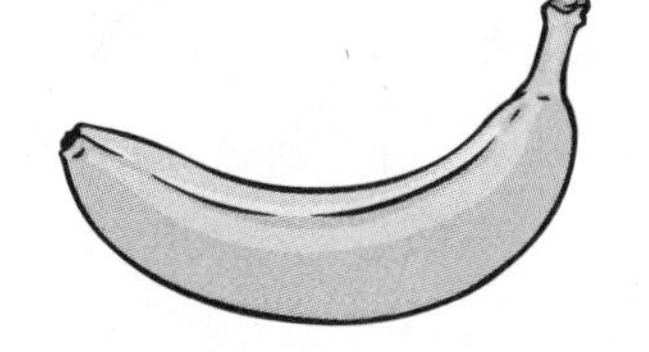
______

h) 
______

i) 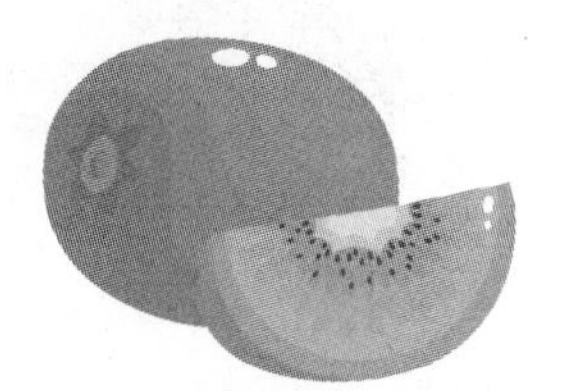
______

j) 
______

k) 
______

l) 
______

m) 
______

n) 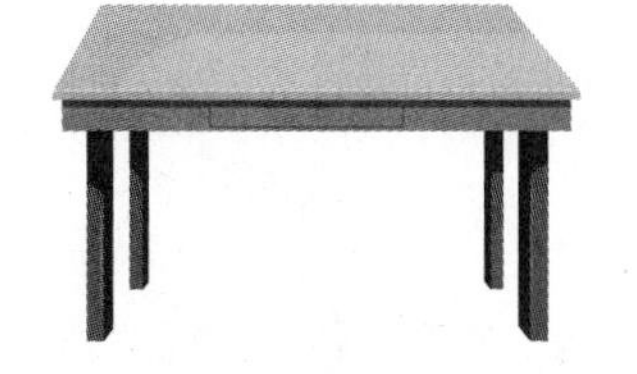
______

o) 
______

Résultat /15

1. Use the word bank to help you write the names of the foods and kitchen objects under the pictures below.

Word bank

apple	bread	broccoli	candy	carrot	chicken	cup	egg
fork	glass	knife	oven	plate	refrigerator	sugar	

a) 

____

b) 

____

c) 

____

d) 

____

e) 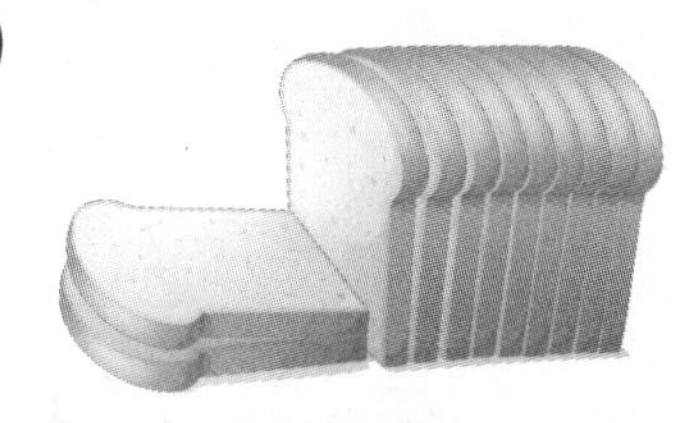

____

f) 

____

g) 

____

h) 

____

i) 

____

j) 

____

k) 

____

l) 

____

m) 

____

n) 

____

o) 

____

2. Use the word bank to help you write the name of the food below each image. Then, write if it is a fruit, vegetable, meat or substitute, grain, or milk product.

Word bank

banana sausage rice raspberry pear bread
noodles milk chicken cheese cereal celery carrot
cantaloupe cabbage broccoli green beans apple

a) 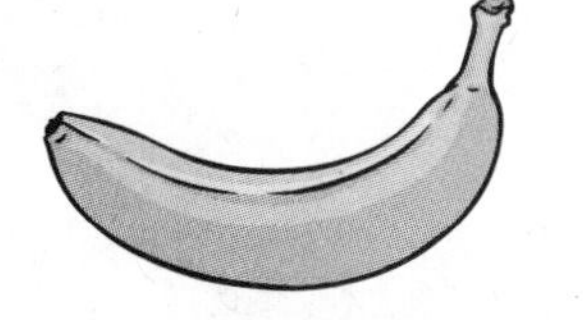

b) 

c) 

d) 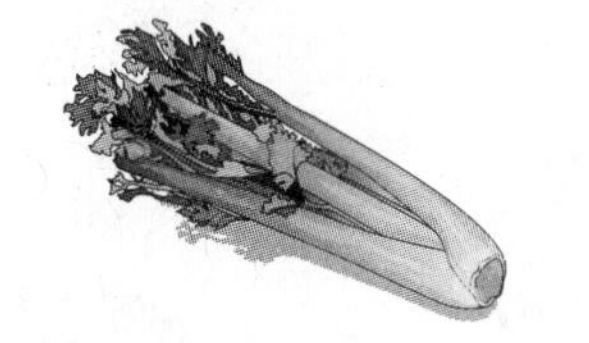

e) 

f) 

g) 

h) 

i) 

j) 

k) 

l) 

m) 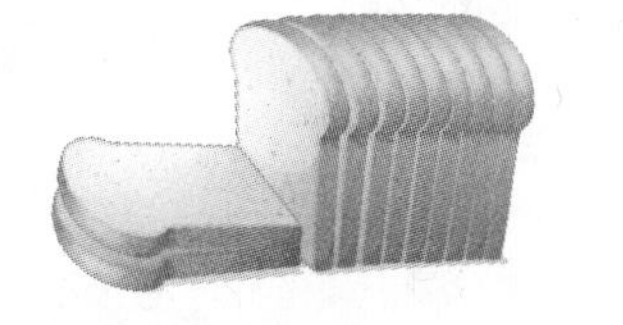

n) 

o) 

3. Zoe's mom has asked her to go to the grocery store. Read the grocery list and colour the fruits her mother needs in yellow and the vegetables she needs in green.

francais
mathématique
anglais

Les déterminants

Test

Les déterminants
Les déterminants se placent devant le mot qu'ils accompagnent.
Ils reçoivent le genre et le nombre de ce même mot.

Les déterminants définis et indéfinis
Ce sont des mots variables qui servent à introduire un nom.
Les déterminants articles sont : le, la, l', les, un, une, des.

Les déterminants partitifs
Ils sont formés d'une préposition (à ou de) et d'un article (le ou les) réunis en un seul mot.
Les déterminants contractés sont : au (à + le), du (de + le), aux (à + les), des (de + les).

Les déterminants démonstratifs
Ils s'emploient devant une personne, un animal, une chose ou une réalité que l'on veut montrer.
Les déterminants démonstratifs sont : ce, cet, cette, ces.

Les déterminants possessifs
Ils s'emploient pour indiquer qui possède l'animal, la chose ou la réalité désignée par le nom.
Les déterminants possessifs sont : mon, ma, mes, ton, ta, tes, son, sa, ses, notre, nos, votre, vos, leur, leurs.

Les déterminants numéraux
Ils précisent la quantité de personnes, d'animaux ou de choses que le nom désigne.
Les déterminants numéraux sont : un, une, deux, trois... douze, treize, quatorze,... vingt, trente, cent, mille, etc. (Seuls les déterminants numéraux ***un***, ***vingt*** *et* ***cent*** *sont variables. Tous les autres sont invariables.)*

Les déterminants interrogatifs
Ils s'emploient devant un nom pour poser une question.
Les déterminants interrogatifs sont : quel, quelle, quels, quelles, combien d', combien de.

Les déterminants exclamatifs
Ils s'emploient devant un nom pour exprimer une émotion.
Les déterminants exclamatifs sont : quel, quelle, quels, quelles, que d', que de.

Les déterminants quantitatifs
Certains, aucun, différents, chaque, toute, etc.

Page 13

le	nos	vos	leurs	trois	vingt	des	aux	les	la
la	mou	café	oui	été	mars	mardi	obéir	gelée	papa
les	alors	encore	ou	et	main	ni	luire	moule	mais
un	pou	caille	bébé	valise	lundi	neige	yeux	héros	manie
une	lancer	merci	elle	ils	vache	aimer	voir	de	ciel
des	collet	mieux	gazon	lait	loup	tombe	sac	cher	nous
l'	chéri	avion	voisin	boisé	varan	banane	boa	image	ans
au	mes	tes	un	une	trente	notre	votre	vos	leurs
du	seul	vert	vrai	côté	rue	là	minute	pont	rond
des	lent	sud	haut	entre	frais	belle	actualité	mois	rapport
aux	viaduc	tragédie	science	expulsé	lundi	omis	justice	détenu	fuir
ce	parti	fonction	symbole	samedi	idée	action	voie	dénoncer	dérive
cette	religion	demander	contre	dès	sceau	ordinaire	jouet	plusieurs	adorer
cet	bâtir	terre	union	marché	pays	ouvrage	famille	à	rien
ces	deux	mon	ton	son	notre	votre	leur	mes	tes

Exercices

Page 14

1.

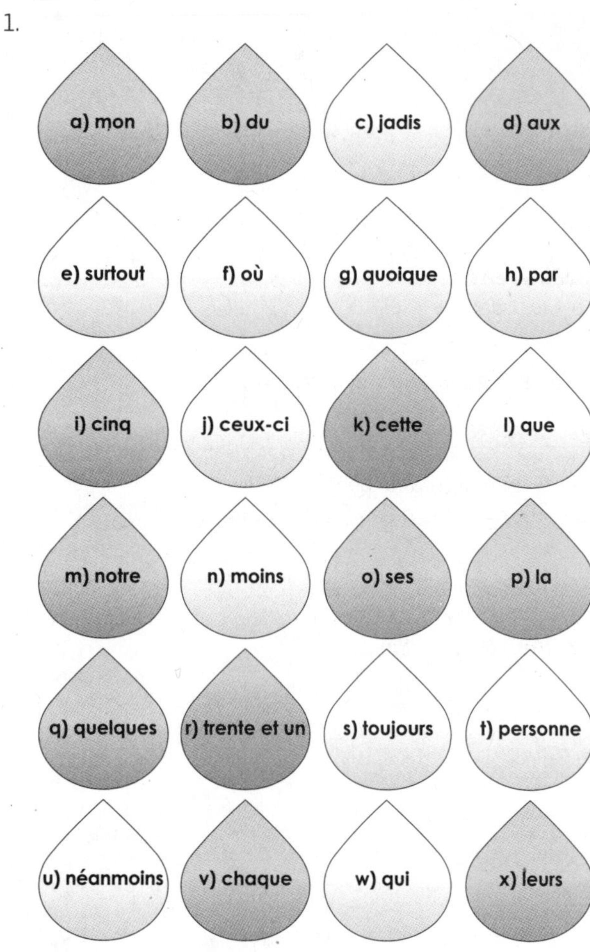

Page 15

2. a) Ma mère et ma sœur ont mangé une glace à la vanille.
   b) Hélène était heureuse d'être la nouvelle directrice.
   c) Marc a les yeux verts et les cheveux noirs.
   d) Mon amie habite à Trois-Rivières.
   e) Zachary apprend une nouvelle chanson.
   f) Les baleines vivent dans l'océan.
   g) Dorothée a vu des lions, des tigres et des panthères.
   h) Omar possède un iguane et une tortue.
   i) Justine porte une robe verte et des collants noirs.
   j) Les fleurs poussent dans le champ.
   k) Les oiseaux sont perchés dans l'arbre.
   l) Ma mère me chante une chanson pour m'endormir.
   m) Mon frère adore le chocolat.
   n) Rosalie se promène dans la forêt.
   o) Karim fait le ménage de sa chambre.
   p) Laurie joue aux cartes.
   q) Mon chien jappe tous les soirs.
   r) Simon a fait un mauvais rêve.
   s) Ma sœur joue avec Mathilde.

Page 16

3. a) La [grenouille] (f.s.) saute haut.
   b) Le [prince] (m.s.) nourrit son [cheval] (m.s.).
   c) Cette belle [femme] (f.s.) se regarde dans le [miroir] (m.s.).
   d) Quatre [souris] (f.s.) se cachent sous la [table] (f.s.).
   e) Mon [frère] (m.s.) et moi jouons aux [échecs] (m.p.).
   f) Ces [fleurs] (f.p.) sentent mauvais.
   g) Notre [grand-mère] (f.s.) est une bonne [cuisinière] (f.s.).
   h) Leurs [amis] (m.p.) sont partis dans la [forêt] (f.s.).
   i) Certaines de mes [plantes] (f.p.) sont malades.
   j) Beaucoup de mes [chiens] (m.p.) sont chez le [vétérinaire] (m.s.).
   k) Le [soir] (m.s.), je joue avec mon [frère] (m.s.).
   l) Toutes mes [amies] (f.p.) sont absentes.
   m) L'[hiver] (m.s.), je joue souvent dehors.
   n) Les [pirates] (m.p.) ont envahi l'[île] (f.s.) déserte .
   o) L'[ornithologue] (m.s.) a perdu ses [jumelles] (f.p.).
   p) Les [skieurs] (m.p.) ont rapidement dévalé la [pente] (f.s.).
   q) Nos [vaches] (f.p.) sont dans le [pâturage] (m.s.).
   r) Ma [sœur] (f.s.) écoute la [radio] (f.s.).
   s) Quatre [juments] (f.p.) broutent dans le [pré] (m.s.).

Test

Page 17

Exercices

Page 18

1. a) La table est mise. **Déterminant défini**
   b) Ta robe est sale. **Déterminant possessif**
   c) Cette voiture coûte cher. **Déterminant démonstratif**
   d) Cent personnes sont là. **Déterminant numéral**
   e) Notre maison est vieille. **Déterminant possessif**
   f) L'automobile est en panne. **Déterminant défini**
   g) Une bouteille est lancée de haut. **Déterminant indéfini**
   h) Nos vélos sont rangés. **Déterminant possessif**
   i) Cet arbre est vieux. **Déterminant démonstratif**
   j) J'ai mis deux chandails. **Déterminant numéral**
   k) Caroline va au parc. **Déterminant partitif**
   l) Elle est revenue du centre commercial. **Déterminant partitif**
   m) Ma montre retarde. **Déterminant possessif**
   n) Sa chemise est rose et bleue. **Déterminant possessif**
   o) Quelques poires sont mûres. **Déterminant quantitatif**
   p) Les fleurs sont jolies. **Déterminant défini**
   q) Dix élèves sont absents. **Déterminant numéral**
   r) Les enfants ont faim. **Déterminant défini**
   s) J'ai reçu un cadeau pour Noël. **Déterminant indéfini**

Page 19

2. a) Mon amie mange des bonbons au chocolat. (**fém.**)
   b) Mon frère est très habile en ski. (**masc.**)
   c) Ma sœur est malade ce matin. (**fém.**)
   d) Ton école est fermée parce que le toit coule. (**fém.**)
   e) Ton vélo est appuyé contre un arbre. (**masc.**)
   f) Ta dictée était presque parfaite. (**fém.**)
   g) Son idée n'était pas très bonne. (**fém.**)
   h) Son retard nous a causé bien des problèmes. (**masc.**)
   i) Sa montre retarde de cinq minutes. (**fém.**)

Lorsqu'un mot féminin qui commence par une voyelle suit le déterminant, on utilise mon, ton, son *au lieu de* ma, ta, sa.

3. a) Cet auteur écrit des romans fantastiques. (**masc.**)
   b) Cette femme n'aura pas le temps de traverser la rue. (**fém.**)
   c) Cet oiseau m'empêche de dormir le matin. (**masc.**)
   d) Ce personnage donne froid dans le dos. (**masc.**)
   e) Cet assassin était recherché par tous les policiers de la province. (**masc.**)
   f) Ce livre-là est absolument fantastique. (**masc.**)
   g) Cette recette n'est pas complète. (**fém.**)

Lorsqu'un mot masculin qui commence par une voyelle suit le déterminant, on utilise cet *au lieu de* ce.

Page 20

4.

Il pleure dans mon cœur
Comme il pleut sur la ville ;
Quelle est cette langueur
Qui pénètre mon cœur ?

Il pleure sans raison
Dans ce cœur qui s'écœure.
Quoi ! Nulle trahison ?...
Ce deuil est sans raison.

Ô bruit doux de la pluie
Par terre et sur les toits !
Pour un cœur qui s'ennuie,
Ô le chant de la pluie !

C'est bien la pire peine
De ne savoir pourquoi
Sans amour et sans haine
Mon cœur a tant de peine !

5.

Déterminants articles	Déterminants possessifs	Déterminants démonstratifs	Déterminants numéraux	Déterminants indéfinis
la, l', une, le, l', un, au, les, des, aux, du	mon, ton, son, ma, ta, sa, notre, votre, leur, mes, tes, ses, nos, vos, leurs	ce, cet, cette, ces	un, deux, trois, quatre, cinq, six, sept, huit, neuf, dix, onze, douze, treize, quatorze, quinze, seize, vingt, trente... cent, mille dix-sept, dix-huit, dix-neuf, vingt et un, mille un, etc.	aucun, aucune, chacun, chaque, plusieurs, tout, toute, tous, toutes, etc.

Le nom

Test

Le nom est un mot variable dont la forme peut changer selon le nombre et parfois le genre. Le nom sert à désigner des réalités comme des personnes, des animaux, des choses, des lieux, des actions, des sentiments.

Le nom est un donneur : il donne son genre et son nombre au déterminant et à l'adjectif qui l'accompagnent.

Le nom simple est formé d'un seul mot. Le nom composé est formé de plusieurs mots (sous-marin, porte-bonheur).

Il y a deux sortes de nom : le nom commun et le nom propre.
Le nom commun : *nom qui commence par une lettre minuscule.*

Il est souvent précédé d'un déterminant. Le nom commun désigne des réalités de manière générale.

Le nom propre *commence toujours par une lettre majuscule. Le nom propre désigne :*

- *des personnes et des personnages : Marie, Antoine, Astérix, Tintin, etc.*
- *des animaux : Milou, Idéfix, Garfield, etc.*
- *des lieux : Montréal, Abitibi, Angleterre, etc.*
- *des populations : des Manitobains, des Français, des Allemands, etc.*
- *d'autres réalités : nom d'édifice (école Nouvel horizon, hôpital Cité de la santé), nom d'entreprise (éditions Caractère), nom de bateau (Titanic), etc*

Page 21

1. a) Roberto rêve d'avoir un nouveau vélo.
   b) Juan vit au Guatemala
   c) Ma balançoire est brisée.
   d) Mon petit frère va à la pêche.
   e) Ma meilleure amie est fâchée contre moi.
   f) Ma grande sœur Océane est née en 2009.
   g) Pierre et Denis jouent au soccer.
   h) Hélène écoute la radio.
   i) Isabelle plante des fleurs roses.
   j) Les élèves dessinent un paysage d'automne.
   k) Mes pantalons sont trop petits.
   l) Simon tourne un documentaire sur les baleines.
   m) Ismaël court rapidement.
   n) La falaise est très haute.

Exercices

Page 22

3. **Noms communs :** soeur ; iceberg ; chien ; parc ; école.
Noms propres : Malika ; Marc ; Montréal ; Angleterre; Titanic ; Chinois ; Montréal ; Rex ; La Fontaine.Exercices

Page 23

2.

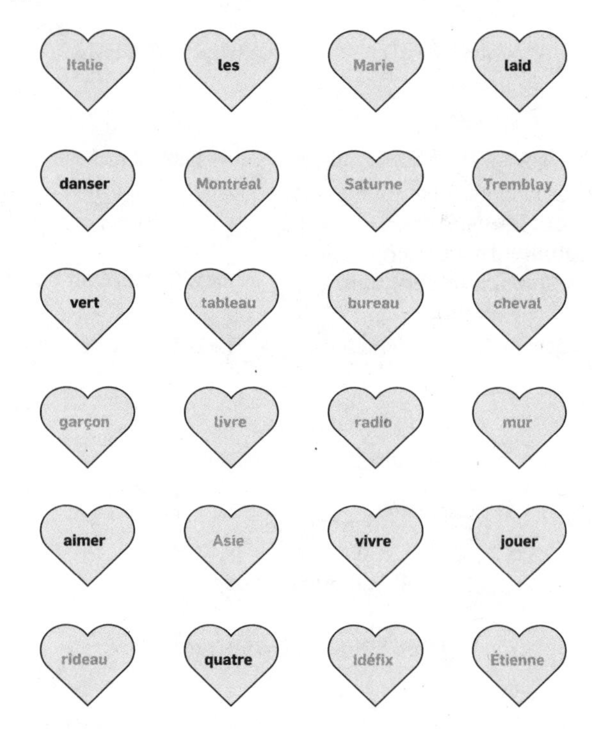

Page 24

3. Les mots en gras étaient mal orthographiés. La bonne graphie est après la barre oblique.

Noms communs	Noms propres
amour	**afrique du Sud**/Afrique du Sud
Boulevard/boulevard	**Amérique du nord**/Amérique du Nord
bras	**charlevoix**/Charlevoix
calendrier	**Colombie-britannique**/ Colombie-Britannique
Chanson/chanson	**cuba**/Cuba
Corps/corps	Damien
livre	France
maison	Manitoba
Monde/monde	**nouveau-brunswick**/ Nouveau-Brunswick
Ordinateur/ordinateur	Nunavut
photo	Québec

Radio/radio	**riccardo**/Riccardo
Raison/raison	**rivière-du-loup**/Rivière-du-Loup
Rue/rue	**Trois-rivières**/Trois-Rivières
Vacances/vacances	Victoria

Page 25

a) Il y a beaucoup de Français à Montréal.
Nom propre, nom propre.

b) Martin et Isabelle regardent la télévision.
Nom propre, nom propre, nom commun.

c) Les fleurs poussent vite dans nos plates-bandes.
Nom commun, nom commun.

d) Florence achète des fruits et des légumes.
Nom propre, nom commun, nom commun.

e) Mon frère veut des livres et des jeux pour Noël.
Nom commun, nom commun, nom commun, nom propre.

f) Caroline veut aller voir un film.
Nom propre, nom commun.

g) Dimanche, nous irons visiter un musée.
Nom commun, nom commun.

h) Henri a skié au mont Sainte-Anne.
Nom propre, nom commun, nom propre.

i) Qui a aidé William à faire ses devoirs?
Nom propre, nom commun.

j) Franco a acheté une nouvelle voiture.
Nom propre, nom commun.

k) Fatima et Nawel mangent du chocolat.
Nom propre, nom propre, nom commun.

l) L'avocate a bien défendu son client.
Nom commun, nom commun.

m) Les danseurs ont exécuté une chorégraphie difficile.
Nom commun, nom commun.

n) Le boulanger prend la commande d'une cliente.
Nom commun, nom commun.

o) Le dindon s'est enfui dans la forêt.
Nom commun, nom commun.

p) Les garçons jouent au soccer.
Nom commun, nom commun.

q) Les étoiles brillent dans le ciel.
Nom commun, nom commun.

r) La Terre est une planète.
Nom propre, nom commun.

s) Omar aime le cinéma.
Nom propre, nom commun.

Page 26

1.

Personnes ou personnages	Animaux	Lieux
Blanche-Neige	chat	Asie
Cendrillon	cheval	Australie
clown	chien	Barcelone
fée	Garfield	Fidji
Géant Beaupré	Idéfix	Maroc
lutin	Jolly Jumper	montagne
ogre	mouton	parc
père Noël	Rantanplan	pays
Raiponce	souris	province
sorcière	vache	Sept-Îles

2. a) Caroline b) Chine c) carré d) commérage e) Caraïbe
f) cahier g) Colombie h) citrouille i) crayon j) cousine
k) concombre l) Charles m) carafe n) conserve o) Coralie
p) cycle q) Canada r) chemin s) campagne t) Carole

Page 27

10.
L'albatros
(Charles Baudelaire)
Souvent, pour s'amuser, les hommes d'équipage
Prennent des albatros, vastes oiseaux des mers,
Qui suivent, indolents compagnons de voyage,
Le navire glissant sur les gouffres amers.
À peine les ont-ils déposés sur les planches,
Que ces rois de l'azur, maladroits et honteux,
Laissent piteusement leurs grandes ailes blanches
Comme des avirons traîner à côté d'eux.
Ce voyageur ailé, comme il est gauche et veule !
Lui, naguère si beau, qu'il est comique et laid !
L'un agace son bec avec un brûle-gueule,
L'autre mime, en boitant, l'infirme qui volait !
Le Poète est semblable au prince des nuées
Qui hante la tempête et se rit de l'archer ;
Exilé sur le sol au milieu des huées,
Ses ailes de géant l'empêchent de marcher.

Page 28

1 : **Lieux** : Bromont ; Trois-Rivières ; Université de Montréal. **Personnes** : Jacinthe ; Pauline ; Émilie. **Animaux** : Belle ; Max ; Cannelle.

Les verbes : reconnaître les verbes, se situer dans le temps...

Test

Les verbes
Le verbe est un mot variable dont la forme peut changer selon le mode et le temps et selon la personne. Il sert à exprimer une action faite par le sujet ou à attribuer une caractéristique au sujet.

Pour repérer un verbe
Le verbe est généralement placé après son groupe sujet et parfois avant. La plupart des verbes permettent d'exprimer une action faite par le sujet.

On peut l'encadrer par « ne... pas » ou « n'... pas ».

→ *Il a acheté une maison. Il **n'**a **pas** acheté une maison.*

→ *Elle écoute la radio. Elle **n'**écoute **pas** la radio.*

On peut également le conjuguer à un autre temps.

→ *Il achètera une maison.*

Les principaux temps sont le présent, le passé et le futur.

Le verbe est un receveur, c'est-à-dire qu'il reçoit la personne et le nombre du sujet.

Un verbe est conjugué lorsqu'il n'est pas à l'infinitif ou au participe présent.

Le radical et la terminaison
Le radical (en gras dans l'exemple ci-dessous) est une partie du verbe qui ne change généralement pas dans la conjugaison. Certains verbes comme pouvoir *changent de radical (je peux, je pourrais, que je puisse, etc.).*

*J'**aim**e*
*Tu **aim**es*
*Il **aim**e*
*Nous **aim**ons*
*Vous **aim**ez*
*Ils **aim**ent*

La terminaison (soulignée dans l'exemple ci-dessus) est la partie du verbe qui change selon le mode, le temps, le nombre et la personne auxquels le verbe est conjugué.

Le groupe du verbe (GV)
Le groupe du verbe est l'un des deux constituants obligatoires de la phrase, avec le groupe sujet. Il indique ce que l'on dit à propos du groupe sujet. Le groupe du verbe contient toujours un verbe conjugué. Ce verbe conjugué est le noyau du groupe du verbe. Le verbe conjugué peut être seul ou accompagné d'un complément du verbe ou d'un attribut du sujet.

Les principales constructions du groupe du verbe
*Verbe seul : Paul **mange**. (mange est le noyau du groupe du verbe.)*
*Verbe + adjectif : Vous **êtes** belle.* (êtes *est le noyau du groupe du verbe.)*
*Verbe + groupe du nom : Félix **mangera** une pomme.* (mangera *est le noyau du groupe du verbe.)*
*Verbe + préposition + groupe du nom : Mariane **ira** à l'hôpital. (ira est le noyau du groupe du verbe.)*
*Verbe + groupe du nom + préposition + groupe du nom : Tu **lis** un livre à ton ami. (lis est le noyau du groupe du verbe.)*
*Pronom + verbe + groupe du nom : Ils **mangent** des pommes.* (mangent *est le noyau du groupe du verbe.)*
*Pronom + verbe + préposition + groupe du nom : Nous **irons** à la pharmacie. (irons est le noyau du groupe du verbe.)*
*Verbe + adverbe : Tu **manges** lentement.* (manges *est le noyau du groupe du verbe.)*
*Verbe + verbe à l'infinitif : Je **voudrais** courir.* (voudrais *est le noyau du groupe du verbe.)*

Page 29

1 : a) verbe conjugué : visite b) verbe conjugué : suivent
c) verbe conjugué : faudra ; à l'infinitif : lire, étudier
d) verbe conjugué : joue
2 : a) passé b) futur c) présent d) passé
3 : partie en gras : radical ; partie soulignée : terminaison
4 : s

Exercices

Page 30

1 : a) mange/ons b) étudi/ent c) aimer/ez
d) finir/ont, a vol/é e) pourr/a f) sortir/ont g) entend/ent
h) craindr/a i) écrir/ont
2 : a) aiment b) visitons c) courent d) danses e) ouvrez

Page 31

3 : a) présent b) passé c) futur d) présent e) passé
f) passé g) présent h) futur i) présent j) passé k) passé
4 : réponses au choix
5 : réponses au choix
6 : réponses au choix

Page 32

7 : 1. manger → g ; 2. écouter → c 3. dormir → e ;
4. sentir → f ; 5. marcher → b ; 6. lancer → d ; 7. lire → a ;

Test

Page 33

1 : Kevin n'en revenait pas ! Il venait de **lire** dans le journal de quartier qu'un promoteur immobilier avait l'intention d'**abattre** tous les arbres du parc derrière l'école pour **construire** des maisons. Il ne voulait pas que cela se produise. Où les enfants iraient-ils s'**amuser** ? Avec l'aide de ses parents, Kevin a écrit une lettre ouverte au journal. Il a préparé une pétition. Plusieurs milliers de résidents du quartier signèrent la pétition. Kevin a remis au maire de la ville sa pétition. Quelques semaines plus tard, il a appris avec grand plaisir que le parc conserverait sa vocation. Ouf, il avait gagné son combat !
2 : mangeons mangez mangent manges
3 : b

Page 34

1 : réparer, manger, souligner, dormir, courir, voir
2 : Maxime regarde la télévision en faisant ses devoirs. Sa mère lui dit que ce n'est pas une bonne idée. Il dit oui et il

éteint la télé. Il allume la radio pour écouter de la musique. Son père vient lui dire que ce n'est vraiment pas une bonne idée. Maxime dit oui et éteint la radio. Il comprend et fait ses devoirs dans le silence.

Page 35

3: a) montaient b) a frappé c) plantait d) voyais e) regardaient
4: a) dormir b) manger c) écouter d) pouvoir e) courir f) avoir

Page 36

5: 1. courir 2. chercher 3. cuire 4. bricoler 5. geler 6. pleuvoir 7. avoir 8. faire 9. rire
6: mot mystère: manger

Verbes au présent de l'indicatif, au passé composé, au futur simple

Test

Temps des verbes

Temps simple: *les verbes conjugués à un temps simple sont formés d'un seul mot (on ne compte pas le pronom).*

Les temps simples du mode indicatif sont: le présent, l'imparfait, le futur simple, le conditionnel présent et le passé simple.

Temps composé: *les verbes conjugués à un temps composé sont formés de deux mots (on ne compte pas le pronom): un auxiliaire (avoir ou être) et le participe passé du verbe.*

Les temps composés du mode indicatif sont: le passé composé, le plus-que-parfait, le passé antérieur, le futur antérieur et le conditionnel passé.

Les modes du verbe

Le mode du verbe exprime de quelle manière est utilisé le verbe. Il existe cinq modes: l'impératif, l'indicatif, l'infinitif, le participe et le subjonctif.

- → *L'impératif sert à donner des ordres.*
- → *L'indicatif sert à illustrer un événement déjà arrivé (passé), un événement en train d'arriver (présent) ou qui arrivera (futur).*
- → *L'infinitif donne le sens du verbe.*
- → *Le participe sert à exprimer un événement qui arrive en même temps qu'un autre.*
- → *Le subjonctif exprime un souhait.*

L'indicatif présent

Sert à indiquer un événement qui survient dans le présent.

Terminaisons de l'indicatif présent des verbes réguliers

Personne et nombre	*Pronoms personnels*	*Verbes en **-er** (sauf aller)*	*Verbes en **-ir** (font -issant au participe présent)*
1re pers. sing.	*je, j'*	*-e*	*-s*
2e pers. sing.	*tu*	*-es*	*-s*
3e pers. sing.	*Il, elle, on*	*-e*	*-t*
1re pers. plur.	*nous*	*-ons*	*-ons*
2e pers. plur.	*vous*	*-ez*	*-ez*
3e pers. plur.	*ils, elles*	*-ent*	*-ent*

Le passé composé

*L'auxiliaire **avoir** sert à conjuguer la plupart des verbes. L'auxiliaire **être** est utilisé avec des verbes qui expriment un mouvement comme aller, arriver, entrer, partir; ou un état comme devenir, mourir, naître, rester.*

J'ai mangé	*Je suis né(e)*
Tu as mangé	*Tu es né(e)*
Il, elle, on a mangé	*Il, elle, on est né (e)*
Nous avons mangé	*Nous sommes nés (es)*
Vous avez mangé	*Vous êtes nés (es)*
Ils ont mangé	*Ils, elles sont nés (es)*

Le futur simple

Il sert à exprimer quelque chose qui arrivera dans l'avenir.

Terminaisons du futur simple des verbes réguliers

Personne et nombre	*Pronoms personnels*	*Verbes en **-er** comme aimer*	*Verbes en **-ir** comme finir*
1re pers. sing.	*je, j'*	*-rai*	*-rai*
2e pers. sing.	*tu*	*-ras*	*-ras*
3e pers. sing.	*il, elle, on*	*-ra*	*-ra*
1re pers. plur.	*nous*	*-rons*	*-rons*
2e pers. plur.	*vous*	*-rez*	*-rez*
3e pers. plur.	*ils, elles*	*-ront*	*-ront*

Page 37

1: j'ai; tu es; il donne; nous finissons; vous mangez; elles ont eu; j'ai été; tu as donné; il a fini; nous avons mangé; vous aurez; ils seront; je donnerai; tu finiras; elle mangera

Exercices

Page 38

1: Il crie, Elle chante, Nous frémissons, Nous aimons, Vous êtes
2: a) brille b) poussent c) aime d) finissons e) êtes f) volent g) regardes h) hantent i) achète j) fais k) coulent

Page 39

3: a) Les tulipes ont poussé au printemps. b) La neige est tombée en abondance. c) Martine et Chloé ont écrit une lettre à leur mère. d) Nous avons été une bande d'amis. e) Vous avez joué au scrabble. f) Tu t'es amusé avec ton frère. g) Mes amis sont partis en camping en Californie.

Page 40

4: a) mangera b) auront c) finirons d) verrai e) saurons f) toucherai g) sortirons
mot mystère: enfants
5: a) aura b) serai c) auras d) aurez e) serons f) auront g) aurai

Test

Page 41

a) présent : pondent ; passé composé : ont pondu ; futur simple : pondront b) présent : préfère ; passé composé : a préféré ; futur simple : préférera c) présent : perdez ; passé composé : avez perdu ; futur simple : perdrez

Exercices

Page 42

1 : a) achète b) parles c) écoute d) arrivons e) jouez f) rigolent g) rêve h) dors i) ment j) allons k) pouvez l) vivent

Page 43

2 : a) ai acheté b) as parlé c) a écouté d) sommes arrivés e) avez joué f) ont rigolé g) ai rêvé h) as dormi i) a menti j) sommes allés k) avez pu l) ont vécu

Page 44

3 : **Avoir** : J'aur**ai** ; Tu aur**as** ; Il/Elle/On aur**a** ; Nous aur**ons** ; Vous aur**ez** ; Ils/Elles aur**ont** ; **Être** : Je ser**ai** ; Tu ser**as** ; Il/Elle/On ser**a** ; Nous ser**ons** ; Vous ser**ez** ; Ils/Elles ser**ont** ; **Dormir** : Je dormir**ai** ; Tu dormir**as** ; Il/Elle/On dormir**a** ; Nous dormir**ons** ; Vous dormir**ez** ; Ils/Elles dormir**ont** ; **Finir** : Je finir**ai** ; Tu finir**as** ; Il/Elle/On finir**a** ; Nous finir**ons** ; Vous finir**ez** ; Ils/Elles finir**ont** ; **Pouvoir** : Je pourr**ai** ; Tu pourr**as** ; Il/Elle/On pourr**a** ; Nous pourr**ons** ; Vous pourr**ez** ; Ils/Elles pourr**ont** ; **Manger** : Je manger**ai** ; Tu manger**as** ; Il/Elle/On manger**a** ; Nous manger**ons** ; Vous manger**ez** ; Ils/Elles manger**ont**

Verbes à l'imparfait, au conditionnel présent, à l'impératif...

Test

L'imparfait de l'indicatif

Permet de situer dans le passé quelque chose qui est en train de se réaliser.

Terminaisons de l'imparfait des verbes réguliers

Personne et nombre	*Pronoms personnels*	*Verbes en **-er** comme aimer*	*Verbes en **-ir** comme finir*
1re pers. sing.	*je, j'*	*-ais*	*-ais*
2e pers. sing.	*tu*	*-ais*	*-ais*
3e pers. sing.	*il, elle, on*	*-ait*	*-ait*
1re pers. plur.	*nous*	*-ions*	*-ions*
2e pers. plur.	*vous*	*-iez*	*-iez*
3e pers. plur.	*ils, elles*	*-aient*	*-aient*

Le conditionnel présent

Permet d'exprimer des actions, des états ou des événements qui pourraient avoir lieu, mais à plusieurs conditions.

Terminaisons du conditionnel présent des verbes réguliers

Personne et nombre	*Pronoms personnels*	*Verbes en **-er** comme aimer*	*Verbes en **-ir** comme finir*
1re pers. sing.	*je, j'*	*-rais*	*-rais*
2e pers. sing.	*tu*	*-rais*	*-rais*
3e pers. sing.	*il, elle, on*	*-rait*	*-rait*
1re pers. plur.	*nous*	*-rions*	*-rions*
2e pers. plur.	*vous*	*-riez*	*-riez*
3e pers. plur.	*ils, elles*	*-raient*	*-raient*

L'impératif présent

Il sert à donner des ordres.

Terminaisons des verbes à l'impératif présent

Personne et nombre	*Verbes en **-er** comme aimer*	*Verbes en **-ir** comme finir*
2e pers. sing.	*-e*	*-e*
1re pers. plur.	*-ons*	*-ons*
2e pers. plur.	*-ez*	*-ez*

L'impératif présent se conjugue sans pronom seulement aux trois personnes mentionnées ci-dessus.

Page 45

1 : a) aurais b) serais c) donnerait d) finirions e) mangeriez f) avaient g) étais h) donnais i) finissait j) mangions k) aie l) soyons m) donnez n) finis o) mangeons

Exercices

Page 46

1 : **Manger** : Je mangerais ; Tu mangerais ; Il/Elle/On mangerait ; Nous mangerions ; Vous mangeriez ; Ils/Elles mangeraient **Donner** : Je donnerais ; Tu donnerais ; Il/Elle/On donnerait ; Nous donnerions ; Vous donneriez ; Ils/Elles donneraient **Arriver** : J'arriverais ; Tu arriverais ; Il/Elle/On arriverait ; Nous arriverions ; Vous arriveriez ; Ils/Elles arriveraient **Danser** : Je danserais ; Tu danserais ; Il/Elle/On danserait ; Nous danserions ; Vous danseriez ; Ils/Elles danseraient

Page 47

2 : a) prenait b) rêvaient c) apercevions d) traversiez e) avais f) étais g) conduisait h) craignait i) déballais j) regardions k) détruisiez l) finissiez

3 : réponse au choix

Page 48

4 : a, c, d.

5 : **avoir** : aie, ayons, ayez ; **être** : sois, soyons, soyez ; **finir** : finis, finissons, finissez ; **acheter** : achète, achetons, achetez ; **appeler** : appelle, appelons, appelez ; **boire** : bois, buvons, buvez

Test

Page 49

1: a) imparfait: flottiez; conditionnel présent: flotteriez; impératif présent: Flottez b) imparfait: achetions; conditionnel présent: achèterions; impératif présent: Achetons c) imparfait: vendais; conditionnel présent: vendrais; impératif présent: Vends

Exercices

Page 50

1: **Manger**: Je mangeais; Tu mangeais; Il/Elle/On mangeait; Nous mangions; Vous mangiez; Ils/Elles mangeaient **Donner**: Je donnais; Tu donnais; Il/Elle/On donnait; Nous donnions; Vous donniez; Ils/Elles donnaient; **Arriver**: J'arrivais; Tu arrivais; Il/Elle/On arrivait; Nous arrivions; Vous arriviez; Ils/Elles arrivaient; **Danser**: Je dansais; Tu dansais; Il/Elle/On dansait; Nous dansions; Vous dansiez; Ils/Elles dansaient;

Page 51

2: **Avoir**: J'aur**ais**; Tu aur**ais**; Il/Elle/On aur**ait**; Nous aur**ions**; Vous aur**iez**; Ils/Elles aur**aient**; **Être**: Je ser**ais**; Tu ser**ais**; Il/Elle/On ser**ait**; Nous seri**ons**; Vous seri**ez**; Ils/Elles ser**aient** **Dormir**: Je dormir**ais**; Tu dormir**ais**; Il/Elle/On dormir**ait**; Nous dormir**ions**; Vous dormir**iez**; Ils/Elles dormir**aient**; **Finir**: Je finir**ais**; Tu finir**ais**; Il/Elle/On finir**ait**; Nous finir**ions**; Vous finir**iez**; Ils/Elles finir**aient** **Pouvoir**: Je pourr**ais**; Tu pourr**ais**; Il/Elle/On pourr**ait**; Nous pourr**ions**; Vous pourr**iez**; Ils/Elles pourr**aient**; **Manger**: Je manger**ais**; Tu manger**ais**; Il/Elle/On manger**ait**; Nous manger**ions**; Vous manger**iez**; Ils/Elles manger**aient**

Page 52

3: a) infuse b) manions c) pars d) écoute e) regardez f) arrêtons g) trouvons h) ignore i) fais mot mystère: impératif

4: **battre**: bats, battons, battez; **écrire**: écris, écrivons, écrivez; **faire**: fais, faisons, faites; **mettre:** mets, mettons, mettez; **rire:** ris, rions, riez; **rendre**: rends, rendons, rendez

Les pronoms et les mots invariables

Test

Les mots invariables

La classe des mots invariables est composée des adverbes (demain, oui, sûrement, ailleurs, autour, dehors, etc.), des prépositions (à, afin de, après, avant, avec, chez, contre, dans, de, depuis, durant, en, malgré, par, pour, sans, sur, etc.) et des conjonctions (comme, et, mais, ou, parce que, si, etc.).

Les pronoms

Les pronoms personnels

Ce sont les pronoms les plus courants.

Les pronoms personnels désignent les personnes qui parlent, les personnes à qui l'on parle ou les personnes de qui on parle.

1re personne singulier: je, j', me, m', moi
2e personne singulier: tu, te, t', toi
3e personne singulier: il, elle, on, le, la, l', lui, se, s', en, y, soi
1re personne pluriel: nous
2e personne pluriel: vous
3e personne pluriel: ils, elles, leur, les, eux, se, s', en, y

Les pronoms possessifs

Ils expriment un lien d'appartenance ou de possession: mien, miens, mienne, miennes, tien, tiens, tienne, tiennes, sien, siens, sienne, siennes, nôtre, nôtre, nôtres, vôtre, vôtre, vôtres, leur, leur, leurs.

Les pronoms démonstratifs

Servent à désigner une personne, un animal, une chose ou une réalité qu'on veut montrer: celui, celui-ci, celui-là, ceci, cela, ça, ce, c', celle, celle-ci, celle-là, ceux, ceux-ci, ceux-là, celles, celles-ci, celles-là.

Les pronoms indéfinis

Ils désignent des personnes, des animaux, des choses ou des réalités dont la quantité ou l'identité n'est pas précisée: certain/certaine, chacun/chacune, grand-chose, on, personne, plusieurs, quelqu'un/quelques-uns/quelques-unes, quelque chose, rien, tous/tout/toutes.

Les pronoms interrogatifs

S'emploient au début d'une phrase pour poser une question: quel, quelle, lequel, laquelle, quels, quelles, qui, que, quoi.

Les pronoms relatifs

Dont, où, que, qui.

Page 53

1. Une fourmi s'est rendue au bord d'une rivière pour étancher sa soif. Elle a été emportée par le courant et était sur le point de se noyer. Un cygne, perché sur un arbre surplombant l'eau, a cueilli une feuille et l'a laissée tomber dans l'eau près de la fourmi. La fourmi est montée sur la feuille et a flotté saine et sauve jusqu'au bord. Peu après, un chasseur d'oiseau est venu s'installer sous l'arbre où le cygne était perché. Il a placé un piège pour le cygne. La fourmi a compris ce que le chasseur allait faire et l'a piqué au pied. Le chasseur d'oiseau a hurlé de douleur et a échappé son piège. Le bruit a fait s'envoler le cygne et il a été sauvé.

2. a) Mon frère range son vélo **dans** le garage.
   b) Aloysia a mis son manteau **et** ses mitaines.
   c) Marla adore marcher **sous** la neige.
   d) Liam met **toujours** son casque de vélo.

Exercices

Page 54

1. a) Nous nous sommes collés **contre** le mur pour nous protéger du vent.
   b) L'arbre magique est situé **à droite** du lac enchanté.
   c) Simon veut jouer au soccer **ou** au baseball cet été.
   d) Héloïse a mangé sa soupe. **Ensuite**, elle a mangé sa salade.

e) Étienne a mis ses vêtements **dans** le tiroir.
f) J'ai mis **beaucoup** de confiture sur ma tranche de pain.
g) Tatiana a dormi **chez** sa tante Alexandra.
h) Gaël a acheté une trottinette **comme** celle de son ami Rachid.
i) Bertrand a répondu « **volontiers** » à son oncle qui lui offrait de la tarte.
j) Valérie a choisi une broche bleue **parmi** les bijoux de sa grand-mère.
k) Vous avez le droit de choisir deux numéros, **toutefois** vous n'avez pas le droit de les montrer.
l) Mon oncle Roger a dormi **pendant** tout le trajet en avion.
m) Maya a **tellement** mangé qu'elle a mal au ventre.
n) Premièrement, il faut prendre le cahier rouge ; **deuxièmement**, il faut l'ouvrir à la page 54.
o) Caroline n'aime pas les glaces au chocolat **ni** celles à la vanille.

Page 55

2: a) Il b) Nous c) Ils d) Vous e) J' f) Tu
3: a) Elle b) Elles c) Ils d) Elles e) Il f) Ils g) Il

Page 56

4. a) Aujourd'hui, il neigeait **tellement** fort que j'ai eu peur d'être enseveli.
b) Aurélie ne peut pas se baigner **parce que** ou **car** elle a mal aux oreilles.
c) Coralie a mis ses poupées **dans** le coffre à jouets.
d) Nicolas fera d'abord ses devoirs. **Ensuite**, il ira jouer dehors.
e) Veux-tu un gâteau au chocolat **ou** un gâteau à la vanille ?
f) Arthur n'aime **ni** le vert **ni** le rouge.
g) Ma cousine veut déménager **à** Val-d'Or.
h) Je suis en colère contre toi **car** ou **parce que** tu as triché.
i) Même s'il est malade, Joey est allé jouer dehors **sans** sa tuque.
j) Isabelle n'a **jamais** acheter un nouveau stylo.
k) **Comment** as-tu fait pour finir si **rapidement** ton examen?
l) J'ai acheté du brocoli **pour** souper.
m) Tu écriras à ta grand-mère après avoir écrit **à** ta tante.
n) Je prendrai encore un peu **de** cet excellent gâteau.
o) Gabriellea ne se prend pas **pour** une autre.
p) Nous sommes passés **par** Baie-Saint-Paul en revenant.
q) Jason **et** Kevin sont de bons amis.
r) Je suis allée manger au restaurant **avec** mon ami Jacques.

Test

Page 57

1. a) Lorsque Nicolas et Maya ont été en Italie, ils ont visité plusieurs musées.
b) D'abord, ils ne voulaient pas y aller.
c) Ils n'avaient jamais pensé s'en servir un jour.
d) En effet, je lui ai prêté mon livre d'anglais.
e) Elle n'aimait pas particulièrement les perruches bleues.
f) Elles ne voulaient en faire qu'à leur tête.
g) Le premier astronaute à marcher sur la Lune est Neil Armstrong.
h) Mes amis avançaient joyeusement en chantant.
i) Ne t'inquiète pas, nous trouverons une solution.
j) Dis-lui simplement que tu ne veux pas.
k) Il n'y avait pas de différence entre elle et moi.

2. a) Nous sommes les seuls à avoir vu le lion.
b) Vous vous êtes trompés de salle.
c) Les filles, elles prendront le dessert.
d) Eux, sont chanceux d'avoir gagné.
e) Je suis pour le nouveau projet.
f) Tu es invité à venir au restaurant avec nous.
g) Il est impoli de parler pendant le spectacle.
h) Ils ne viendront pas nous rendre visite cet été.
i) Elle est heureuse de vous rencontrer.

Page 58

1. a) **Elle** préfère la tarte au citron.
b) **Elle** adore la salade de fruits.
c) **Ils** mangent un baba au rhum.
d) **Elle** voudrait un clafoutis aux fraises.
e) **Elles** achètent des chouquettes.
f) **Nous** voulons manger des gâteaux des anges.
g) **Vous** avez commandé une mousse au caramel.

Page 59

2: Jérôme est un jeune garçon qui habite en Abitibi. **Il** dessine chaque jour dans son cahier bleu. **Il** est très précieux pour Jérôme. **Il** ne veut pas **le** perdre. **Il** prend bien soin de son cahier bleu. Aujourd'hui, Jérôme a dessiné ses amis de l'école. **Ils** sont contents de voir les beaux dessins que Jérôme a faits.

3: a) Ma mère chantait **doucement** une berceuse à ma petite sœur.
b) Cette fille est **sûrement** la meilleure en mathématique.
c) Ils jouaient **tranquillement** dans leur chambre.
d) Il faut tenir **fermement** notre chien en laisse.
e) **Malheureusement**, votre candidature n'a pas été retenue.
f) **Aujourd'hui**, j'irai faire des courses au supermarché.
g) La tortue se dirige **lentement** vers la feuille de laitue.

Page 60

4: a) Nous b) Nous c) Ils d) Elles e) Vous f) Ils g) Nous h) Elles i) Ils j) Nous k) Ils

Les adjectifs, les synonymes, les antonymes

Test

L'adjectif

L'adjectif est un mot variable qui se place généralement après le nom qu'il accompagne, parfois avant. L'adjectif dit comment est la personne, l'animal, la chose ou la réalité désignée par le nom.

Une belle fille. Des chiens méchants.
Le grand garçon. La prochaine fois.

L'adjectif est un receveur, c'est-à-dire qu'il reçoit le genre et le nombre du nom qu'il accompagne. Pour l'accord de l'adjectif, voir plus loin la formation du féminin et du pluriel.

Les synonymes

Mots qui ont un sens pareil ou semblable à celui d'un autre mot.

Exemple : → crier/hurler

Les antonymes

Mots dont le sens est le contraire de celui d'un autre mot.

Exemples : → paix/guerre
→ amour/haine

Page 61

1 : délicieux, intelligent, belles, belles, vaniteuse, silencieuse, bonne, délicieux, gourmand.
2 : réponses au choix
3 : réponses au choix

Exercices

Page 62

1 : **Adjectifs** : magnifique, belles, grand, merveilleux, jolie, heureux **Noms** : roi, fille, royaume, homme, conte, reine
2 : a) mignons b) majestueux c) petit, délicieuse d) noir, blanc

Page 63

3 : a) déteste, haït, etc. b) méchant, détestable, etc. c) chaud, extérieur d) frustrée, fâchée, etc. e) courts f) inintéressant, ennuyeux, etc. g) blanche h) toutes

Page 64

4 : blanc, grand, belle, ensoleillée, méchant, noir, bon, petit, enchantée, gentils, bel, idiot.

Test

Page 65

1 : a) lourd b) propre c) paresseux d) agréable e) premier f) heureux g) noir h) femme
2 : a) briser, endommager, etc. b) histoire, nouvelle, etc. c) cocasse, comique, etc. d) ajouter e) méchant, rusé, etc. f) sauter, sautiller, etc. g) erreur, écart, etc. h) lourd, chargé, etc.
3 : a) belle, rouge b) longs, noirs, bouclés c) belle d) grande e) doux f) magnifique

Exercices

Page 66

1 : Au début de la création, le lapin avait de grandes **cornes**. Le **cerf**, lui, n'en avait pas. Il en était si jaloux et si offensé qu'il a manigancé afin d'obtenir lui aussi de magnifiques **cornes**. Le cerf a dit au **lapin** combien il était majestueux et il lui a demandé s'il pouvait emprunter ses belles **cornes**, juste pour les essayer et voir si elles lui allaient bien. Flatté, le gentil **lapin** a accepté puisque ce n'était que pour un court **moment**. Le lapin a déposé ses cornes sur la tête du cerf et le **cerf** s'est mis à se pavaner et à sauter partout en disant qu'il était beau. Il s'est éloigné jusqu'à ce qu'il soit hors de vue. Le lapin s'est inquiété, se rendant finalement compte que le méchant **cerf** n'allait pas lui rendre ses cornes. Rouge de colère, le **lapin** s'est plaint au Créateur, et a demandé une autre paire de cornes. Le Créateur lui a dit que ce qui avait été fait ne pouvait pas être défait. Le malheureux **lapin** blanc devait donc vivre sans cornes. Le petit **lapin** a alors demandé s'il pouvait être plus grand afin de montrer son importance aux autres animaux. Le Créateur a refusé, mais le lapin a tellement supplié et geint que le Créateur s'est penché, a saisi les petites **oreilles** du lapin et les a étirées, étirées. C'est donc avec ses longues **oreilles** que le lapin maintenant montre son importance.

Page 67

2 : a) difficile b) content c) malheureux d) petit e) mauvais f) ennuyeux g) nuit h) pareil i) noir j) femme k) fort l) froid m) ouvert n) dedans o) sans p) laid q) féminin r) dur s) monter t) visible u) vide v) bonheur
3 : réponses au choix

Page 68

4 : 1. rapide 2. brillante 3. livre 4. immense 5. rester 6. magnifique
5 : Loyal et fidèle ; oiseau et volatile ; dessiner et esquisser ; délicieux et succulent ; catastrophe et désastre ; chaleureux et affectueux ; froid et glacial

Le genre et le nombre

Test

Formation du féminin des noms et des adjectifs

Généralement, pour former le féminin on ajoute un ***e*** *à la fin.*

→ surveillant/surveillante
→ fermé/fermée
→ grand/grande
→ avocat/avocate

Sauf :
→ *maire/mairesse*
→ *maître/maîtresse*
→ *prince/princesse*
→ *tigre/tigresse*
→ *âne/ânesse*

Les mots qui se terminent en *-eau* **font** *-elle* **au féminin :**
→ *chameau/chamelle*
→ *jumeau/jumelle*
→ *nouveau/nouvelle*

Les mots qui se terminent en *-el* **font** *-elle* **au féminin :**
→ *artificiel/artificielle*
→ *habituel/habituelle*
→ *réel/réelle*

Les mots qui se terminent en *-en* **font** *-enne* **au féminin :**
→ *norvégien/norvégienne*
→ *quotidien/quotidienne*
→ *mathématicien/mathématicienne*

Les mots qui se terminent en *-er* **font** *-ère* **au féminin :**
→ *droitier/droitière*
→ *fier/fière*
→ *passager/passagère*

Les mots qui se terminent en *-et* **font** *-ette* **au féminin :**
→ *net/nette*
→ *muet/muette*
→ *violet/violette*

Sauf :
→ *complet/complète*
→ *concret/concrète*
→ *discret/discrète*
→ *incomplet/incomplète*
→ *indiscret/indiscrète*
→ *inquiet/inquiète*
→ *secret/secrète*

Les mots qui se terminent en *-eur* **font** *-eure* **ou** *-euse* **au féminin :**
→ *chauffeur/chauffeuse*
→ *meilleur/meilleure*
→ *professeur/professeure*
→ *vendeur/vendeuse*

Sauf :
→ *vengeur/vengeresse*

Les mots qui se terminent en *-f* **font** *-ve* **au féminin :**
→ *veuf/veuve*
→ *naif/naïve*
→ *craintif/craintive*

Les mots qui se terminent en *-il* **font** *-ille* **au féminin :**
→ *gentil/gentille*
→ *pareil/pareille*

Les mots qui se terminent en *-on* **font** *-onne* **au féminin :**
→ *baron/baronne*
→ *mignon/mignonne*
→ *champion/championne*

Sauf :
→ *démon/démone*
→ *dindon/dinde*
→ *compagnon/compagne*

Certains mots qui se terminent en *-teur* **font** *-teure* **au féminin:**
→ *auteur/auteure*

Certains mots qui se terminent en *-teur* **font** *-teuse* **au féminin:**
→ *menteur/menteuse*

Sauf :
→ *serviteur/servante*

Certains mots qui se terminent en *-teur* **font** *-trice* **au féminin:**
→ *acteur/actrice*
→ *lecteur/lectrice*
→ *amateur/amatrice*

Les mots qui se terminent en *-x* **font** *-se* **au féminin :**
→ *affreux/affreuse*
→ *chanceux/chanceuse*
→ *jaloux/jalouse*

Certains mots changent complètement de forme :
→ *homme/femme*
→ *fou/folle*
→ *monsieur/madame*
→ *neveu/nièce*
→ *oncle/tante*
→ *loup/louve*
→ *roi/reine*
→ *garçon/fille*

Quelques mots dont le genre est difficile à retenir.
Masculin : *accident, aéroport, âge, agenda, air, anniversaire, ascenseur, asphalte, autobus, autographe, automate, avion, bulbe, échange, éclair, élastique, éloge, emblème, entracte, épisode, équilibre, escalier, exemple, habit, haltère, hélicoptère, hôpital, hôtel, incendie, obstacle, oreiller, pétale, pore, tentacule, trampoline.*
Féminin : *agrafe, algèbre, ambulance, ancre, annonce, armoire, artère, astuce, atmosphère, autoroute, écharde, énigme, envie, épice, hélice, idole, impasse, intrigue, moustiquaire, offre, orthographe.*

La formation du pluriel des noms et des adjectifs
En général, on ajoute un « s » à la fin pour former le pluriel :
→ *une table/des tables*
→ *une maison/des maisons*
→ *un garçon/des garçons*

Les mots qui se terminent en *-al* **font** *-aux* **au pluriel :**
→ *hôpital/hôpitaux*
→ *royal/royaux*
→ *général/généraux*

Sauf :
→ *bal, banal, carnaval, cérémonial, chacal, fatal, festival, glacial, natal, naval, récital et régal qui prennent un « s » à la fin.*

Les mots qui se terminent en** -ail **font** -ails **au pluriel :

→ *chandail/chandails*
→ *détail/détails*
→ *épouvantail/épouvantails*

***Sauf** :*

→ *bail/baux*
→ *corail/coraux*
→ *émail/émaux*
→ *travail/travaux*
→ *vitrail/vitraux*

Les mots qui se terminent en** -au **font** -aux **au pluriel :

→ *noyau/noyaux*
→ *tuyau/tuyaux*

***Sauf** :*

→ *landau/landaus*
→ *sarrau/sarraus*

Les mots qui se terminent en** -eau **font** -eaux **au pluriel :

→ *ciseau/ciseaux*
→ *râteau/râteaux*
→ *seau/seaux*

Les mots qui se terminent en** -eu **font** -eux **au pluriel :

→ *lieu/lieux*
→ *neveu/neveux*
→ *feu/feux*

***Sauf** :*

→ *bleu/bleus*
→ *pneu/pneus*

Les mots qui se terminent en** -ou **font** -ous **au pluriel :

→ *kangourou/kangourous*
→ *sou/sous*

***Sauf** :*

→ *bijou, caillou, chou, genou, hibou, joujou, pou qui prennent un « x » à la fin.*

Les mots qui se terminent par** -s, -x **et** -z **sont invariables :

→ *gaz/gaz*
→ *bas/bas*
→ *voix/voix*

Certains mots changent complètement de forme :

→ *ciel/cieux*
→ *monsieur/messieurs*
→ *œil/yeux*

Page 69

1 : **un** avion, **un** autobus, des **pneus**, des **chevaux**, des **habits**, **une** usine
2 : a) fém. b) masc. c) masc. d) masc. e) fém. f) masc.
3 : a) boulangère b) couturière c) directrice d) danseuse e) légère f) menteuse
4 : a) bureaux b) pages c) chevaux d) bateaux e) normaux f) chandails

Exercices

Page 70

1 : **Une fourmi** s'est rendue au bord d'**une rivière** pour étancher **sa soif**. Elle a été emportée par **le courant** et était sur le point de se noyer. **Un cygne**, perché sur un arbre surplombant l'eau, a cueilli **une feuille** et l'a laissée tomber dans l'eau près de **la fourmi**. La fourmi est montée sur **la feuille** et a flotté saine et sauve jusqu'au bord. Peu après, un chasseur d'oiseaux est venu s'installer sous **l'arbre** où le cygne était perché. Il a placé un piège pour le cygne.
La fourmi a compris ce que **le chasseur** allait faire et l'a piqué au pied. Le chasseur d'oiseaux a hurlé de douleur et a échappé son piège. Le bruit a fait s'envoler le cygne et il a été sauvé.

Page 71

2 : a) Les b) gentille c) savants d) rayés e) Un f) bleues g) hantée h) bruns i) bijoux j) animatrice

Page 72

3 : a) Les châteaux b) Des prix c)Les matous d) Des feux e) Des noyaux f) Des yeux g) Des animaux h) Des récitals i) Des détails j) Des souris

4 :

a) Une montagne et un lac immense.
b) Une feuille plié.
c) Une robe gris.
d) Un plancher et des murs blanc.
e) Une ville et un village reposant.
f) Des ventres plein.
g) Des chaussures neuf

a) immenses b) pliée c) grise d) blancs e) reposants f) pleins g) neuves

Test

Page 73

1 : a) Les boulangères font b) Les mécaniciennes réparent c) Les directrices finissent et signent d) Les actrices jouent.
2 : a) Les **enfants** b) **Un** avion c) **Le** hibou d) Les **travaux** e) au **bal** f) **la** radio

Exercices

Page 74

1 : **Se terminent par euse au féminin** : chanteur ; coiffeur ; danseur ; frappeur ; meneur ; menteur ; nageur ; patineur ; plongeur ; profiteur ; rêveur ; songeur. **Se terminent par trice au féminin** : acteur ; aviateur ; compositeur ; décorateur ; directeur ; instituteur ; lecteur ; protecteur ; **Se terminent par ère au féminin** : banquier ; berger ; boulanger ; cher ; dernier ; droitier ; écolier ; léger ; pâtissier ; policier.
2 : a) espionne b) criminelle c) bonne d) vieille

Page 75

3: **Se terminent par s au pluriel**: bleu; carton; chaise; chaud; cuisine; divan; fourchette; livre; papier; table. **Se terminent par aux au pluriel**: bocal; égal; génial; idéal; journal; médical; mondial; original; rural; spécial. **Se terminent par eaux au pluriel**: anneau; bandeau; bateau; beau; cadeau; chameau; chapeau; château; jumeau; nouveau.
4: a) pneus b) épouvantails c) hiboux d) choux

Page 76

5: Il faut passer sur avion, garçon, homme, livre, ordinateur, aéroport, camion, accident, ascenseur, automne, escalier, téléphone, hôpital, dictionnaire, habit, couteau, divan, écran, pétale, oreiller.

La phrase

Test

La phrase

La phrase est une suite ordonnée de mots ayant un sens. Elle commence par une majuscule et se termine généralement par un point. Les constituants habituels de la phrase sont le groupe sujet et le groupe du verbe. Une phrase peut également comporter un groupe complément de phrase qui est facultatif.

La phrase négative *sert à exprimer une négation, un refus, une interdiction. Elle se construit avec des mots de négation (ne... pas, n'...pas, ni...ni, aucun...ne/n', etc.). La phrase négative peut être déclarative, exclamative, impérative ou interrogative.*

Exemples:
Je ***ne*** *mange* ***pas*** *une pomme.*
Que cette pomme ***n'****est* ***pas*** *propre!*
Ne *mange* ***pas*** *cette pomme.*
Tu ***ne*** *mangeras* ***pas*** *cette pomme, n'est-ce pas?*

La phrase positive *ne contient pas de mots de négation. La phrase positive peut être déclarative, exclamative ou impérative.*

Exemples:
Il mange une pomme.
Quelle belle pomme!
Mange ta pomme.
Veux-tu une pomme?

La phrase déclarative *sert à raconter un fait, donner une information ou exprimer un point de vue. Elle se termine par un point. On se sert de la phrase déclarative pour construire les autres types de phrases.*

Exemple: Je mange une pomme.

La phrase exclamative *sert à exprimer vivement une émotion, un sentiment, un jugement. Elle se termine par un point d'exclamation.*

Exemple: Quelle belle pomme!

La phrase impérative *sert à donner un ordre ou un conseil, ou à exprimer un souhait. Elle comporte toujours un verbe conjugué à l'impératif et se termine par un point ou un point d'exclamation.*

Exemple: Mange ta pomme.

La phrase interrogative *sert à poser une question. Elle se termine par un point d'interrogation.*

Exemple: Est-ce que tu veux une pomme?

Page 77

1: a) Mon père mange des pommes. b) Mathieu et moi dansons dans le salon.
2: oui
3: a) Nous ne sommes pas fatigués. b) Ma sœur n'a pas fait remplacer le moteur de sa voiture.
4: a) Lisons-nous un livre très intéressant? b) Son oncle a-t-il attrapé un gros poisson?

Exercices

Page 78

1: a) positive b) positive c) négative d) positive e) négative f) positive g) négative h) négative i) positive j) positive k) négative l) positive m) négative n) positive o) positive

Page 79

2: a) Tu joues au hockey. b) Stéphanie a réussi son examen. c) Tes parents t'ont donné la permission d'aller au cinéma. d) Félix peut venir jouer avec moi. e) Fatima et Omar ont choisi leur sujet de recherche. f) Les élèves ont été gentils durant mon absence. g) Vous avez réservé vos billets d'avion. h) Tu aimes le bricolage.

Page 80

3: a) Ma mère se prénomme Suzanne. b) Mon amie Josette vit à Chibougamau. c) Le chat et le chien sont mes animaux favoris.
4: a) ! b) ? c) ! d) . e) . f) ! g) ?; phrases exclamatives: a), c) et f)

Test

Page 81

1: a) ne pas c) n' pas d) ne pas
2: réponse au choix
3: a) nég., inter. b) pos., ex. c) nég., déc. d) pos., déc.

Exercices

Page 82

1: a) Positive: J'aime aller voir des pièces de théâtre. Négative: Je n'aime pas aller voir des pièces de théâtre. b) Positive: J'ai déjà visité un pays étranger. Négative: Je n'ai pas visité un pays étranger. c) Positive: Il faut demander la permission pour sortir de la classe. Négative: Il ne faut pas demander la permission pour sortir de la classe. d) Positive: Nous avons réussi à faire descendre le chat de l'arbre. Négative: Nous n'avons pas réussi à faire descendre le chat de l'arbre. e) Positive: Nous avons assez de pommes pour la collation. Négative: Nous n'avons pas assez de pommes pour la collation. f) Positive: Ils ont développé leurs cadeaux de Noël. Négative: Ils n'ont pas développé leurs cadeaux de Noël.

Page 83

2: a) négative, déclarative b) négative, interrogative c) positive, exclamative d) négative, exclamative e) positive, déclarative f) négative, déclarative g) positive, interrogative h) positive, déclarative i) positive, exclamative j) négative, interrogative k) négative, déclarative l) positive, exclamative m) positive, déclarative n) négative, interrogative

Page 84

3: réponse au choix
4: a) ? b) ne pas c) Quel !

Les homophones, les onomatopées, les rimes

Test

Homophone
Mot qui se prononce de la même façon qu'un autre mot, mais qui a un sens différent.
***Son** père et sa mère **sont** en vacances.*
*Il mange une tranche de **pain** sous le **pin** parasol.*
Voici quelques homophones qui portent à confusion:

▶ ***a et à***
a → verbe *avoir* → On peut le remplacer par *avait*.
Exemple: Il *a* mangé. Il *avait* mangé.
à → préposition → ***On ne peut pas*** le remplacer par *avait*.
Exemple: Elle est *à* l'hôpital. Elle est *avait* l'hôpital.

▶ ***ça et sa***
ça → pronom démonstratif → On peut le remplacer par *cela*.
Exemple: *Ça* ne fonctionne pas. *Cela* ne fonctionne pas.
sa → déterminant possessif → On peut le remplacer par *la*.
Exemple: *Sa* robe est sale. *La* robe est sale.

▶ ***ce et se***
ce → déterminant démonstratif → On peut le remplacer par *le*.
Exemple: *Ce* chat est roux. *Le* chat est roux.
ce → pronom démonstratif → On peut le remplacer par *cela*.
Exemple: *Ce* sera facile. *Cela* sera facile.
se → pronom personnel → ***On ne peut pas*** le remplacer par *un* ou *cela*.
Exemple: Il *se* sent bien. Il *un* sent bien. Il *cela* sent bien.

▶ ***ces, ses, c'est, s'est***
ces → déterminant démonstratif → On peut ajouter *là* après.
Exemple: *Ces* pommes sont bonnes. *Ces* pommes-*là* sont bonnes.
ses → déterminant possessif → On peut ajouter *à lui* ou *à elle* après le nom.
Exemple: Il a perdu *ses* lunettes. Il a perdu *ses* lunettes à *lui*.
c'est → déterminant démonstratif (c' = ce) + verbe *être* (est) → on peut le remplacer par *cela est*.
Exemple: *C'est* bon. *Cela est* bon.
s'est → pronom (s' = se) + verbe *être* (est) → On peut le remplacer par *s'était*.
Exemple: Marie *s'est* perdue. Marie *s'était* perdue.

▶ ***la, l'a, là***
la → déterminant défini → On peut le remplacer par *un* ou *une*.
Exemple: Marie mange *la* tarte. Marie mange *une* tarte.
l'a → pronom (l' = le) + verbe *avoir* (a) → On peut le remplacer par *l'avait*.
Exemple: Elle *l'a* perdu. Elle *l'avait* perdu.
là → adverbe → On peut le remplacer par *ici*.
Exemple: Il n'était pas *là*. Il n'était pas *ici*.

▶ ***leur, leur, leurs***
leur → déterminant possessif singulier → On peut le remplacer par *un* ou *une*.
Exemple: Ils ont vendu *leur* auto. Ils ont vendu *une* auto.
leurs → déterminant possessif pluriel → On peut le remplacer par *des*.
Exemple: Ils ont vendu *leurs* bonbons. Ils ont vendu *des* bonbons.
leur → pronom personnel → On peut le remplacer par *lui*.
Exemple: Marie *leur* a vendu des bonbons. Marie *lui* a vendu des bonbons.

▶ ***ma et m'a***
ma → déterminant possessif → On peut le remplacer par *un* ou *une*.
Exemple: *Ma* robe est sale. *Une* robe est sale.
m'a → pronom (m' = me) + verbe *avoir* (a) → On peut le remplacer par *m'avait*.
Exemple: Elle *m'a* donné des bonbons. Elle *m'avait* donné des bonbons.

▶ ***mes et mais***
mes → déterminant possessif → On peut le remplacer par *les*.
Exemple: *Mes* bonbons sont bons. *Les* bonbons sont bons.
mais → conjonction → ***On ne peut pas*** le remplacer par *les*.
Exemple: Il veut des bonbons, *mais* il n'y en a pas. Il veut des bonbons, *les* il n'y en a pas.

▶ ***mon et m'ont***

mon → déterminant possessif → On peut le remplacer par *un* ou *une*.

Exemple: *Mon* frère veut des bonbons. *Un* frère veut des bonbons.

m'ont → pronom (m' = me) + verbe *avoir* (ont) → On peut le remplacer par *m'avaient*.

Exemple: Ils *m'ont* choisi. Ils *m'avaient* choisi.

▶ ***on et ont***

on → pronom personnel → On peut le remplacer par un *prénom*.

Exemple: *On* ne veut pas de bonbons. *Marie* ne veut pas de bonbons.

ont → verbe *avoir* → On peut le remplacer par *avaient*.

Exemple: Mes sœurs *ont* vendu des bonbons. Mes sœurs *avaient* vendu des bonbons.

▶ ***ou et où***

ou → conjonction → On peut le remplacer par *et*.

Exemple: Tu veux des oranges *ou* des pommes. Tu veux des oranges *et* des pommes.

où → adverbe ou pronom relatif → ***On ne peut pas*** le remplacer par *et*.

Exemple: *Où* vas-tu? *Et* vas-tu?

▶ ***son et sont***

son → déterminant possessif → On peut le remplacer par *un* ou *une*.

Exemple: *Son* frère veut des bonbons. *Un* frère veut des bonbons.

sont → verbe *être* → On peut le remplacer par *étaient*.

Exemple: Ils *sont* choisis. Ils *étaient* choisis.

▶ ***ta, t'a***

ta → déterminant possessif → On peut le remplacer par *un* ou *une*.

Exemple: *Ta* robe est sale. *Une* robe est sale.

t'a → pronom (t' = te) + *avoir* (a) → On peut le remplacer par *t'avait*.

Exemple: Elle *t'a* donné des bonbons. Elle *t'avait* donné des bonbons.

▶ ***ton et t'ont***

ton → déterminant possessif → On peut le remplacer par *un* ou *une*.

Exemple: *Ton* frère veut des bonbons. *Un* frère veut des bonbons.

t'ont → pronom (t' = te) + verbe *avoir* (ont) → On peut le remplacer par *t'avaient*.

Exemple: Ils *t'ont* choisi. Ils *t'avaient* choisi.

Onomatopée

Jeu de sonorité qui consiste à utiliser un mot pour évoquer un bruit particulier.

Coin-coin (cri du canard)
Badaboum ! (objet qui tombe)
Ding-dong (son de cloche)

Page 85

1: miaou et wouf wouf.
2: cristalline rime avec colline; matin rime avec thym; oiseau rime avec coteau; aurore rime avec encore.
3: a) À b) On c) sont d) Mon e) Mes f) ou

Exercices

Page 86

1: a) à b) a
2: a) ont b) On
3: a) ou b) où
4: a) m'ont b) Mon
5: a) m'est b) mais c) Mes
6: son

Page 87

7: a) cot cot b) cric, crac c) meuh d) Ding, dong e) boum, badaboum f) flic flac g) Atchoum h) tic tac i) iiiiii j) tchou, tchou k) Vroum, vroum l) cocorico

Page 88

8: exemples: a) secrétaire b) esthéticienne c) médecin d) huissier e) représentant f) avocat
9: réponses au choix
10: réponses au choix

Test

Page 89

1: a) quand, qu'en, etc. b) point c) cent, s'en, etc. d) aile
2: melon et ballon; docteur et facteur; pomme et gomme; arc-en-ciel et colonel; unir et finir
3: oiseau et cui cui; canard et coin coin; chat et miaou; chien et wouf wouf; coq et cocorico; mouton et bê bê bê; âne et hi-han; souris et hihihi

Exercices

Page 90

1: exemples: a) foie b) voix c) son d) encre e) dent f) se g) sept h) mer
2: Il ne sait pas comment **s'y** prendre **si** sa **scie** ne fonctionne pas.
3: **Ton** chien s'est fait piquer par un **taon**.
4: **Cent** personnes sont **sans** emploi.
5: Les **mets** chinois sont excellents, **mais** je préfère les spaghettis.
6: L'oiseau n'est pas dans son **nid ni** dans l'arbre.

Page 91

1: Il faut suivre les noms d'oiseau suivants : engoulevent, cormoran, bruant, goéland, pic flamboyant, gros-bec errant, maubèche des champs.

Page 92

8: snif, snif et pleurer; clap, clap et applaudir; glouglou et boire; clac, clac et claquer des dents; aïe et la douleur; plouf et un objet qui tombe à l'eau; boum et une explosion; ah ah et rire.

9 : a) tut tut b) miam miam c) beurk d) bla bla bla e) kss kss f) zzzzzz g) chut h) clac i) groin groin j) ronron k) ouin ouin l) arrrr

Communication orale et communication écrite

Test

Page 93

Communication orale

Je précise ma pensée : *en déterminant de qui ou de quoi je parle (le sujet), pourquoi je parle (intention), et à qui je m'adresse (le destinataire), en utilisant un vocabulaire qui ne porte pas à confusion, en faisant appel aux connecteurs ou marqueurs de relation pour organiser les informations (introduction, développement, conclusion).*

Je recours à des gestes, des exemples, des illustrations, des objets pour appuyer mes paroles : *en m'assurant de leur pertinence et de leur efficacité, en éliminant tout ce qui pourrait distraire mon auditoire.*

J'adapte ma façon de parler à mes interlocuteurs : *en choisissant le registre de langage qui convient (familier, courant ou soutenu), en utilisant un vocabulaire varié, précis et accessible, et en structurant mes énoncés (phrases complètes).*

Je reviens au sujet lorsque je m'en éloigne : *en me référant à mon plan ou à un autre support visuel, en reprenant ou en rappelant ce qui a été dit plus tôt, en gardant en tête l'intention et le sujet de communication.*

Je recours à des éléments prosodiques : *en adaptant mon intonation (modulation de la voix marquant l'interrogation, l'exclamation, l'étonnement, la peur, etc.), mon débit (vitesse d'élocution, manière de réciter), mon volume (force et intensité du son) et mon rythme à la situation et à mon interlocuteur.*

Communication écrite

Je précise mon intention d'écriture et la garde constamment à l'esprit : *en établissant ce que je veux dire sur le sujet et en déterminant la raison pour laquelle j'écris (pour raconter, pour décrire, pour expliquer, pour dire comment faire, etc.).*

Je pense au destinataire du texte : *en déterminant à qui je m'adresse pour choisir le registre de langage approprié.*

Je dresse un plan sommaire : *en identifiant les idées principales ou les événements principaux, en identifiant les idées secondaires pour chaque idée principale, en choisissant l'ordre de présentation des idées.*

Je corrige mon texte. *Voir S'autocorriger.*

Page 97

2 : Exemple : Samara peut aller vers sa droite, jusqu'au bout du corridor, puis tourner à gauche jusqu'au service de garde, puis tourner encore à gauche, où elle trouvera la bibliothèque, qui sera la deuxième porte à sa droite.

Exercices

Page 98

1 : **Premièrement**, tamiser ensemble la farine, le bicarbonate, la muscade, la cannelle et le sucre. **Deuxièmement**, ajouter le gruau, les bananes et les flocons de noix de coco. **Troisièmement**, faire fondre le beurre et l'ajouter à la préparation. Battre légèrement l'œuf et l'ajouter au mélange. **Quatrièmement**, bien mélanger. Façonner de petites galettes et mettre le tout sur une tôle à pâtisserie. **Finalement**, cuire au four à 180 °C pendant 12 à 15 minutes.

Dictées trouées

Test

S'autocorriger

Je lis mon texte phrase par phrase et je m'assure qu'elles contiennent les deux constituants obligatoires : le groupe sujet et le groupe du verbe.

J'élimine toutes les répétitions inutiles. J'utilise des synonymes ou des pronoms pour alléger le texte.

Je souligne la majuscule en début de phrase et le signe de ponctuation de la fin de la phrase. Je m'assure d'avoir utilisé le bon signe de ponctuation : le point, le point d'exclamation ou le point d'interrogation.

Je souligne tous les noms en jaune. J'écris au-dessus son genre et son nombre. Je trace une flèche pour relier le nom au déterminant et aux adjectifs qui l'accompagnent. Je vérifie l'accord du pluriel et du féminin.

J'encadre tous les verbes. Je trouve le groupe sujet en posant la question « Qui est-ce qui ? » ou « Qu'est-ce qui ? » Je mets le groupe sujet entre crochets. Je trace une flèche pour relier le verbe au groupe sujet. Je vérifie l'accord des verbes avec leur sujet.

Je porte une attention particulière aux homophones. J'utilise les conseils donnés précédemment pour les différencier.

Page 101

1 : Un **jour**, un lièvre se moquait d'une **tortue**. « Vous **êtes** une lambine, a-t-il dit. Vous ne **pourriez** pas courir même si vous le vouliez. » « **Vous riez** de moi, a dit la tortue. Je parie que je pourrais vous **battre** dans une course. » « Vous ne le pouvez pas ! » **a dit** le lièvre. « Oh oui », a répondu la tortue. « **Non**, a dit le lièvre. Je ferai la **course** avec vous. Et je gagnerai, même les yeux **fermés**. » Ils ont demandé à un **renard** d'être le maître de jeu. « Prêts, parés, allez-y ! » a dit le renard. Le lièvre est parti à une **vive** allure. Il est arrivé si loin en si peu de **temps**, qu'il a décidé de s'**arrêter** pour un petit somme. Et il est tombé **endormi**, il dormait à **poings** fermés. La tortue allait son petit bonhomme de **chemin**, ne s'arrêtant jamais. Pas même un instant. Quand le lièvre s'est réveillé, il a couru aussi **vite** qu'il le pouvait jusqu'à la ligne d'arrivée. Mais il est arrivé trop **tard**, puisque la tortue avait déjà **terminé** la course !

Exercices

Page 102

1: La cigale et la fourmi
Jean de Lafontaine
La cigale, ayant chanté
Tout l'**été**,
Se **trouva** fort dépourvue
Quand la bise fut venue.
Pas un seul petit **morceau**
De **mouche** ou de vermisseau .
Elle alla crier **famine**
Chez la fourmi sa **voisine**,
La priant de **lui** prêter
Quelque **grain** pour subsister
Jusqu'à la **saison** nouvelle.
Je **vous** paierai, lui dit-elle,
Avant l'août, foi d'**animal**,
Intérêt et principal.
La fourmi n'est pas prêteuse ;
C'est là son moindre **défaut**.
Que faisiez-vous au **temps** chaud ?
Dit-elle à cette emprunteuse.
Nuit et jour à tout venant
Je chantais, ne vous déplaise.
Vous chantiez ? j'en suis fort aise :
Et bien ! dansez **maintenant**.

Page 103

2: Il était une **fois** une petite fille et sa mère si **pauvres** qu'**elles** n'avaient rien à **manger**. Un jour, la **fille** était si affamée qu'elle est entrée dans la **forêt** pour y trouver de la **nourriture**. Elle y a rencontré une **vieille** femme qui a trouvé la petite fille si **maigre** qu'elle a fait en sorte qu'elle n'ait plus jamais **faim**. La vieille femme a donné à la petite fille un **chaudron**. « Chaque fois que tu voudras du **gruau**, a-t-elle dit, tu réciteras : " Chaudron **magique**, chaudron magique, **donne**-moi du bon gruau " et le chaudron te fera du bon gruau. » Quand tu **voudras** que le chaudron cesse d'en **faire**, tu diras : " Chaudron magique, **arrête !** " et le chaudron s'arrêtera. » L'enfant a apporté le chaudron à sa **mère** et elles n'ont plus eu plus jamais faim. Un jour, la petite fille est partie **dans** la forêt. Sa mère avait faim et elle a dit : « Chaudron magique, chaudron magique, fais-moi du bon gruau » et le chaudron s'est mis à faire du gruau.

Page 104

Quand la mère n'a plus eu faim, elle a demandé au chaudron d'**arrêter**. Mais elle **avait** oublié les **paroles** magiques. Le chaudron débordait à un point tel que la **maison** a été **inondée** de gruau. **Quand** la petite fille est revenue, elle pouvait à peine retrouver sa **maison**, car celle-ci était **ensevelie** sous du gruau. La fillette a prononcé les mots magiques et le chaudron s'est arrêté. Il a **fallu** bien du temps à la petite fille, à sa mère et aux **habitants** de la ville voisine pour **manger** tout ce gruau !

Test

Page 105

1: Le **vent** et le **soleil** se **disputaient** pour savoir **qui** était le plus fort. **Un jour**, ils ont vu un **homme** venir vers **eux** et le soleil a dit : « Il y a une **façon** de trancher notre **débat**. Celui de nous qui **saura** faire retirer son **manteau** à ce voyageur sera considéré comme le plus **fort**. » Le soleil s'est retiré derrière un **nuage** et le vent a commencé à **souffler** aussi fort qu'il le pouvait sur le voyageur. Mais plus il soufflait, plus le voyageur s'enveloppait **dans** son manteau. Le vent a donc dû **arrêter** en désespoir de **cause**. Le soleil est **alors** sorti et s'est mis à **rayonner** dans toute sa **splendeur** sur le voyageur, qui a trouvé qu'il **faisait** trop chaud pour marcher avec son manteau sur le dos.

Exercices

Page 106

2: La **nourriture** se faisait rare et Ramon, le chat du **village**, a donc décidé de **sortir**. Il a marché pendant des jours jusqu'à ce qu'il arrive dans une petite ville qui lui semblait accueillante. Toutes les souris de la ville ont pleuré, car elles avaient **peur** des chats. « Miaou ! » a dit le chat et les souris ont répondu : « Nous savons que vous voulez nous manger, mais nous ne sortirons **pas** de nos maisons. » Les jours passaient et la même **routine** continuait. Quelque **temps** après, les souris ont entendu les aboiements d'un chien. Elles ont pensé que le chat avait été chassé par le chien. Elles sont donc sorties, mais à leur grande **surprise**, il n'y avait pas de chien. Au lieu de cela, elles **ont** vu Ramon le chat. Cette fois, il avait aboyé. D'une **voix** effrayée, une souris a demandé au chat : « D'où venait l'aboiement que nous avons **entendu** ? Nous avons cru qu'il y avait un chien et nous avons pensé qu'il vous avait fait **peur**. C'est vous qui imitiez un chien ? » Fier de lui, le chat a répondu : « En effet, c'était moi. J'ai appris que ceux qui **parlent** au moins **deux langues** réussissent beaucoup mieux dans la vie. »

Page 107

3: a) Il y a **des milliers d'années**, le chien était la seule **bête** qui **pouvait** parler. Il a alors révélé tous les **secrets** de la création. Voyant que le chien ne pouvait **garder** un secret, le Créateur a pris la **petite** queue du chien et l'a mise dans sa **bouche**. Puis le Créateur a pris la **grande** langue du chien et l'a mise à la place de sa queue. C'est **pourquoi** maintenant, quand le chien veut vous dire quelque chose, il **bouge** la queue.
b) Un **âne** revêt un **costume** de lion et erre dans la forêt, s'amusant de voir qu'il effraie tous les **animaux** qu'il rencontre. Il effraie les **poissons**, les **marmottes**, les écureuils et le cerf. Finalement, il se **trouve face** à un renard. Il essaie de l'effrayer aussi, mais le renard se **met** à rire. « J'aurais **bien** été effrayé, si je **n'avais** pas entendu votre braiment. »

Page 108

4: Un **bûcheron** coupait un arbre au bord d'une **rivière**, quand sa hache tomba dans l'eau. Il pleurait sa perte, quand Mercure apparut et lui **demanda pourquoi** il était si triste. Quand il entendit l'histoire, Mercure **plongea** dans la rivière et ramena une hache d'or. « Est-ce celle que vous avez perdue ? » demanda Mercure. Le bûcheron répondit que non et Mercure plongea encore et ramena une hache d'argent. « Est-ce celle que vous avez perdue ? »demanda Mercure. « Non », a dit le bûcheron. Mercure plongea de **nouveau** dans la rivière et ramena la **hache** disparue. Le bûcheron était très **heureux** de **retrouver** sa hache. Mercure, ravi de l'honnêteté du bûcheron, lui fit cadeau des deux autres **haches**. Quand le bûcheron raconta l'**histoire** à son ami, celui-ci décida de tenter sa chance. Il alla au bord de la rivière et laissa tomber sa hache dans l'eau. Mercure apparut et, en apprenant que la hache de l'**homme** était tombée à l'eau, il plongea et **ramena** une hache d'or. Sans attendre, l'ami du bûcheron s'écria : « C'est la mienne ! » et il tendit la **main** pour avoir la hache d'or. Mercure, dégoûté par la malhonnêteté de l'homme, refusa de lui donner la hache d'or, mais refusa aussi de récupérer celle qui était tombée dans les **flots**.

l'ordre alphabétique, les sens des expressions imagées, les préfixes et les suffixes

Test

PRÉFIXES

Liste des principaux préfixes et leur signification

aéro-	*air*	***aéro**port*
anti-	*contre*	***anti**virus*
auto-	*de soi-même*	***auto**défense*
bi-	*deux*	***bi**lingue*
centi-	*centième*	***centi**mètre*
co-	*avec*	***co**voiturage*
dé-/des-	*contraire*	***dé**laissé/ **dés**avantagé*
ex-	*à l'extérieur de, qui a cessé d'être*	***ex**-mari*
extra-	*en dehors*	***extra**terrestre*
in-/im-/il-/ir-	*contraire*	***in**décis, **im**mature, **il**logique, **ir**rationnel*
inter-	*entre*	***inter**national*
kilo-	*mille*	***kilo**mètre*
mal-	*contraire*	***mal**heureux*
mi-	*moitié*	***mi**-temps*
milli-	*millième*	***milli**mètre*
multi-	*plusieurs*	***multi**culturel*
para-	*protection contre*	***para**chute*
poly-	*plusieurs*	***poly**valent*
pré-	*avant*	***pré**histoire*
re-/ré-/r-	*de nouveau*	***re**faire, **ré**crire, **r**emplir*
super-	*au-dessus de*	***super**poser*
sur-	*au-dessus*	***sur**consommation*
télé-	*à distance*	***télé**commande*
tri-	*trois*	***tri**cycle*
ultra-	*au-delà de*	***ultra**son*
vidéo-	*voir*	***vidéo**cassette*
zoo-	*animal*	***zoo**logie*

SUFFIXES

Liste des principaux suffixes et leur signification

-able	*possibilité*	*confort**able***
-ade	*action*	*gliss**ade***
-age	*action*	*affich**age***
-ain/-aine	*origine/habitant*	*afric**ain**/afric**aine***
-aine	*groupe de*	*vingt**aine***
-aire	*agent*	*incendi**aire***
-ais/-aise	*origine/habitant*	*antill**ais**/antill**aise***
-al/-ale	*qui a rapport à*	*loc**al**/loc**ale***
-ant/-ante	*qui fait une action*	*fabric**ant**/ fabric**ante***
-ateur/-atrice	*qui fait une action*	*libér**ateur/** libér**atrice***
-ation	*action*	*éduc**ation***
-ée	*quantité*	*cuiller**ée***
-el/-elle	*qui a rapport à*	*artifici**el**/artifici**elle***
-ent/-ente	*caractéristique*	*différ**ent**/différ**ente***
-er	*action*	*ski**er***
-er/-ère	*occupation/ profession*	*boulang**er**/ boulang**ère***
-eux/-euse	*caractéristique*	*chanc**eux**/ chanc**euse***
-ien/-ienne	*occupation/ profession, origine*	*chirurg**ien**/ chirurg**ienne** ital**ien**/ital**ienne***
-ier/-ière	*occupation/ profession*	*pomp**ier**/pomp**ière***
-if/-ive	*caractéristique*	*invent**if**/invent**ive***
-ique	*qui a rapport à la science*	*informat**ique***
-ir	*action*	*découvr**ir***
-iste	*occupation/ profession*	*fleur**iste***
-ment	*pour former des adverbes*	*lente**ment***
-ois/-oise	*origine/habitant*	*québéc**ois**/ québéc**oise***
-on	*diminutif*	*chat**on***
-onner	*diminutif*	*chant**onner***
-tion	*action*	*démoli**tion***
-vore	*manger*	*herbi**vore***

Page 109

1: 1. calendrier 2. crayon 3. date 4. demain 5. diplôme 6. écran 7. ordinateur 8. papier 9. peinture 10. stylo 11. téléphone 12. visage

2: a) Être excellent. b) Être très surpris..

3: a) ultrasons b) vidéocassette c) affichage d) chinois

Exercices

Page 110

1: 1. Alexandre 2. Antoine 3. Aurélie 4. Catherine 5. Geneviève 6. Isabelle 7. Jean 8. Jérémie 9. Joey 10. Justin 11. Justine 12. Karina 13. Kevin 14. Lydia 15. Marie-Pier 16. Marika 17. Maude 18. Olivier 19. Paul 20. William

2: a)

Page 111

3: a) Avoir très faim b) Pleuvoir à torrent c) Avoir de la peine d) En l'absence d'une personne d'autorité, les gens en profitent pour s'amuser. e) La tristesse et les désagréments sont passagers, tout finit par s'arranger. f) Donner un petit présent et espérer en recevoir un beaucoup plus gros en retour g) Faire très froid h) Une nuit très noire, sans Lune.

Page 112

4: a) chaton b) tranquillement c) fillette d) tigresse e) cochonnet f) sportif g) alphabétique h) rêveur i) raisonner j) chaleureux

5: a) dépendre b) impuissant c) réélire d) décolorer e) impossible f) déboiser g) extraterrestre h) impatient i) irraisonnable j) supermarché

6: a) im/possible b) im/patient c) dés/unir d) entre/choquer e) dés/habiller f) re/prendre

Test

Page 113

1: 1. auteur 2. bibliothèque 3. couverture 4. éditeur 5. épilogue 6. index 7. livre 8. ouvrage 9. page 10. prologue

2: a) pied b) nez c) doigts d) tête

3: a) re/lire b) re/faire c) dé/construire

4: a) bourriqu/et b) goutte/lette c) casqu/ette

Page 114

1: 1. aigle 2. bernache 3. bruant 4. cormoran 5. faucon 6. flamant 7. geai 8. goéland 9. grive 10. hirondelle 11. ibis 12. macareux 13. merle 14. moineau 15. mouette 16. oie 17. perdrix 18. pigeon 19. pingouin 20. quiscale 21. râle 22. tétras 23. tourterelle 24. urubu 25. vautour

Page 115

2: a) 5 b) 7 c) 6 d) 2 e) 9 f) 1 g) 3 h) 4 i) 8

Page 116

3: a) rudement b) renardeau c) jambette d) traîneau e) baleineau f) magasinage g) mariage h) tragiquement i) vivement j) aveuglette

4: a) dénatalité b) immobile c) indiscret d) déplacé e) disparaître f) incapable g) déshydraté h) démérite i) inflexible j) désactiver k) insoluble l) infini

Vocabulaire, les mots-valises, les familles de mots, les mots composés

Test

Mots-valises

Les mots-valises sont la réunion de deux mots existants pour nommer une réalité nouvelle, par exemple internaute (internet et astronaute).

Mots d'une même famille

Ce sont des mots formés avec la même racine : rose, rosier, roseraie, etc.

Par contre, boisson n'est pas de la même famille que bois, boisée, boiserie.

Mots composés

Mots formés de la réunion de deux mots. Ils peuvent être reliés ou non par un trait d'union.

***En un seul mot** : bienfaisant, bonheur, clairsemé, contrebasse, football, madame, motoneige, paratonnerre, passeport, photocopie, portemanteau, pourboire, survêtement, tournesol, tournevis, etc.*

***Sans trait d'union** : à jamais, à peu près, album à colorier, appareil photo, bande dessinée, chaise longue, château fort, chemin de fer, disque compact, hôtel de ville, machine à coudre, poêle à frire, premier ministre, sac à dos, salle à manger, etc.*

***Avec trait d'union** : abat-jour, après-demain, après-midi, arc-en-ciel, casse-tête, celle-ci, cerf-volant, compte-gouttes, cure-dent, garde-robe, grand-mère, grille-pain, haut-parleur, laissez-passer, lave-vaisselle, oiseau-mouche, passe-partout, pique-nique, porc-épic, porte-fenêtre, rond-point, sous-marin, sous-sol, taille-crayon, etc.*

Dans la nouvelle orthographe, plusieurs mots ont été soudés.

Exemples : entretemps, extraterrestre, tictac, weekend, portemonnaie, etc.

Pour plus d'informations concernant la nouvelle orthographe, vous pouvez consulter le site Internet suivant : www.nouvelleorthographe.info *ou le livre :* Connaitre et maitriser la nouvelle orthographe Guide pratique, *Chantal Contant et Romain Muller, Éditions De Champlain, 2009.*

Page 117

1: Les mots qui ne servent pas à décrire un être humain : étoilée, ensoleillé, bleu, astral

2: vrai

3: Les mots qui ne sont pas composés sont : cahier, fourchette, tradition

4: arbre, arbuste, arbustif

5: réponses au choix

6: meuglement

Exercices

Page 118

1: a) téléthon b) caméscope

2: a) cornage b) divinité c) olifant d) roncier e) aviaire f) franche g) éclore

3: réponses au choix

Page 119

4. exemples : rince-bouche, tire-bouchon, passe-partout, bonhomme, coupe-papier, malheureux, casse-tête, porte-clés, compte-gouttes, oiseau-mouche, etc.

5 : réponses au choix

Page 120

6 : âne ânesse ânon braire ; bouc chèvre chevreau bêler ; canard cane caneton cancaner ; chat chatte chaton miauler ; éléphant éléphante éléphanteau barrir ; loup louve louveteau hurler ; cheval jument poulain hennir ; chameau chamelle chamelon blatérer ; chien chienne chiot aboyer ; cerf biche faon bramer ; lion lionne lionceau rugir.

7 : Les mots qui ne se rapportent pas aux moyens de transport sont : chronomètre, fiançailles, banc

Test

Page 121

1 : a) robot, électronique b) clavier, bavardage

2 : a) arc-en-ciel b) savoir-vivre c) cessez-le-feu d) album à colorier

3 : a) incendie b) détail c) molle d) joyeux

4 : Les mots qui ne font pas partie du vocabulaire propre au désert, à la mer ou à la forêt sont : voleur, cinéma, gratte-ciel, karaté.

5 : Les mots qui n'ont pas rapport au sport : crochu, cils, galaxie.

Exercices

Page 122

1 : a) courriel b) pourriel c) abribus d) héliport e) restauroute

2 : réponses au choix, exemples : minijupe, autoévaluation, bonhomme

3 : réponses au choix, exemples : porte-clés, gratte-ciel, passe-partout

4. réponses au choix, exemples : album de famille, carnet d'adresses, boucle d'oreille, etc.

Page 123

5 : rire, rieur, riante ; mince, minceur, émincé ; million, millionnaire, millionième ; opposant, opposer, opposable ; faire, faisable, défaire ; formation, former, déformer ; brute, brutal, brutaliser ; nature, naturelle, naturellement ; roman ; romancer ; romanesque ; zèbre, zébrée ; zébrure

Page 124

6 : patinage et patins ; ski alpin et skis ; tennis et raquette ; voile et voilier ; haltérophilie et haltères ; escrime et fleuret ; bobsleigh et traîneau ; football et ballon ; cyclisme et vélo ; golf et fer ; boxe et gants

7 **Mer** : vague, rivage, algue, mollusques, marée, courant **Désert** : caravane, soif, subsaharien, mirage, nuits froides, chaud, oasis, cactus, chameau, serpent. **Forêt** : arbre, boréale, équatoriale, racine, pinède, champignon, orme, sève.

Vocabulaire (livre), le dictionnaire, la ponctuation...

Test

La ponctuation

Le point *est le signe de ponctuation dont on se sert pour indiquer la fin d'une phrase déclarative ou impérative.*
Le point d'interrogation *est le signe de ponctuation dont on se sert pour indiquer la fin d'une phrase interrogative.*
Le point d'exclamation *est le signe de ponctuation dont on se sert pour indiquer la fin d'une phrase exclamative.*
La virgule *est le signe de ponctuation dont on se sert pour séparer les éléments d'une énumération ou isoler un mot ou un groupe de mots.*

Les marqueurs de relation

Les marqueurs de relation sont des mots invariables qui marquent la relation entre des mots, des groupes de mots, des phrases ou des paragraphes.

→ ***Addition*** *: ainsi que, et, puis.*
→ ***Cause à effet*** *: car, parce que, puisque.*
→ ***Choix*** *: soit... soit, ou bien, ou.*
→ ***Comparaison*** *: comme, moins... que, plus... que.*
→ ***Ordre des événements*** *: premièrement, deuxièmement, troisièmement, etc., d'abord, ensuite.*

Page 125

1 : a) Hier soir, j'ai regardé les étoiles. b) Quel beau costume d'Halloween ! c) Ma sœur a acheté des chaussettes, des souliers, des robes et des jupes. d) Êtes-vous allés au Biodôme ?

2 : a) Petit chapeau de femme. b) Qui contient du zinc.

3 : a) allure b) autobus c) merveilleux d) toit

4 : Les (dét.) enfants (nom) mangent (verbe) des (dét.) pommes (nom) vertes (adj.)

5 : un auteur ou une auteure

6. parce que, car, puisque, à cause de

Exercices

Page 126

1 : a) Les enfants**,** les parents et les amis sont invités au spectacle de fin d'année**.** b) Avez-vous trouvé le manuel de mathématique ? c) Quelle merveilleuse invention **!** d) Pour son ami**,** Pietro a choisi un jeu de société**.** e) La pâtissière vend du chocolat**,** des gâteaux**,** des tartes et des croissants**.** f) Tous les enfants veulent jouer au ballon**.** g) Quel beau rêve j'ai fait **!** h) Quel est votre nom **?** i) Demain**,** j'irai au cinéma**.**

2 : a) perce-neige : plante à fleurs blanches qui s'épanouissent en hiver ; b) mustang : cheval d'Amérique du Nord ; c) reître : cavalier allemand ; d) scherzo : musique vive et gaie, au mouvement vif et rapide ; e) venelle : petite rue étroite f) dictaphone : magnétophone pour dicter le courrier ; g) ciré : vêtement imperméable

Page 127

3: a) Ma cousine a un beau chat et deux chiens.
b) J'admire ce danseur parce qu'il danse très bien.
c) Je voulais des patins neufs pour mon anniversaire. d) Ma sœur a fait un potager. Elle a semé des graines.

4: a) Mon (dét.) ami (nom) Pierre (nom) **avait** (verbe) un (dét.) vélo (nom) rouge (adj.).
b) Le (dét.) capitaine (nom) du (dét.) bateau (nom) **voguait** (verbe) sur les (dét.) eaux (nom) calmes (adj.). c) Les (dét.) astronautes (nom) **volent** (verbe) dans un (dét.) vaisseau (nom) spatial (adj.).

Page 128

5: a) ou b) parce qu' c) Même si d) d'abord
e) Pendant que f) Quand
6: a) 2 b) 8 c) 3 d) 4 e) 1 f) 6 g) 5 h) 7

Test

Page 129

1: a) Il nous faut des pommes**,** des oranges**,** des bananes et des cerises**.** b) J'aime mon chien**.** c) Allez, ouste**!**
d) Qu'est-ce qu'on mange**?**
2: réponses variables
3: a) assurance b) ballon c) miraculeux d) délicieux
4: Le (dét.) fils (nom) de mon (dét.) voisin (nom) **est** (verbe) un (dét.) très bon (adj.) nageur (nom).
5: un éditeur ou une éditrice
6: quand, pendant que, avant de

Exercices

Page 130

1: a) virgule b) point d'exclamation c) point d'interrogation
d) point
2: a) appentis: toit en auvent b) varlope: grand rabot à poignée c) zloty: unité monétaire polonaise d) yourte: tente de peau de yack dont se servent les nomades de l'Asie centrale e) survitrage: seconde vitre mise en place sur une autre f) unijambiste: qui a été amputé d'une jambe g) psoque: insecte minuscule

Page 131

3: b) habit c) bateau d) cahier f) adjectif g) ordinateur
i) magnifique k) parole l) classe

4: a) Mon (dét.) frère (nom) **joue** très bien au (dét.) hockey (nom).
b) Manon (nom) **a** un (dét.) cheval (nom) noir (adj.).
c) Félix (nom) **mange** une (dét.) délicieuse (adj.) orange (nom).
d) Marie-Josée (nom) **a fait** un (dét.) beau (adj.) voyage (nom).
e) La (dét.) chorale (nom) de l' (dét.) école (nom) **a donné** un (dét.) beau (adj.) spectacle (nom).

Page 132

5: 1. auteur 2. titre 3. collection 4. maison d'édition
6. a) pourtant b) mais c) Pendant d) Maintenant
e) et f) ou

Compréhension de lecture 1

Test

Stratégies de lecture

***J'identifie les mots nouveaux en combinant plusieurs sources d'information**: en les surlignant ou les encerclant, en cherchant des mots de même famille dans le texte, en cherchant des illustrations ou des schémas.*

***Je repère les mots porteurs de sens**: en soulignant ou encerclant les noms (sujets ou compléments), les verbes (actions), les adjectifs et les adverbes qui sont essentiels à la compréhension.*

***Je précise mon intention de lecture et je la garde à l'esprit**: en déterminant le genre de texte, récit (qui raconte), description (qui décrit), explication (qui explique), etc., en définissant la raison pour laquelle je lis, en déterminant la tâche à accomplir par la suite.*

***J'explore la structure du texte pour orienter la recherche de sens**: en examinant le schéma du type de texte présenté (récit en cinq temps pour un texte qui raconte: introduction, développement et conclusion pour un texte qui informe), en repérant les marques de dialogue, en lisant les titres, les sous-titres et les intertitres.*

***Je survole le texte pour connaître son sujet**: en lisant la jaquette du livre, la première couverture, le titre et les sous-titres, les illustrations et les diagrammes, la table des matières, le glossaire, les mots qui sont soulignés ou mis en caractères gras, les encarts, l'introduction ou les premières lignes du texte.*

***Je formule des hypothèses et les réajuste au fur et à mesure**: en lisant un chapitre ou une section à la fois, en prenant une pause pour imaginer la suite, en activant mes connaissances antérieures, en comparant avec des textes appartenant au même genre.*

***Je me sers du contexte pour donner du sens aux expressions figées ou aux proverbes**: en décrivant les émotions et sentiments éprouvés, en faisant des liens entre des mots et des images, en repérant des indices (adjectifs, verbes, adverbes).*

***J'évoque les liens établis par les connecteurs ou marqueurs de relation rencontrés dans le texte**: en surlignant les connecteurs et en précisant leur raison d'être (pour marquer une séquence, pour exprimer la cause ou la conséquence, pour comparer, pour coordonner deux informations), en les reliant par des flèches selon le rapport qui peut être établi entre eux, en les associant aux étapes du récit en cinq temps ou du texte courant.*

***Je regroupe les éléments d'information éloignés les uns des autres** : en découpant le texte pour en regrouper les catégories d'information, en surlignant de la même couleur l'information semblable, en remplissant un tableau ou un diagramme, en numérotant l'information, etc.*

***J'infère les éléments d'information implicites à partir de divers indices** : en trouvant une signification qui n'est pas énoncée clairement, mais qui est sous-entendue par l'auteur, en faisant des liens (par exemple, inférer qu'un personnage est anxieux parce qu'il tremble et qu'il a mal au cœur), en tirant des conclusions (par exemple, inférer qu'un personnage a été capturé parce qu'il ne s'est pas présenté à un rendez-vous), en ajoutant l'information semblable.*

***Je retiens l'essentiel de l'information recueillie dans le texte** : en résumant le contenu du texte, en prenant des notes, en remplissant des fiches de lecture, en surlignant l'information qui semble importante, en reformulant l'idée principale de chaque paragraphe ou section, en annotant dans la marge, en écrivant les mots-clés, en relisant une seconde fois les passages importants ou intéressants.*

Je surmonte les obstacles de compréhension par la poursuite de la lecture, des retours en arrière, la relecture d'un mot, d'une phrase, la reformulation intérieure, le questionnement du texte, l'ajustement de ma vitesse de lecture, la consultation d'outils de référence, le recours aux illustrations, aux schémas et aux graphiques avec mes pairs.

Page 134

1 : a) Il volait les gens.
b) Le Méchant
c) Il cherchait des gens à voler.
d) Un dirigeable
e) Cent aigles
f) Un minuscule moustique.
g) Parce que les domestiques et les aigles se sont moqués de lui.

Exercices

Page 136

1 : a) Des poules, des canards, des oies, des dindes et un coq
b) Il veut manger toutes les volailles.
c) Elles veulent prier.
d) Pour que le fermier les entende et vienne les sauver.
e) Le fermier
f) Parce qu'elles sont bien grasses et que le renard a faim.
g) Que les balles du fermier
h) Réponses au choix
i) Réponses au choix

Test

Page 138

1 : a) Bof
b) Le cheval, le chien et le bœuf
c) Un génie
d) Trois jours de suite
e) Des réserves de nourriture et d'eau
f) Oui

Exercices

Page 140

2 : a) 10 ans
b) Sous un arbre
c) Il a fait un feu.
d) Une bûche
e) Il est monté dans un grand arbre.
f) visqueux
g) Le monstre était trop gluant.
h) Pour faire tomber l'arbre et s'attaquer à Jack.
i) Il s'est réveillé.

Compréhension de lecture 2

Test

Page 142

1 : a) Le Rocket.
b) Montréal.
c) 15.
d) En l'honneur de sa fille qui venait de naître et qui pesait neuf livres.
e) 4 août.
f) 79 ans.
g) Une fusée.
h) 4 minutes.
i) Il a compté le but leur permettant de remporter la coupe Stanley.
j) 18 ans.
k) 544.
l) Vrai.
m) Il avait une blessure au tendon d'Achille.
n) Deux.

2 : a) Henri Richard.
b) Pocket Rocket.
c) La Punch Line.
d) Les Nordiques.
e) Le meilleur buteur.

Exercices

Page 144

3 : a) Rouge.
b) Kool-Aid à la cerise, sirop de maïs et eau.
c) 1 mètre.
d) Deux.
e) 70 cm par 70 cm.
f) En dents de scie.
g) En mettant du fond de teint blanc, du rouge à lèvres, en soulignant tes yeux avec du crayon noir, en dessinant des gouttes de faux sang autour de ta bouche.
h) Pour être visible le soir d'Halloween.
i) Le masque peut obstruer la vision.
j) Pour s'assurer qu'ils soient bien emballés et comestibles.
k) Pour des raisons de sécurité.

Compréhension de lecture 3

Test

Page 146

1: a) Il pourrait marier sa jolie fille.
b) Il aurait la tête coupée.
c) Pour éviter de faire des travaux ménagers.
d) Parce qu'il croyait que Jack se ferait couper la tête.
e) Parce qu'il était fatigué d'entendre toujours la même chose.

Exercices

Page 148

2: a) Parce qu'elle n'a pas d'enfant.
b) Douze enfants.
c) Un sac d'or.
d) De la soupe au riz.
e) Dans des trous dans le plancher.
f) Pour avoir à boire plus d'eau de riz laissée par ses enfants.
g) Le sac d'or.
h) Parce qu'elle savait que la pauvre femme ne lui donnerait jamais un de ses enfants.

Test

Page 150

1: a) Pour aller tuer quelque chose pour le dîner.
b) Une oie.
c) Elles sortaient par la fenêtre.
d) Elle chantait.
e) Elle chantait.
f) La volée d'oies.
g) Elles ont recollé toutes les plumes sur l'oie.
h) Rien.

Exercices

Page 152

2: a) Oncle Lapin et oncle Coyote.
b) Qu'il lui amènerait ses nièces.
c) Contre un gros rocher.
d) Ce sera la fin du monde.
e) Parce qu'il n'a pas mangé depuis plusieurs jours parce qu'il tient le rocher.
f) Quelques jours (deux ou trois).
g) Il s'est aperçu qu'oncle Lapin lui a menti et qu'encore une fois, il ne tiendrait pas sa promesse de lui amener ses nièces.

Page 154

3: a) Logiciels-espions, logiciels publicitaires et vers.
b) Il espionne ce que fait l'utilisateur.
c) Des machines zombies.
d) Le terme virus s'applique uniquement aux programmes qui se reproduisent à plusieurs endroits dans l'ordinateur.
e) Morris
f) En enregistrant les touches qui ont été appuyées sur le clavier.
g) 1980.
h) Une erreur de programmation a fait en sorte que le ver se reproduisait plusieurs fois dans le même ordinateur, si bien que la machine en était ralentie au point d'en devenir inutilisable.

Quelques différences entre l'ancienne et la nouvelle grammaire

L'ancienne grammaire	La nouvelle grammaire
Adjectif démonstratif	*Déterminant démonstratif*
Adjectif exclamatif	*Déterminant exclamatif*
Adjectif indéfini	*Déterminant quantitatif*
Adjectif interrogatif	*Déterminant interrogatif*
Adjectif numéral	*Déterminant numéral*
Adjectif possessif	*Déterminant possessif*
Adjectif qualificatif	*Adjectif*
Article	*Déterminant*
Attribut	*Attribut du sujet*
Complément circonstanciel	*Complément de phrase*
Complément d'objet direct	*Complément direct*
Complément d'objet indirect	*Complément indirect*
Épithète	*Complément du nom*
Verbe d'état	*Verbe attributif*

Les nombres naturels compris entre 0 et 30 000

Test

La différence entre chiffre et nombre

Le chiffre est un caractère (0, 1, 2, 3, 4, 5, 6, 7, 8, 9) utilisé pour représenter un nombre qui, lui, est une valeur ou une quantité.

Les nombres naturels

Ce sont les nombres qui servent généralement à dénombrer (0, 1, 2, 3, 4, 5, 6, 7, 8, 9, 10, 11, jusqu'à l'infini).

L'écriture des nombres en toutes lettres

Les nombres composés inférieurs à 100 qui ne se terminent pas par 1, sauf 81 et 91, prennent un trait d'union.

Exemples : quatre-vingt-dix, soixante-huit.

Les nombres composés supérieurs à 100 ne prennent pas de trait d'union sauf leur partie comprise entre 1 et 99.

Exemples : cinq mille six cent soixante-sept, sept mille trois cent trente-trois.

On ajoute « et » lorsqu'un nombre se termine par 1 sauf pour 81 et 91.

Exemples : vingt et un, trente et un.

Les nombres 20 et 100 prennent la marque du pluriel lorsqu'ils sont multipliés et ne sont pas suivis par un autre nombre.

Exemples : deux cents mais deux cent trois ; quatre-vingts mais quatre-vingt-trois.

Mille est toujours invariable.

Exemples : trois mille, trois mille six cent quatre.

Dans la nouvelle orthographe, tous les nombres composés sont joints par un trait d'union.

Exemples : vingt-et-un, trois-mille-six-cent-vingt-cinq.

Les comparaisons

Pour comparer les nombres naturels à l'aide des symboles < (est plus petit que), > (est plus grand que), = (est égal à), il suffit de trouver la valeur de chaque nombre à partir des unités, des dizaines, des centaines et des unités de mille.

*Exemples : 8**7**3 < 8**8**2, **5**39 > **4**65, **110** = **110***

L'ordre croissant et décroissant dans les nombres

Pour mettre les nombres naturels dans l'ordre croissant (du plus petit au plus grand) ou décroissant (du plus grand au plus petit), il suffit de trouver la valeur de chaque nombre à partir des unités, des dizaines, des centaines et des unités de mille.

Exemples :

Ordre croissant : 36, 57, 124, 319, 540, 795.

Ordre décroissant : 795, 540, 319, 124, 57, 36.

La décomposition des nombres naturels

C'est la représentation d'un nombre naturel sous la forme d'une somme de ses termes en base 10.

Exemple : 852 = 800 + 50 + 2 ou 8 centaines, 50 dizaines et 2 unités.

Les régularités dans les nombres

Dans une suite arithmétique, formule ou opération qui se présente logiquement et qui permet de déduire la règle pour trouver le nombre suivant.

Exemple : 6, 9, 12, 15, 18.

On déduit qu'il faut additionner 3 à chaque terme pour écrire la suite.

Page 157

1: a) 8175 b) 6121 c) 1300 d) 25 000 e) 12 280
2: a) 24 310 b) 9970 c) 10 140 d) 9780
3: a) < b) = c) > d) > e) < f) >
4: a) 9 milliers, 0 centaine, 1 dizaine et 3 unités
b) 2 milliers, 3 centaines, 8 dizaines et 0 unité
c) 4 milliers, 2 centaines, 4 dizaines et 1 unité
d) 22 milliers, 6 centaines, 5 dizaines et 8 unités

Exercices

Page 158

1: a) 176, 177, 178, 179, 180, 181, 182, 183, 184 b) 623, 624, 625, 626, 627, 628, 629, 630, 631
c) 955, 956, 957, 958, 959, 960, 961, 962, 963
d) 1581, 1582, 1583, 1584, 1585, 1586, 1587, 1588, 1589
e) 5355, 5356, 5357, 5358, 5359, 5360, 5361, 5362, 5363
f) 9162, 9163, 9164, 9165, 9166, 9167, 9168, 9169, 9170
2: a) 64 b) 1324 c) 2644 d) 9249
3: a) 126, 128, 130, 132, 134, 136, 138, 140, 142 Régularité : + 2 b) 40, 30, 34, 24, 28, 18, 22, 12, 16
Régularité : - 10 + 4 c) 1533, 1536, 1539, 1542, 1545, 1548, 1551, 1554, 1557 Régularité : + 3
d) 740, 743, 742, 745, 744, 747, 746, 749, 748 Régularité : + 3 -1 e) 180, 175, 170, 165, 160, 155, 150, 145, 140
Régularité : - 5

Page 159

4: a) 9 unités b) 7 dizaines c) 1 unité de mille
d) 2 dizaines e) 6 centaines f) 9 centaines
g) 8 dizaines h) 9 centaines i) 4 unités de mille
j) 3 unités k) 3 dizaines l) 3 dizaines
5: a) 1258, 1358, 1478, 3698, 9874 b) 111, 125, 136, 224, 978 c) 9521, 9547, 9621, 9874 d) 5014, 5231, 5321, 5497
6: a) 9000 + 800 + 50 + 4 b) 300 + 60 + 5 c) 900 + 80 + 7
d) 3000 + 200 + 10 + 5 e) 5000 + 800 + 70 + 1
f) 400 + 50 +8

Page 160

7: 3152, 3153, 3154, 3155, 3156, 3157, 3158, 3159, 3160, 3161, 3162, 3163, 3164, 3165, 3166, 3167, 3168, 3169, 3170, 3171, 3172, 3173, 3174, 3175, 3176, 3177, 3178, 3179, 3180
8: a) 5000 + 200 + 10 + 2 b) 2464 c) 7000 + 800 + 90 + 5
d) 6598 e) 4000 + 800 + 90 + 6

Test

Page 161

1: a) 1130, 1135, 1140, 1145, 1150, 1155, 1160, 1165 Régularité : + 5 b) 2321, 2346, 2371, 2396, 2421, 2446, 2471, 2496 Régularité : + 25 c) 8620, 8610, 8600, 8590, 8580, 8570, 8560, 8550 Régularité : –10 d) 1315, 1215, 1115, 1015, 915, 815, 715, 615 Régularité : – 100 e) 2242, 2251, 2260, 2269, 2278, 2287, 2296, 2305 Régularité : + 9

2: a) 1 centaine b) 2 unités c) 1 unité de mille d) 5 centaines e) 8 dizaines f) 9 centaines

3: a) 4 milliers, 5 centaines, 8 dizaines, 9 unités
b) 1 millier, 2 centaines, 3 dizaines, 6 unités
c) 7 milliers, 8 centaines, 9 dizaines, 5 unités
d) 9 milliers, 8 centaines, 5 dizaines, 2 unités
e) 1 millier, 2 centaines, 5 dizaines, 8 unités

Exercices

Page 162

1: a) 2507 b) 4150 c) 3409 d) 1910 e) 2500 f) 5207

2: a) 8510 b) 3420 c) 7831 d) 413

3: a)

4: c)

5:

1024	1025	1026	1027	1028	1029	1030	1031	1032
1033	1034	1035	1036	1037	1038	1039	1040	1041
1042	1043	1044	1045	1046	1047	1048	1049	1050
1051	1052	1053	1054	1055	1056	1057	1058	1059
1060	1061	1062	1063	1064	1065	1066	1067	1068
1069	1070	1071	1072	1073	1074	1075	1076	1077
1078	1079	1080	1081	1082	1083	1084	1085	1086
1087	1088	1089	1090	1091	1092	1093	1094	1095
1096	1097	1098	1099	1100	1101	1102	1103	1104

Page 163

6: a) UM : 20 C : 1 D : 5 U : 8 b) UM : 25 C : 9 D : 8 U : 7 c) UM : 15 C : 9 D : 8 U : 7

7: a) > b) < c) < d) < e) < f) >

8: a) 73, 79, 75, 95, 37, 59, par exemple b) 739, 735, 395, 593, 597, 937, par exemple c) 3795, 3759, 9375, 5937, 9753, 5739, par exemple.

9: a) dix mille cinq cent quarante-sept
b) quinze mille sept cent quatre-vingt-un

Page 164

10: a) 25 789 unités, 2578 dizaines, 257 centaines,25 milliers
b) 21 478 unités, 2147 dizaines, 214 centaines, 21 milliers
c) 29 999 unités, 2999 dizaines, 299 centaines, 29 milliers
d) 18 741 unités, 1874 dizaines, 187 centaines, 18 milliers
e) 22 369 unités, 2236 dizaines, 223 centaines, 22 milliers

Les nombres naturels compris entre 30 000 et 60 000

Test

Page 165

1: a) 31 261, 31 262, 31 263, 31 264, 31 265 Régularité : + 1
b) 43 320, 43 275, 43 230, 43 185, 43 140 Régularité : – 45
c) 49 989, 50 109, 50 229, 50 349, 50 469 Régularité : + 120

2: a) quarante-cinq mille cent vingt-trois
b) cinquante-neuf mille huit cent soixante et onze
c) trente mille cent vingt-cinq
d) cinquante et un mille deux cent cinquante-huit

3: a) < b) > c) <

4: a) 8 centaines b) 5 milliers c) 7 centaines d) 5 unités

5: Ordre croissant : 28 995, 29 539, 30 933, 45 412
Ordre décroissant : 45 412, 30 933, 29 539, 28 995

Exercices

Page 166

1: 31 552, 31 553, 31 554, 31 555, 31 556, 31 557, 31 558, 31 559, 31 560, 31 561, 31 562, 31 563, 31 564, 31 565, 31 566, 31 567, 31 568, 31 569, 31 570, 31 571, 31 572, 31 573, 31 574, 31 575, 31 576, 31 577, 31 578, 31 579, 31 580

2: a) 3 dizaines de mille, 1 unité de mille, 5 centaines, 8 dizaines, 9 unités b) 3 dizaines de mille, 9 unités de mille, 7 centaines, 8 dizaines, 5 unités
c) 3 dizaines de mille, 0 unité de mille, 1 centaine, 4 dizaines, 8 unités d) 3 dizaines de mille, 6 unités de mille, 7 centaines, 7 dizaines, 7 unités e) 3 dizaines de mille, 3 unités de mille, 3 centaines, 3 dizaines, 3 unités f) 3 dizaines de mille, 7 unités de mille, 9 centaines, 7 dizaines, 8 unités

Page 167

3: a) 46 524 b) 41 c) 9 d) 1

4: a) 45 790 b) 44 120 c) 43 340 d) 47 460 e) 47 000 f) 49 550

5: a) 45 800 b) 44 100 c) 43 300 d) 47 500 e) 47 000 f) 49 600

6: a) 49 950 b) 51 258 c) 41 899 d) 39 789

Page 168

7: a) 5 dizaines de mille, 8 unités de mille, 7 centaines, 5 dizaines b) 4 dizaines de mille, 7 unités de mille, 8 centaines, 9 dizaines et 6 unités c) 5 dizaines de mille, 2 unités de mille, 4 centaines, 7 dizaines et 8 unités d) 5 dizaines de mille, 4 unités de mille, 7 centaines, 8 dizaines et 3 unités e) 5 dizaines de mille, 5 unités de mille, 1 centaine, 1 dizaine et 1 unité f) 5 dizaines de mille, 5 unités de mille, 5 centaines, 5 dizaines et 5 unités

8: a) 51 023, 51 101, 51 236, 51 369, 51 478
b) 50 269, 53 125, 54 896, 55 789, 58 741
c) 51 031, 55 032, 56 769, 56 878, 59 539

9: a) 58 716, 54 966, 53 011, 51 691, 50 933
b) 57 444, 56 737, 55 799, 52 291, 50 800

Test

Page 169

1: a) Avant : 31 784 ; Après : 45 240 ; Entre : 54 259
b) Avant : 39 991 ; Après : 40 524 ; Entre : 51 362
c) Avant : 37 562 ; Après : 40 248 ; Entre : 45 841
d) Avant : 31 784 ; Après : 45 240 ; Entre : 54 240
2: b) UM : 56 C : 7 D : 4 U : 1 c) UM : 44 C : 3 D : 6 U : 2
3: a) 35 442 b) 20 c) 5 d) 5

Exercices

Page 170

1:

31 221	31 222	31 223	31 224	31 225	31 226	31 227	31 228	31 229
31 230	31 231	31 232	31 233	31 234	31 235	31 236	31 237	31 238
31 239	31 240	31 241	31 242	31 243	31 244	31 245	31 246	31 247
31 248	31 249	31 250	31 251	31 252	31 253	31 254	31 255	31 256
31 257	31 258	31 259	31 260	31 261	31 262	31 263	31 264	31 265
31 266	31 267	31 268	31 269	31 270	31 271	31 272	31 273	31 274
31 275	31 276	31 277	31 278	31 279	31 280	31 281	31 282	31 283
31 284	31 285	31 286	31 287	31 288	31 289	31 290	31 291	31 292
31 293	31 294	31 295	31 296	31 297	31 298	31 299	31 300	31 301

2: a) 35 480, 35 481, 35 482, 35 483, 35 484
b) 33 222, 33 223, 33 224, 33 225, 33 226
c) 34 586, 34 588, 34 590, 34 592, 34 594
d) 37 639, 37 642, 37 645, 37 648, 37 651
e) 38 305, 38 307, 38 309, 38 311, 38 313
f) 30 746, 30 747, 30 748, 30 749, 30 750

Page 171

3: a) 40 589 unités, 4058 dizaines, 405 centaines, 40 milliers
b) 45 121 unités, 4512 dizaines, 451 centaines, 45 milliers
c) 47 256 unités, 4725 dizaines, 472 centaines, 47 milliers
d) 44 788 unités, 4478 dizaines, 447 centaines, 44 milliers
e) 45 367 unités, 4536 dizaines, 453 centaines, 45 milliers

Page 172

4: a) UM : 55 C : 4 D : 7 U : 8 b) UM : 59 C : 8 D : 2 U : 3
c) UM : 55 C : 6 D : 6 U : 1
5: a) > b) < c) < d) < e) < f) >
6: a) 50 028, 50 125, 52 627, 54 215, 55 129
b) 55 139, 55 897, 58 124, 58 128, 59 236

Test

Page 173

1: a) 75 963 b) 89 c) 4 d) 7
2: a) 98 452 b) 66 739 c) 78 321 d) 77 896
3:

61 026	61 027	61 028	61 029	61 030	61 031	61 032	61 033	61 034
61 035	61 036	61 037	61 038	6 1039	61 040	61 041	61 042	61 043
61 044	61 045	61 046	61 047	61 048	61 049	61 050	61 051	61 052
61 053	61 054	61 055	61 056	61 057	61 058	61 059	61 060	61 061
61 062	61 063	61 064	61 065	61 066	61 067	61 068	61 069	61 070
61 071	61 072	61 073	61 074	61 075	61 076	61 077	61 078	61 079
61 080	61 081	61 082	61 083	61 084	61 085	61 086	61 087	61 088
61 089	61 090	61 091	61 092	61 093	61 094	61 095	61 096	61 097
61 098	61 099	61 100	61 101	61 102	61 103	61 104	61 105	61 106

Les nombres naturels compris entre 60 000 et 100 000

Exercices

Page 174

1: a) 60 milliers, 7 centaines, 8 dizaines, 9 unités
b) 64 milliers, 8 centaines, 2 dizaines, 3 unités
c) 63 milliers, 4 centaines, 7 dizaines, 4 unités
d) 66 milliers, 6 centaines, 6 dizaines, 6 unités
e) 69 milliers, 8 centaines, 2 dizaines, 5 unités
2: a) 66 240, 66 245, 66 250, 66 255, 66 260 Régularité : + 5 b) 61 267, 61 277, 61 287 61 297, 61 307 Régularité : + 10 c) 66 219, 66 221, 66 223, 66 225, 66 227 Régularité : + 2 d) 62 242, 62 251, 62 260, 62 269, 62 278 Régularité : + 9 e) 68 492, 68 592, 68 692, 68 792, 68 892 Régularité : + 100
3: a) 65 034 b) 60 012 c) 67 703 d) 69 650
e) 62 502 f) 61 107

Page 175

4: a) 71 228 b) 78 961 c) 77 355
5: 71 238
6: 69 367
7: a) 7 dizaines de mille, 1 unité de mille, 5 centaines, 8 dizaines, 7 unités b) 7 dizaines de mille, 8 unités de mille, 3 centaines, 6 dizaines, 9 unités c) 7 dizaines de mille, 0 unité de mille, 5 centaines, 8 dizaines, 1 unité d) 7 dizaines de mille, 5 unités de mille, 4 centaines, 1 dizaine, 6 unités e) 7 dizaines de mille, 6 unités de mille, 2 centaines, 3 dizaines, 6 unités f) 7 dizaines de mille, 2 unités de mille, 5 centaines, 4 dizaines, 7 unités

Page 176

8: a) 95 123 unités, 9512 dizaines, 951 centaines, 95 milliers b) 80 475 unités, 8047 dizaines, 804 centaines, 80 milliers c) 96 347 unités, 9634 dizaines, 963 centaines, 96 milliers d) 90 147 unités, 9014 dizaines, 901 centaines, 90 milliers e) 88 563 unités, 8856 dizaines, 885 centaines, 88 milliers

Test

Page 177

1: a) 9 unités b) 5 dizaines de mille
2: a) 79 000 b) 66 500 c) 93 100 d) 97 400
e) 63 300 f) 98 100
3: a) 95 438, 95 437, 95 436, 95 435 b) 66 128, 66 129, 66 130, 66 131 c) 73 565, 73 570, 73 575, 73 580
4: a) quatre-vingt-dix-neuf mille
b) quatre-vingt mille deux cent cinquante-huit
5: a) **>** b) **>** c) **<** d) **<** e) **>** f) **>**

Exercices

Page 178

1: a) UM : 61 C : 7 D : 8 U : 9 ; b) UM : 66 C : 2 D : 8 U : 5 ;
c) UM : 69 C : 1 D : 2 U : 3

2: a) 65 127, 65 128, 65 129, 65 130, 65 131
b) 62 747, 62 748, 62 749, 62 750, 62 751
c) 60 145, 60 146, 60 147, 60 148, 60 149
d) 66 972, 66 973, 66 974, 66 975, 66 976
e) 69 460, 69 461, 69 462, 69 463, 69 464
f) 9162, 9163, 9164, 9165, 9166

3: a) 66 790 b) 68 750 c) 64 120 d) 63 180

Page 179

4: a) 70 000 + 200 + 50 + 8 b) 70 906 c) 70 000 + 8 000 + 200 + 60 + 9 d) 75 507 e) 70 000 + 4000 + 600 + 30 + 2

5: a) 76 980 b) 70 000 c) 72 401 d) 79 512 e) 72 994

6: a) 70 000 b) 500 c) 9 unités d) 50 e) 100 f) 70 000 g) 7000 h) 3 unités

Page 180

7: a) 80 256, 87 523, 89 125 b) 80 125, 97 521, 98 458 c) 89 254, 94 125, 96 214 d) 80 129, 80 256, 84 133

8: a) 84 525 : 84 000, 500, 20, 5 b) 96 236 : 96 000, 200, 30, 6 c) 90 120 : 90 000, 100, 20 d) 90 164 : 90 000, 100, 60, 4 e) 85 429 : 85 000, 400, 20, 9 f) 97 537 : 97 000, 500, 30, 7

9: a) > b) > c) > d) < e) < f) >

Additions

Test

Les additions

Le répertoire mémorisé

Les tables d'addition doivent être apprises par cœur afin de résoudre des opérations plus complexes.

+	**0**	**1**	**2**	**3**	**4**	**5**	**6**	**7**	**8**	**9**
0	0	1	2	3	4	5	6	7	8	9
1	1	2	3	4	5	6	7	8	9	10
2	2	3	4	5	6	7	8	9	10	11
3	3	4	5	6	7	8	9	10	11	12
4	4	5	6	7	8	9	10	11	12	13
5	5	6	7	8	9	10	11	12	13	14
6	6	7	8	9	10	11	12	13	14	15
7	7	8	9	10	11	12	13	14	15	16
8	8	9	10	11	12	13	14	15	16	17
9	9	10	11	12	13	14	15	16	17	18

L'addition de deux nombres naturels à 2 et 3 chiffres

Addition de chaque terme du premier nombre (unité, dizaine, centaine) avec chaque terme correspondant du second nombre (unité, dizaine) qui implique souvent des retenues.

Exemple :

$$\begin{array}{r} 573 \\ +\ \underline{64} \\ 7 \end{array} \qquad \begin{array}{r} 573 \\ +\ \underline{64} \\ 37 \end{array} \qquad \begin{array}{r} 573 \\ +\ \underline{64} \\ 637 \end{array}$$

3 + 4 = 7 7 + 6 = 13 5 + 1 = 6

L'addition de deux nombres naturels à 4 chiffres

Addition de chaque terme du premier nombre (unité, dizaine, centaine, unité de mille) avec chaque terme correspondant du second nombre (unité, dizaine, centaine, unité de mille) ce qui implique souvent des retenues.

$$\begin{array}{r} 8573 \\ +\ \underline{2364} \\ 7 \end{array} \qquad \begin{array}{r} 8573 \\ +\ \underline{2364} \\ 37 \end{array} \qquad \begin{array}{r} 8573 \\ +\ \underline{2364} \\ 937 \end{array} \qquad \begin{array}{r} 8573 \\ +\ \underline{2364} \\ 10\,937 \end{array}$$

3 + 4 = 7 7 + 6 = 13 5 + 3 + 1 = 9 8 + 2 = 10

Page 181

1:

+ 5	
5	10
7	12
3	8
8	13
6	11
10	15
4	9
9	14

+ 7	
8	15
11	18
3	10
15	22
12	19
10	17
4	11
9	16

+ 4	
10	14
12	16
3	7
13	17
6	10
7	11
4	8
9	13

2: a) 39 b) 99 c) 77 d) 322 e) 541 f) 911 g) 681 h) 901 i) 710 j) 3641 k) 5170 l) 9520

3: a) 500 + 125 = 625 b) 23 + 31 + 26 = 80 c) 119 + 187 = 306

Exercices

Page 182

1:

+	1	5	9	8	4	6	7
6	7	11	15	14	10	12	13
5	6	10	14	13	9	11	12
9	10	14	18	17	13	15	16
4	5	9	13	12	8	10	11
8	9	13	17	16	12	14	15
3	4	8	12	11	7	9	10
7	8	12	16	15	11	13	14

2: a) 2 + 3 + 6 = 11 b) 4 + 7 + 3 = 14 c) 6 + 6 = 12 d) 7 + 8 = 15 e) 6 + 3 = 9 f) 5 + 6 + 3 = 14 g) 7 + 2 + 5 = 14 h) 4 + 7 + 4 = 15 i) 8 + 2 + 6 = 16

3:

a)

5	12	7
12	6	6
7	6	11
24	24	24

b)

8	20	8
14	12	10
14	4	18
36	36	36

c)

8	13	6
9	9	9
10	5	12
27	27	27

d)

5	19	9
15	11	7
13	3	17
33	33	33

Page 183

4: a) 80 b) 768 c) 436 d) 689 e) 815 f) 593 g) 562 h) 80 i) 368 j) 254 k) 240 l) 213

5: a) 6655 b) 2017 c) 1541 d) 7656

Page 184

6: a) 127 + 284 = 411 b) 215 + 256 + 256 = 727 c) 136 + 127 + 58 = 321 d) 574 + 458 + 158 = 1190

Test

Page 185

1: a) 4 + 9 = 13 b) 6 + 7 = 13 c) 3 +10 = 13
d) 9 + 7 = 16 e) 10 + 6 = 16 f) 11 + 4 = 15
g) 8 + 5 = 13 h) 9 + 4 = 13 i) 344 + 125 = 469
j) 224 + 175 = 399 k) 628 + 183 = 811
l) 344 + 227 = 571 m) 141 + 110 = 251
n) 175 + 175 = 350 o) 276 + 236 = 512
p) 526 + 1253 = 1779

2: a) 342 + 184 = 526 b) 218 + 231 = 449
c) 435 + 386 = 821 d) 180 + 449 = 629
e) 433 + 325 = 758 f) 215 + 283 = 498

3: a) 7684 b) 5783 c) 9253 d) 9154 e) 5856
f) 9210 g) 3001 h) 3605

4: 1258 + 712 + 12 + 3 = 1985

Exercices

Page 186

1:

+ ↔	5	9	7	10	8
3	8	12	10	13	11
6	11	15	13	16	14
4	9	13	11	14	12
2	7	11	9	12	10
5	10	14	12	15	13
7	12	16	14	17	15
9	14	18	16	19	17

2: 7 + 8 = 15 | 4 + 8 = 12 | 4 + 5 = 9 | 8 + 9 = 17
3 + 8 = 11 | 6 + 8 = 14 | 7 + 9 = 16 | 2 + 5 = 7
6 + 7 = 13 | 2 + 3 = 5 | 6 + 3 = 9 | 5 + 8 = 13
5 + 9 = 14 | 2 + 7 = 9 | 4 + 9 = 13 | 2 + 9 = 11
3 + 4 = 7 | 3 + 9 = 12 | 2 + 4 = 6 | 3 + 7 = 10
7 + 8 = 15 | 4 + 8 = 12 | 4 + 5 = 9 | 8 + 9 = 17
4 + 7 = 11 | 3 + 5 = 8 | 2 + 8 = 10 | 4 + 6 = 10

Page 187

3: 100 et 50; 75 et 75; 98 et 52; 140 et 10; 125 et 25; 138 et 12; 88 et 62; 61 et 89

4: 1re colonne: 618 2e colonne: 626 3e colonne: 661
4e colonne: 667

Page 188

5: a) 3052 b) 12 806 c) 9169 d) 2589 e) 7185 f) 3341
g) 5482 h) 7478 i) 3784 j) 8354 k) 6772 l) 4997

6:

+ 125	
115	240
127	252
633	758
128	253
600	725
100	225
425	550
409	534

+ 328	
158	486
111	439
302	630
138	466
121	449
105	433
410	738
179	507

+ 411	
100	511
112	523
133	544
513	924
601	1012
507	918
444	855
125	536

7: a) 6359 b) 3845 c) 4845 d) 9396 e) 5840 f) 3295

Soustractions

Test

Les soustractions

Le répertoire mémorisé

Les tables de soustraction doivent être apprises par cœur pour résoudre des opérations plus complexes.

-	0	1	2	3	4	5	6	7	8	9
18										9
17									9	8
16								9	8	7
15							9	8	7	6
14						9	8	7	6	5
13					9	8	7	6	5	4
12				9	8	7	6	5	4	3
11			9	8	7	6	5	4	3	2
10		9	8	7	6	5	4	3	2	1
9	9	8	7	6	5	4	3	2	1	0
8	8	7	6	5	4	3	2	1	0	
7	7	6	5	4	3	2	1	0		
6	6	5	4	3	2	1	0			
5	5	4	3	2	1	0				
4	4	3	2	1	0					
3	3	2	1	0						
2	2	1	0							
1	1	0								

La soustraction de deux nombres à 2 et 3 chiffres

Soustraction de chaque terme du second nombre (unité, dizaine) à partir de chaque terme correspondant du premier nombre (unité, dizaine, centaine) ce qui implique souvent des emprunts.

Exemple:

```
                6 1          6 1
  758           7̸58          7̸58
-  64         -  64        -  64
    4            94          694

8 - 4 = 4    15 - 6 = 9    6 - 0 = 6
```

La soustraction de 2 nombres à 4 chiffres

Soustraction de chaque terme du second nombre (unité, dizaine, centaine, unité de mille) à partir de chaque terme correspondant du premier nombre (unité, dizaine, centaine, unité de mille) ce qui implique souvent des emprunts.

Exemple:

```
               6 1           4 16          4 16
  5758         57̸58          5̸7̸58          5̸7̸58
- 2964       - 2964        - 2964        - 2964
     4           94           794          2794

8 - 4 = 4    15 - 6 = 9    16 - 9 = 7    4 - 2 = 2
```

Page 189

1: a) 20 – 4 = 16 b) 16 – 3 = 13 c) 17 – 4 = 13 d) 17 – 8 = 9
e) 11 – 7 = 4 f) 15 – 8 = 7 g) 6 – 3 = 3 h) 20 – 5 = 15
i) 9 – 8 = 1 j) 12 – 6 = 6 k) 13 – 7 = 6 l) 16 – 4 = 12

2: a) 812 b) 127 c) 333 d) 251 e) 500 f) 673 g) 270 h) 617
i) 519 j) 858 k) 232 l) 250 m) 2365 n) 2107 o) 2877
p) 7313

3: a) 23 – 15 = 8 b) 58 – 12 = 46

Exercices

Page 190

1:

- 8	
15	7
12	4
13	5
18	10
16	8
10	2
14	6
17	9

- 6	
12	6
15	9
11	5
9	3
15	9
10	4
13	7
17	11

- 7	
10	3
14	7
9	2
12	5
8	1
15	8
11	4
13	6

2:

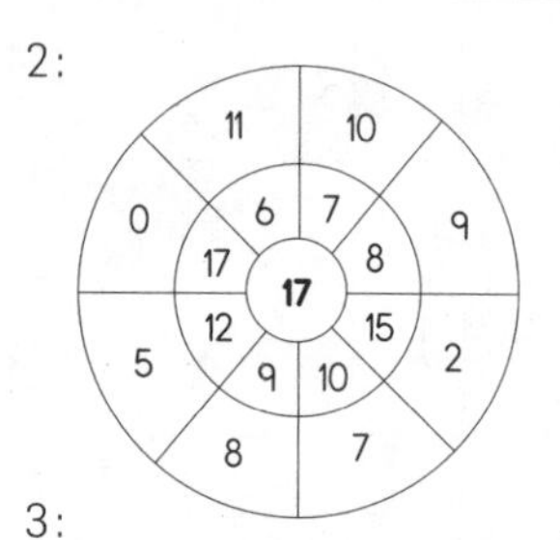

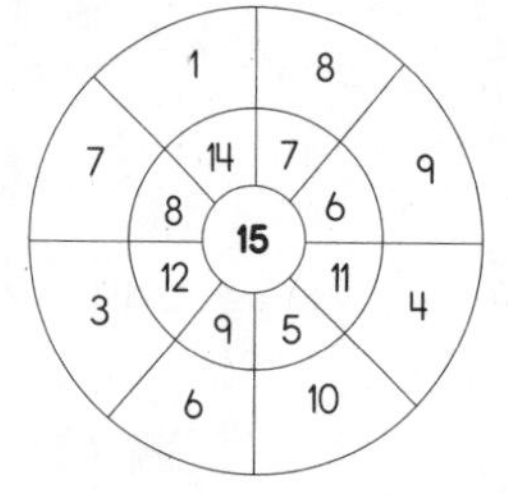

3:

-	12	3	8	6	4	7	9
17	5	14	9	11	13	10	8
15	3	12	7	9	11	8	6
13	1	10	5	7	9	6	4
16	4	13	8	10	12	9	7
12	0	9	4	6	8	5	3
14	2	11	6	8	10	7	5

Page 191

4: a) 28 b) 63 c) 30 d) 262 e) 506 f) 400 g) 505 h) 331 i) 264

5: a) 735 - 348 = 387 b) 959 - 425 = 534 c) 857 - 531 = 326 d) 626 - 312 = 314 e) 656 - 237 = 419 f) 952 - 527 = 425 g) 283 - 133 = 150 h) 663 - 405 = 258 i) 514 - 369 = 145

6: a) 259 – 27 = 232 b) 68 + 48 = 116; 525 – 116 = 409

Page 192

7: a) 1111 b) 2307 c) 3763 d) 6524 e) 3265 f) 3235 g) 6576 h) 5314

8: a) 3669 b) 1155 c) 2155 d) 6706 e) 3150 f) 605

9:

↗ - 1258	
2115	857
1271	13
1633	375
4128	2870
6000	4742
1500	242
4250	2992
4090	2832

↗ - 551	
1158	607
1111	560
3021	2470
1387	836
1219	668
1050	499
4104	3553
1799	1248

↗ - 2147	
6100	3953
4112	1965
7133	4986
5513	3366
4601	2454
5107	2960
4444	2297
3125	978

10: a) 9290 b) 263 c) 370 d) 1521

Test

Page 193

1:

-	12	3	8	6	4	7	9
18	6	15	10	12	14	11	9
20	8	17	12	14	16	13	11
24	12	21	16	18	20	17	15
19	7	16	11	13	15	12	10
25	13	22	17	19	21	18	16
23	11	20	15	17	19	16	14

2: a) 22 b) 231 c) 237 d) 35 e) 337 f) 163 g) 51 h) 189 i) 170 j) 138 k) 33 l) 20 m) 153 n) 143 o) 55 p) 134

Exercices

Page 194

1: 50 et 5; 76 et 31; 70 et 25; 69 et 24; 49 et 4; 68 et 23; 77 et 32; 58 et 13

2: phrase mystère: Tu travailles bien.

3: a) 52 – 37 = 15; 15 + 37 = 52
b) 80 – 26 = 54; 54 + 26 = 80

Page 195

4: a) 25 – 13 = 12 b) 144 – 72 = 72 c) 274 – 14 – 36 = 224 ou 14 + 36 = 50; 274 – 50 = 224 d) 568 – 321 = 247
e) 2896 – 1258 = 1638 f) 1259 – 178 = 1081

Page 196

5: a) 748 b) 6148 c) 6299 d) 1769 e) 617 f) 3037 g) 2406 h) 2484 i) 5235

6:

-	1258	3681	2589	1028	1147
6974	5716	3293	4385	5946	5827
4148	2890	467	1559	3120	3001
7892	6634	4211	5303	6864	6745
6410	5152	2729	3821	5382	5263
7852	6594	4171	5263	6824	6705

7: a) 5752 b) 635 c) 4789 d) 448 e) 4739 f) 587

Multiplications

Test

Les multiplications

La multiplication par addition répétée

Pour multiplier un nombre, on peut additionner consécutivement ce nombre le nombre de fois indiqué dans la multiplication.

Exemple: 7 x 4 7 + 7 + 7 + 7 = 28

Le répertoire mémorisé

Les tables de multiplication doivent être apprises par cœur afin de résoudre des opérations plus complexes.

X	0	1	2	3	4	5	6	7	8	9
0	0	0	0	0	0	0	0	0	0	0
1	0	1	2	3	4	5	6	7	8	9
2	0	2	4	6	8	10	12	14	16	18
3	0	3	6	9	12	15	18	21	24	27
4	0	4	8	12	16	20	24	28	32	36
5	0	5	10	15	20	25	30	35	40	45
6	0	6	12	18	24	30	36	42	48	54
7	0	7	14	21	28	35	42	49	56	63
8	0	8	16	24	32	40	48	56	64	72
9	0	9	18	27	36	45	54	63	72	81

La multiplication d'un nombre à 3 chiffres par un nombre à 1 chiffre

Multiplication de chaque terme (unité, dizaine, centaine) du premier nombre par le second nombre (unité) ce qui implique parfois des retenues.

Exemple :

```
  2             4 2             4 2
 374            374             374
x  6           x  6            x  6
----           ----            ----
   4             44            2244

6 x 4 = 24    (6 x 7) + 2 = 44    (6 x 3) + 4 = 22
```

La multiplication d'un nombre à 3 chiffres par un nombre à 2 chiffres

Multiplication de chaque terme (unité, dizaine, centaine) du premier nombre par chaque terme du second nombre (unité, dizaine) ce qui implique parfois des retenues.

Exemple :

```
                                       2       1 2       1 2
  6       4 6      4 6      4 6       4 6      4 6       4 6
 459      459      459      459       459      459       459
x 37     x 37     x 37     x 37      x 37     x 37      x 37
----     ----     ----     ----      ----     ----      -----
   3       13     3213     3213      3213     3213      3213
                              0     +  70   + 770    + 13770
                                                     -------
                                                      16 983

7 x 9 = 63 (7 x 5) + 6 = 41(7 x 4) + 4 = 32   3 x 9 = 27(3 x 5) + 2 = 17   (3 x 4) + 1 = 13
```

Page 197

1: a) 4 x 2 = 8 b) 5 x 5 = 25 c) 2 x 3 = 6 d) 3 x 9 = 27
e) 11 x 7 = 77

2: a) 12 b) 35 c) 24 d) 16 e) 21 f) 8 g) 18 h) 6 i) 30

3:

x	0	1	2	3	4	5	6
0	0	0	0	0	0	0	0
4	0	4	8	12	16	20	24
2	0	2	4	6	8	10	12
5	0	5	10	15	20	25	30
3	0	3	6	9	12	15	18
6	0	6	12	18	24	30	36
7	0	7	14	21	28	35	42
9	0	9	18	27	36	45	54

Exercices

Page 198

1: Table de 1 : 0, 1, 2, 3, 4, 5, 6, 7, 8, 9 10 Table de 2 : 0, 2, 4, 6, 8, 10, 12, 14, 16, 18, 20 Table de 3 : 0, 3, 6, 9, 12, 15, 18, 21, 24, 27, 30

2:

x	1	5	8	4	3	9	6	10	2	7
4	4	20	32	16	12	36	24	40	8	28
5	5	25	40	20	15	45	30	50	10	35

Page 199

3: a) 5 b) 1 c) 4 d) 2 e) 3

4: a) 4 x 3 = 12 b) 9 x 2 = 18 c) 5 x 5 = 25
d) 6 x 4 = 24 e) 7 x 3 = 21 f) 9 x 4 = 36

Page 200

5: a) 3 x 7 = 21 b) 8 x 2 = 16 c) 10 x 3 = 30
d) 3 x 8 = 24 e) 12 x 5 = 60 f) 9 x 10 = 90

Test

Page 201

1: a) 30 b) 8 c) 32 d) 24 e) 36 f) 18 g) 36 h) 16 i) 45 j) 14
k) 27 l) 40

2: Table de 4 : 0, 4, 8, 12, 16, 20, 24, 28, 32, 36, 40 Table de 5 : 0, 5, 10, 15, 20, 25, 30, 35, 40, 45, 50 Table de 6 : 0, 6, 12, 18, 24, 30, 36, 42, 48, 54, 60

Exercices

Page 203

2: a) 8 x 4 = 32 b) 7 x 5 = 35 c) 3 x 7 = 21
d) 2 x 9 = 18 e) 1 x 5 = 5 f) 4 x 8 = 32 g) 2 x 3 = 6
h) 7 x 6 = 42

3: a)

x	3	5	8	6	4
7	21	35	56	42	28
3	9	15	24	18	12
4	12	20	32	24	16
6	18	30	48	36	24
5	15	25	40	30	20

b)

x	5	7	9	10	8
2	10	14	18	20	16
6	30	42	54	60	48
9	45	63	81	90	72
10	50	70	90	100	80

Page 204

4: a) 408 b) 228 c) 174 d) 164 e) 134 f) 60 g) 36 h) 69 i) 114
j) 30 k) 155 l) 168

5:

x 5	
11	55
14	70
30	150
13	65
12	60
10	50
41	205
17	85

x 9	
61	549
41	369
71	639
55	495
46	414
51	459
44	396
31	279

x 7	
61	427
41	287
71	497
55	385
46	322
51	357
44	308
31	217

6: a) 70 x 100 = 7000 b) 10 x 620 = 6200
c) 40 x 100 = 4000 d) 210 x 10 = 2100
e) 91 x 100 = 9100 f) 410 x 1 = 410

7: a) 16 x 100 = 1600 b) 30 x 3 = 90
c) 15 x 10 = 150

Divisions

Test

Les divisions

La division par soustraction répétée

Pour diviser un nombre, on peut soustraire consécutivement de ce nombre le diviseur.

Exemple : 28 ÷ 7   28 − 7 = 21 ; 21 − 7 = 14 ; 14 − 7 = 7 ; 7 − 7 = 0.

On compte combien de fois on soustrait le nombre 7 jusqu'à ce qu'il ne soit plus possible de soustraire. Dans cet exemple, on arrive à 0 en ayant soustrait 4 fois le nombre 7 et la réponse est : 28 ÷ 7 = 4.

Le répertoire mémorisé

Les tables de division doivent être apprises par cœur afin de résoudre des opérations plus complexes.

÷	1	2	3	4	5	6	7	8	9
81									9
72								9	8
64								8	
63							9		7
56							8	7	
54						9			6
49							7		
48						8		6	
45					9				5
42						7	6		
40					8			5	
36				9		8			4
35					7		5		
32				8				4	
30					6	5			
28				7			4		
27			9						3
25					5				
24			8	6		4		3	
21			7				3		
20				5	4				
18		9	6			3			2
16		8		4				2	
15			5		3				
14		7					2		
12		6	4	3		2			
10		5			2				
9	9		3						1
8	8	4		2				1	
7	7						1		
6	6	3	2			1			
5	5				1				
4	4	2		1					
3	3		1						
2	2	1							
1									

La division d'un nombre à 3 chiffres par un nombre à 1 chiffre

Division des termes du premier nombre (unité, dizaine, centaine) par les termes du second nombre (unité) ce qui implique parfois des retenues.

Exemple :

```
252 |3       252 |3       252 |3
24   8     - 24   8     - 24   84
           ----         ----
             12           12
                        - 12
                        ----
                           0
24 ÷ 3 = 8               12 ÷ 3 = 4
```

La division d'un nombre à 4 chiffres par un nombre à 2 chiffres

Division des termes du premier nombre (unité, dizaine, centaine) par les termes du second nombre (dizaine, unité) ce qui implique parfois des retenues.

Exemple :

```
8472 |24    8472 |24    8472 |24    8472 |24    8472 |24
72    3    - 72   3    - 72   35   - 72   35   - 72   353
             ---         ---         ---         ---
             12          127         127         127
                                   - 120       - 120
                                     ---         ---
                                       7          72
                                                - 72
                                                 ---
                                                   0
72 ÷ 24 = 3             120 ÷ 24 = 5            72 ÷ 24 = 3
```

Page 205

1 : a) 3 ensembles de 4 éléments b) 3 ensembles de 3 éléments c) 3 ensembles de 7 éléments d) 3 ensembles de 5 éléments

2 : a) 4 ensembles de 3 éléments b) 4 ensembles de 2 éléments c) 4 ensembles de 5 éléments d) 4 ensembles de 4 éléments

3 : 36 ÷ 2 = 18

4 : a) 8 ÷ 2 = 4 b) 6 ÷ 2 = 3 c) 10 ÷ 5 = 2 d) 9 ÷ 3 = 3 e) 8 ÷ 4 = 2 f) 16 ÷ 4 = 4 g) 20 ÷ 2 = 10 h) 20 ÷ 5 = 4 i) 12 ÷ 3 = 4

Exercices

Page 206

1 : a) 6 ensembles de 2 éléments b) 2 ensembles de 5 éléments c) 4 ensembles de 3 éléments d) 3 ensembles de 3 éléments e) 5 ensembles de 3 éléments f) 4 ensembles de 5 éléments g) 6 ensembles de 4 éléments h) 9 ensembles de 2 éléments

Page 207

2 : 5 ensembles de 4 éléments
3 : 4 ensembles de 3 éléments
4 : 6 ensembles de 3 éléments
5 : 5 ensembles de 5 éléments

Page 208

6 : a) 28 ÷ 4 = 7 28 ÷ 7 = 4 b) 15 ÷ 3 = 5 15 ÷ 5 = 3 c) 63 ÷ 7 = 9 63 ÷ 9 = 7 d) 24 ÷ 6 = 4 24 ÷ 4 = 6 e) 50 ÷ 10 = 5 50 ÷ 5 = 10 f) 48 ÷ 8 = 6 48 ÷ 6 = 8 g) 8 ÷ 4 = 2 8 ÷ 2 = 4 h) 63 ÷ 9 = 7 63 ÷ 7 = 9 i) 30 ÷ 6 = 5 30 ÷ 5 = 6 j) 21 ÷ 7 = 3 21 ÷ 3 = 7 k) 45 ÷ 5 = 9 45 ÷ 9 = 5 l) 60 ÷ 10 = 6 60 ÷ 6 = 10 m) 18 ÷ 9 = 2 18 ÷ 2 = 9 n) 24 ÷ 6 = 4 24 ÷ 4 = 6 o) 90 ÷ 10 = 9 90 ÷ 9 = 10

Test

Page 209

1 :

a) b) c)

2: $48 \div 6 = 8$

3:

Dividende	Diviseur	Quotient
24	2	12
30	5	6
36	4	9

Exercices

Page 210

1: a) $24 \div 6 = 4$ b) $40 \div 20 = 2$ c) $120 \div 12 = 10$
d) $36 \div 3 = 12$ e) $30 \div 2 = 15$

Page 211

2: a) $12 \div 3 = 4$ b) $12 \div 4 = 3$ c) $30 \div 6 = 5$ d) $24 \div 2 = 12$
e) $27 \div 3 = 9$ f) $25 \div 5 = 5$ g) $9 \div 9 = 1$ h) $8 \div 2 = 4$
i) $24 \div 2 = 12$ j) $24 \div 4 = 6$ k) $10 \div 2 = 5$

Page 212

3: 1re colonne : 1, 2, 3, 4, 5, 6, 7, 8, 9, 10, 11, 12
2e colonne : 1, 2, 3, 4, 5, 6, 7, 8, 9, 10, 11, 12
3e colonne : 1, 2, 3, 4, 5, 6, 7, 8, 9, 10, 11, 12
4e colonne : 1, 2, 3, 4, 5, 6, 7, 8, 9, 10, 11, 12

Fractions

Test

Les fractions

Quantité qui désigne une partie d'un tout sous la forme d'un rapport entre 2 entiers positifs séparés par une ligne horizontale. Le numérateur est en haut et le dénominateur est en bas.

Exemple : $\frac{5}{8}$

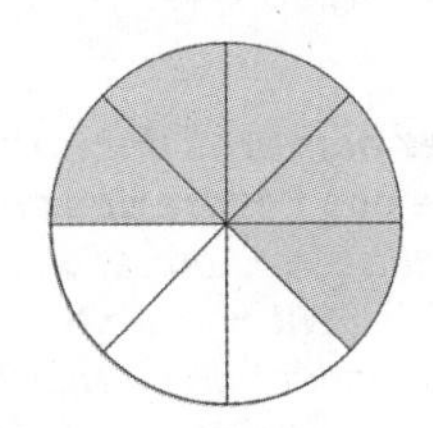

Le numérateur

C'est le premier terme d'une fraction qui indique combien de parties égales d'un tout sont considérées.

Exemple : $\frac{\mathbf{2}}{3}$

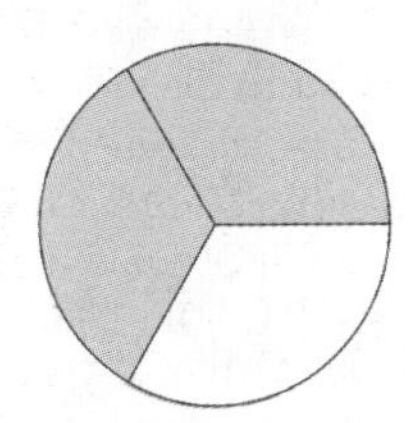

Le dénominateur

C'est le deuxième terme d'une fraction qui indique en combien de parties égales un tout a été divisé.

Exemple : $\frac{4}{\mathbf{9}}$

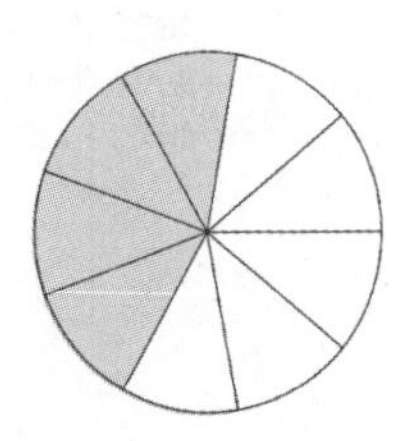

Page 213

1: $\frac{1}{2}$ b) $\frac{1}{4}$ c) $\frac{1}{3}$ d) $\frac{1}{6}$

2:

a) 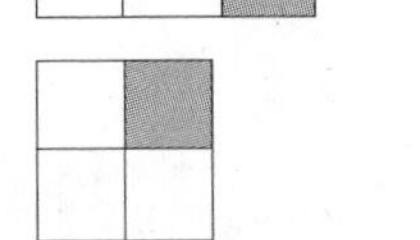

b) 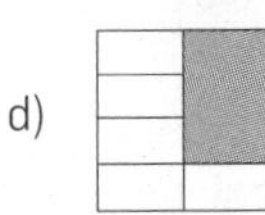

c)

d)

3: Il faut colorier 6 cercles.

Exercices

Page 214

1: a) $\frac{1}{2}$ b) $\frac{1}{2}$ c) $\frac{1}{3}$ d) $\frac{1}{4}$ e) $\frac{1}{3}$ f) $\frac{1}{4}$

2: a) 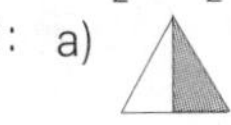 b) 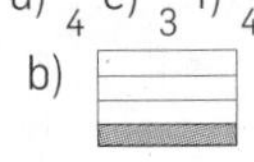 c) 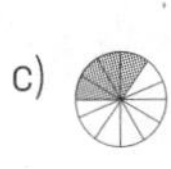

d) 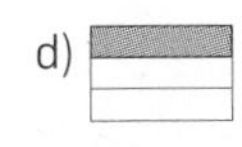 e) 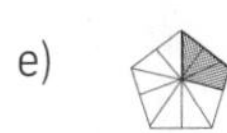 f) 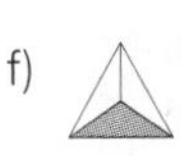

g) 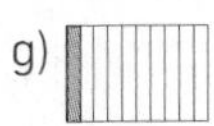 h) 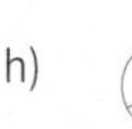 i) 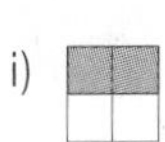

Page 215

3: a) Il faut colorier 1 oiseau. b) Il faut colorier 1 oiseau.
c) Il faut colorier 4 oiseaux. d) Il faut colorier 3 oiseaux.
e) Il faut colorier 5 oiseaux. f) Il faut colorier 1 oiseau.
g) Il faut colorier 3 oiseaux. h) Il faut colorier 5 oiseaux.

Page 216

4: b

5: a) 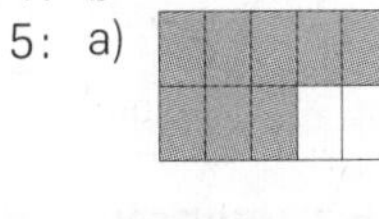 b) 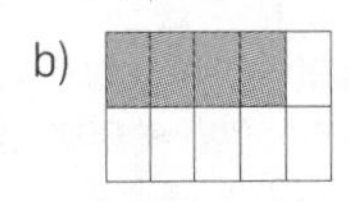 c) 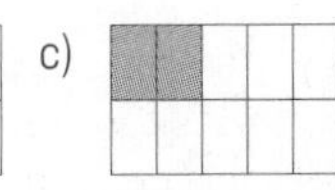

d) 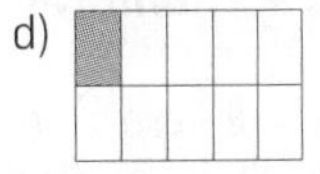 e) 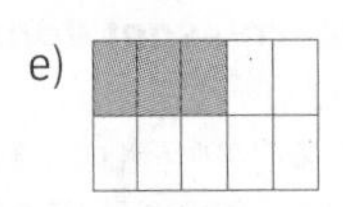 f) 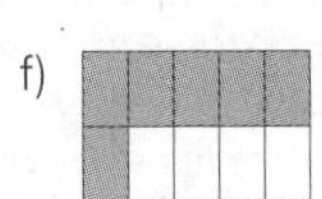

g) 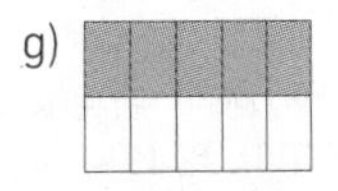 h) 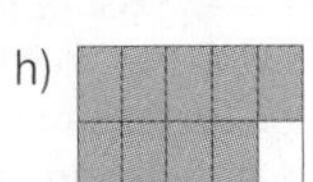 i) 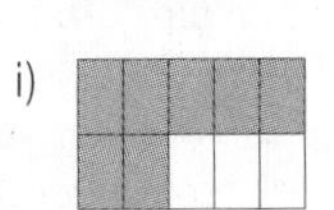

9/10, 8/10, 7/10, 6/10, 5/10, 4/10, 3/10, 2/10, 1/10

Test

Page 217

1: a) Il faut colorier 9 rectangles. b) Il faut colorier 1 rectangle. c) Il faut colorier 2 rectangles. d) Il faut colorier 4 rectangles.

2: c

3: 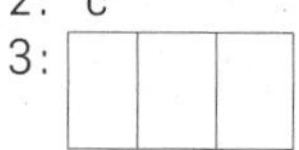 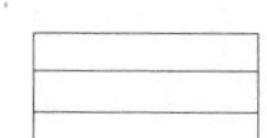

4: a) b) 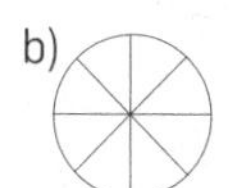

Exercices

Page 218

1: a) $\frac{3}{8}$ b) $\frac{1}{4}$ c) $\frac{2}{5}$ d) $\frac{2}{3}$ e) $\frac{1}{3}$ f) $\frac{3}{4}$ g) $\frac{1}{2}$ h) $\frac{1}{2}$

Page 219

2: a) Il faut colorier 5 rectangles. b) Il faut colorier 2 rectangles. c) Il faut colorier 3 rectangles. d) Il faut colorier 6 rectangles. e) Il faut colorier un rectangle. f) Il faut colorier 7 rectangles. g) Il faut colorier 9 rectangles. h) Il faut colorier 6 rectangles. i) Il faut colorier 3 rectangles.

Page 220

3: 

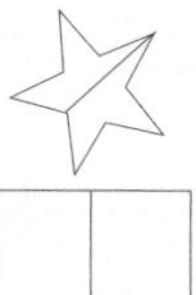 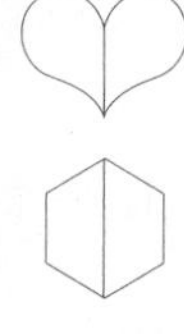 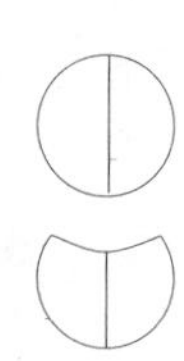

4: a) $\frac{3}{5}$ b) $\frac{1}{2}$

Nombres décimaux

Test

Les nombres décimaux

Le nombre décimal

Nombre entier suivi d'une fraction décimale (séparés par une virgule), c'est-à-dire dixièmes, centièmes et millièmes

Exemple :

7 unités + 3 dixièmes + 9 centièmes + 4 millièmes $7 + \frac{3}{10} + \frac{9}{100} + \frac{4}{1000}$ *7,394*

L'ordre croissant et décroissant dans les nombres décimaux

Pour mettre les nombres décimaux dans l'ordre croissant (du plus petit au plus grand) ou décroissant (du plus grand au plus petit), il suffit d'aligner les virgules de ces nombres décimaux et de déterminer leur valeur. Pour ce faire, on peut ajouter des zéros pour remplacer la décimale manquante et une virgule après un nombre naturel.

Exemple : si on veut mettre les nombres 2,34 – 2,6 – 1,975 – 3 – 1,8 – 2,44 dans l'ordre croissant.

2,340
2,600
1,975
3,000
1,800
2,440

L'ordre croissant est donc 1, 8 – 1,975 – 2,34 – 2,44 – 2,6 – 3.

La comparaison des nombres décimaux

Pour comparer les nombres décimaux à l'aide des symboles < (est plus petit que), > (est plus grand que), = (est égal à), il suffit d'aligner les virgules de ces nombres décimaux et de comparer leur valeur. Pour ce faire, on peut ajouter des zéros pour remplacer la décimale manquante et une virgule après un nombre naturel.

Exemple : si on veut comparer les nombres 65,7 et 64,94.

65,700
69,940
65,7 > 64,94

L'addition des nombres décimaux dont la somme ne dépasse pas l'ordre des centièmes

Addition de chaque terme du premier nombre (centième, dixième, unité, dizaine, centaine, unité de mille) avec chaque terme correspondant du second nombre (centième, dixième, unité, dizaine, centaine, unité de mille) après avoir aligné la virgule de chaque nombre.

```
  1 11
  3456,59
+  823,7
---------
  4280,29
```

La soustraction des nombres décimaux dont la somme ne dépasse pas l'ordre des centièmes

Soustraction de chaque terme du second nombre (centième, dixième, unité, dizaine, centaine, unité de mille) à partir de chaque terme correspondant du premier nombre (centième, dixième, unité, dizaine, centaine, unité de mille) après avoir aligné la virgule de chaque nombre.

```
  2 1 514 1
  3456,50
-  823,79
---------
  2632,71
```

Page 221

1: a) Il faut colorier 1 carré. Décimal : 0,1 b) Il faut colorier 4 carrés. Décimal : 0,4 c) Il faut colorier 7 carrés. Décimal : 0,7 d) Il faut colorier 5 carrés. Décimal : 0,5 e) Il faut colorier 3 carrés. Décimal : 0,3 f) Il faut colorier 9 carrés. Décimal : 0,9 g) Il faut colorier 10 carrés. Décimal : 1,0 h) Il faut colorier 2 carrés. Décimal : 0,2

Exercices

Page 222

1: a) 0,5 b) 3,9 c) 2,4 d) 0,7 e) 10,1 f) 20,9
2: a) 1,6 ; 2,4 ; 4,8 ; 6,3 ; 14,1 b) 2,50 ; 2,53 ; 2,55 ; 2,58 ; 2,59 c) 12,9 ; 13,9 ; 23,2 ; 26,9 ; 37,7
3: a) 7,5 ; 6,5 ; 4,6 ; 3,7 ; 2,4 b) 32,9 ; 32,7 ; 32,5 ; 32,2 ; 32,1 c) 37,7 ; 26,9 ; 23,2 ; 13,9 ; 12,9

Page 223

4: Ramzy, la plus petite ; Justine, la plus grande.
5: a) 2,07 $ b) 3,12 $ c) 0,65 $ d) 3,85 $ e) 6,09 $ f) 9,48 $ g) 4,94 $

Page 224

6: a) 0,09 b) 0,94 c) 0,9 d) 0,3 e) 0,93 f) 0,80
7: 4,41
8: a) 2,80 $ b) 2,40 $

Test

Page 225

1: a) Il faut colorier 19 cases. b) Il faut colorier 44 cases. c) Il faut colorier 65 cases. d) Il faut colorier 78 cases. e) Il faut colorier 89 cases. f) Il faut colorier 99 cases.

Exercices

Page 226

1: a) 0,73 b) 0,63 c) 0,04 d) 0,90 e) 0,30 f) 0,01

Page 227

2: a) 6,61 $ b) 5,27 $ c) 7,26 $ d) 4,45 $ e) 9,79 $ f) 5,50 $ g) 2,94 $ h) 8,37 $

Page 228

3: a) 0,75 b) 0,95

Figures planes

Test

Les figures planes de base

Le carré : *figure géométrique plane qui possède 4 côtés congrus et 4 angles droits.*

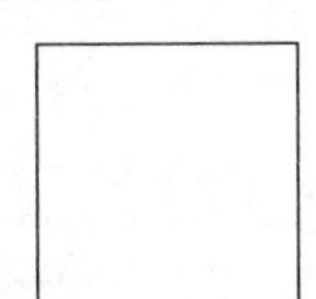
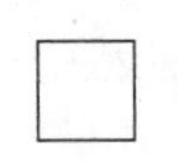

Le rectangle : *figure géométrique plane qui possède 2 paires de côtés congrus et 4 angles droits.*

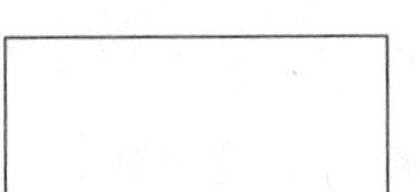
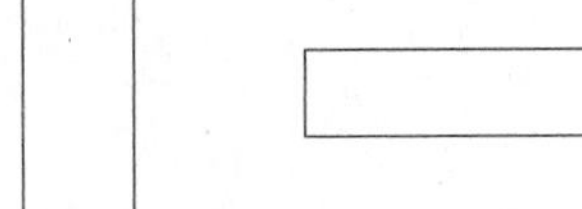

Le triangle : *figure géométrique plane qui possède 3 côtés.*

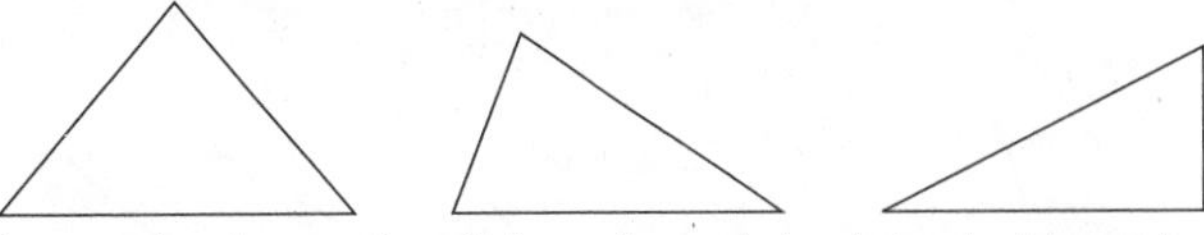

Le cercle : *figure géométrique plane et circulaire dont le centre est à égale distance de tous les points faisant partie du contour de la figure.*

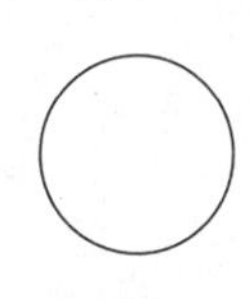
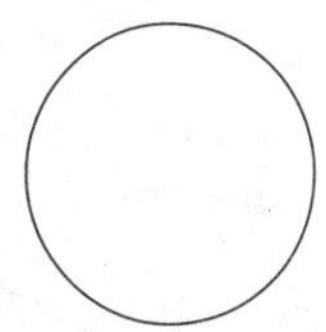
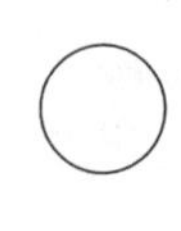

Le losange : *figure géométrique plane qui possède 4 côtés congrus.*

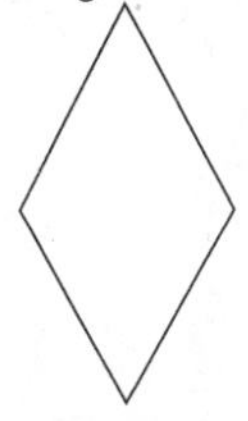
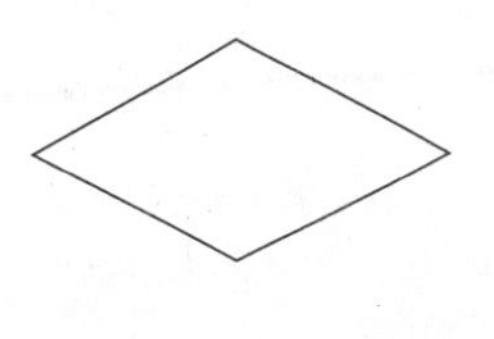
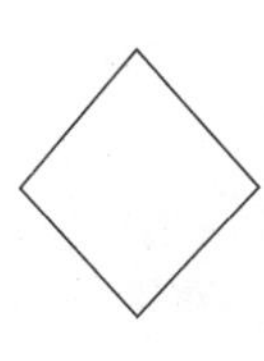

Définition : *un polygone est une figure plane et fermée sans ligne courbe.*

Voici quelques polygones. On remarque que le cercle n'est pas un polygone, car il a une ligne courbe :

Régulier : *on dit qu'un polygone est régulier lorsque tous ses côtés et ses angles sont égaux.*

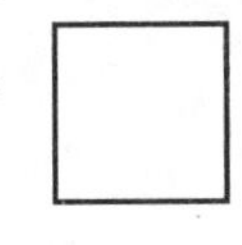
Carré

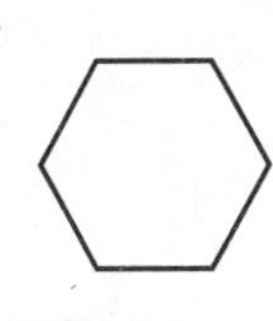
Hexagone

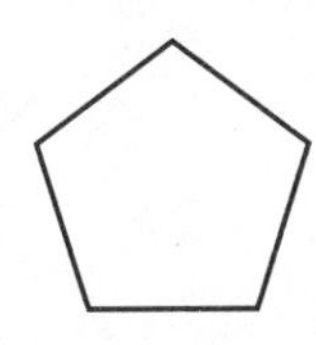
Pentagone

Convexe : *on dit qu'un polygone est convexe lorsqu'il n'a pas de partie creuse, c'est-à-dire qu'il n'a pas de partie rentrante.*

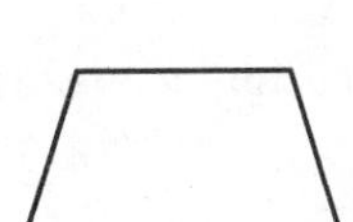
Trapèze

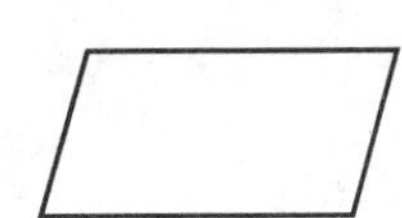
Parallélogramme

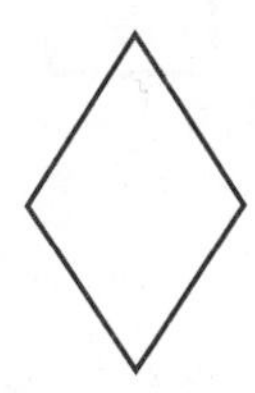
Losange

Concave : *on dit qu'un polygone est concave ou non convexe lorsqu'il a une partie creuse, une partie rentrante.*

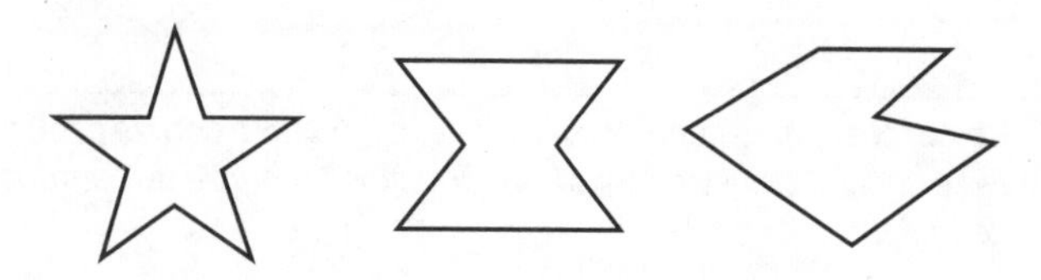

Angle : *Un angle est formé par 2 droites, 2 lignes qui se rejoignent pour former un sommet.*

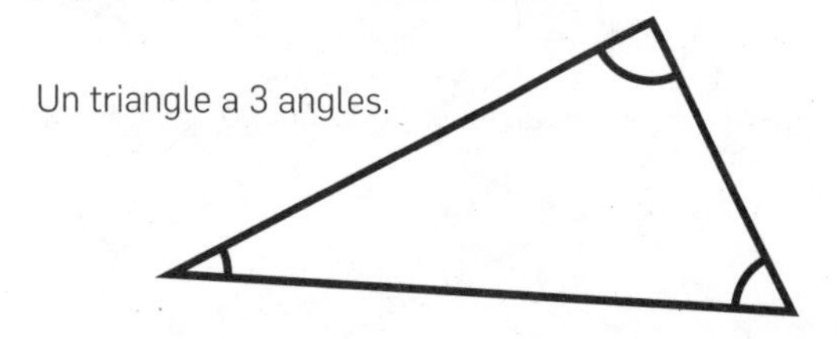

Il existe différentes sortes d'angles. En voici 3 :
Droit : *l'angle droit a la forme d'un carré. Il mesure 90°.*

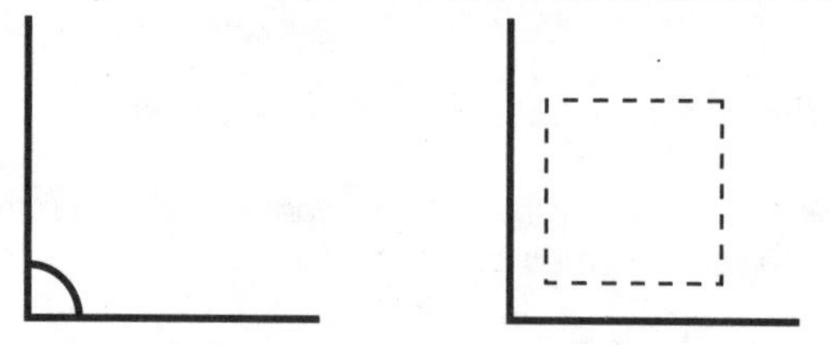

Aigu : *l'angle aigu est plus petit qu'un angle droit. Il mesure moins de 90°.*

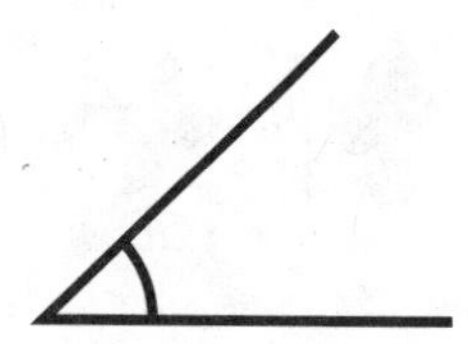

Obtus : *l'angle obtus est plus grand qu'un angle droit. Il mesure plus de 90° et moins de 180°.*

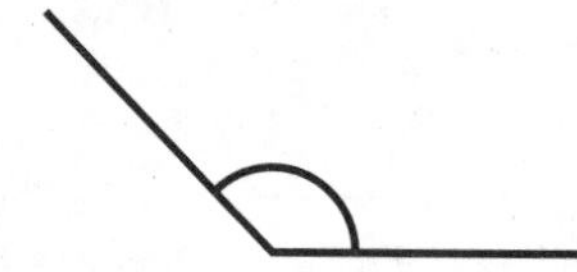

Quadrilatère : *Un quadrilatère est un polygone qui possède 4 côtés. Il possède donc toujours 4 angles.*

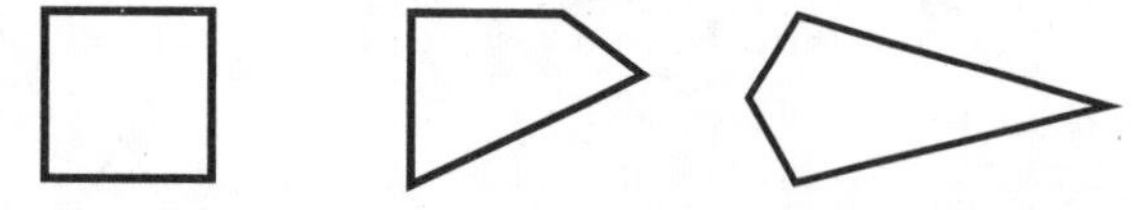

Les quadrilatères peuvent être **convexes** *ou* **non convexes**

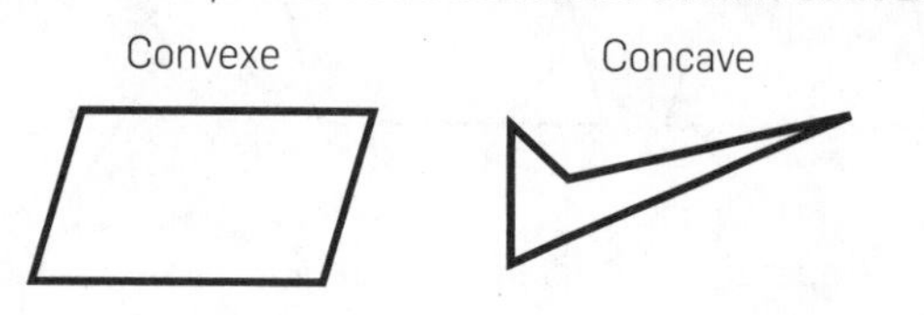

Les quadrilatères peuvent avoir des côtés **parallèles**. *Pour indiquer que 2 côtés sont parallèles, on fait 2 petites lignes sur chacun des côtés : //. Les segments AB et CD sont parallèles. Si on les allonge, ils ne se croiseront jamais. Alors on peut tracer le symbole // qui veut dire parallèles.*

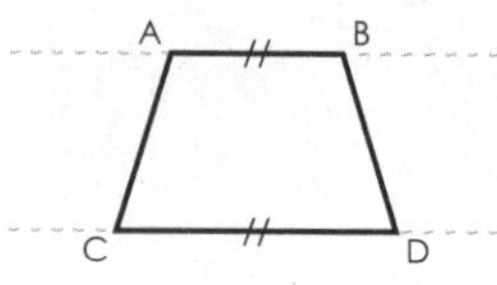

Les segments AC et BD sont congrus. Cependant, les segments AB et CD ne sont pas congrus. Ils ne sont pas égaux.

Les côtés des quadrilatères peuvent être **congrus** *ou* **non congrus**. *Des côtés congrus sont des côtés égaux, de la même mesure.*
Le carré est un quadrilatère qui possède 4 côtés congrus.

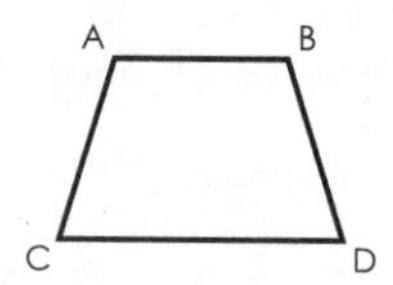

Page *229*

1 : Il faut colorier b, c, d, e, f.
2 : a) droit b) aigu c) obtus d) plat
3 : a) 8 b) 5 c) 3 d) 4) e) 5

Exercices

Page *230*

1 : réponses au choix

Page *231*

2 : Il faut colorier a, g et i.
3 : Carrés : 3 Losanges : 2 Triangles : 2 Rectangles : 6
Cercles : 8

Page *232*

4 : a, c, d, e
5 : a, c, d, f, g
6 : a, e
7 : b
8 : c

Test

Page *233*

1 : a) Nombre de côtés : 8 Nombre d'angles : 8
b) Nombre de côtés : 4 Nombre d'angles : 4
c) Nombre de côtés : 3 Nombre d'angles : 3
d) Nombre de côtés : 5 Nombre d'angles : 5
e) Nombre de côtés : 4 Nombre d'angles : 4
f) Nombre de côtés : 4 Nombre d'angles : 4

2:

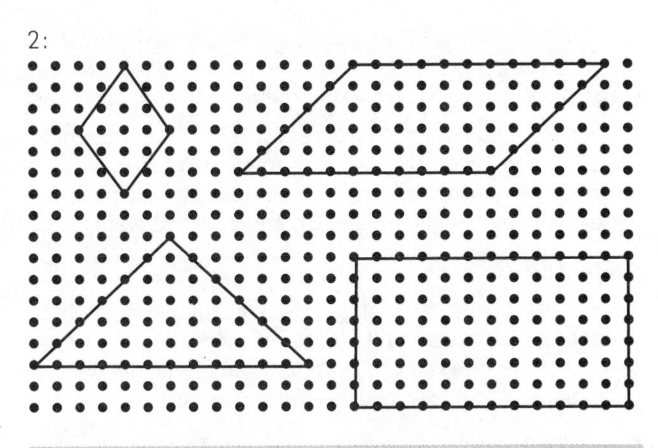

Exercices

Page 234

1: réponse au choix.
2: aigu, droit, obtus, plat
3: réponses au choix.

Page 235

4:

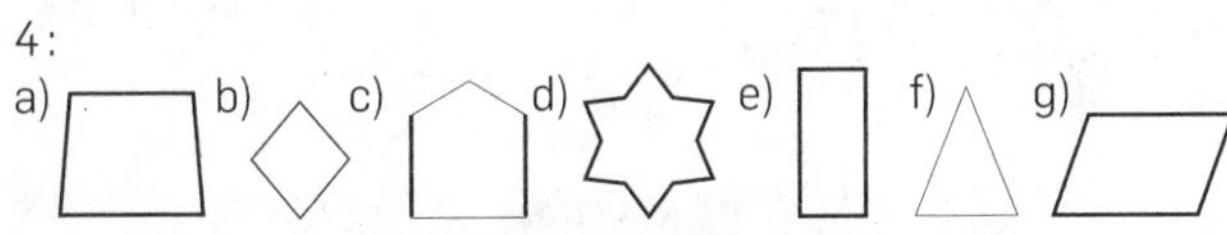

5: réponses au choix.

Page 236

6: réponses au choix
7: réponses au choix
8: réponses au choix
9: réponses au choix

Solides

Test

Les solides

Les solides sont des figures à 3 dimensions limitées par 1 surface fermée.

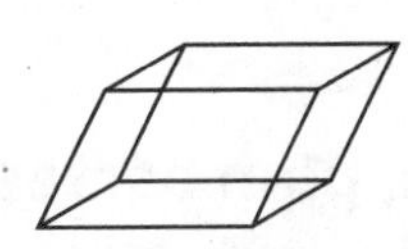
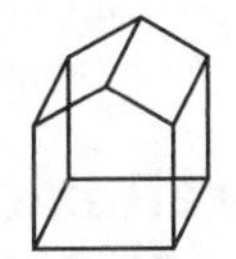

Les attributs des solides : *les solides se caractérisent pr leurs faces (surfaces planes ou courbes qui les déliment), leurs arêtes (segments qui sont déterminés par la rencontre de 2 faces) et leurs sommets (points qui sont déterminés par la rencontre de 3 arêtes).*

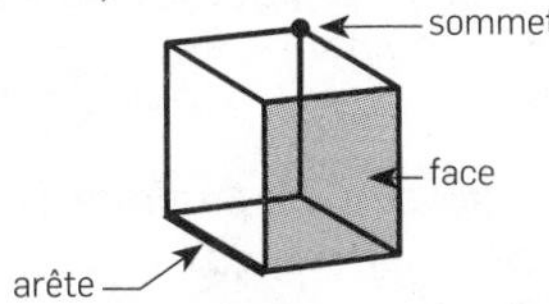

Les polyèdres : *solides dont les faces sont des polygones.*

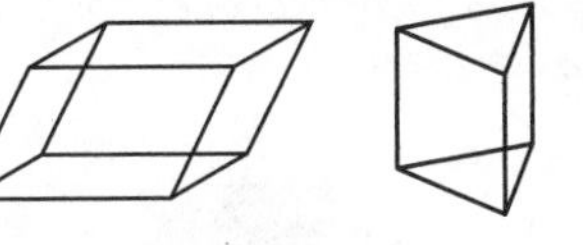
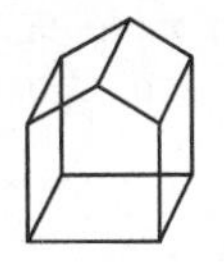
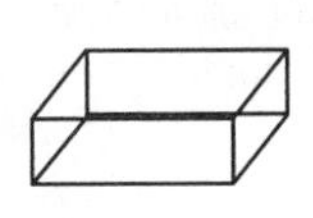

Les polygones : *figure plane qui a plusieurs angles et plusieurs côtés.*

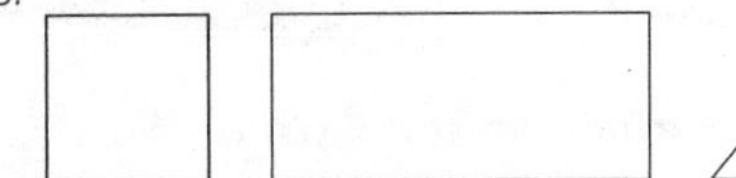

Le cube : *polyèdre convexe qui possède 6 faces carrées, 12 arêtes et 8 sommets.*

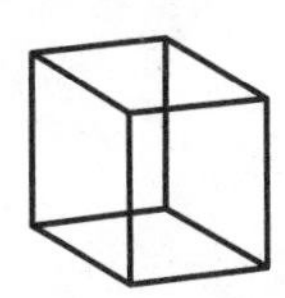

Le prisme à base carrée : *polyèdre convexe dont les 2 bases sont carrées, dont les 4 faces latérales sont des parallélogrammes et qui possède 12 arêtes et 8 sommets.*

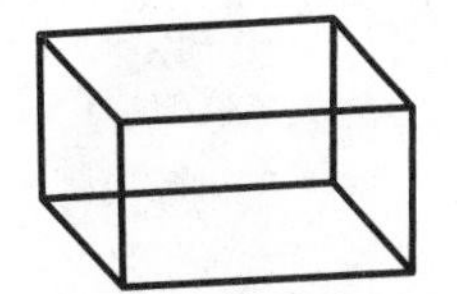

Le prisme à base rectangulaire : *polyèdre convexe dont les 2 bases sont des rectangles, dont les 4 faces latérales sont des parallélogrammes et qui possède 12 arêtes et 8 sommets.*

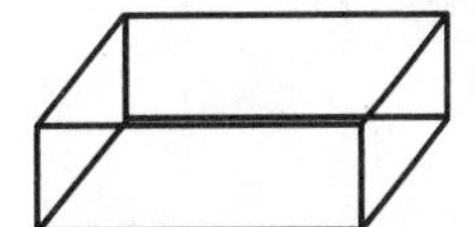

Le prisme à base triangulaire : *polyèdre convexe dont les 2 bases sont des triangles, dont les 3 faces latérales sont des parallélogrammes et qui possède 9 arêtes et 6 sommets.*

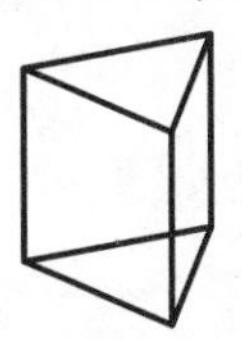

La pyramide à base carrée : *polyèdre convexe dont la base est 1 carré, dont les 4 faces latérales sont des triangles et qui possède 8 arêtes et 5 sommets.*

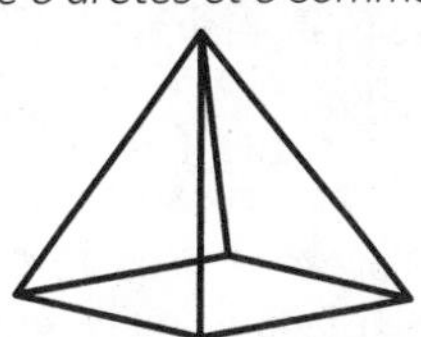
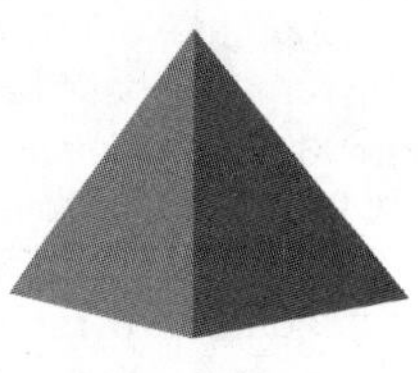

La pyramide à base rectangulaire : *polyèdre convexe dont la base est un rectangle, dont les 4 faces latérales sont des triangles et qui possède 8 arêtes et 5 sommets.*

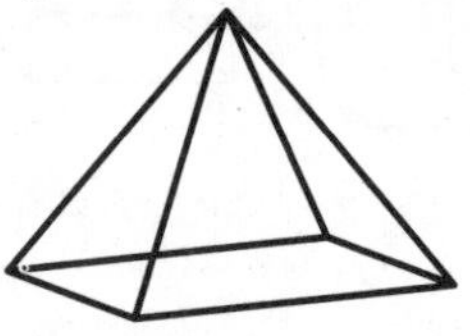
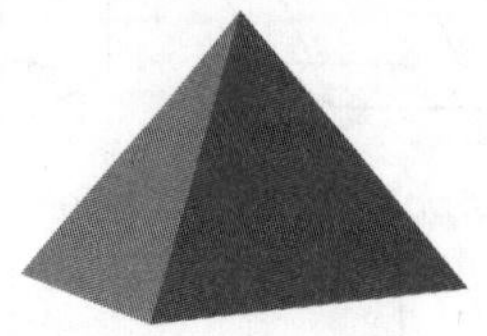

La pyramide à base triangulaire : *polyèdre convexe dont la base est un triangle, dont les 3 faces latérales sont des triangles et qui possède 6 arêtes et 4 sommets.*

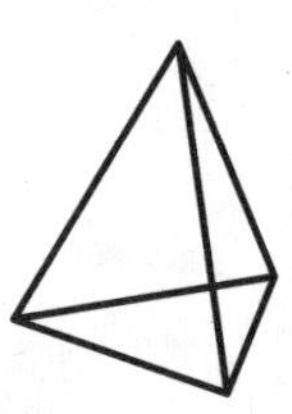
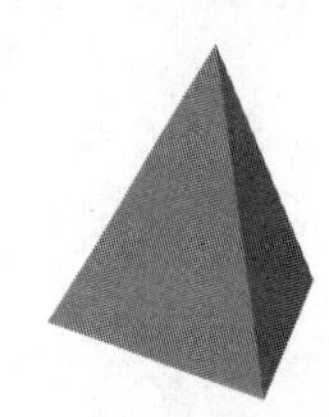

Le cylindre : *solide en forme de rouleau (un rectangle qui a été recourbé sur lui-même) dont les 2 bases sont des cercles et qui possède 2 arêtes, mais aucun sommet.*

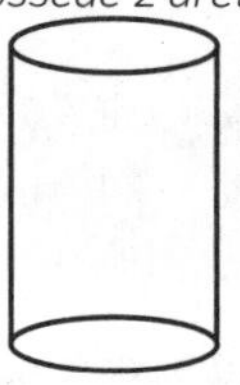

Le cône : *solide délimité par une surface conique et dont la base est 1 cercle. Le cône possède 1 arête, mais le bout du cône n'est pas un sommet. On le nomme l'apex.*

La sphère ou la boule : *solide qui est délimité par 1 seule surface sphérique. La sphère ne possède ni arête ni sommet.*

Page 237

1: a) pyramide à base triangulaire
b) pyramide à base carrée c) cube) d) prisme à base rectangulaire e) prisme à base triangulaire
f) pyramide à base rectangulaire
2: a) 3 faces, aucune arête b) 6 faces, 12 arêtes
3: boule ou sphère, cône, cylindre
4: cube, pyramide à base carrée, pyramide à base rectangulaire, pyramide à base triangulaire, prisme à base carrée, prisme à base rectangulaire, cône, cylindre

Exercices

Page 238

1: a) glisse seulement b) glisse et roule c) glisse seulement
2: a) 6 sommets et 9 arêtes b) 5 sommets et 8 arêtes
c) 8 sommets et 12 arêtes d) 8 sommets et 12 arêtes
e) 4 sommets et 6 arêtes f) 8 sommets et 12 arêtes

Page 239

3: a) 2 triangles et 3 rectangles b) tout sauf le triangle
c) tout saut le carré d) tout sauf le carré
e) 2 carrés et 4 rectangles f) tout sauf le triangle
g) le carré et 4 triangles

Page 240

4: a) 4 b) 6 c) 5 d) 1 e) 3 f) 8 g) 2 h) 7

Test

Page 241

1: a) 1 face courbe b) 5 faces planes c) 5 faces planes
d) 1 face courbe, 2 faces planes e) 5 faces planes
f) 6 faces planes
2: a) cylindre b) pyramide à base rectangulaire
3: d

Exercices

Page 242

1: a) peut glisser b) peut glisser et rouler c) peut glisser
d) peut glisser e) peut glisser et rouler f) peut glisser
g) peut glisser h) peut rouler i) peut glisser

Page 243

2: a) faces planes b) faces planes et courbes c) faces planes d) faces planes e) faces planes et courbes f) faces planes g) faces planes h) faces courbes i) faces planes

Page 244

3: a) 6 carrés b) 1 triangle, 1 cercle c) 4 triangles, 1 carré
d) 4 triangles e) 2 cercles, 1 rectangle f) 2 triangles,
3 rectangles g) 4 triangles, 1 rectangle h) 1 cercle
i) 2 carrés, 4 rectangles

Espace, réflexion, plan cartésien, frises et dallages

Test

Les frises
Les figures isométriques sont des représentations qui ont les mêmes dimensions. On peut produire une frise ou un dallage en répétant des figures isométriques.

La symétrie
Reproduction d'un motif ou d'une partie de motif de l'autre côté d'un axe de réflexion par effet miroir.

Le plan cartésien
Système de repérage composé de 2 droites perpendiculaires qui permettent de situer des points précis.

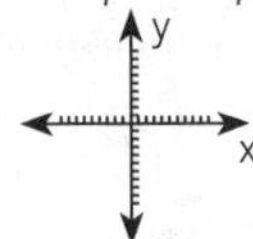

L'axe des abscisses, ou l'axe des x, est l'axe horizontal d'un plan cartésien, tandis que l'axe des ordonnées ou l'axe des y, est l'axe vertical d'un plan cartésien. Les coordonnées sont des couples formés par la rencontre d'un point de l'axe des ordonnées. Les quadrants sont les parties formées par le croisement des axes d'un plan cartésien.

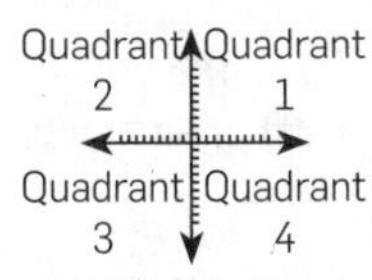

Page 245

2:

a)

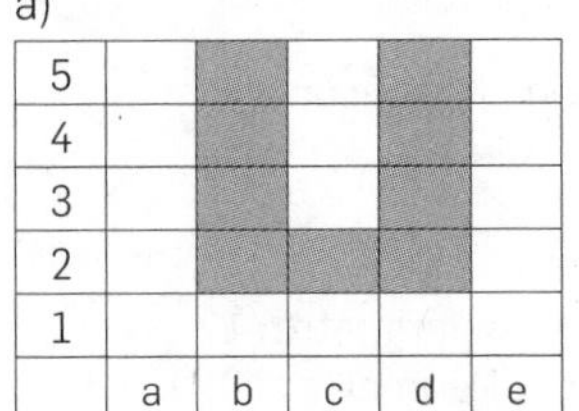

5					
4					
3					
2					
1					
	a	b	c	d	e

b)

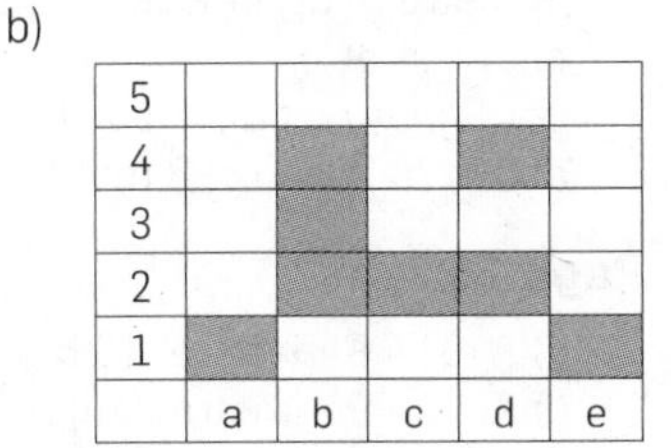

5					
4					
3					
2					
1					
	a	b	c	d	e

Exercices

Page 247

2:

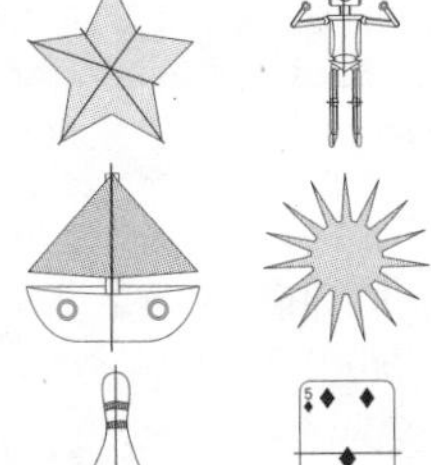

Page 248

3: Poisson : D-13 Île : J-17 Palmier : K-10 Trésor : Q-4
Crochet : R-18 Drapeau : C-9 Sirène : C-4

Test

Page 249

1:

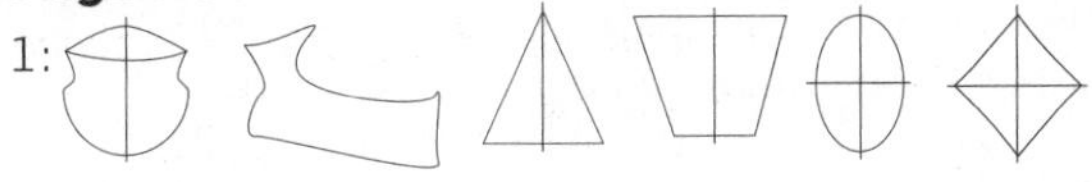

3:

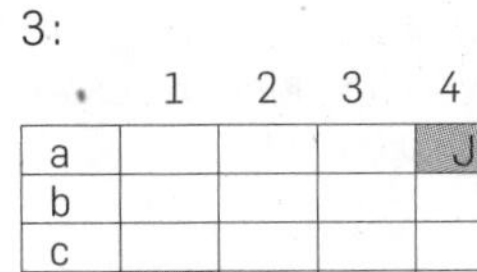

	1	2	3	4	5
a				J	
b					
c					R
d	V				
e					
f			B		

Exercices

Page 252

3:

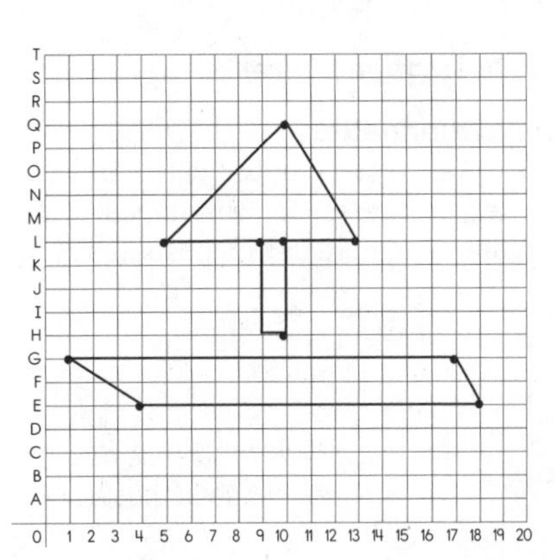

Longueurs : mesure et estimation, périmètre, aire, volume

Test

Les unités de mesure
L'unité de base est le mètre (m) qui, lorsque divisé par 10 donne le décimètre (dm), lorsque divisé par 100 donne le centimètre (cm), lorsque divisé par 1000 donne le millimètre (mm), et lorsque multiplié par 1000 donne le kilomètre (km).

La mesure du périmètre

Les unités non conventionnelles
Le périmètre d'une figure est la longueur du contour d'une figure géométrique plane et fermée. Il se mesure avec des carrés, des rectangles, des cases, etc.

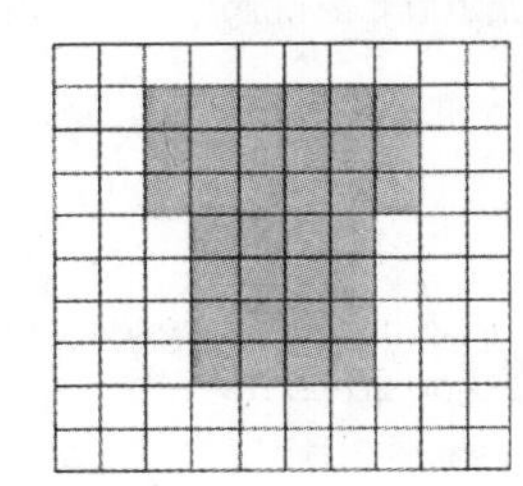

Le périmètre de cette figure est de 26 cases.

Les unités conventionnelles

Le périmètre d'une figure se calcule en additionnant la mesure de chaque côté d'une figure géométrique plane et fermée.

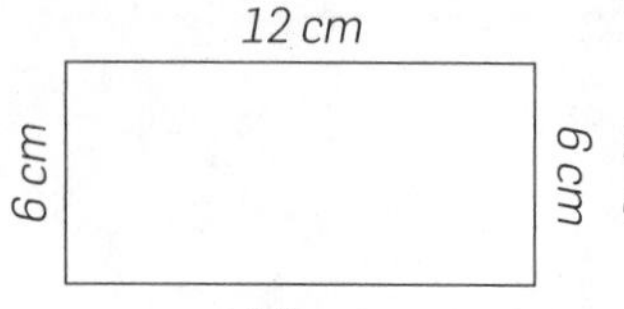

Le périmètre de ce rectangle est de 36 cm.

Exemple : Le périmètre d'un rectangle mesure 36 cm.
12 cm + 6 cm + 12 cm + 6 cm = 36 cm.

Comment mesurer la surface (l'aire) ?

Les unités non conventionnelles

L'aire ou la superficie d'une surface peut se calculer avec des carrés, des triangles, des cases, des hexagones, etc. On l'obtient en comptant le nombre de composantes de la figure.

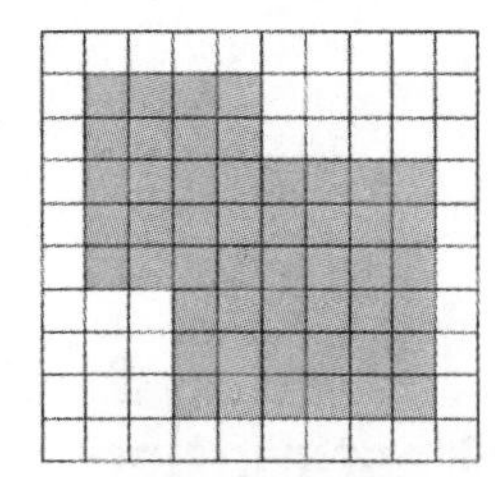

L'aire de la surface de cette figure est de 50 cases.

Les unités conventionnelles

L'aire d'une figure se calcule en multipliant la longueur et la largeur d'une figure géométrique plane et fermée.

7 cm

3,5 cm

L'aire de ce rectangle est de 24,5 cm².

La mesure des volumes

Les unités non conventionnelles

Le volume est la mesure de l'espace à 3 dimensions occupé par un solide. On peut le calculer en comptant le nombre de cubes ou de prismes qui le composent.

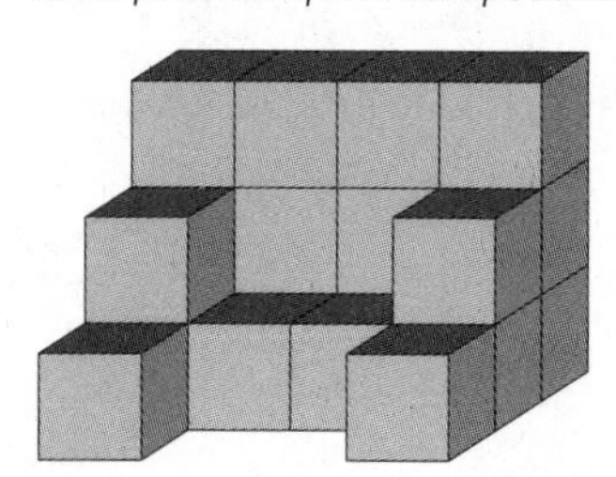

Le volume de ce prisme est de 264 cm³.

Les unités conventionnelles

Le volume d'un cube, d'un prisme à base carrée ou d'un prisme à base rectangulaire se calcule en mm³, en cm³, en dm³, en m³ ou en km³. On l'obtient en multipliant la longueur par la largeur et par la profondeur.

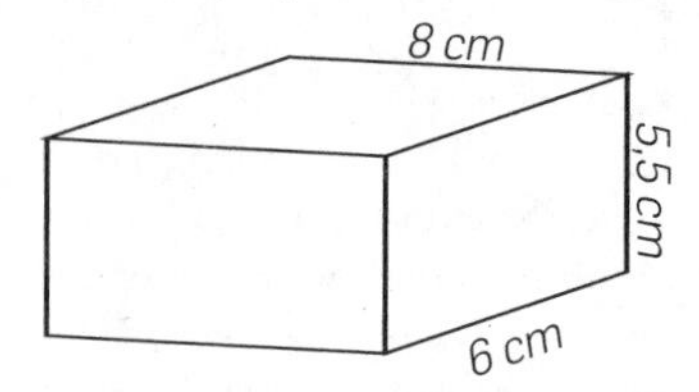

Le volume de ce prisme est de 264 cm³.

Page 253

1: a) 3 cm b) 6 cm c) 5 cm d) 3 cm
2: a) aire : 5 périmètre : 10 b) aire : 5 périmètre : 12
3: a) 27 b) 8 c) 19

Exercices

Page 254

1: a) mètre b) décimètre c) centimètre d) mètre
e) centimètre
2: Les lignes b et d sont de la même longueur.
3: a) 5 m b) 20 cm c) 6 m

Page 255

4: a) Aire : 4 Périmètre : 10 b) Aire : 8 Périmètre : 12
c) Aire : 4 Périmètre : 8 d) Aire : 4 Périmètre : 10
e) Aire : 5 Périmètre : 12 f) Aire : 7 Périmètre : 16
g) Aire : 1 Périmètre : 4 h) Aire : 4 Périmètre : 14

Page 256

5: a) 3 b) 15 c) 10 d) 24 e) 9 f) 12

Test

Page 257

1: a) 80 cm b) 50 cm c) 10 cm d) 100 cm e) 10 dm f) 5 m
3: a) Aire : 10 Périmètre : 14 b) Aire : 5 Périmètre : 12
4: a) 27 b) 9 c) 20

Exercices

Page 258

1: auto : 5 cm chenille : 3 cm vélo : 3 cm
voilier : 6 cm serpent : 12 cm avion : 6 cm
2: a) faux b) faux c) vrai

Page 259

3: a) Aire : 4 Périmètre : 14 b) Aire : 3 Périmètre : 8
c) Aire : 24 Périmètre : 20 d) Aire : 8 Périmètre : 18
e) Aire : 4 Périmètre : 8 f) Aire : 4 Périmètre : 10
g) Aire : 21 Périmètre : 20 h) Aire : 6 Périmètre : 22

Page 260

4: a) 23 b) 11 c) 8 d) 16 e) 25 f) 9

Temps

Test

Page 261

1: a) matin b) soir c) midi
2: a) 1 h b) 2 h c) 10 h
3: a) 12 b) 7 c) 365 d) 60 e) 24 f) 4 g) 60 h) 100 i) 4

Exercices

Page 262

1:

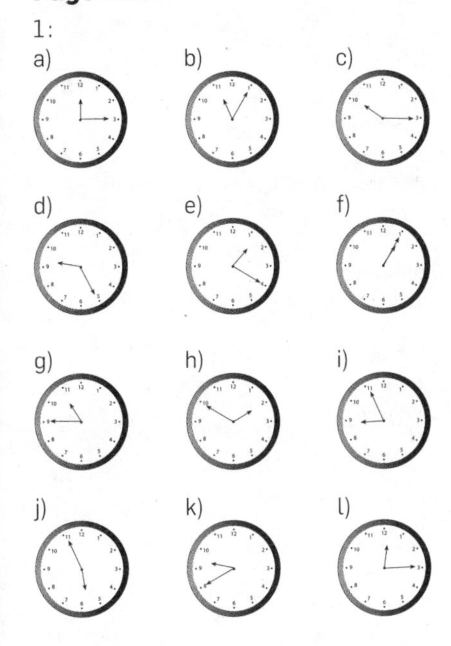

Page 263

2: a) 16 h b) 18 h c) 22 h d) 21 h e) 23 h f) 15 h
3: a) 60 b) 90 c) 120
4: a) matin b) soir

Page 264

5: a) fin: 2 h ou 14 h b) début: 5 h 30 ou 17 h 30
c) fin: 7 h 05 ou 19 h 05
6: a) semaine b) jour c) mois d) seconde e) minute
7: a) 6 b) 1 c) 5 d) 2 e) 3 f) 4

Test

Page 265

1: a) 2 heures b) 7 heures c) 13 h 45
2: a) 3 h ou 15 h b) 5 h ou 17 h c) 10 h ou 22 h
d) 9 h ou 21 h e) 8 h ou 20 h f) 11 h ou 23 h

Exercices

Page 266

1: a) 7 x 1 = 7 b) 5 x 1 = 5 c) 1 x 52 = 52
d) 4 x 2 = 8 e) 5 x 7 = 35 f) 365 x 1 = 365

Page 267

2: a) 2e horloge b) 1re horloge c) 2e horloge
d) 1re horloge
3:

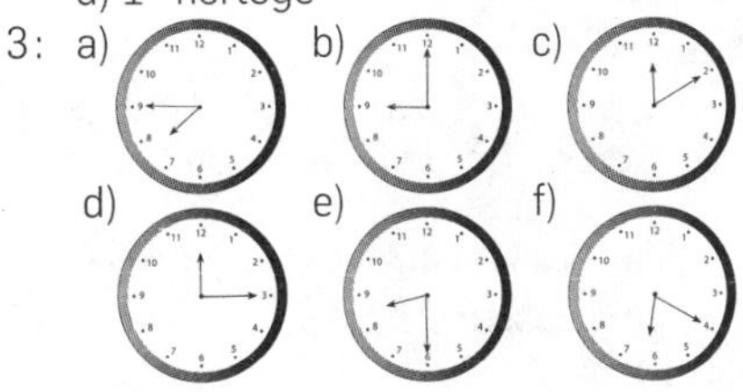

Page 268

4: a) mardi b) 12 c) 13

d)

Dimanche	Lundi	Mardi	Mercredi	Jeudi	Vendredi	Samedi
1	2	3	4	5	6	7
8	9	10	11	12	13	14
15	16	17	18	19	20	21
22	23	24	25	26	27	28
29	30	31				

e)

Dimanche	Lundi	Mardi	Mercredi	Jeudi	Vendredi	Samedi
			1	2	3	4
5	6	7	8	9	10	11
12	13	14	15	16	17	18
19	20	21	22	23	24	25
26	27	28				

Statistiques

Test

Les statistiques
Le tableau : *représentation graphique dans laquelle on exprime des données quantitatives selon des catégories réparties sur les lignes ou les colonnes.*
Le diagramme à bandes : *représentation graphique dans laquelle on exprime des données quantitatives à l'aide de segments ou de rubans verticaux ou horizontaux.*

Page 269

1: a) 45 b) 60 c) 35 d) 25 e) 10 f) bandes dessinées, science-fiction, horreur, aventures, amour

Exercices

Page 271

1: a) juin b) avril c) 495 d) 65 e) 65 f) 5 g) avril, février, mai, juillet, janvier, mars, août, juin

Page 272

2: a) 10 b) 20 c) 25 d) 5 e) 15 f) Parce qu'elle vend plus de gâteaux au chocolat.

Test

Page 273

1: Voici quelques exemples de questions : Quelle variété de fleurs a été la plus vendue (ou plantée) ? Quel est l'écart entre les impatiens et la monarde ? Quel est le total de toutes les variétés de fleurs ?

Exercices

Page 274

1: a) Paris b) Londres c) Choisir la destination qui plaira au plus grand nombre d'élèves. d) 30 e) Paris, New York, Venise, Tokyo, Londres

Probabilités

Test

Activités liées au hasard

Les probabilités : *rapport entre le nombre de fois qu'un événement déterminé se produit et le nombre de résultats possibles.*

Exemple : sur 3 portes, la probabilité qu'au moins 2 d'entre elles soient fermées est de 4 chances sur 8. Les combinaisons possibles sont :
ouverte-ouverte-ouverte, ouverte-ouverte-fermée, ouverte-fermée-fermée, fermée-fermée-fermée, fermée-fermée-ouverte, fermée-ouverte-ouverte, fermée-ouverte-fermée, ouverte-fermée-fermée.

Prédire un résultat

Certain : *un événement est certain lorsqu'il se produit à coup sûr.*

Exemple : Il est certain que la Terre prend 365 $\frac{1}{4}$ jours pour effectuer un tour complet du Soleil.

Possible : *un événement est possible lorsqu'il a autant de chance de se produire que de ne pas se produire.*

Exemple : Il est possible qu'une météorite traverse le ciel ce soir.

Impossible : *un événement est impossible lorsqu'il ne peut pas se produire.*

Exemple : Il est impossible pour un humain de respirer sous l'eau sans scaphandre ni masque de plongée.

Page 277

1 : a) certain b) impossible c) possible d) certain e) certain
2 : Elle a plus de chances de gagner dans le groupe 1 parce qu'il y a moins de participants.

Exercices

Page 278

1 : roi-valet, roi-as, roi-7, valet-as, valet-7, as-7

Page 279

2 : réponses possibles : votre enfant devrait remarquer que certaines combinaisons ont tendance à revenir.
3 : a et c

Page 280

4 : a) 24 b) Il y a plus de chances de trouver le chiffre trois dans le rectangle 6 et le moins de chances dans le rectangle 1. c) 5 d) 3

Test

Page 281

1 : Différentes combinaisons sont possibles.
2 : a) impossible b) certain c) impossible d) certain e) possible

Page 282

1 : réponses au choix.
2 : c, parce que le centre est plus grand.

Page 283

3 : a) Voici quelques combinaisons possibles : 54, 51, 71, 75, 14, 57, 47, 41, 74, 17, 15, etc. b) Voici quelques combinaisons possibles : 1745, 5714, 5174, 4715, 4751, 7145, 7154, 1547, 1574, 1457, 1475, etc. c) Voici quelques combinaisons possibles : 547, 475, 754, 457, 714, 715, 175, 174, 147, 571, etc.
4 : a) Voici quelques combinaisons possibles : 63, 62, 64, 32, 34, 24, 23, 26, 42, 43, 46, 36 etc. b) Voici quelques combinaisons possibles : 6234, 6243, 6423, 6432, 4236, 2364, 3246, 3264, 2634, 2643, 2346, etc.

Révision

Page 285

1 : a) < b) < c) > d) > e) > f) >
2 : a) 3949 b) 6599 c) 7821
3 : a) 8 dizaines b) 7 milliers c) 8 unités d) 874 unités e) 97 unités f) 97 centaines
4 : a) 4300 b) 5200 c) 3500 d) 3500 e) 3700 f) 7400
5 : a) 2148 b) 36 c) 9 d) 3

Page 286

6 : a) 462 b) 564 c) 1213 d) 1343 e) 2412 f) 2180 g) 3272 h) 4592 i) 5028 j) 4394 k) 6677 l) 7885 m) 9872 n) 7507 o) 5797 p) 7175 q) 8825 r) 8570 s) 9584 t) 8964

Page 287

7 : a) 373 b) 205 c) 173 d) 319 e) 551 f) 296 g) 359

Page 288

8 : a) 624 + 595 = 1219
b) 876 – 358 = 518
c) 349 + 374 = 723
d) 753 – 466 = 287
e) 567 + 326 = 893
f) 908 – 671 = 237
g) 482 + 467 = 949
h) 619 – 288 = 331
i) 749 + 572 = 1321
j) 652 – 486 = 166
k) 299 + 347 = 646
l) 450 – 195 = 255
m) 435 + 564 = 999
n) 543 – 276 = 267
o) 678 + 592 = 1270
p) 947 – 786 = 161
q) 528 + 888 = 1416
r) 827 – 651 = 176
s) 455 + 863 = 1318
t) 783 – 258 = 525

Page 289

9 : a) 240 b) 477 c) 426 d) 352 e) 410 f) 117 g) 182 h) 36
10 : a) 41 b) 12 c) 13 d) 213 e) 43 f) 89 g) 72 h) 56

Page 290

11 : a)

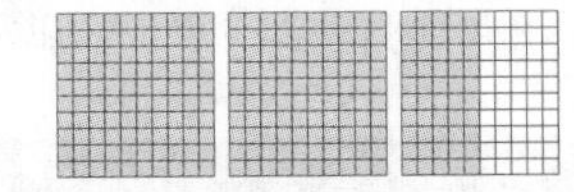

b)

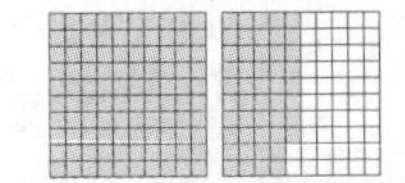

c)

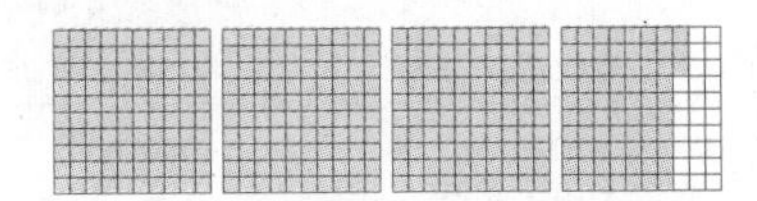

12 : a) $\frac{1}{4}$ b) $\frac{3}{6}$ c) $\frac{5}{8}$ d) $\frac{3}{5}$ e) $\frac{2}{3}$ f) $\frac{4}{7}$ g) $\frac{7}{8}$ h) $\frac{3}{10}$ i) $\frac{9}{12}$

Page 291

13 : a)

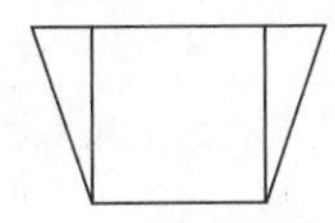

b)

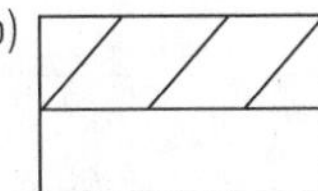

c)

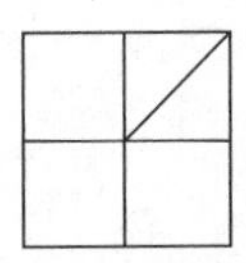

d)

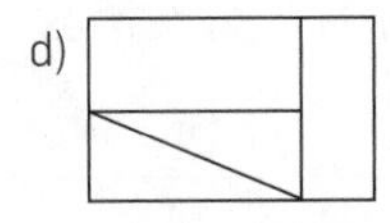

14 : Légende : V = vert ; R = rouge

a)

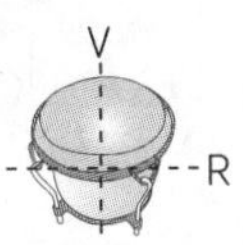

b)

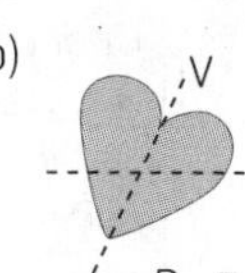

c)

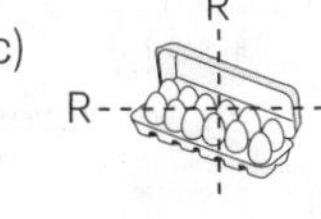

d)

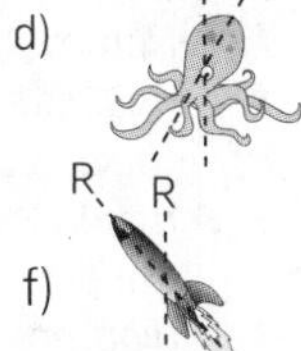

e) V

f)

Page 292

15 : a) 24 cases b) 22 cases c) 16 cases d) 32 cases
e) 32 cases f) 28 cases

16 : a) 24 cases b) 64 cases c) 44 cases d) 32 cases
e) 44 cases f) 46 cases

Possessive and Contracted Forms, Pronouns, Articles, The Plural Form

Test

Possessive Pronouns

Ces derniers remplacent les noms communs (personnes, places, animaux) qui montrent la possession.
Exemple: My cupcakes were disgusting, but Laurie's were delicious!
Dans cette phrase, les petits gâteaux appartenaient à « Laurie ». Son nom peut être remplacé par le pronom « hers ».
My cupcakes were disgusting, but ***hers*** *were delicious!*
First person singular: mine
Second person singular: yours
Third person singular: his/hers/its
First person plural: ours
Second person plural: yours
Third person plural: theirs

Personal Pronouns

Ce type de pronom est employé pour remplacer des personnes, des objets et des choses. Il y a trois types de pronoms personnels.

Subject Pronouns

Ce type de pronom est le plus souvent utilisé. C'est le ***sujet*** *de la phrase.*
Exemple: ***She*** *baked chocolate cupcakes for us.*
Dans cette phrase, la personne qui fait l'action est « she ». Le verbe qui suit sera conjugué en fonction du pronom utilisé.
First person singular: I
Second person singular: you
Third person singular: he/she/it
First person plural: we
Second person plural: you
Third person plural: they
** Note: En anglais, le pronom I a toujours une majuscule!*

Object Pronouns

Ce pronom nous dit vers qui l'action est dirigée. C'est l'objet de la phrase.
Example: She baked chocolate cupcakes for ***us****.*
Dans cette phrase, celui qui reçoit l'action est « us ».
First person singular: me
Second person singular: you
Third person singular: him/her/it
First person plural: us
Second person plural: you
First person plural: them
** Note: Certains pronoms personnels sont les mêmes que les object pronouns.*

Le pluriel

Il y a plusieurs exceptions en ce qui a trait à la formation des pluriels en anglais.

Cas	Que faire?	Exemples
Most nouns La plupart des noms	Add -s Ajouter -s	Friend – Friends Book – Books
Words ending in -s Se terminant par -s	Add -es Ajouter -es	Bus – Buses Class – Classes
Words ending in -ch (k sound) (son k)	Add -s Ajouter -s	Stomach – Stomachs Monarch – Monarchs
Words ending in -ch (sh sound) (son sh)	Add -es Ajouter -es	Church – Churches Witch – Witches
Words ending in -sh	Add -es Ajouter -es	Brush – Brushes Crash – Crashes
Words ending in -x, -o	Add -es	Box – Boxes Potato – Potatoes
Words ending in -y (preceded by a consonant)	Add -s Ajouter -s	Valley – Valleys Turkey – Turkeys
Words ending in -y (preceded by a vowel)	Change the -y to -i and add -es Remplacer le -y par -i et ajouter -es	Puppy – Puppies Kitty – Kitties
Words ending in -f	Remove the -f and add -ves to the end of the noun. Enlever le -f et ajouter -ves à la fin du nom.	Leaf – Leaves Thief – Thieves
Words ending in -is	Change the -i to -e	Crisis – Crises Thesis – Theses Analysis – Analyses Oasis – Oases

Certains mots changent complètement lorsque mis au pluriel. Tu dois les apprendre, car il n'y a pas de truc pour les connaître.

Child → Children
Mouse → Mice
Ox → Oxen
Person → People
Tooth → Teeth
Foot → Feet
Woman → Women
Man → Men
Goose → Geese

La dernière catégorie appartient aux mots qui ne changent pas. Ils restent pareils au singulier et ou pluriel.

Beef
Corn
Dairy
Deer
Equipment
Evidence
Fish
Gold
Information
Jewellery
Luck
Moose
Music
Poultry
Sheep
Silver
Swine
Trout
Wheat

Contractions

Souvent, lorsque nous entendons les gens parler en anglais, on entend une version plus courte de certains mots.

Types de contractions	*To show possession* *Pour montrer la possession*	*My best friend's brother called.*
	To join a verb to a pronoun *Pour joindre un verbe à un pronom*	*We'd better leave now.*
	To join a verb to a negation *Pour former une négation*	*Brayden didn't want to see me.*
Comment les former	*Possession*	*Take the noun and add -s* *Ajoute un s au nom commun*
	Verb and pronoun joined *Quand le verbe et le pronom sont joints* *I will → I'll* *He will → He'll* *She will → She'll* *It will → It'll* *You will → You'll* *We will → We'll* *They will → They'll*	*Verb and negation joined* *Quand le verbe et une négation sont joints* *Cannot → Can't* *Could not → Couldn't* *Should not → Shouldn't* *Must not → Mustn't* *Will not → Won't* *Shall not → Shan't*

Comment les former	*I had → I'd* *He had → He'd* *She had → She'd* *It had → It'd* *You had → You'd* *We had → We'd* *They had → They'd* *I am → I'm* *He is → He's* *She is → She's* *It is → It's* *You are → You're* *We are → We're* *They are → They're*	*I have not → I haven't* *He has not → He hasn't* *She has not → She hasn't* *It has not → It hasn't* *You have not → You haven't* *We have not → We haven't* *They have not → They haven't*

Quand utiliser « An » ?

Quand la lettre qui suit l'article est une voyelle. (a, e, i, o, u)

Quand utiliser « A » ?

Quand la lettre qui suit l'article est une consonne.
Exemple : a party

Page 295

1. a) My sister's bicycle is new. b) The farmer's horses are in the barn. c) My father's car is in the garage.
2. a) They b) I c) She d) We
3. a) snow b) erasers c) heads d) telephones e) foxes f) cameras g) books h) ladies i) friends
4. a) I'm b) You'll do c) She didn't

Exercices

Page 296

1. a) potatoes b) feet c) mice d) crises e) children f) foxes g) boxes h) men i) babies j) stories k) wives l) families m) teeth n) women o) buses p) knives q) wolves

Page 297

2. a) This is my friend's cat. b) Nick's book is on the table. c) This is Nathalie's piano. d) This is my best friend's dog.
3. a) I'm, You're, He's, We're, They're b) I'm not, You aren't or You're not, She isn't or She's not, We aren't or We're not, You aren't or You're not, They aren't or They're not c) I don't, You don't, He doesn't, We don't, They don't d) I didn't, You didn't, She didn't, We didn't, They didn't

Page 298

4. a) He b) They c) They d) We e) He f) You g) They h) I i) It j) They k)You l) It m) They n) He o) We p) I g) We
5. a) an b) a c) nothing d) nothing e) an f) an g) a h)nothing i) a

Test

Page 299

1. a) They don't b) I didn't c) She's not or She isn't d) I'm not e) They're f) They won't
2. a) a b) an c) an d) an e) an f) a
3. a) Blake's new bicycle is cool. b) My friend's swimming pool is broken. c) The zoo's turtles are sick.
4. a) They b) You c) You d) I e) He, she or it f) We
5. a) pens b) pages c) cars d) stories e) men f) teams g) children h) teeth i) numbers

Exercices

Page 300

1. a) We b) It c) She d) It e) They f) You
2. a) an eagle b) a bottle c) an apron d) a farm e) an elephant f) a notebook g) an accident h) an island i) an element j) an inspector k) a root l) a flower m) an action n) a truck o) a test p) an effort q) an absence r) a home s) a mountain

Page 301

3. a) I'm not your best friend. b) They won't see a movie tonight. c) We haven't eaten dinner yet. d) She hasn't seen her grandmother in two years. e) She didn't fix her broken bicycle. f) I haven't studied for my test yet. g) You don't want to share your candy. h) She's not or she isn't ready to go out. i) It's not or It isn't my turn to speak in front of the class. j) They don't want to play outside k) They didn't answer the questions.

Page 302

4. a) knives b) birds c) erasers d) children e) stories f) monkeys g) dates h) mice i) movies j) blueberries k) foxes l) boys m) babies n) heads o) feet p) lions q) teeth r) ties s) stars

Verbs

Test

Page 303

1. a) Mark plays hockey. b) The child talks. c) The lady smiles. d) The man runs. e) The boy swims. f) Sarah drinks. g) The mother reads. h) Rick sings.

Exercices

Page 304

1. a) pays b) cries c) watches d) listens e) writes f) walks g) slide h) skate

Page 305

2. a) Matthew throws his garbage in the can. b) Wyatt shivers. c) My father shovels the snow. d) Nathan fishes on the lake. e) My brother fell off his skateboard. f) Samuel plants flowers. g) Liam plays hockey. h) Jacob climbs the mountain.

Page 306

3. a) skate b) surf c) play d) cry e) smile f) tie g) shuffle h) brush

Test

Page 307

1. a) to jump b) to plant c) to sneeze d) to wash e) to celebrate f) to sing g) to think h) to watch

Exercices

Page 308

1. a) counts b) loves c) looks d) waters e) bakes f) sits g) stands h) skis

Page 309

2. a) Simon holds his baby girl. b) Riley talks a lot. c) James cooks a tasty supper. d) The lumberjack cuts a tree. e) The cat drinks milk. f) Lauren raises her hand. g) The lion-tamer pets the lion. h) Maya reads a book.

Page 310

3. a) play b) shower c) buy d) sleep e) move f) cook g) rise h) rake i) walk j) open

Verbs: Simple Present and Present Progressive

Test

Le verbe être et le verbe avoir

Il est impossible de parler à quelqu'un en anglais sans jamais utiliser les verbes être et avoir. On emploie ces verbes partout. On s'en sert aussi lorsque l'on forme d'autres verbes. C'est la base de la langue anglaise. Afin de bien apprendre l'anglais, il est essentiel de bien maîtriser ces verbes importants.

Le verbe être se conjugue ainsi :

Simple present	*Present progressive*	*Simple past*	*Future*
I am	*I am being*	*I was*	*I will be*
You are	*You are being*	*You were*	*You will be*
He/She/It is	*He/She/It is being*	*He/She/It was*	*He/She/It will be*
We are	*We are being*	*We were*	*We will be*
They are	*They are being*	*They were*	*They will be*

Le verbe avoir se conjugue ainsi :

Simple present	*Present progressive*	*Simple past*	*Future*
I have	*I am having*	*I had*	*I will have*
You have	*You are having*	*You had*	*You will have*
He/She/It has	*He/She/It is having*	*He/She/It had*	*He/She/It will have*
We have	*We are having*	*We had*	*We will have*
They have	*They are having*	*They had*	*They will have*

Simple Present Tense

1) Quand l'utiliser ?
Pour parler de choses que l'on fait souvent.
Exemple : Laurence ***reads*** *a new book every week.*
Pour parler de faits.
Exemple : Fish ***live*** *underwater.*
Pour exprimer ce que l'on aime et ce que l'on n'aime pas.
Exemple : Mireille ***loves*** *Danny.*

La troisième personne

Les verbes à la troisième personne (he, she, it) au présent se terminent toujours avec « -s. ».
Exemple : Lester ***cooks*** *spaghetti and meatballs every day for supper.*
Si le verbe est un verbe régulier qui se termine avec « y », alors tu dois changer « y » pour « i » et ajouter « -es ».
Exemple : Frédérique ***studies*** *hard before every exam.*
**Note : Si le sujet est un nom propre comme Dana, il compte comme étant à la troisième personne du singulier.*
Exemple : Dana ***enjoys*** *David's company.*
Pour un animal ou un objet, tu dois suivre la même formule.
Exemple : Mervin the cat ***purrs*** *whenever his favourite song plays on the radio. My car* ***costs*** *me way too much money.*

Present Progressive

Comment le former :
Étape 1 : conjuguer le verbe être au présent.
Exemple : I am, you are...
Étape 2 : utiliser le verbe à l'infinitif.
Exemple : Study
Étape 3 : ajouter « -ing » au verbe à l'infinitif.
Exemple : Studying
Étape 4 : joindre tous les éléments.
Exemple : I am studying.

Quand l'utiliser :
Quand l'action n'est pas terminée ou qu'elle se passe en ce moment.

Les marqueurs de temps
En plus du temps de verbe, les marqueurs de temps nous indiquent quand l'action s'est produite. Consulte cette grille lorsque tu feras la rédaction de tes textes afin de t'assurer de bien varier les marqueurs de temps que tu emploies.

Passé	*- Yesterday (hier)* *- A few days ago (il y a quelques jours)* *- Last night (hier soir)* *- A year ago (il y a un an)* *- Last week (la semaine dernière)* *- A few years ago (il y a quelques années)* *- Yesterday morning (hier matin)* *- In the past (dans le passé)* *- Some time ago (il y a quelque temps)*
Présent	*- Right now (maintenant)* *- At the moment (à ce moment)* *- As we speak (pendant que nous parlons)* *- Now (maintenant)* *- At this very second (à ce moment précis)* *- This instant (à cet intsant)* *- This moment (à ce moment)* *- Currently (actuellement)* *- As of now (à partir de maintenant)*
Futur	*- Tomorrow (demain)* *- Later on (plus tard)* *- Next week (la semaine prochaine)* *- Next month (le mois prochain)* *- In an hour (dans une heure)* *- In two weeks' time (dans deux semaines d'ici)* *- Later (plus tard)* *- In a few moments (dans quelques instants)* *- The following week (la semaine suivante)*

Page 311

1. a) Isaac walks with Logan. b) Adam rides his new bicycle. c) Brad sends a postcard to his friend. d) Sofia likes to watch old movies.
2. a) present b) past c) future d) past e) past f) present g) past
3. a) having b) having
4. a) are b) is

Exercices

Page 312

1. a) I am, you are, he/she/it is, we are, you are, they are b) I do, you do, he/she/it does, we do, you do, they do c) I read, you read, he/she/it reads, we read, you read, they read d) I run, you run, he/she/it runs, we run, you run, they run e) I have, you have, he/she/it has, we have, you have, they have f) I play, you play, he/she/it plays, we play, you play, they play g) I love, you love, he/she/it loves, we love, you love, they love h) I look, you look, he/she/it looks, we look, you look, they look i) I go, you go, he/she/it goes, we go, you go, they go

Page 313

2. a) I am being, you are being, he/she/it is being, we are being, you are being, they are being b) I am doing, you are doing, he/she/it is doing, we are doing, you are doing, they are doing c) I am reading, you are reading, he/she/it is reading, we are reading, you are reading, they are reading d) I am running, you are running, he/she/it is running, we are running, you are running, they are running e) I am having, you are having, he/she/it is having, we are having, you are having, they are having f) I am playing, you are playing, he/she/it is playing, we are playing, you are playing, they are playing g) I am loving, you are loving, he/she/it is loving, we are loving, you are loving, they are loving h) I am looking, you are looking, he/she/it is looking, we are looking, you are looking, they are looking i) I am going, you are going, he/she/it is going, we are going, you are going, they are going

Page 314

3. a) am b) have c) love d) paints e) runs f) talk g) read h) writes i) goes
4. a) are dreaming b) is having c) is loving d) are doing e) am running f) are talking g) is reading h) is writing

Test

Page 315

1. a) Mary <u>eats</u> pizza every Friday. b) Robert <u>is</u> a fast runner. c) Justin <u>wants</u> an apple. d) Bianca <u>has</u> a new coat.
2. a) present b) past c) present d) past e) future f) past g) present
3. a) is reading b) are reading
4. a) do b) does

Exercices

Page 316

1. a) I walk, you walk, he/she/it walks, we walk, you walk, they walk b) I eat, you eat, he/she/it eats, we eat, you eat, they eat c) I drink, you drink, he/she/it drinks, we drink, you drink, they drink d) I study, you study, he/she/it studies, we study, you study, they study e) I want, you want, he/she/it wants, we want, you want, they want f) I clean, you clean, he/she/it cleans, we clean, you clean, they clean g) I open, you open, he/she/it opens, we open, you open, they open h) I close, you close, he/she/it closes, we close, you close, they close i) I swim, you swim, he/she/it swims, we swim, you swim, they swim

Page 317

2. a) I am walking, you are walking, he/she/it is walking, we are walking, you are walking, they are walking b) I am eating, you are eating, he/she/it is eating, we are eating, you are eating, they are eating c) I am drinking, you are drinking, he/she/it is drinking, we are drinking, you are drinking, they are drinking d) I am studying, you are studying, he/she/it is studying, we are studying, you are studying, they are studying e) I am wanting, you are wanting, he/she/it is wanting, we are wanting, you are wanting, they are wanting f) I am cleaning, you are cleaning, he/she/it is cleaning, we are cleaning, you are cleaning, they are cleaning g) I am opening, you are opening, he/she/it is opening, we are opening, you are opening, they are opening h) I am closing, you are closing, he/she/it is closing, we are closing, you are closing, they are closing i) I am swimming, you are swimming, he/she/it is swimming, we are swimming, you are swimming, they are swimming

Page 318

3. a) walks, is walking b) opens, is opening c) play, are playing d) reads, is reading e) drinks, is drinking f) looks, is looking

Verbs: Simple Past and Future

Test

Simple past

Comment le conjuguer :
En ajoutant « -ed » (ou « -d ») à la fin si c'est un verbe régulier.
Pour les verbes irréguliers, il n'y a pas de recettes.
Il faut les apprendre par cœur.

Quand l'utiliser :
Pour parler de quelque chose qui est terminé.
Exemple : I finished watching the movie.

Liste des principaux verbes irréguliers

Infinitif	Passé	Traduction
to arise	*arose*	*s'élever, survenir*
to awake	*awoke*	*(se) réveiller*
to be	*was, were*	*être*
to bear	*bore*	*supporter*
to beat	*beat*	*battre*
to begin	*began*	*commencer*

Infinitif	Passé	Traduction
to bend	bent	(se) courber
to bind	bound	lier, relier
to bite	bit	mordre
to bleed	bled	saigner
to blow	blew	souffler
to break	broke	casser
to breed	bred	élever (du bétail)
to bring	brought	apporter
to build	built	construire
to burn	burned/burnt	brûler
to buy	bought	acheter
to catch	caught	attraper
to choose	chose	choisir
to cling	clung	s'accrocher
to come	came	venir
to creep	crept	ramper
to cut	cut	couper
to deal	dealt	distribuer
to dig	dug	creuser
to do	did	faire
to draw	drew	dessiner
to dream	dreamed/ dreamt	rêver
to drink	drank	boire
to drive	drove	conduire
to dwell	dwelled/dwelt	habiter
to eat	ate	manger
to fall	fell	tomber
to feed	fed	nourrir
to feel	felt	sentir, éprouver
to fight	fought	combattre
to find	found	trouver
to flee	fled	s'enfuir
to fling	flung	jeter violemment
to fly	flew	voler
to forbid	forbade	interdire
to forget	forgot	oublier
to forgive	forgave	pardonner
to freeze	froze	geler
to get	got	obtenir
to give	gave	donner

Infinitif	Passé	Traduction
to go	went	aller
to grow	grew	grandir
to hang	hung	pendre, accrocher
to have	had	avoir
to hear	heard	entendre
to hide	hid	(se) cacher
to hit	hit	frapper, atteindre
to hold	held	tenir
to hurt	hurt	blesser
to keep	kept	garder
to kneel	knelt	s'agenouiller
to know	knew	savoir, connaître
to lay	laid	poser à plat
to lead	led	mener
to learn	learned/learnt	apprendre
to leave	left	laisser, quitter
to lend	lent	prêter
to let	let	permettre, louer
to lie	lay	être étendu
to light	lit	allumer
to lose	lost	perdre
to make	made	faire, fabriquer
to mean	meant	signifier
to meet	met	(se) rencontrer
to pay	paid	payer
to put	put	mettre
to quit	quit	cesser (de)
to read	read	lire
to rid	rid	débarrasser
to ride	rode	chevaucher
to ring	rang	sonner
to rise	rose	s'élever, se lever
to run	ran	courir
to say	said	dire
to see	saw	voir
to seek	sought	chercher
to sell	sold	vendre
to send	sent	envoyer
to set	set	fixer
to shake	shook	secouer
to shine	shone	briller

Infinitif	Passé	Traduction
to shoot	*shot*	*tirer*
to shrink	*shrank*	*rétrécir*
to shut	*shut*	*fermer*
to sing	*sang*	*chanter*
to sink	*sank*	*couler*
to sit	*sat*	*être assis*
to sleep	*slept*	*dormir*
to slide	*slid*	*glisser*
to slink	*slunk*	*aller furtivement*
to smell	*smelled/smelt*	*sentir (odorat)*
to speak	*spoke*	*parler*
to speed	*sped*	*aller à toute vitesse*
to spell	*spelled/spelt*	*épeler*
to spend	*spent*	*dépenser*
to spill	*spilled/spilt*	*renverser (un liquide)*
to spit	*spat*	*cracher*
to spread	*spread*	*répandre*
to spring	*sprang*	*jaillir, bondir*
to stand	*stood*	*être debout*
to steal	*stole*	*voler, dérober*
to stick	*stuck*	*coller*
to sting	*stung*	*piquer*
to stink	*stank*	*puer*
to strike	*struck*	*frapper*
to swear	*swore*	*jurer*
to swim	*swam*	*nager*
to swing	*swung*	*se balancer*
to take	*took*	*prendre*
to teach	*taught*	*enseigner*
to tear	*tore*	*déchirer*
to tell	*told*	*dire, raconter*
to think	*thought*	*penser*
to throw	*threw*	*jeter*
to understand	*understood*	*comprendre*
to undo	*undid*	*défaire*
to uspset	*upset*	*(s') inquiéter*
to wake	*woke*	*(se) réveiller*
to wear	*wore*	*porter (des vêtements)*
to weep	*wept*	*pleurer*
to win	*won*	*gagner*
to wind	*wound*	*enrouler*
to write	*wrote*	*écrire*

Simple Future

Comment le conjuguer :
En ajoutant will ou will not devant le verbe à l'infinitif.
Exemples : I will go to the movie. I will not go to the movie.

Quand l'utiliser :
Pour parler de choses qui se produiront bientôt.
Exemple : I will eat pasta for supper.

Page *319*

1. a) simple past b) simple past c) future d) simple past e) future f) simple past g) future h) simple past i) future j) future
2. a) was b) made c) ran d) got e) played f) loved g) looked

Exercices

Page *320*

1. a) I was, you were, he/she/it was, we were, you were, they were b) I did, you did, he/she/it did, we did, you did, they did c) I read, you read, he/she/it read, we read, you read, they read d) I ran, you ran, he/she/it ran, we ran, you ran, they ran e) I had, you had, he/she/it had, we had, you had, they had f) I played, you played, he/she/it played, we played, you played, they played g) I loved, you loved, he/she/it loved, we loved, you loved, they loved h) I looked, you looked, he/she/it looked, we looked, you looked, they looked i) I went, you went, he/she/it went, we went, you went, they went

Page *321*

2. a) I will be, you will be, he/she/it will be, we will be, you will be, they will be b) I will do, you will do, he/she/it will do, we will do, you will do, they will do c) I will read, you will read, he/she/it will read, we will read, you will read, they will read d) I will run, you will run, he/she/it will run, we will run, you will run, they will run e) I will have, you will have, he/she/it will have, we will have, you will have, they will have f) I will play, you will play, he/she/it will play, we will play, you will play, they will play g) I will love, you will love, he/she/it will love, we will love, you will love, they will love h) I will look, you will look, he/she/it will look, we will look, you will look, they will look i) I will go, you will go, he/she/it will go, we will go, you will go, they will go

Page *322*

3. Yesterday: I took, We gave, She did, I read, We opened, They drank
   Tomorrow: We will dance, You will love, I will drink, They will walk, You will learn, I will close
4. a) went b) went c) went d) went e) went
5. a) will be b) will be c) will be d) will be e) will be

Test

Page *323*

1. a) future b) past c) future d) past e) future f) past g) future h) future i) past j) future
2. a) will have b) will be c) will go d) will listen e) will read f) will say g) will write h) will look

Exercices

Page *324*

1. a) I walked, you walked, he/she/it walked, we walked, you walked, they walked b) I ate, you ate, he/she/it ate, we ate, you ate, they ate c) I drank, you drank, he/she/it drank, we drank, you drank, they drank d) I studied, you studied, he/she/it studied, we studied, you studied, they studied e) I wanted, you wanted, he/she/it wanted, we wanted, you wanted, they wanted f) I cleaned, you cleaned, he/she/it cleaned, we cleaned, you cleaned, they cleaned g) I opened, you opened, he/she/it opened, we opened, you opened, they opened h) I closed, you closed, he/she/it closed, we closed, you closed, they closed i) I swam, you swam, he/she/it swam, we swam, you swam, they swam

Page *325*

2. a) I will walk, you will walk, he/she/it will walk, we will walk, you will walk, they will walk b) I will eat, you will eat, he/she/it will eat, we will eat, you will eat, they will eat c) I will drink, you will drink, he/she/it will drink, we will drink, you will drink, they will drink d) I will study, you will study, he/she/it will study, we will study, you will study, they will study e) I will want, you will want, he/she/it will want, we will want, you will want, they will want f) I will clean, you will clean, he/she/it will clean, we will clean, you will clean, they will clean g) I will open, you will open, he/she/it will open, we will open, you will open, they will open h) I will close, you will close, he/she/it will close, we will close, you will close, they will close i) I will swim, you will swim, he/she/it will swim, we will swim, you will swim, they will swim

Page *326*

3. a) will swim, swam b) will sleep, slept c) will sing, sang d) will dance, danced e) will give, gave f) will kiss, kissed

Sports, Chores and Hobbies

Test

Quelques noms de sports.

baseball: baseball
basketball: basketball
bicycling: faire du vélo, de la bicyclette
bowling: jouer aux quilles
boxer: boxeur
boxing: boxe
diver: plongeur
diving: plongée sous-marine
fencing: escrime
football player: joueur de football
golfer: golfeur
gymast: gymnaste
hockey: hockey
hockey player: joueur de hockey
horseback riding: équitation
judo: judo
karate: karaté
kayaking: kayak
running: course
skateboarding: faire de la planche à roulettes
skating: patinage
skier: skieur
skiing: ski
snowboarder: planchiste
snowboarding: faire de la planche à neige
snowshoeing: faire de la raquette
soccer player: joueur de soccer
soccer: soccer
swimmer: nageur
swimming: nager, natation
tennis: tennis
water polo: water-polo
weight lifting: haltérophilie

Quelques tâches

Clean your room: nettoyer sa chambre
Dust the furniture: épousseter
Empty the dishwasher: vider le lave-vaisselle
Make your bed: faire son lit
Mow the lawn: tondre le gazon
Prepare meals: préparer les repas
Rake the leaves: râteler les feuilles
Set the table: mettre la table
Shovel: pelleter
Sweep the floor: balayer le plancher
Wash the dishes: laver la vaisselle

Quelques noms de passe-temps :

chatting: clavarder
collecting hockey cards: collectionner des cartes de hockey
collecting stamps: collectionnner des timbres
dancing: danser
dominoes: dominos
fishing: pêcher
listening to music: écouter de la musique
putting together a puzzle: faire un casse-tête
playing cards: jouer aux cartes
ping-pong: ping-pong
playing board games: jouer à un jeu de société
playing cards: jouer aux cartes
playing chess: jouer aux échecs
playing computer game: jouer à des jeux à l'ordinateur
playing outside: jouer dehors
playing piano: jouer du piano
playing snakes and ladders: jouer à serpents et échelles
playing video games: jouer à des jeux vidéo

reading: lire
scooter: trottinette
sewing: coudre
singing: chanter
skipping rope: corde à danser
toboganning: glisser
watching a movie: regarder un film
watching TV: regarder la télévision
playing yo-yo: jouer au yoyo

Page 327

1. a) collecting rocks b) playing guitar c) flying a kite d) scrapbooking e) skipping rope f) bird-watching
2. a) horseback riding b) fencing c) basketball d) snowshoeing e) tennis f) water polo
3. a) picking up the toys b) emptying the dishwasher c) shovelling the snow

Exercices

Page 328

1. a) soccer b) skiing c) diving d) basketball e) hockey f) football g) boxing h) skateboarding i) gymnastics j) snowboarding k) swimming l) golf

Page 329

2. a) 3 b) 6 c) 8 d) 2 e) 4 f) 9 g) 5 h) 1 i) 7

Page 330

3. a) playing a board game b) playing snakes and ladders c) playing dominoes d) acting e) camping f) going for a bike ride g) playing piano h) cooking i) listening to music j) watching television k) collecting hockey cards l) singing

Test

Page 331

1. a) reading b) playing chess c) going to the movies d) playing cards e) putting together a puzzle f) dancing
2. a) running b) swimming c) baseball d) skiing e) boxing f) hockey
3. a) washing the dishes b) vacuuming c) making the bed

Exercices

Page 332

1. a) skipping rope b) sewing c) playing a video game d) dancing e) playing chess f) playing a computer game g) snowboarding h) singing i) fishing j) reading k) collecting stamps l) playing cards

Page 333

2. a) soccer b) football c) baseball d) hockey e) skating f) fencing g) bowling h) boxing i) horseback riding j) tennis k) skiing l) weightlifting

Page 334

3. a) raking b) washing the floor c) setting the table d) washing windows e) dusting f) drying the dishes g) mowing the lawn h) cleaning the bathroom i) taking out the garbage

Asking Question

Test

Poser des questions en anglais

Questions dont la réponse est oui ou non :

Utiliser les verbes do, can, have, would, could, should, shall.
Ajouter le sujet.
Ajouter le verbe.
Terminer avec un point d'interrogation (?)
Exemple : Can I have some water?

Question Words

On utilise un pronom interrogatif. On le choisit en fonction de l'information recherchée.

Information	Question Word
Chose, idée, concept	*What*
Temps	*When*
Endroit	*Where*
Manière	*How*
Personne	*Who*
Raison, explication	*Why*

Utiliser les verbes to do, to have, to be.
Ajouter le sujet.
Ajouter le verbe principal.
Ajouter de l'information supplémentaire si nécessaire.
Terminer avec un point d'interrogation.
Exemple : What will you eat tonight?

Page 335

1. a) 4 b) 2 c) 5 d) 7 e) 1 f) 3 g) 6
2. a) Person/People b) Thing(s) c) Place(s) d) Date/Time
3. a) When b) Where c) Who d) What
4. a) Does b) Do c) Do d) Does

Exercices

Page 336

1. a) Yes, it is./No, it is not. b) Yes, he is./No, he is not. c) Yes, they are./No, they are not. d) Yes, you are./No, you are not. e) Yes, it is./No, it is not. f) Yes, we are. /No, we are not. g) Yes, he is./No, he is not. h) Yes, I am./No, I am not. i) Yes, I am./No, I am not.
2. a) Does b) Do c) Do d) Does e) Do f) Do g) Does h) Does i) Do j) Does

Page 337

3. a) How many b) How much c) How much d) How many e) How much f) How much g) How many h) How many i) How much j) How much k) How many l) How much m) How many n) How much o) How many p) How many

Page 338

4. a) 5 b) 2 c) 9 d) 12 e) 7 f) 3 g) 11 h) 10 i) 6 j) 8 k) 1 l) 4

Test

Page 339

1. a) Where b) When c) When d) Where e) Where f) Who g) Where h) Who i) What j) What k) Where l) When
2. a) Do b) Do c) Does d) Does e) Do

Exercices

Page 340

1. a) Why b) How c) Where d) When e) How many f) Who g) What
2. a) Why b) When c) What d) Where e) Who

Page 341

3. a) when b) what c) where d) where e) who f) when g) who h) what i) what
4. a) Who is your neighbour? b) What's your favourite animal? c) Where do you live? d) How old are you? e) What is your address? f) What's your phone number? g) Where is your school? h) How do you feel? i) What is the last month of the year?

Page 342

5. a) 3 b) 12 c) 1 d) 8 e) 6 f) 10 g) 5 h) 9 i) 11 j) 2 k) 4 l) 7

Colours and Shapes

Test

Le nom des couleurs en français :

black: noir
blue: bleu
brown: brun
green: vert
orange: orange
pink: rose
purple: violet
red: rouge
white: blanc
yellow: jaune

Le nom des formes géométriques en français :

circle: cercle
cone: cone
cylinder: cylindre
diamond: losange
oval: ovale
prism: prisme
pyramid: pyramide
rectangular prism: prisme rectanglulaire
rectangle: rectangle
sphere: sphère
square: carré
triangular prism: prisme triangulaire
triangle: triangle

Page 343

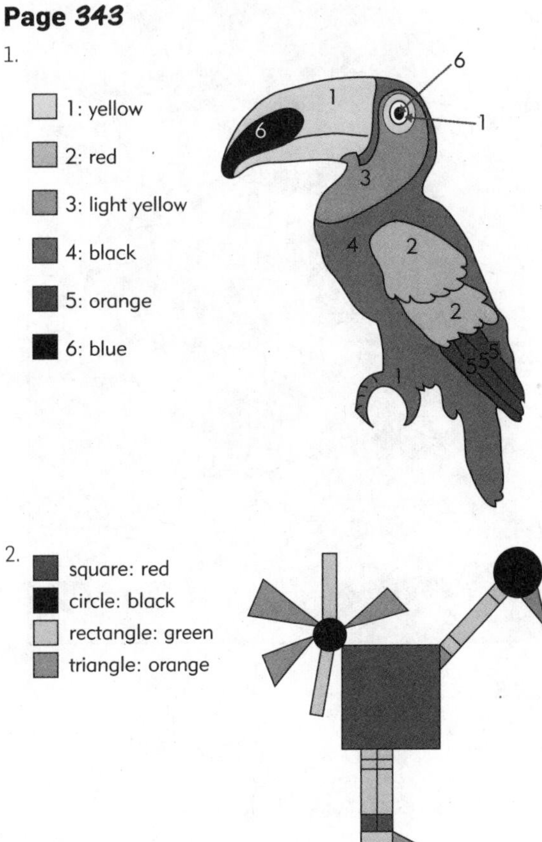

Exercices

Page 344

1.

Page 345

2.

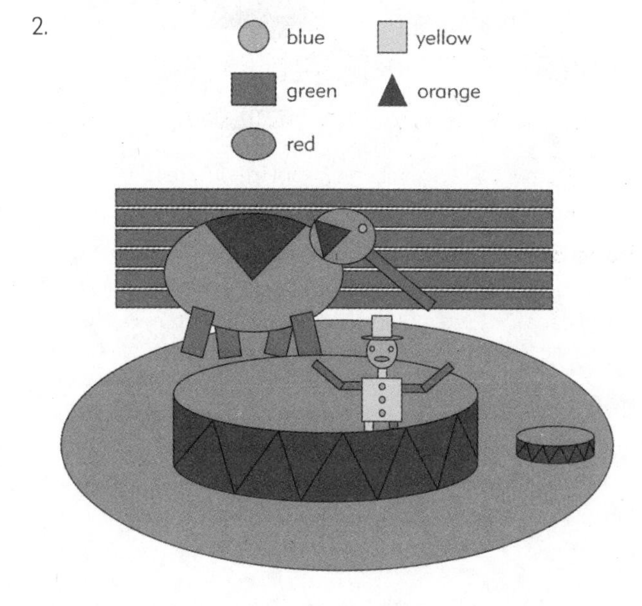

Page 346

3. Answers will vary.

Test

Page 347

1. Il faut colorier en a) rose b) jaune c) brun d) rouge e) bleu f) noir g) blanc h) mauve

Page 348

1. Il faut colorier en a) rouge b) bleu pâle c) vert pâle d) noir e) rose f) jaune g) brun h) blanc i) bleu foncé j) vert foncé k) argent l) or m) beige n) orange o) gris p) violet q) mauve

Page 349

2.

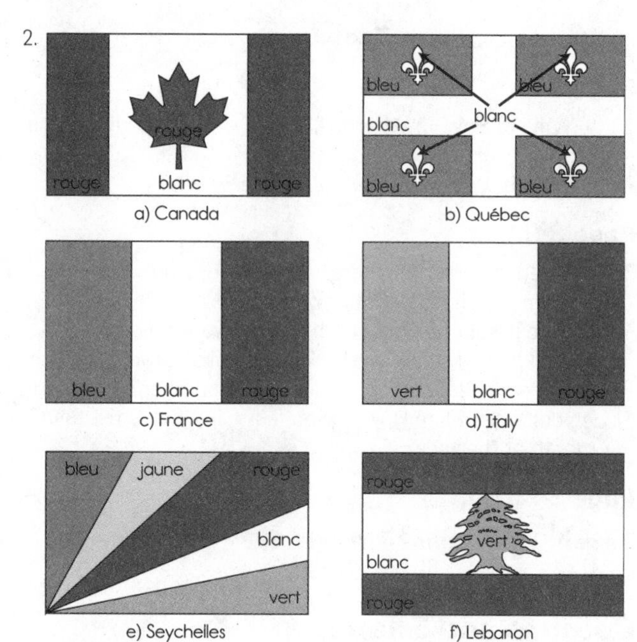

Page 350

3.

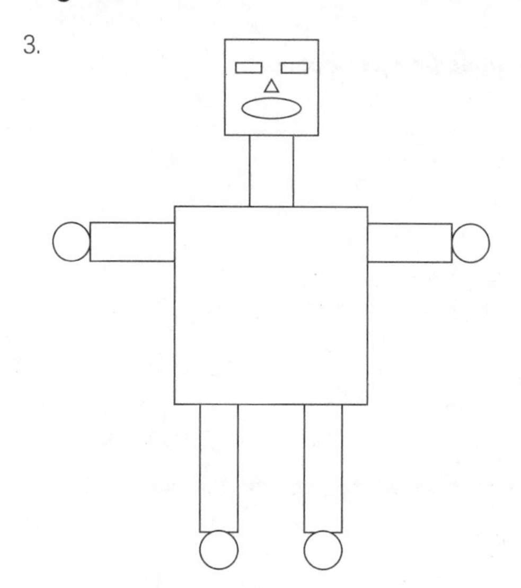

Days, Months, Seasons and Holidays

Test

Le nom des jours de la semaine en français :

Sunday: dimanche
Monday: lundi
Tuesday: mardi
Wednesday: mercredi
Thursday: jeudi
Friday: vendredi
Saturday: samedi
En anglais, les jours de la semaine prennent toujours une majuscule.

Le nom des mois de l'année en français :

January: janvier
February: février
March: mars
April: avril
May: mai
June: juin
July: juillet
August: août
September: septembre
October: octobre
November: novembre
December: décembre
En anglais, les mois de l'année prennent toujours une majuscule.

Le nom des saisons en français :

spring: printemps
summer: été
fall/autumn: automne
winter: hiver

Vocabulaire utilisé pour les occasions spéciales :

Christmas: Noël
bell: cloche
candle: bougie
ornament: décoration
Santa Claus: père Noël
Christmas stocking: bas de Noël
Christmas tree: arbre de Noël
turkey: dinde
ribbon: ruban
Pumpkin: citrouille
mummy: momie
skeleton: squelette
bat: chauve-souris
Easter: Pâques
egg hunt: chasse aux œufs
bunny: lapin
Valentine's day: Saint-Valentin
Cupid: cupidon
cherub: chérubin
arrow: flèche
St. Patrick's day: Fête de la Saint-Patrick
leprechaun: lutin
shamrock: trèfle
birthday: anniversaire
cake: gâteau
feast: festin

Page 351

1. a) January b) February c) March d) April e) May f) June g) July h) August i) September j) October k) November l) December
2. a) Sunday b) Monday c) Tuesday d) Wednesday e) Thursday f) Friday g) Saturday
3. a) fall b) spring c) summer d) winter
4. a) December b) October c) February d) December

Exercices

Page 352

1.

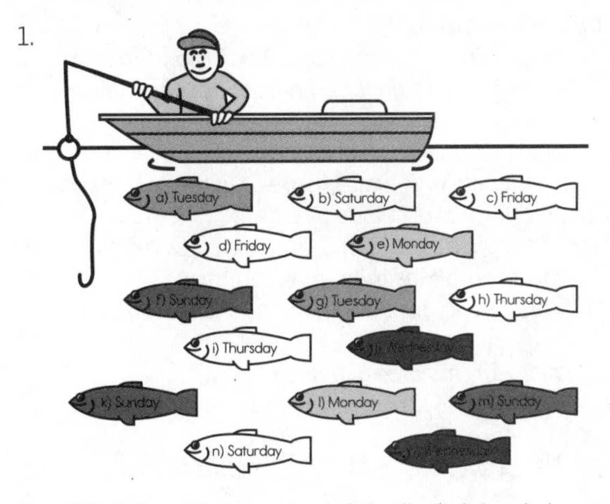

2. a) October b) November c) April d) July e) January f) June

Page 353

3. a) arrow b) pumpkin c) Christmas tree d) cake e) candy f) Santa Claus g) balloons h) gift i) Cupid j) heart k) reindeer l) witch

Page 354

4. a) summer b) winter c) summer d) winter e) spring f) spring g) fall h) fall i) winter j) summer k) summer l) spring

Test

Page 355

1. a) Valentine's Day b) Halloween c) Christmas d) birthday e) Halloween f) Valentine's Day
2. spring, summer, fall, winter
3. a) Tuesday b) Sunday c) Wednesday d) Thursday e) Monday f) Friday g) Saturday
4. a) November b) February c) March d) September

Exercices

Page 356

1. a) Friday b) Monday c) Monday d) Wednesday

Page 357

2. January, February, March, April, May, June, July, August, September, October, November, December.

Page 358

3. a) 8 b) 7 c) 6 d) 3 e) 4 f) 5 g) 9 h) 10 i) 2 j) 12 k) 1 l) 11

Numbers, Telling Time and Money

Test

Lire l'heure en anglais

Il faut bien connaître les nombres de 1 à 30 pour être en mesure de lire l'heure en anglais. En français, on utilise un système basé sur 24 heures.
Exemple : Il est 21 h.
En anglais, on fonctionne sur 12 heures. On utilise donc a.m. et p.m. pour différencier 21 h de 9 h.
Exemples : It's nine o'clock p.m. It's nine o'clock a.m.
Il faut toujours mettre les minutes en premier.
Exemples : It's twenty past nine. (vingt minutes passées neuf heures)
It's ten to nine. (dix minutes avant neuf heures)
Il faut aussi connaître la différence entre past et to.
Past : passé l'heure.
Exemple: It's twenty past nine. (vingt minutes passées neuf heures)
To : Il reste xx minutes avant l'heure.
Exemple : It's ten to nine. (Dix minutes avant neuf heures, il est donc neuf heures moins dix minutes.)
Pour dire l'heure pile : It's nine o'clock.
Pour dire le quart d'heure : It's a quarter past nine. It's a quarter to nine. (un quart d'heure passé 9 h et un quart d'heure avant 9 h)
Pour dire la demie de l'heure : It's half past nine. Il est une demi-heure après 9 h.)

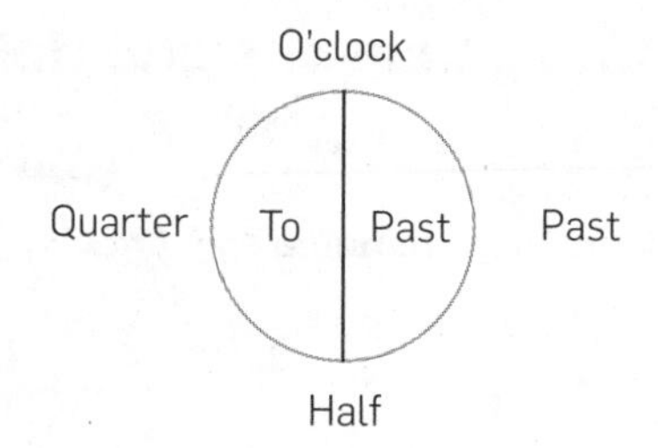

Page 359

1. a) 70 b) 7 c) 19 d) 50 e) 17 f) 34 g) 63 h) 14
2. a) b) c) d)

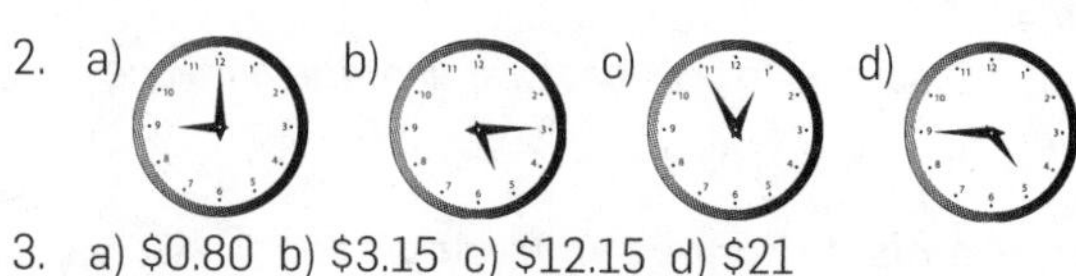

3. a) $0.80 b) $3.15 c) $12.15 d) $21

Exercices

Page 360

1.

11 eleven	6 six	25 twenty-five	34 thirty-four	18 eighteen	35 thirty-five	13 thirteen
30 thirty	40 forty	37 thirty-seven	7 seven	50 fifty	24 twenty-four	39 thirty-nine
5 five	19 nineteen	26 twenty-six	70 seventy	36 thirty-six	3 three	80 eighty
55 fifty-five	15 fifteen	67 sixty-seven	2 two	28 twenty-eight	71 seventy-one	8 eight
9 nine	21 twenty-one	31 thirty-one	60 sixty	12 twelve	20 twenty	26 twenty-six
29 twenty-nine	33 thirty-three	1 one	27 twenty-seven	38 thirty-eight	10 ten	16 sixteen
14 fourteen	100 one hundred	17 seventeen	22 twenty-two	90 ninety	4 four	32 thirty-two

Page 361

2. a) It's ten o'clock. b) It's eleven thirty. c) It's a quarter past nine. d) It's three o'clock. e) It's four thirty. f) It's a quarter past two. g) It's noon (twelve o'clock). h) It's eight o'clock. i) It's five o'clock. j) It's six o'clock.

Page 362

3. a) 1 nickel and 1 dime b) 1 one-dollar coin and 1 two-dollar coin c) 1 five-dollar bill, 1 ten-dollar bill and 1 twenty-dollar bill d) 2 nickels, 2 dimes and 2 one-dollar coins e) 1 fifty-dollar bill and 2 one hundred-dollar bills f) 1 one-dollar coin, 1 five-dollar bill and 1 quarter g) 1 dime, 3 one-dollar coins and 4 quarters h) 3 ten-dollar bills, 1 twenty-dollar bill and 1 fifty-dollar bill i) 1 one-dollar coin or loonie j) 1 two-dollar coin or toonie

Test

Page 363

1. a) b) c) d) e) f) g) h) i)

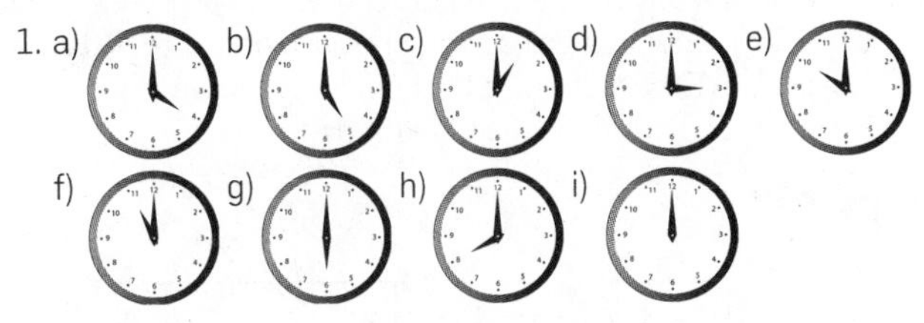

2. a) $30 b) $4 c) $1.40 d) $29 e) $50
3. a) fifty-two b) fifteen c) eleven d) seven e) twenty-two f) seventy-eight g) sixty-six h) one hundred i) ninety-two j) thirty-seven

Exercices

Page 364

1. a) Total: $14.50 Benjamin b) $11.35 Annabelle c) $13.25 Zoe d) $12.25 Anthony

Page 365

2.

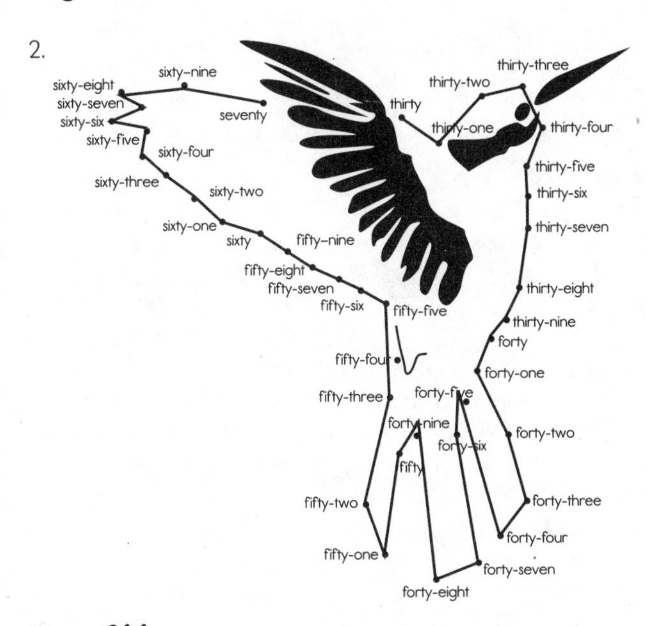

Page 366

3. a) It's a quarter past ten. b) It's nine thirty. c) It's two o'clock. d) It's five to seven. e) It's a quarter to four. f) It's twenty past one. g) It's twenty to six. h) It's a quarter to eight.
4. a) It's twenty past noon (or twelve or midnight). b) It's five past six. c) It's ten to four. d) It's ten thirty. e) It's twenty-five to ten.

Prepositions

Test

Prepositions of time

Préposition	Utilisation	Exemple
At	Pour indiquer quand quelque chose est arrivé.	I will meet you in front of the arena **at** noon.
On	Pour donner une date précise.	**On** August 13, 1995, my parents got married.
Through	Pour expliquer quelque chose du début à la fin.	My friend Laura helped me get **through** my breakup.
During	Pour expliquer quelque chose qui est arrivé lors d'une période bien précise.	**During** my math class, the guy next to me fell asleep!
In	Pour donner un mois, une année, une décennie, un siècle, un millénaire.	**In** 2010, my sister had a cute baby girl.
While	Pour expliquer quelque chose qui arrive au même moment que quelque chose d'autre.	**While** I was in class, my best friend kept texting me.
For	Pour expliquer la durée d'une action.	**For** the rest of the day, I will relax.
Until	Pour expliquer la situation juste avant la résolution d'une situation.	**Until** I met with my doctor, I was so nervous.
Since	Pour donner la durée.	I have known Mark **since** elementary school.

Prepositions of place and direction

Préposition	Exemple
On	I can't believe I left my lip gloss **on** the kitchen table.
At	Mirko asked me if I would be **at** the party.
From	Sophia comes **from** Sicily.
Between	Rose is sitting **between** two fishermen.
Right	Dicey wears a bracelet on her **right** wrist.
Left	Maybeth wears the ring her mother gave her on her **left** hand.

To	We drove all the way **to** Toronto last night.
Above	The bird is right **above** your head.
Across	There is such a cute girl sitting **across** from me in science class!
After	The number 5 comes **after** the number 4.
Around	All **around** the table, there were pretty rose petals.
Down	It was so icy that I fell **down** on the ground.
Up	Matteo loves to be thrown **up** in the air by his father.
Near	Anytime Zach comes **near** me, I get so nervous!
Opposite	We sat at **opposite** sides of the table.
Below	**Below** this floor, there are even more floors for shopping.
Outside	You want to go talk **outside**?
Inside	Let's go **inside**. I am freezing!
Beside	May sat **beside** the football player on the bus.
Next to	The snowball was thrown right **next to** my head.

Autres prépositions

Préposition	Exemple
Without	Samantha cannot live **without** seeing her best friends for more than a day.
About	The magazine I bought is **about** fashion.
Against	Our school's football team is playing **against** the best team in the division.
But	I did all my homework **but** this complicated math problem.
By	The painting was done **by** a local artist.
Except	I like everything about her **except** her gum-chewing habit.
Versus	I am watching the Junior Hockey Championships: Canada **versus** Russia. Go, team!

Page *367*

1. a) south b) north c) west d) east
2. a) entre b) dans c) en haut d) à gauche e) sous f) en bas g) à droite h) sur
3. a) in b) between c) to the left of d) under e) on f) to the right of

Exercices

Page *368*

1. a) Escargot sur la table. b) Escargot sous l'arbre. c) Escargot dans la baignoire. d) Escargot à côté de la théière. e) Escargot entre le chien et le garçon. f) Escargot à droite de l'hippopotame.

Page *369*

2.

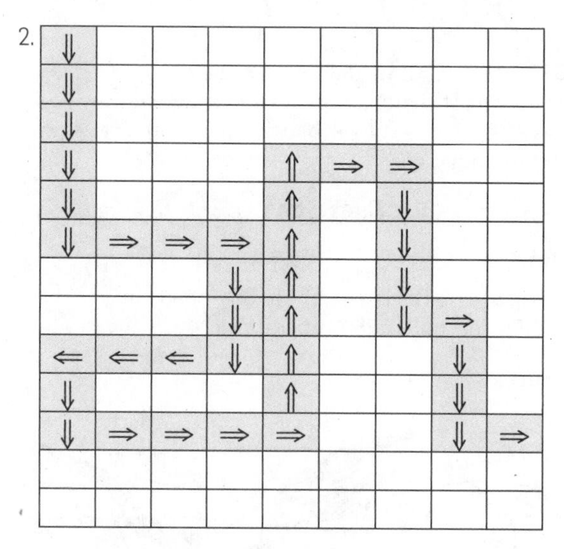

Page 370

3.

4. a) Il faut dessiner un arbre. b) Il faut dessiner deux pommes dans l'arbre. c) Il faut dessiner quatre pommes sous l'arbre. d) Il faut dessiner une fille à droite de l'arbre. e) Il faut dessiner une fleur à gauche de l'arbre.

Test

Page *371*

1.

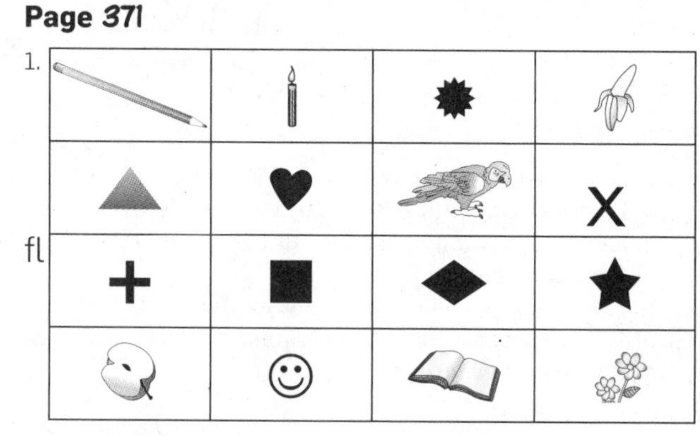

Page *372*

1. a) to the right of b) on c) in d) to the left of e) under f) between g) in h) in front of

Test

Page *373*

2.

Exercices

Page *374*

3. a) It moves 5 squares down. b) It moves 2 squares to the right. c) It moves 3 squares up. d) It moves 4 squares to the right. e) It moves 6 squares down. f) It moves 4 squares to the left. g) It moves 4 squares down. h) It moves 2 squares to the right. i) It moves 2 squares up. j) It moves 4 squares to the right. k) It moves 2 squares down.

Animals

Test

Le nom de quelques animaux en français :

bat: chauve-souris
bear: ours
beaver: castor
bee: abeille
butterfly: papillon
camel: chameau
cat: chat
chameleon: caméléon
clown fish: poisson-clown
cow: vache
crocodile: crocodile
dinosaur: dinosaure
dog: chien
dolphin: dauphin
dragonfly: libellule
elephant: éléphant
fish: poisson
fly: mouche
frog: grenouille
giraffe: girafe
hen: poule
hippopotamus: hippopotame
lobster: homard
monkey: singe
mouse (mice au pluriel): souris
octopus: pieuvre
owl: hibou
pig: cochon
rabbit: lapin
sea horse: hippocampe
shark: requin
sheep: mouton
snake: serpent
squirrel: écureuil
tiger: tigre
turtle: tortue
whale: baleine
zebra: zèbre

Page *375*

1. a) crab b) dolphin c) dog d) horse e) cat f) lion g) giraffe h) zebra i) dinosaur j) ant k) fox l) squirrel m) kangaroo n) bear o) lizard

Exercices

Page *376*

1. a) green; eagle b) red; whale c) red; bison d) blue; ladybug e) blue; fly f) green; owl g) blue; bee h) red; beaver i) green; raven j) red; deer k) blue; ant l) green; great horned owl

Page *377*

2. I eat plants: cow, deer, horse, zebra, moose, giraffe. I eat other animals: fox, tiger, wolf, lion, cheetah, cougar. I eat insects: frog, bat, hedgehog, mole, salamander.

Page *378*

3. a) 3 b) 6 c) 4 d) 8 e) 9 f) 5 g) 1 h) 7 i) 10 j) 11 k) 2

Test

Page *379*

1. a) dog b) cat c) hen d) sheep e) cow f) giraffe g) elephant h) lion i) monkey j) eagle k) bird l) dinosaur m) snake n) frog o) beaver

Exercices

Page *380*

1. a) swan b) duck c) goose d) snake e) turtle f) worm g) ostrich h) kangaroo i) rabbit j) tiger k) whale l) penguin m) llama n) seal o) rat

Page 381

2.

			B						C				
R	A	V	E	N					O				
			A						W	H	A	L	E
	D		V									I	
	O		E				D					O	
	G	I	R	A	F	F	E		S	K	U	N	K
							E		H				
		F			H	O	R	S	E				
	M	O	O	S	E				E				
		X			N				P	I	G		

Page 382

3. a) wing b) beak c) eye d) antler e) hoof f) fin g) claw h) paw i) ear j) nose k) snout l) trunk m) mane n) wool o) tail

The Body and Clothing

Test

Le nom de quelques parties du corps en français :
arm: bras
ear: oreille
eye: oeil
eyes: yeux
feet: pieds
foot: pied
hand: main
head: tête
leg: jambe
mouth: bouche
neck: cou
nose: nez

Le nom de quelques vêtements en français :
Apron: tablier
Belt: ceinture
Boot: botte
Cap: casquette
Coat: manteau
Dress: robe
Glasses: lunettes
Glove: gant
Hat: chapeau
Jacket: veston
Mitten: mitaine
Nightgown: robe de nuit
Pants: pantalon
Purse: sac à main
Pyjamas: pyjama
Raincoat: imperméable
Running shoes: espadrille
Sandal: sandale
Scarf: écharpe
Shirt: chemise
Shoes: chaussures
Skirt: jupe
Slipper: pantoufle
Socks: chaussettes
Tie: cravate
Toque: tuque
Underwear: sous-vêtement
Winter coat: manteau d'hiver

Page 383

1. a) mouth b) tongue c) tooth d) leg e) hand f) nose
2. a) toque b) dress c) skirt d) pants e) slippers f) mitten

Exercices

Page 384

1.

shoulder
neck
hair
nose
navel
knee
eye
foot
eyebrow
finger
elbow
toe
mouth
ankle
arm

Page 385

2. 1. scarf 2. skirt 3. socks 4. bathing suit 5. dress 6. pyjamas 7. toque 8. blouse 9. sandals 10. pants 11. boots 12. coat 13. hat 14. shirt 15. shoes 16. slippers 17. mittens 18. cap 19. gloves 20. underwear 21. jeans

Page 386

3. a) feet b) hands c) head d) legs e) torso f) feet g) head h) hands

Test

Page 387

1. a) coat b) raincoat c) pants d) jacket e) apron f) mitten g) skirt h) toque
2. a) hair b) ear c) toes d) tooth e) foot f) mouth g) hand h) head i) eye j) nose k) leg l) arm

Exercices

Page 388

1. a) Bermuda shorts b) socks c) earmuffs d) T-shirt e) hat f) tie g) shorts h) scarf i) raincoat j) skirt k) glasses l) winter coat m) pants n) toque o) jacket p) pyjamas

Page 389

2. Secret word: clothesline

Page 390

3.

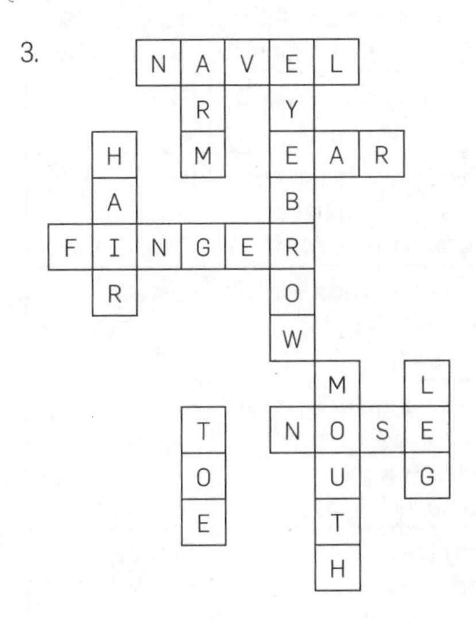

School

Test

Le nom des objets et des gens dans une classe ou une école en français :

blackboard: tableau noir
book: livre
chair: chaise
desk: pupitre
eraser: gomme à effacer
friends: amis
glue stick: bâton de colle
paper: papier
pen: stylo
pencil: crayon
ruler: règle
school bag: sac d'école
school bus: autobus scolaire
scissors: ciseaux
sharpener: taille-crayon
student: élève
teacher: enseignant(e)

Le nom des locaux dans une école en français :

bathroom: salle de bains
cafeteria: caféteria
classroom: classe
computer room: local d'informatique
gymnasium: gymnase
hallway: corridor

Page 391

1. a) scissors b) backpack c) blackboard d) triangle e) eraser f) protractor g) ruler h) sharpener i) paperclip j) glue k) pencil case l) pen **Exercices**

Page 392

1. a) 9 b) 8 c) 5 d) 3 e) 2 f) 4 g) 1 h) 6 i) 7

Page 393

2. a) 3 b) 6 c) 7 d) 10 e) 8 f) 4 g) 9 h) 2 i) 5

Page 394

3. a) book b) clock c) wastebasket d) blackboard e) binder f) computer g) chair h) bookcase i) lunch box j) calculator k) pencil l) calendar

Test

Page 395

1. a) pencil case b) pen c) blackboard d) paperclip e) sharpener f) protractor
2. a) 6 b) 4 c) 1 d) 8 e) 7 f) 2 g) 5 h) 3

Exercices

Page 396

1.

2. a) 4 b) 5 c) 2 d) 1 e) 3 f) 9 g) 6 h) 10 i) 8 j) 7

Page 397

3.

principal's office	computer lab	boy's washroom	~~barn~~
art room	~~cow~~	~~dentist~~	English room
~~ambulance~~	pencil	blackboard	~~tiger~~
janitor	classroom	eraser	~~squirrel~~
student	~~lamb~~	~~wave~~	gymnasium
book	~~restaurant~~	chalk	~~lion~~

4. a) 3 b) 1 c) 5 d) 8 e) 7 f) 6 g) 4 h) 2

Page 398

5. Schools

Family, Jobs and Feelings

Test

Le nom des membres de la famille en français :
aunt: tante
brother: frère
cousin: cousin(e)
daughter: fille
father: père
grandfather: grand-père
grandmother: grand-mère
mother: mère
sister: sœur
son: fils
uncle: oncle

Quelques noms d'emplois en français :
baker: boulanger
banker: banquier
beekeeper: apiculteur
bus driver: chauffeur d'autobus
butcher: boucher
caterer: traiteur
cook: cuisinier
dentist: dentiste
doctor: médecin
firefighter: pompier
hairdresser: coiffeur
hat-maker: chapelier
lawyer: avocat
letter carrier: facteur
lumberjack: bûcheron
mechanic: mécanicien
movie director: réalisateur
newspaper carrier: camelot
nurse: infirmier
painter: peintre
police officier: policier
school crossing guard: brigadier
shoemaker: cordonnier
singer: chanteur
teacher: enseignant
waiter: serveur

Il est très important de pouvoir exprimer comment on se sent, surtout quand on parle une langue qui n'est pas notre langue maternelle. Bien entendu, cette liste est limitée mais elle couvre beaucoup d'émotions.

Sentiment	Exemple	Traduction
Happy	Alex was very **happy** when his dad bought him a new cell phone!	content
Sad	This song is too **sad**, it makes me cry.	triste
Mad	When Suzie found out that Julie lied to her, she was really **mad**.	fâché
Nervous	Jim is **nervous**. He did not study for his English test.	nerveux
Sick	After eating at that fast food place, Kristian feels **sick** to his stomach.	malade
Annoyed	Judy was a bit **annoyed** when her neighbour decided to mow his lawn very early Saturday morning.	ennuyé
Excited	We are leaving for Cuba in three hours. I am so **excited**!	excité
Confused	First, you tell me you love Zach. Now, it's Justin. I am **confused**!	confus
Ecstatic	When Nancy found out her sister bought her tickets to see Lady Zaza, she was **ecstatic**!	extatique
Indifferent	Dana is **indifferent**. She could go see a movie or rent one. She does not care.	indifférent
Hurt	I was **hurt** that you did not invite me. I will never forgive you.	blessé
Confident	Nick is very **confident** that he will get his scooter license.	confiant

Surprised	We organized a secret party for our mother. She was very **surprised**!	surpris
Disappointed	Our teacher was very **disappointed** when she found out that some students cheated on the test.	déçu
Bored	I have nothing to do. I am so **bored**!	lassé

Page 399

1. a) brother b) aunt c) uncle d) cousin e) grandmother f) aunt g) grandfather h) sister i) mother
2. a) 4 b) 2 c) 6 d) 5 e) 1 f) 3
3. a) librarian b) dog breeder c) cowboy

Exercices

Page 400

1. a) 4 b) 3 c) 8 d) 1 e) 9 f) 5 g) 2 h) 7 i) 6

Page 401

2. Answers will vary.

Page 402

3. Answers will vary.
4. Answers will vary.

Test

Page 403

1. a) veterinarian b) teacher c) firefighter d) farmer e) construction worker f) mover
2. My <u>parents</u> first met at my <u>father</u>'s <u>cousin</u>'s wedding. They got married one year later. My <u>brother</u> and <u>sister</u> were born two years later. They are <u>twins</u>. My <u>uncle</u> Martin is my <u>godfather</u> and my <u>aunt</u> Carol is my <u>godmother</u>. My <u>grandfather</u> Joe and my <u>grandmother</u> Marianne are my <u>mother</u>'s <u>parents</u>. My <u>grandpa</u> Hank and my <u>grandma</u> Rita are my <u>father</u>'s <u>parents</u>.
3. a) sad b) surprised c) excited d) good e) angry f) sorry g) happy h) afraid i) shy j) bad k) proud l) nervous

Exercices

Page 404

1. a) shoemaker b) doctor c) letter carrier d) lumberjack e) hairdresser f) dressmaker g) cook h) dentist i) waiter j) bus driver k) Santa Claus l) caterer

Page 405

2. Start

happy	excited	angry	embarrassed	plate	eraser	spring
blue	radio	dentist	disappointed	fork	picture	ham
name	hour	finger	guilty	apple	work	ruler
square	glue	arm	sad	leave	meal	read
pencil	paper	mother	sorry	door	soccer	write
window	flower	book	proud	floor	ball	number
phone	six	talk	nervous	afraid	good	surprised

Finish

3.

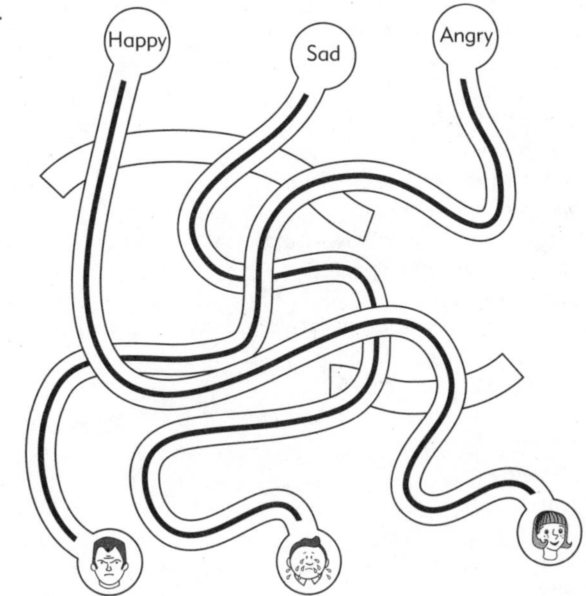

Page 406

4. a) My father is a magician. b) My grandmother is knitting a scarf. c) My mother says goodnight to my brother. d) My brother is reading a book. e) My aunt is a dancer. f) My sister is eating an apple. g) My cousin is eating cotton candy. h) My uncle is a mechanic. i) My grandfather is telling a story.

The House, Buildings and Transportation

Test

Les pièces dans la maison en français :

bathroom: salle de bains
bedroom: chambre à coucher
dining room: salle à manger
kitchen: cuisine
living room: salon

Objets dans la maison en français :

bath: bain ou baignoire (l'objet)
bed: lit
chair: chaise
couch: canapé
dishwasher: lave-vaisselle
dryer: sécheuse

hair dryer: séchoir
lamp: lampe
oven: four
refrigerator: réfrigérateur
table: table
washer: machine à laver

Les moyens de transport en français :
Airplane: avion
Ambulance: ambulance
Bicycle: bicyclette
Boat: bateau
Bus: autobus
Canoe: canot
Car: auto
Ferry: traversier
Fire truck: camion de pompier
Helicopter: hélicoptère
Horse-drawn carriage: voiture à cheval
Hot-air balloon: montgolfière
Kayak: kayak
Motorcycle: motocyclette
Pedal boat: pédalo
Race car: voiture de course
Recreational vehicle: véhicule récréatif
Rocket: fusée
Rowboat: chaloupe
Scooter: trottinette
Snowmobile: motoneige
Space shuttle: navette spatiale
Spaceship: vaisseau spatial
Speed boat: hors-bord
Submarine: sous-marin
Subway: métro
SUV: VUS (véhicule utilitaire sport)
Truck: camion
Unicycle: unicycle

Quelques noms d'édifices :
Bank: banque
Gas station: station-service
Library: bibliothèque
Book store: librairie
Castle: château
Grocery store: épicerie
Farm: ferme
Beauty salon: salon de beauté
Florist: fleuriste
Church: église
Windmill: moulin à vent
Lighthouse: phare

Page 407

1. a) bank b) gas station c) bookstore d) airplane e) helicopter f) ship
2. a) living room b) kitchen c) bedroom d) bathroom e) kitchen f) bedroom
3. a) 3 b) 4 c) 2 d) 1

Exercices

Page 408

1. a) truck b) canoe c) rocket d) airplane e) helicopter f) submarine g) bus h) ferry i) bicycle j) hot-air balloon k) train l) motorcycle

Page 409

2. a) beauty salon b) hotel c) florist d) video store e) castle f) grocery store g) restaurant h) bank i) library j) gas station k) farm l) movie theatre

Page 410

3. a) bed b) desk c) dresser d) bookcase e) alarm clock f) armchair g) dryer h) table i) chest j) buffet k) clock j) iron

Test

Page 411

1. a) church b) restaurant c) grocery store d) truck e) canoe f) rocket g) unicycle h) Jeep i) space shuttle
2. a) kitchen b) bedroom c) bedroom d) bathroom e) living room f) bathroom

Exercices

Page 412

1. In the Air: helicopter, airplane, space shuttle. On the Road: bus, unicycle, motorcycle. On the Water: ferry, kayak, rowboat.
2. Non-Polluting: bicycle, subway, horse-and-buggy. Polluting: sport utility vehicle (SUV), minivan, truck.

Page 413

3. a) 4 b) 12 c) 2 d) 8 e) 11 f) 5 g) 10 h) 13 i) 6 j) 3 k) 14 l) 9 m) 1 n) 15 o) 7

Page 414

4. a) kitchen b) bathroom c) bathroom d) bedroom e) living room f) bathroom g) living room h) kitchen

Food

Test

Le nom de quelques aliments en français :
apple: pomme
apricot: abricot
avocado: avocat
banana: banane
blueberry: bleuet
bread: pain
broccoli: brocoli
cabbage: chou
cake: gâteau
candy: bonbon
cantaloupe: cantaloup
carrot: carotte

celery: céleri
cheese: fromage
cherry: cerise
chicken: poulet
corn: maïs
donut: beigne
egg: oeuf
ham: jambon
kiwi: kiwi
lemon: citron
lollipop: sucette
orange: orange
peanut: arachide
pear: poire
pepper: poivron
pie: tarte
pizza: pizza
potato: pomme de terre
pumpkin: citrouille
raddish: radis
raspberry: framboise
rice: riz
strawberry: fraise
watermelon : melon d'eau (pastèque)

Page 415

1. a) rice b) coffee c) ice cream d) cheese e) ham f) bread g) pizza h) chicken i) pie j) eggs k) sandwich l) cake m) chair n) coffee machine o) dishwasher

Exercices

Page 416

1. Fruits: apple, banana, cherry, grape, lemon, orange. Vegetables: asparagus, broccoli, cabbage, carrot, pepper, potato. Grains and Cereals: bagel, bread, cereal, couscous, macaroni, rice. Meat and Substitutes: nuts, beans, beef, chicken, fish, ham. Dairy: cheese, goat's milk, milk, pudding (with milk), soy milk, yogurt. Others: candy, cotton candy, chips, chocolate, lollipop, oil.

Page 417

2. a) 3 b) 9 c) 6 d) 8 e) 11 f) 10 g) 1 h) 12 i) 5 j) 7 k) 2 l) 4

Page 418

3. a) fruit b) vegetable c) fruit d) vegetable e) fruit f) fruit g) vegetable h) vegetable i) vegetable j) fruit k) fruit l) fruit or vegetable m) fruit n) fruit o) fruit

Test

Page 419

1. a) ham b) nuts c) potato d) chicken e) sausage f) pineapple g) banana h) blueberry i) kiwi j) pear k) tomato l) broccoli m) faucet n) table o) toaster

Exercices

Page 420

1. a) knife b) carrot c) candy d) egg e) bread f) apple g) chicken h) cup i) fork j) plate k) broccoli l) refrigerator m) glass n) sugar o) oven

Page 421

2. a) banana, fruit b) broccoli, vegetable c) carrot, vegetable d) celery, vegetable e) cereal, grain f) cabbage, vegetable g) green beans, vegetable h) raspberry, fruit i) cheese, milk product j) milk, milk product k) cantaloupe, fruit l) noodles, grain m) bread, grain n) pear, fruit o) apple, fruit

Page 422

3. Yellow: a, b, d, g, i, j, l, o, p, q, r, s
   Green: c, e, f, h, k, m, n